APOCALYPSES ET VOYAGES DANS L'AU-DELÀ

CLAUDE KAPPLER
et collaborateurs

APOCALYPSES
ET VOYAGES
DANS
L'AU-DELÀ

LES ÉDITIONS DU CERF
29, bd Latour-Maubourg, Paris
1987

© *Les Éditions du Cerf*, 1987
ISBN 2-204-02701-4
ISSN 0768-2980

Note liminaire et remerciements

Les chercheurs qui ont contribué à ce livre ne sont pas une équipe constituée : ils ont été rassemblés pour ce livre, autour d'une idée et pour un objectif intellectuel commun.

Les propos tenus dans les diverses contributions n'engagent que leurs auteurs ; de même, les opinions soutenues dans l'Introduction générale n'engagent que leur auteur.

Les introductions préliminaires à chaque partie offrent un point de vue sur le contenu de chaque contribution et, surtout, sur les aspects qui s'agencent mutuellement, d'une contribution à l'autre, pour manifester l'unité du livre. Elles sont à la fois « reflet » et sélection à des fins de synthèse.

Il me faut remercier ici les personnes qui ont participé le plus activement à la constitution de ce livre : Madeleine Scopello qui a apporté l'idée de faire un livre sur les apocalypses de l'Antiquité tardive, Javier Teixidor qui a aidé à rassembler les chercheurs autour d'une idée qu'il a contribué à élargir et René Kappler qui m'a apporté son concours efficace.

Je suis reconnaissante à Pierre Geoltrain et à son équipe de l'École Pratique des Hautes Études (Ve section) de m'avoir fait partager des recherches et des réflexions dont le dynamisme et l'ouverture m'ont stimulée.

Que Charles Piétri, directeur de l'École française de Rome, veuille bien accepter ma gratitude car il a accru ma sensibilité envers l'Antiquité tardive dont il est fin connaisseur.

Remercions également ceux qui avaient offert leur collaboration et n'ont pu aller jusqu'au bout pour diverses raisons : Jean Doresse, Jean-Marie Durand, Clarisse Herrenschmidt, Valentin Nikiprowetski.

Rendons hommage à Jacques Vernant, qui avait pris à cœur notre entreprise et ne pourra voir paraître le livre auquel il a contribué.

Je remercie, pour ma part, tous les contributeurs qui m'ont apporté leur confiance et qui se sont passionnés pour notre objectif commun.

Claude KAPPLER

LES AUTEURS

Claude BÉRARD, professeur d'archéologie grecque classique à l'université de Lausanne.

Jean BOTTÉRO, directeur d'études à l'École Pratique des Hautes Études, IVᵉ section, Sciences historiques et philosophiques, Paris.

Hermann BRAET, professeur de littérature médiévale aux universités de Louvain et d'Anvers.

Franco CARDINI, professeur d'histoire médiévale à l'université de Florence.

Franco FERRAROTTI, professeur de sociologie à l'université de Rome.

Florentino GARCÍA-MARTÍNEZ, maître de recherches à l'Institut de Qumrân de l'université de Groningen.

Philippe GIGNOUX, directeur d'études à l'École Pratique des Hautes Études, Vᵉ section, Sciences religieuses, Paris.

Claude KAPPLER, chercheur, assistante à l'université de Bâle, Romanisches Seminar.

Angelo M. PIEMONTESE, professeur à l'université de Rome, Institut d'études islamiques.

Antonio PIÑERO-SAÉNZ, professeur à l'Université Complutensis de Madrid, département de philologie néotestamentaire.

Étienne RENAUD, Pontificio Istituto di Studi Arabi ed Islamici, Rome.

Sergio RIBICHINI, chercheur au CNR, Istituto per la Civiltà Fenicia e Punica, Rome.

Madeleine SCOPELLO, chercheur, École Pratique des Hautes Études, Vᵉ section, Sciences religieuses, Paris.

Javier TEIXIDOR, directeur de Recherches au CNRS, Études sémitiques, Paris.

Jacques VERNANT, directeur d'études à l'École des Hautes Études en Sciences Sociales, Sociologie des relations internationales, Paris.

Paolo XELLA, chercheur au CNR, Istituto per la Civiltà Fenicia e Punica, Rome.

*

L'INDEX a été réalisé par Mme Marthe DUBOIS, professeur de philosophie, Paris.

Er Giorno de Giudizzio

Cuattro angioloni co le tromme in bocca
Se metteranno uno pe cantone
A ssonà : poi co ttanto de voscione
Cominceranno a ddí : « Ffora a cchi tocca. »

Allora vierà ssú una filastroccha
De schertri da la terra a ppecorone,
Pe rripijjà ffigura de perzone,
Come purcini attorno de la bioccha.

E sta bioccha sarà Ddio bbenedetto,
Che ne farà du' parte, bbianca, e nnera :
Una pe annà in cantina, una sur tetto.

All'urtimo, usscirà 'na sonajjera
D'angioli, e, ccome si ss'annassi a lletto,
Smorzeranno li lumi, e bbona sera.

Giuseppe Gioachino BELLI,
25 novembre 1831.

(*I Sonetti*, n° 273, éd. Mondadori², 1958.)

Le Jour du Jugement

Quatre gros anges, trompette en bouche,
Se mettront, chacun dans un coin,
A sonner : puis, d'une sacrée grosse voix,
Commenceront à dire : « Dehors, à qui le tour ! »

Alors, s'élèvera de terre une kyrielle
De squelettes, rampant à quatre pattes,
Pour reprendre figure d'hommes,
Comme poussins autour de la poule.

Et cette poule, ce sera le Bon Dieu
Qui fera deux séries, la noire et la blanche :
l'une pour aller à la cave, l'autre sur le toit.

A la fin, sortira, vrombissant, un essaim
D'anges et, comme s'ils allaient au lit,
Baisseront la lumière et « buona sera ! »

Giuseppe Gioachino BELLI,
25 novembre 1831.

(*I Sonetti,* éd. Mondadori[2], 1958, n° 273, t. I, p. 404.)
Trad. C. K.

Nous ignorons évidemment ce qui nous est caché, et nous ne saurions oublier qu'écrire l'histoire, même en gardant la tête froide et en s'efforçant de rester aussi objectif que possible. c'est encore faire de la littérature, et que la troisième imension en est la fiction.

Hermann HESSE
Le Jeu des perles de verre

INTRODUCTION GÉNÉRALE

par

Claude KAPPLER

Ce livre est un livre construit. Ce n'est pas un recueil qui serait le fruit de rencontres de hasard ou d'un colloque. Il est construit sur :
— *Une période* : l'Antiquité tardive.
— *Des textes* : les révélations, dites apocalypses, liées à un voyage dans l'au-delà.
— *Une idée* : penser la culture du pourtour du bassin méditerranéen comme un ensemble à l'intérieur duquel les milieux spécifiques échangent constamment leurs motifs culturels, artistiques, religieux.
— *Un objectif*, lié à cette idée : montrer, par le rapprochement des textes, qu'il est nécessaire de réviser des positions qui prévalent aujourd'hui encore chez nombre d'historiens de l'Occident : la dichotomie Orient-Occident est, souvent, sans fondement, elle n'a pas la valeur heuristique qu'on lui prête implicitement.

Il est issu d'une collaboration de spécialistes de diverses disciplines, langues et cultures ; pour une grande part, des orientalistes. Il est délibérément hors des « écoles ». Il offre des textes dans des traductions originales accompagnées d'un commentaire et d'une présentation de l'ensemble auquel appartiennent ces textes. Il est divisé en parties qui sont reliées par des introductions propres à faciliter la lecture, mettre en relief les lignes de force de chaque partie, souligner leur rapport avec les idées maîtresses du livre.

Il veut tenir compte de ce que le sujet traité, apocalypses..., entre en résonance avec le présent.

Une période : l'Antiquité tardive

La notion d'apocalypse, telle qu'on la connaît le plus généralement au XXᵉ siècle, est liée à l'Apocalypse canonique de Jean et à ses résurgences médiévales : l'an mille, les mouvements apocalyptiques de la fin du Moyen Âge. Or il existe un grand ensemble, fort hétérogène, de textes nommés « apocalypses », qui s'est épanoui dans une époque plus ancienne : la fin de l'Antiquité, grosso modo, du IIᵉ siècle au Vᵉ siècle de notre ère.

Les apocalypses de cette époque constituent le « chaînon manquant » par rapport aux apocalypses plus anciennes connues des spécialistes, en particulier des biblistes, et aux textes apocalyptiques médiévaux ou plus modernes qui sont, à bien des égards, répétition et continuation.

Les textes nous ont été transmis par des manuscrits du Vᵉ au IXᵉ siècle, mais ils remontent souvent à une période bien plus ancienne (par exemple, pour les textes coptes, aux deux premiers siècles de notre ère). Ils sont issus des grands courants de pensée de la fin de l'Antiquité : judaïsme, christianisme, religions iraniennes, « paganismes »... D'un esprit syncrétiste, ils conjuguent les notions de la philosophie hellénistique, des religions orientales et à mystères, de la littérature magique d'Égypte, de la Gnose.

Les auteurs de ces textes ne visaient pas la révélation d'une philosophie d'avant-garde réservée à des cénacles de spécialistes : ils voulaient transmettre à un public moyennement cultivé des « adaptations » ou remaniements compréhensibles par le grand nombre et d'un caractère séduisant, imagé, frappant.

Des textes : les révélations dites apocalypses...

Leur contenu :
— Des descriptions d'ascension au ciel : révélation des mystères des sphères célestes à des initiés (un prophète, un apôtre, la Vierge...).
— Des descentes aux enfers : description des tourments des pécheurs.
— Des visions de la fin des temps.
— Des visions sur les origines des temps, origines de l'univers, qui baignent dans le merveilleux et empruntent au fonds antique.

Dévoilement du monde et voyages dans l'au-delà

Les visions de la fin des temps n'apparaissent pas systématiquement : elles ne sont que l'un des ingrédients possibles d'une apocalypse.

Les textes que nous avons choisi d'exposer ici sont, pour beaucoup d'entre eux, des révélations liées à un voyage dans l'au-delà : cela s'est trouvé ainsi pour diverses raisons. D'abord, parce que ce type de texte est très fréquent. Je n'ose dire que c'est « le plus fréquent », car il appartient à un corpus très vaste qui n'a pas encore été exploré systématiquement : il est prématuré de faire des « statistiques » et imprudent de spéculer sur l'idée qu'on s'en fait. Ensuite, parce que les apocalypses de type « cosmique », sans référence obligée à la fin des temps, sont moins connues à l'heure actuelle. Enfin, parce qu'elles nous renvoient au sens premier du mot *apocalypse* « dévoilement » : sens qui n'épuise pas toutes les ressources du mot mais qui est au moins « nécessaire et suffisant ».

Le « dévoilement du monde », qui est l'objectif principal de nos textes, nous a, de plus, séduits par son caractère merveilleux et par les possibilités qu'il offrait de donner au sujet une perspective vaste et éclairante. A partir de là, nous pouvions inscrire les textes dans un ensemble spatial et chronologique qui montre la cohérence du phénomène que nous voulions étudier : celui de la *transmission* et de la *diffusion* des motifs. C'est poser le problème essentiel des *contacts*, des *relations* qui se sont établies entre des cultures voisines et différentes, ou voisines et ressemblantes, cela sur une longue durée, dans le bassin méditerranéen.

Les apocalypses qui conjuguent « dévoilement du monde » et voyage dans l'au-delà nous sont apparues comme l'occasion privilégiée d'examiner cette question : quel type de *circulation* interculturelle se laisse deviner à travers les procédés d'imitation, les remaniements, les réélaborations, l'assimilation de nouvelles traditions ?

Et, s'il est difficile de répondre à cette question « quel *type* de circulation... », nous avons pensé que le bénéfice minimal de ce rapprochement de textes serait de montrer cette circulation, de montrer le phénomène, sinon de l'analyser dans toutes ses implications.

« *Donner à voir* », qui est le propre des apocalypses, est aussi l'intention première de ce livre.

Le discours sur les mots. Appel à la méthode

Ces textes, le lecteur va les découvrir et il pourra juger de leur extraordinaire variété. Ce n'est donc pas eux qu'il faut présenter dans les pages liminaires. En revanche, il n'est guère possible d'entrer dans le sujet sans passer sous les fourches caudines du vocabulaire dit « technique » qui lui est propre. Ce n'est pas sans tremblement qu'il faut écrire les termes « apocalypse », avec ou sans article, au singulier ou au pluriel, « apocalyptique », comme adjectif ou comme substantif, et les inévitables « eschatologie », « eschatologique ».

Le débat sur le sens qu'il convient de donner à ces termes et sur l'usage qu'il vaut mieux en faire, ou ne pas en faire, dure depuis des années. Loin d'être en voie de simplification aujourd'hui, il nous rend, plus que jamais, « *ratlos vor der Apokalyptik* » : cette expression heureuse fut inaugurée par Klaus Koch en 1970 pour décrire l'état des chercheurs : embarrassés, perplexes déconcertés..., voire désemparés (aveu qui parvient rarement à la surface en milieu dit scientifique) !

La terminologie « technique » est imprécise et pléthorique. La confusion générale s'accroît de ce que Français, Anglais, Allemands ont chacun des termes qui leur sont propres : ainsi, « *apocalypticism* » pour les Anglais, à qui il arrive de passer tel quel en français. Quand ces termes « passent » dans d'autres langues, ils subissent des glissements de sens, ils donnent lieu à des usages propres au domaine qui les accueille. La question n'est pas d'ordre purement linguistique bien entendu : il y a diverses « écoles », et les préférences intellectuelles, méthodologiques des unes et des autres contribuent à entretenir les écarts de sens sur des mots identiques.

Il me paraîtrait fort utile de faire le point sur ces questions de terminologie : mais cela serait, à soi seul, le sujet d'un ou de plusieurs volumes. Je ne peux qu'exposer les linéaments du problème.

L'ouvrage de Klaus Koch, évoqué plus haut, donne le ton [1]. Aujourd'hui, ce domaine n'est plus négligé, et les chercheurs

---

1. *Ratlos vor der Apokalyptik. Eine Streitschrift über ein vernachlässigtes Gebiet der Bibelwissenschaft und die schädlichen Auswirckungen auf Theologie und Philosophie* (Gütersloh, 1970) : « Perplexité devant l'Apocalyptique : un écrit polémique sur un domaine négligé des sciences de la Bible et sur les effets nuisibles qu'il opère sur la théologie et la philosophie ».

ont pris conscience des « effets nuisibles » dus au manque de précision dans la définition des mots et des phénomènes qu'ils désignent. Parmi les Français, Jean Carmignac est l'un de ceux qui a procédé le plus vigoureusement au dépistage des effets pervers et qui, dans un langage haut en couleur, a proposé les solutions les plus radicales. Dans les premières lignes d'une contribution prononcée devant une assemblée internationale de spécialistes, il déclare :

Si nous hésitons à parler d'Apocalyptique, c'est parce que nous voudrions savoir si elle est un genre littéraire ou bien un pudding théologique [il aurait pu ajouter : ou bien encore une potée sociologique !]. Et si l'on opte pour la théologie, quelle est la composition de ce pudding ? Voici les principaux ingrédients qu'il peut contenir : prophétie réelle, fausse prophétie, prophétie *ex eventu*, messianisme, promesse de prospérité ou de châtiment, promesse de salut politique ou spirituel, parousie, résurrection partielle ou générale, jugement dernier, fin du monde, rénovation du monde, création d'un nouveau monde, vie éternelle pour l'individu ou pour la collectivité, révélations sur Dieu, les anges et les hommes et, of course, eschatologie (dont il existe environ 200 espèces).

Introduisons tout de suite la précision utile à propos de « eschatologie » : dans un article incendiaire des *New Testament Studies*[2], Jean Carmignac fait l'historique de l'apparition et du développement de « eschatologie » :

L'eschatologie serait née en 1804 : son père serait Karl Gottlieb Bretschneider, et son accoucheur serait Johann Ambrosius Barth, éditeur à Leipzig.

Son milieu d'origine : la théologie protestante en Allemagne. Comme on sait, elle ne s'en tiendra pas là.

Selon l'article de Jean Carmignac, le mot lui-même pèche

---

2. Jean CARMIGNAC, in *New Testament Studies*, 17, 1971 (p. 365-390).

par les deux termes dont il est composé : -*logie*, qui donne la fausse impression de « science », et *eschato-*, qui « donne prise à de multiples confusions ». Le père du mot, Bretschneider, avertissait d'emblée que l'on n'était pas d'accord sur le nombre des « fins dernières ». Et de fait chacun a son idée sur le nombre et la nature des « fins dernières », chacun a *son* eschatologie, comme en témoigne un article de George B. Caird[3]. Cette mise au point sévère sur les usages abusifs du mot « eschatologie » n'est pas la seule en son genre et voilà incriminée « la notion équivoque d'eschatologie », « une notion aussi élastique que celle d'eschatologie[4] », « *that comfortable word eschatology*[5] » :

Cet « umbrella term » est responsable pour sa part de la logomachie et du verbiage qui sont en train de corrompre la pensée théologique[6].

L'affaire se complique du fait que certains ajoutent à leurs vices en confondant l'eschatologie et l'apocalyptique[7], confusion qui a été facilitée parce que « la notion d'eschatologie a pris son essor vers le milieu du siècle dernier à l'époque où l'on découvrait les principaux documents de l'apocalyptique juive[8] ». W.A. Whitehouse note, à propos d'un certain nombre de « *favourite words* », qu'ils reviennent interminablement, « *but with a peculiar sliding back and forward of sense which makes them rather "good words" or signs of an accepted point of view than useful symbols of communication*[9] ». Et Carmignac est d'un avis radical :

---

3. George B. CAIRD, « Les eschatologies du Nouveau Testament », in *Revue d'histoire et de philosophie religieuses*, 1969, 49e année, n° 3, p. 217-227.
4. J. CARMIGNAC, *loc. cit.*, p. 377.
5. *Ibid.*, p. 381.
6. *Ibid.*, p. 381.
7. *Ibid.*, p. 378.
8. *Ibid.*, note 3.
9. Cité *ibid.*, p. 382.

Ce terme qui correspond à une foule de notions diverses, obscures et imprécises, ne peut plus aujourd'hui servir qu'à empêcher le progrès de la science, en faisant perdre une énergie considérable en disputes stériles et en incompréhensions perpétuelles.

Aussi vaut-il mieux « bannir le plus possible [...] ce terme dégradé et dévalué, sans contenu stable et précis[10] ».

Car l'eschatologie ne possède aucune réalité. Ce n'est pas un concept élaboré à partir d'un objet, comme sont les concepts de création, de péché, de salut, de résurrection, etc. C'est un concept purement artificiel, substitué tardivement à celui de « fins dernières » pour désigner globalement un certain nombre d'événements concernant la fin de l'homme et la fin du monde[11].

Le procédé de Jean Carmignac — qui n'est pas isolé — est exemplaire en ceci qu'il ne se contente pas de dénoncer les « mirages » d'un terme passe-partout, il ne propose pas de redéfinition ou de colloque à des fins de mise au point : puisque le terme, dès le départ, est pernicieux, il propose de l'abandonner tout à fait et d'utiliser à sa place un mot plus concret, plus défini, un mot qui existe dans les textes de référence pour désigner les « fins dernières » (en l'occurrence, « Règne » ou « Royaume de Dieu »).

Toutefois, le terme d'« eschatologie » apparaîtra, de-ci de-là, dans notre volume : les opinions et les usages ne sont pas tous passés sous les foudres de Jean Carmignac. Et il n'est pas certain non plus que le remplacement de ce mot soit si aisé.

Avec les termes *apocalypse, apocalyptique, apocalyptisme*, l'opération de « nettoyage » est plus compliquée : cependant, elle est à faire ! On peut ajouter à la première une seconde triade, qui accompagne (avec un certain flottement) un

---

10. *Ibid.*, p. 382.
11. *Ibid.*, p. 384.

ensemble de textes qui ne figurent pas dans le corpus actuel des écrits canoniques de l'Ancien et du Nouveau Testament : *apocryphe, pseudépigraphe, intertestamentaire.* Encore faut-il ajouter tout de suite qu'on ne pourrait se contenter de les appeler simplement « non canoniques », car les canons varient selon les époques et selon les communautés religieuses, mais ceci n'est qu'une parenthèse, pour l'instant.

Parmi les travaux des chercheurs qui ont voulu faire le point sur les mots et les notions qui nous occupent, il en est un, déjà ancien, que l'on retrouve souvent cité dans les publications plus récentes : c'est celui de Freddy Raphaël[12]. Cet article affirme clairement une orientation réaliste : il analyse surtout des faits (les rapports que l'apocalypse entretient avec l'histoire), sans entrer dans une discussion terminologique mais en manifestant nettement sa propre position puisqu'il associe d'emblée apocalypse et millénarisme. Cette façon de procéder donne, semble-t-il, un produit qui résiste au temps et peut faire penser à ces lignes de Karl Popper[13] :

Ne jamais céder à la tentation de prendre au sérieux les problèmes concernant les mots et leurs significations. Ce qui doit être pris au sérieux, ce sont les questions qui concernent les faits, et les affirmations sur les faits : les théories et les hypothèses ; les problèmes qu'elles résolvent ; et les problèmes qu'elles soulèvent (p. 32).

Les seules fins intellectuelles valables sont : la formulation des problèmes, la proposition de théories aptes à les résoudre, et la discussion critique des théories concurrentes (p. 38).

On ne peut souscrire sans réserve à certaines formules de Popper qui récuse « l'idée d'une langue précise » (p. 40) et affirme : « Comme guide, la Recherche de la précision est analogue à celle de la certitude, et toutes deux devraient être

---

12. Freddy RAPHAËL, « Typologie de l'Apocalypse », in *L'Apocalyptique*, ouvrage collectif du Centre de recherches d'histoire des religions de l'université de Strasbourg, Paris, Geuthner, 1977.
13. Karl POPPER, *La Quête inachevée*, Calmann-Lévy, 1981.

abandonnées. » La recherche de la précision n'est pas analogue à celle de la certitude mais à celle du moindre mal ! L'illusion de la certitude n'est pas nécessairement liée à la recherche de la précision.

En rapprochant les prises de position poppériennes et l'article de Freddy Raphaël, qui ne tente pas de définir les mots mais énonce un certain nombre de *rapports* entre des *faits*, j'ai l'air de condamner le travail que je suis en train de faire..., car certains peuvent penser en me lisant que je cherche à définir des termes. Pour dissiper tout malentendu, je dois dire que, dans cet article, F. Raphaël se contente d'*une terminologie simple et limitée.*

Quoiqu'il utilise le mot « eschatologie » qu'on peut remettre en cause, celui-ci n'apparaît qu'incidemment et n'interfère jamais, dans l'exposé, avec les seuls termes clés, qui sont : l'apocalypse, le millénarisme (Raphaël associe ces deux mots et analyse des faits qui manifestent cette association), le discours apocalyptique. C'est donc avec une grande économie de mots et une perspective « plus proche du "réalisme" que du nominalisme[14] », que Raphaël réussit, sans entrer dans les discussions terminologiques, à élaborer un article qui continue à intéresser, ne serait-ce qu'à titre de référence, tous ceux qui essaient de faire un effort de précision. *La question est donc de méthode.*

Depuis plusieurs années, en effet, c'est la question de méthode qui est posée à travers le débat sur les mots. Des milliers de pages, des livres volumineux sont consacrés à éclaircir les notions et la terminologie en cause : parmi ceux-ci, l'un des plus riches est issu d'un colloque international qui s'est tenu à Uppsala du 12 au 17 août 1979[15]. C'est une fresque panora-

---

14. K. POPPER, *op. cit.*, p. 37.
15. David HELLHOLM, éditeur, chez J.-C.B. Mohr. *Apocalypticism in the Mediterranean world and the Near East*, 877 pages, Tübingen, 1983. Le sous-titre ajoute : « *In Antiquity with certain emphasis on the Jewish and Christian religions* ».

mique de haute qualité qui, toutefois, ne réussit pas à conjurer les méfaits de la pléthore et de la confusion terminologique. Ce n'est pas faute d'avoir pris conscience du problème : les contributeurs regardent presque tous la « logomachie » comme stérile et cherchent à se donner les moyens d'arriver à plus de rigueur.

Plusieurs d'entre eux sont parvenus à cette conclusion qu'il faut *éliminer les problèmes de langage au profit de l'étude du contenu*, ce qui est exactement la perspective de notre livre.

Voici ce que dit David Hellholm, éditeur de ce livre, dans son introduction :

Contrary to the Messina conference [Bianchi éd., 1967, XX-XXXII], *no agreement upon a definition of Apocalypticism could be reached during the conference. In spite of several attempts of a definition, there seemed to be a consensus that for the time being* « contra definitionem, pro descriptione » *(Assmann) would be the appropriate way to pursue investigations in the field of Apocalypticism. And yet one can see that most contributors have in one way or another reflected upon the question of definition in their contributions and even stipulated their own definitions as a starting point for their investigations. This state of affairs is, in fact, a clear indication of the necessity for an hermeneutic mediation between* inductive *and* deductive *methods also in the area of apocalyptic research* (p. 2).

Le plan du livre reflète une volonté de classement qui corresponde, dans les grandes lignes, aux divers « angles d'attaque ». La formulation des titres attribués à chaque partie, en trois langues (dans l'ordre : anglais, allemand, français), est peut-être symptomatique de la nécessité de conserver à chaque langue sa propre terminologie et ses propres nuances pour éviter les malentendus et les glissements de sens :

The phenomenon of Apocalypticism
Die Vorstellungswelt des Apokalyptik
Le phénomène de l'Apocalyptique

The literary genre of apocalypses
Die Literatur Gattung Apokalypse
Le genre littéraire des apocalypses

The sociology of Apocalypticism and the « Sitz im Leben »
of apocalypses
Die Soziologie der Apokalyptik und des Sitz im Leben
der Apokalypsen
La sociologie de l'Apocalyptique et le « *Sitz im Leben* »
des apocalypses

Il me semble que cette présentation trilingue avec, en outre, le maintien de « *Sitz im Leben* » dans la troisième partie donne une bonne image des précautions qu'il faut adopter dans la situation actuelle... ou des résolutions draconiennes qu'il faudra adopter pour en sortir !

Que le trilinguisme de ce volume ne fasse pas imaginer que les « apocalypticiens » sont seulement anglo-, germano- ou francophones. Dans chaque pays d'Europe, aux États-Unis, au Japon, des équipes sont au travail : l'un des premiers objectifs est d'éditer et de traduire un ensemble de textes dits « apocryphes », « pseudépigraphes » ou « intertestamentaires ».

Pour une mise au point efficace à propos d'« apocryphes », on se reportera à un article d'Éric Junod[16], théologien, membre d'une équipe franco-suisse qui s'est fixé pour but de publier dans la *Series Apocryphorum* (Brepols, Louvain) des éditions critiques et traductions de textes apocryphes. Dans cet article, les questions sont posées en termes clairs (« Comment définir et désigner aujourd'hui ce corpus d'apocryphes ? »), des éléments de réponse sont donnés et, surtout, le problème est examiné nettement, sans ambages. De surcroît, il recense et décrit « les instruments de travail qui permettent de réunir

---

16. Éric JUNOD, « Apocryphes du Nouveau Testament ou apocryphes chrétiens anciens ? », in *Études théologiques et religieuses*, n° 3, 1983, p. 409-421.

aisément une information récente ». Son auteur constate que
« les recueils parus ou en cours de publication [...] ont tous un
contenu différent ! De toute évidence, les contours du corpus
apocryphe sont flous » (p. 410) et que « les apocryphes, considérés de façon globale, constituent un ensemble tout à fait
hétéroclite tant sur le plan littéraire que sur le plan
théologique » (p. 414). On peut s'étonner, entre autres choses,
de ce que « nulle étude ne retrace l'histoire des significations
du mot "apocryphe" et des corpus littéraires ainsi désignés »
(p. 409). Une définition nous est proposée, mais avec la précaution d'un conditionnel :

> Voici donc la définition générale que nous proposerions des apocry-
> phes chrétiens : textes anonymes ou pseudépigraphes d'origine chré-
> tienne qui entretiennent un rapport avec les livres du Nouveau Testa-
> ment et aussi de l'Ancien Testament parce qu'ils sont consacrés à des
> événements racontés ou évoqués dans ces livres ou parce qu'ils sont
> consacrés à des événements qui se situent dans le prolongement d'évé-
> nements racontés ou évoqués dans ces livres, parce qu'ils sont centrés
> sur des personnages apparaissant dans ces livres, parce que leur genre
> littéraire s'apparente à ceux d'écrits bibliques (p. 412).

Des correctifs nous sont apportés aussitôt : d'abord, il n'est
pas nécessaire qu'un texte possède tous ces caractères pour être
considéré comme apocryphe. Ensuite, il est souvent bien difficile d'établir une distinction entre éléments juifs et éléments
chrétiens à l'intérieur d'un même apocryphe : ce qui, je
l'ajoute pour ma part, me paraît être d'un grand intérêt dans
la mesure où cela permet de relativiser les dogmatismes. L'un
des contributeurs du grand recueil de James H. Charlesworth,
dans un « *Foreword for Christians* », avoue que, lui, en tant
que lecteur et traducteur de ces textes, a bien du mal à savoir
s'il est « *an Old Testament Christian* » ou « *a New Testament
Jew* » — situation que je trouve féconde à bien des égards.

Une discussion du terme « pseudépigraphes » et des critères

de sélection occupe une bonne place dans « *Introduction for the general reader* », p. IX-XXXIV, du recueil de James H. Charlesworth[17].

Si l'on s'en tient à l'étymologie, « *writings falsely attributed to ideal figures featured in the Old Testament* » (ou dans le Nouveau), les choses paraissent simples. Mais en réalité, comme dans le cas des « apocryphes », on a affaire à un corpus composite et les critères d'identification ne sont pas donnés par le nom de baptême, « pseudépigraphes ».

Quant à *apocalypses* ?...

Un certain nombre de textes anciens, inclus ou non dans les canons actuels, portent aujourd'hui le nom d'*apocalypse*. Ce baptême, pour les plus nombreux d'entre eux, n'est pas originel, et nous ne savons pas toujours, tant s'en faut, quand il leur a été donné. Encore une fois, c'est un corpus hétérogène. Les textes peuvent avoir des contenus très divers, même s'ils présentent une gamme plus ou moins étendue de caractères communs : la partie centrale de notre volume en témoigne, je n'y insiste pas ici.

Les usages du terme sont variés : « l'Apocalypse » (souvent avec une majuscule) désigne couramment soit le texte de saint Jean qui sert de référence parce qu'il est le seul en son genre dans le Nouveau Testament, soit la catastrophe cosmique qui marque la fin de l'Histoire et ouvre la période du millenium avant l'instauration définitive du Royaume de Dieu, soit, en dehors du contexte religieux, la destruction totale de notre monde, suivie ou non de la restauration d'un âge d'or. Parce que le caractère de catastrophe cosmique est fortement illustré dans l'Apocalypse de Jean, l'habitude a été prise de considérer qu'il est indispensable et que, sans lui, il ne saurait y avoir

---

17. James H. CHARLESWORTH, éditeur, *The Old Testament Pseudepigrapha*, vol. I, *Apocalyptic Literature and Testaments*, Doubleday, Garden City, New York ; Darton, Longman & Todd, London, 1983, 995 pages.

d'apocalypse digne de ce nom. Or, s'il est en effet indispensable dans l'acception commune (j'aurais tendance à dire « populaire ») du mot et dans la représentation des événements qu'il désigne, il n'est nullement un critère absolu d'identification : de nombreux textes, très anciennement intitulés « apocalypse », ne font aucune allusion à une catastrophe cosmique ou à la fin des temps. Il faut se faire une raison : l'Apocalypse de Jean n'est qu'un cas parmi d'autres (même si elle est, de fait, l'un des plus brillants et, peut-être, le seul chef-d'œuvre du genre), et nous avons devant nous non pas *une* mais *des* apocalypses. Il est clair aussi qu'il faut distinguer les textes appelés « apocalypse » et les événements que notre imagination voit en ce mot. Quant au phénomène historico-socio-religieux que désigne « l'Apocalyptique » ou « apocalypticism », je le laisse de côté, car les préoccupations de notre livre sont autres.

Pour l'histoire du mot *apocalypse*, on peut se reporter à l'article de Morton Smith[18], d'où il ressort qu'un seul texte s'intitule lui-même « Apocalypse » : l'Apocalypse de Jean. Encore faudrait-il savoir si l'exorde de ce texte est d'origine ou s'il a été rajouté *a posteriori* (c'est à cette seconde hypothèse que je me rallierais plutôt). Selon les sondages de Morton Smith, aucun texte parmi ceux que nous appelons « apocalypse » ne se donne lui-même ce titre. Ce sont souvent les Pères de l'Église qui, lorsqu'ils citent ces textes, les appellent « apocalypses ». La désignation, par conséquent, est plus tardive que la rédaction. Autres grands fabricateurs de nomenclature : les chercheurs qui, à partir des débuts du XVIIIe siècle, se sont attachés à ces textes. Les informations transmises par Morton Smith sont, il le souligne lui-même, éventuellement rectifiables par des investigations plus complètes et plus précises dans le corpus désigné.

Cet article pèche peut-être en ceci que l'auteur part d'un pré-

---

18. Morton SMITH, « On the History of *Apokaluptô* and *Apokalypsis* », in *Apocalypticism...*, p. 9-20.

supposé sur le sens du mot *apocalypse* : ainsi, chaque fois qu'il constate que *apokaluptô* signifie purement et simplement « dévoiler » *(uncover)*, il ajoute : « mais cela n'a rien d'apocalyptique ». Pourquoi cela n'aurait-il rien d'apocalyptique ? Si nous partons de présupposés, il faudrait d'abord les énoncer clairement et les reconnaître pour ce qu'ils sont. Tout compte fait, Morton Smith, comme beaucoup d'autres, part du principe qu'un texte ne mérite pas le nom d'apocalypse s'il ne traite pas, à un moment ou à l'autre, de la fin des temps. Or les textes qui nous sont parvenus sous le titre d'apocalypse n'ont pas tous cet intérêt pour la fin des temps. Au contraire, nombreux sont ceux qui ne s'en occupent pas du tout. Il s'agit donc de prendre en compte *ce fait...*

Il me semble raisonnable de partir du sens minimal, ou sens « de base » : *apocalypse* signifie, en tout cas, « révélation », « dévoilement », que ces révélations portent ou ne portent pas sur la fin des temps : la perspective sur la fin des temps désignerait un caractère particulier (même s'il est fréquent). Si ce « caractère particulier » a eu la force de faire figure de « caractère obligé », c'est peut-être parce qu'il est prédominant dans l'Apocalypse canonique de Jean, on l'a dit plus haut : ajoutons qu'il doit aussi sa fortune à sa nature « spectaculaire ». On pourrait même imaginer qu'il doit son succès à une propension naturelle, chez l'homme, à se représenter l'histoire du monde comme il se représente sa propre histoire, c'est-à-dire clôturée par une catastrophe finale, la mort ! Propension naturelle aussi à vouloir conjurer cette fatalité en concevant un renouveau et une vie éternelle. La peur qui travaille l'être humain exercerait sur lui une sorte d'attraction qui ne laisserait échapper personne, pas même les chercheurs apparemment les plus « détachés ». Mais ces hypothèses ne sont, dans notre propos, que des spéculations « anthropologiques » non démontrables, même si elles ne sont pas invraisemblables. Ce « caractère obligé » des apocalypses n'étant peut-être qu'un caractère obligé de notre condition humaine (et, comme tel, tyrannique sur notre imagination), je ne vois aucune raison de lui accorder la valeur scientifique de critère d'identification qu'il assume pour certains.

La notion d'apocalypse

Que trouve-t-on sous le titre d'*apocalypse* dans le contexte juif et chrétien, en incluant les apocalypses dites apocryphes ?

D'abord, des révélations : un élu reçoit (soit sur sa demande, soit par la grâce de Dieu) une révélation. Ce qui varie, ce sont les *modalités* de cette révélation et l'*objet* même de la révélation. Parmi les modalités : l'intermédiaire de la révélation est variable, ce peut être un ange, la manière dont s'opère la révélation peut être une vision (en état de veille, en songe ou dans un état intermédiaire), un voyage dans l'espace (corps et âme, ou âme seule) avec un guide céleste, une audition de voix, un livre (par exemple le rouleau que mange Ézéchiel)... L'objet de la révélation peut être : l'organisation du cosmos, l'organisation de la Justice de Dieu (rétribution des actions humaines, récompenses et châtiments, le paradis et l'enfer), l'organisation des conduites humaines et la direction qu'il convient de leur donner, le déroulement de l'histoire du monde et de l'homme, une perspective sur l'aboutissement de cette histoire (aboutissement qui, le cas échéant, est précédé de la destruction de notre monde), une préfiguration d'événements historiques précis...

Les éléments que je donne ici sont loin de représenter toute la gamme : il faudrait en dresser un répertoire, ou plutôt des répertoires.

C'est d'ailleurs cette idée — *répertorier les éléments constitutifs* — qui occupe un bon nombre de chercheurs parmi ceux qui veulent sortir de l'actuelle situation de flou et de confusion : ainsi, la notion de « genre littéraire » apparaît à beaucoup comme un moyen de parvenir à une description des textes dits « apocalypses ». A condition qu'on ne se mette pas à discuter indéfiniment sur la notion de « Genre » comme on discute sur la terminologie que j'ai dite, cet angle d'attaque peut avoir des vertus[19].

A mon avis, on pourrait faire une économie de plus en s'épargnant la notion de « genre » : les théologiens utilisent maintenant une notion qui, née chez les littéraires, ne fait pas l'unanimité autour d'elle, subit des flux et reflux et, de toute façon, n'est pas indispensable dans le cas qui nous occupe. Le premier travail à faire est de répertorier les éléments constitutifs des textes appelés « apocalypses » ou jugés « apocalyptiques », de manière à mettre de l'ordre dans le corpus hétéroclite auquel nous avons affaire et, si possible, en un deuxième temps, dans le chaos d'idées et de mots où nous sommes pour le moment.

Observer et classer : c'est un travail d'équipe qu'il faut réaliser ; minutieux et exigeant, il n'a pas le prestige des envols au ciel des théories. Évidemment, quand on regarde en face la situation qu'il s'agit d'éclaircir, on se dit : « *Anywhere out of the world !* » Et pourtant, ces envols risquent fort, désormais, de passer pour des divertissements futiles.

Il est vraisemblable que ni une notion flottante comme celle de « genre littéraire », ni un colossal répertoire d'éléments constitutifs ne suffiront à préciser la notion d'apocalypse. Beaucoup de chercheurs sont conscients que cette notion se définit aussi par la *dynamique* qui anime le corpus de textes de référence : dynamique entre les textes eux-mêmes, dynamique à l'intérieur de chaque texte et dynamique chronologique car, sur une aussi longue période (au minimum : du IIIe siècle avant J.-C. au Ve siècle apr. J.-C.), le corpus apocalyptique évolue.

L'idée de dynamique apparaît, quoique timidement, chez

---

19. Pour plus de précisions à ce sujet, on se reportera en particulier à *Semeia* 14, 1979, *Apocalypse. The Morphology of a Genre*, et, dans *Apocalypticism...*, aux articles de E. P. SANDERS, « The Genre of Palestinian Jewish Apocalypses » (p. 447-459), et de J. J. COLLINS, « The Genre Apocalypse in Hellenistic Judaïsm » (p. 531-547).

quelques contributeurs du volume *Apocalypticism...*, en particulier chez Lars Hartman. Celui-ci examine la tentative de rigueur faite par J.J. Collins et son équipe qui a donné lieu au fort intéressant *Semeia 14, Apocalypse. The Morphology of a Genre*, cité plus haut. Collins avait proposé cette définition du genre apocalypse :

« *Apocalypse* » *is a genre of revelatory literature with a narrative framework, in which a revelation is mediated by an otherwordly being to a human recipient, disclosing a transcendent reality wich is both temporal, in so far as it envisages eschatological salvation, and spatial, in so far it involves another, supernatural world.*

Comme plusieurs auteurs l'ont dit..., il n'est pas difficile de souscrire à cette définition jusqu'à « *disclosing a transcendant reality* », mais les discussions peuvent commencer pour la suite.

Quant à l'essai qu'a tenté Collins de classer les éléments constitutifs des apocalypses en « *master-paradigms* », Lars Hartman signale que, dans sa propre classification, ces « *master-paradigms* » sont identifiés, presque à l'inverse, comme « *propositional constituents* »[20]. Donnons quand même les « classes » établies par Collins, en rappelant que ce travail a été publié en 1979 et qu'un essai de ce genre est nécessairement évolutif. Collins classe les apocalypses en six variétés à l'intérieur de deux grands types (en donnant des exemples) : l'un *sans* voyage dans l'au-delà, l'autre *avec*.

Ia : Apocalypses « historiques » sans voyage dans l'au-delà.

Ib : Apocalypses avec eschatologie cosmique et/ou politique (qui n'ont ni panorama historique ni voyage dans l'au-delà.)

Ic : Apocalypses qui ont seulement une eschatologie personnelle (et pas de voyage dans l'au-delà.)

---

20. Lars HARTMAN, *Apocalypticism...*, p. 338.

IIa : Apocalypses « historiques » avec un voyage dans l'au-delà.

IIb : Voyages dans l'au-delà avec une eschatologie cosmique et/ou politique.

IIc : Voyages dans l'au-delà qui n'ont qu'une eschatologie personnelle.

En réalité, chaque spécialiste ne manquera pas de trouver dans son propre domaine des exemples de recoupements entre ces catégories... et se trouvera réticent devant ce classement. C'était pourtant là un premier pas vers un effort de précision et il fait date. Collins lui-même soulignait que ses remarques sur « *la relation des divers éléments de paradigme les uns avec les autres* (étaient) des plus sommaires » (*Semeia* 14, p. 12).

L'idée de *relation* l'inquiétait déjà et elle préoccupe plus encore Lars Hartman, qui écrit :

One should not only consider plot, themes, and motifs, but also take into account the hierarchic structure and literary interrelations of these elements[21].

Et il ajoute :

It seems to me that the time has come to deepen the analysis and to take in account as exactly as possible the hierarchic structure and literary function of the propositional elements, the illocution of the textes, and their sociolinguistic functions[22].

Pour ma part, il me semble que les « fonctions sociolinguistiques » sont encore une chose vague, ou qui permet les divagations, alors que le travail indispensable, qui peut occuper les chercheurs pendant des années, est celui de constituer un grand répertoire d'éléments constitutifs et d'étu-

---

21. *Ibid.*, p. 338.
22. *Ibid.*, p. 339.

dier les interrelations des éléments à différents niveaux : tout d'abord, à l'intérieur de chaque texte (une étude cas par cas) ; puis à l'intérieur d'une « famille » de textes (par exemple, le corpus d'Énoch, celui d'Esdras, etc.) ; puis, s'il est possible d'identifier des « types » comme l'a tenté Collins, étudier les interrelations des paradigmes à l'intérieur de chaque type ; enfin, les interrelations entre « types » et, éventuellement, la dynamique temporelle qui anime chaque ensemble et sous-ensemble.

C'est peut-être une utopie ! Ou c'est peut-être une perspective qui n'est pas adéquate. Au point où en sont les choses, on ne peut en juger. Mais il est raisonnable de penser qu'en se fixant d'abord des objectifs *limités* aux seuls résultats *rigoureux* qu'on puisse obtenir *cas par cas* les apocalypses finiront par se dévoiler !

Les efforts de description du corpus n'épuisent pas le désir de « saisir » ce qui continue à nous échapper. Il n'est pas possible de rendre compte ici de toutes les tentatives de parvenir à « l'essence » de l'apocalypse. Collins disait avec une belle certitude : « *The key word in the definition is transcendence.* » Mais c'est le mot clé de tant d'autres choses ! Il me paraît utile de signaler un article de Paolo Sacchi[23]. Sa réflexion, quoique influencée par ses travaux sur les textes de Qumrân et le *Livre d'Hénoch*, peut s'étendre à beaucoup d'autres apocalypses, en y introduisant les nuances propres à chaque texte. Se référant d'abord au *Livre des Veilleurs* (une apocalypse qui sera étudiée ici-même dans la contribution sur Qumrân), il constate que, dès l'apocalyptique juive la plus ancienne, la pensée tourne autour du problème du mal :

Le mal est une réalité objective, et pas seulement une réalité subjec-

---

23. Paolo SACCHI, « Riflessioni sull'essenza dell'Apocalittica : peccato d'origine e libertà dell'uomo », *Hénoch*, vol. V, 1983, p. 31-61.

tive, une transgression ; cette réalité n'est point le résultat de l'action humaine et de ses avatars historiques ; le mal est la conséquence d'une contamination et d'une impureté qui ont envahi antiquement, peut-être même originairement, la nature du cosmos et de l'homme[24].

La pensée apocalyptique est diverse, et il ressort de cette diversité que l'existence du mal peut être expliquée aussi comme conséquence d'une faute primitive de l'homme, faute accomplie en pleine liberté, « avec une certaine conscience de la liberté et de sa valeur » :

L'homme est souillé et pécheur en Adam, tout en étant responsable et libre ; toutefois, à cette liberté de l'homme correspond un déterminisme historique, car l'histoire doit procéder vers le but voulu par Dieu et selon les temps qu'il a déterminés. A côté de l'intérêt pour l'au-delà et l'éon futur, à côté de l'intérêt pour l'histoire (et l'apocalyptique en a eu sans aucun doute une conception originale), il y a dans l'apocalyptique le problème du mal, vu comme conséquence d'une souillure dérivée d'un péché, commis avant l'histoire. On peut même dire que l'élément immuable de la constellation apocalyptique, dès son origine, est seulement celui-ci[25].

J'aurais tendance à penser de même. Compte tenu du fait que je suis moi aussi influencée par les textes que j'étudie (l'apocalypse de Paul), je ne voudrais pas être péremptoire. Mais il me semble que c'est là un élément fondamental de « la constellation apocalyptique ». Pour ma part, je dirais que :

C'est « l'ordre du monde » qui est en cause : la grande préoccupation des apocalypses est de trouver la « cohérence » du monde, cohérence qui réside dans une certaine relation : la relation, foncièrement dynamique, qui existe, de par le plan

---

24. Paolo SACCHI, op. cit., p. 60.
25. Ibid., p. 61 ; je me contente de citer les phrases du résumé en français qui figure en fin d'article, pour faire court.

divin, entre les origines, le présent et l'avenir de la dyade uni-
vers/humanité.

Le présent est problématique ; dans l'ensemble, les méchants
prospèrent tandis que les bons sont dans l'affliction : situation
bien humaine qui n'a pas besoin d'être liée à une circonstance
particulière d'oppression, pour faire problème. L'homme est
pécheur, le mal existe. Comment accepter le scandale du
monde, sinon en cherchant à le comprendre (par ses
« causes ») et à le combattre (par une « conversion » immédiate, par un espoir en l'avenir) ? L'apocalypse est, comme le
dit Mireille Mentré, « un regard humain sur le divin », c'est-à-
dire sur la Création, ses mystères, sa logique invisible[26].

Tel est le sujet de notre livre : le dévoilement du monde.
C'est par la découverte du monde visible et invisible que
l'homme parvient à comprendre l'incompréhensible de sa destinée.

On ne trouvera pas ici de nouvelles tentatives typologiques,
comme celles de Collins, ou de nouvelles recherches sur la terminologie (essais de définition) et sur « l'essence » de l'apocalyptique comme celles de *Apocalypticism*... Nous avons choisi
des textes qui illustrent certains critères de contenu, qui cherchent une réponse aux problèmes du mal, de la mort, de la
destinée humaine par l'entremise de révélations à dominante
« cosmique ».

Notre première intention est d'exposer ce contenu. Mais ce
livre est également régi par une idée et un objectif qui dépassent les questions de contenu.

---

26. Mireille MENTRÉ, *Création et Apocalypse, histoire d'un regard humain
sur le divin*, Paris, O.E.I.L., 1985.

Une idée, un objectif

Les apocalypses de l'Antiquité tardive ont fait, pour beaucoup d'entre elles, leur première apparition au Proche-Orient. Certaines apocalypses ne se définissent pas par une seule version mais constituent une véritable littérature, polyglotte, et dont il est difficile, souvent impossible, de savoir quelle fut la langue d'origine, quel fut le territoire d'origine. Ainsi, l'apocalypse de Paul (mais ce n'est pas un cas isolé) existe en huit langues, que je cite délibérément par ordre alphabétique : arabe, arménien, copte, éthiopien (où elle s'intitule « apocalypse de la Vierge »), grec, latin, slavon, syriaque. On suppose que la « première version » fut écrite en grec, dans un milieu alexandrin : hypothèse plausible mais qui est répétée si souvent pour d'autres apocalypses qu'elle paraît être plutôt une « commodité » !

En réalité, quand il n'est pas possible d'identifier une « première version » et une langue « d'origine », mieux vaut tenir le problème à l'écart et s'occuper de ce qui peut faire l'objet d'une enquête précise : étudier d'abord individuellement chaque corpus linguistique, puis rassembler les résultats pour donner un tableau du corpus polyglotte dans son entier, identifier les spécificités, les parallélismes, les recoupements. Cela paraît simple mais est loin d'être réalisé à cause des problèmes de collaboration que cela pose entre spécialistes. Jusqu'à présent, aucune étude n'a été publiée sur le corpus polyglotte d'une apocalypse. Des tentatives sont en cours, non sans mal.

Ces premières constatations : existence de corpus polyglottes et difficulté ou impossibilité d'établir une succession chronologique à l'intérieur de ces ensembles, mènent à l'idée qu'il faut envisager le problème tout autrement qu'en termes de « sources ».

Dans le cas des apocalypses les plus productives, il y eut, probablement, dès le début, plusieurs versions quasi contemporaines dans des langues différentes. Il est vrai que le Proche-

Orient a constitué un terrain très favorable à l'éclosion et au développement de ces textes : notre livre veut en témoigner. *Mais la diffusion et, surtout, la rapidité de diffusion de ces textes en langues variées du pourtour méditerranéen excluent toute perspective de « sources orientales » : c'est le bassin méditerranéen tout entier qui apparaît comme milieu de production et il faut l'envisager globalement comme tel.*

Nous sortons nécessairement, à ce propos, des traditionnels binômes Orient-Occident, la Grèce et l'Orient, Rome et l'Orient, etc.

Le point de vue « méditerranéen » est familier à certains spécialistes du Proche-Orient, il commence à se faire jour chez certains historiens de l'Occident comme en témoigne *La Méditerranée* de Fernand Braudel, mais il est encore loin de modifier les pratiques intellectuelles ancrées, pratiques qui sont encore beaucoup trop idéologiques et pas assez pragmatiques.

C'est un point de vue, c'est-à-dire que ce n'est pas un instrument de travail : l'instrument est à trouver ou à forger par chaque spécialiste en fonction de sa matière. Par exemple, les travaux d'André Raymond sur les villes arabes à l'époque ottomane portent des coups vigoureux au « vagabondage intellectuel » qui a pu affecter ce domaine, lequel présente des points communs avec le nôtre : une terminologie peu rigoureuse, à partir des vocables « musulman », « islamique », « arabe », « urbanisme » mène à la notion « d'urbanisme musulman » qui est à la fois floue et dangereuse. Considérer l'Islam comme facteur structurant de l'urbanisme est un parti pris idéologique. C'est, de même, un parti pris idéologique que d'attribuer une fonction métaphysique à un type de construction aussi méditerranéen que la maison à patio central. André Raymond, après avoir repéré divers présupposés de type « idéologique » (au sens large), a cherché à comprendre la cohérence du système urbaniste à partir de documents d'apparence modeste qui relèvent du *waqf* ou *habus*. Ces documents, qui ont longtemps été étudiés sous l'angle religieux, donnent une foule de renseignements sur la toponymie des villes, sur les monuments. Ils peuvent être d'une page ou de quelques lignes, d'un cahier ou d'un rouleau d'une dizaine de mètres. Ils sont en nombre considérable et appellent un traitement informatique.

Le *habus* ou *waqf* est une intention pieuse qui se manifeste par une donation : le *waqf* a fourni le cadre juridique et les moyens financiers de grandes entreprises urbanistiques.

Voilà donc un instrument de travail à l'intérieur d'un point de vue « méditerranéen » sur un vaste territoire et une longue période : le *waqf*, une mine de documents d'archives qui permet d'identifier l'un des dynamismes de la formation et de l'organisation spatiale des quartiers.

Ce n'est plus « l'Islam » qui est considéré comme facteur structurant, mais une institution précise qui, au demeurant, n'est considérée que comme l'un des facteurs. Nous sommes passés de l'abstrait au concret, de l'idéologie au pragmatisme.

Lorsqu'on travaille sur des textes, surtout lorsqu'on est dans un domaine aussi problématique que le nôtre, il est bon de s'informer des *méthodes* qui se pratiquent ailleurs. Des domaines en apparence plus « matériels » que le nôtre posent des problèmes de méthode analogues à ceux que peuvent rencontrer les analystes de textes. Nous en avons vu un exemple il y a un instant. Il en existe d'autres, en particulier celui-ci, qui est des plus éclairants pour notre propos : on s'en fera une idée avec un article de Jean-Claude Gardin[27]. De par les choix diversifiés de son activité d'archéologue, Jean-Claude Gardin est particulièrement à même de « *mettre en relation* les phénomènes archéologiques » qu'il observe aux divers pôles géographiques d'un vaste territoire qui va de la mer Égée à l'Asie centrale, plus précisément au royaume gréco-bactrien établi sur

---

27. Jean-Claude GARDIN, « Les relations entre la Méditerranée et la Bactriane dans l'Antiquité, d'après des données céramologiques inédites », dans *De l'Indus aux Balkans, Recueil Jean Deshayes*, éd. J.-L. Huot et al., Éditions Recherche sur les civilisations, Paris, 1985, p. 447 à 460.

les bords de l'Oxus durant la période hellénistique. La cité bactrienne d'Aï-Khanoum est une création *ab nihilo*, totalement grecque : on peut donc s'attendre à y trouver des manifestations de la civilisation grecque, ce qu'attestent, en effet, des sources archéologiques et littéraires. Mais cette « évidence » s'affronte à un problème pratique si l'on considère un type de document remarquable par sa « banalité », la poterie d'usage courant : vaisselle de table (assiettes, bols, gobelets, plats), vaisselle de stockage (jarres), vaisselle de transport (cruches, amphores, gourdes). Cette poterie domestique sans prestige esthétique, qui représente actuellement des millions de tessons, avait peu intéressé jusqu'à ces dernières années.

Une fois identifiées les caractéristiques de la poterie bactrienne d'usage courant, Jean-Claude Gardin a voulu les confronter à celles de la poterie domestique d'origine méditerranéenne, *il a cherché l'image de l'ensemble bactrien dans l'ensemble grec* sur des sites étalons. La comparaison a mis en lumière une remarquable communauté de *propriétés* (propriétés intrinsèques de forme, de matière, d'éléments décoratifs) et d'*attributs* extrinsèques qui se répartissent en deux classes : attributs de temps et de fonction (à quoi sert cette vaisselle, et de quand datent les divers types).

L'homologie de propriétés et l'homologie d'attributs amène au constat suivant : « L'évolution des types hellénistiques, à Aï-Khanoum, suit de façon étonnamment proche l'évolution des modèles méditerranéens[28]. »

Or la présence sur des lieux aussi éloignés de deux ensembles homologues de poterie banale est un fait troublant : cette poterie était trop banale pour justifier une importation-exportation sur de pareilles distances. Si l'on suppose que ce n'était pas la vaisselle qui circulait sur ces voies de communications, on peut imaginer que c'étaient les potiers. Mais comme cette

28. J.-C. GARDIN, *op. cit.*, p. 450.

question n'admet pas de réponse certaine, J.-C. Gardin la
laisse de côté. On peut supposer aussi que l'existence de ces
ensembles homologues témoigne d'un puissant attachement des
Bactriens à la « mère patrie ». Mais comme cette question est
d'ordre affectif, non vérifiable, J.-C. Gardin la laisse de côté.
On peut se livrer encore à d'autres « inférences plus riches »,
J.-C. Gardin refuse de s'y livrer :

> De ce faisceau d'observations, chacun tirera des conclusions plus ou
> moins riches, selon sa confiance dans les voies de l'induction. Je me
> bornerai pour ma part à une seule proposition synthétique, qui me
> paraît exprimer le sens le plus immédiat des faits ci-dessus[29].

Cette proposition synthétique peut se résumer ainsi : la
méditerranée orientale et la Bactriane, à l'époque hellénistique,
entretenaient des relations directes et assez fréquentes.

C'est sous cette forme « ramassée » qu'elle apparaît dans
une autre version du même article. En effet, l'article du
Recueil Jean Deshayes cité précédemment a donné lieu à une
« ré-écriture » : son auteur, jugeant que les articles de sciences
humaines sont, en général, mal construits (arguments présentés
en ordre dispersé, logique fautive) et souvent trop longs —
donc, ennuyeux —, s'est appliqué à lui-même la critique logi-
ciste et s'est livré à une reconstruction de son propre article :
elle tient en très peu de pages et constitue le bref chapitre IV
de J.-C. Gardin *et al.*[30] : *Systèmes experts et sciences
humaines : le cas de l'archéologie.*

La première page offre les informations suivantes :

---

29. J.-C. GARDIN, *op. cit.*, p. 459-460.
30. J.-C. GARDIN et al., *Systèmes experts et sciences humaines : le cas de
l'archéologie*, Eyrolles, Paris, 1986.

Le *titre* :

Les relations entre la Bactriane et le monde méditerranéen aux époques hellénistiques et romaines, d'après des données céramologiques récentes.

Les *objectifs* :

Le but de l'étude est d'établir l'existence de relations directes et fréquentes entre la Bactriane et le monde méditerranéen [...].

Le *corpus* (nous en avons parlé), la *description et ordination* (qui renvoie à un tableau), et l'*interprétation* qui tient en un court paragraphe où les objectifs annoncés se trouvent démontrés.

La description et ordination est présentée sous forme de tableau en deux colonnes : ι base de données, à gauche, et les données comparées, à droite. Le tout est suivi de quelques notes, de références bibliographiques et d'une schématisation.

C'est ici *la méthode* qui nous intéresse en premier lieu. Mais ce n'est pas tout : ces deux articles de J.-C. Gardin, du fait même qu'ils éliminent sévèrement la série d'« inférences plus riches » qu'on pourrait faire à partir du corpus, ont une portée qui dépasse leur objet d'étude : ils constituent, avec la plus parfaite bienséance, un manifeste. Contre les divagations intellectuelles, pour la précision. Contre les « fumées », pour les constructions solides. Si l'on estime que la conclusion de J.-C. Gardin est un peu « plate », si certains peuvent être déçus de voir s'en tenir aux seules *déductions sûres* quelqu'un qui a classé des millions de tessons, c'est peut-être faute de comprendre sa valeur thérapeutique. Thérapie provocatrice, aux yeux de beaucoup, que je ne prendrai pas pour l'expression ultime d'un « idéal » mais qui propose des remèdes fonctionnels, élaborés pour une situation (le flou endémique), un domaine (les sciences humaines), une époque (la nôtre). Ils ne se présentent pas autrement que comme des moyens d'intervention provisoire.

L'exposé des recherches de J.-C. Gardin et de ses choix intellectuels n'est pas un « luxe » dans cette introduction.

En effet, le matériel que nous avons à étudier nous amène à des constatations analogues : le vaste corpus méditerranéen de révélations dites apocalypses manifeste, entre ses divers pôles linguistiques, culturels et religieux, des *relations directes et fréquentes* ; cela, sur une longue période.

Les apocalypses de l'Antiquité tardive que nous avions prises, d'abord, pour base de recherches apparaissent comme tributaires du bouillon méditerranéen qui durait, en se diversifiant et se renouvelant, depuis plusieurs siècles. C'est pourquoi nous avons ajouté à l'objet de recherche initial des révélations sur l'au-delà nées à des périodes plus anciennes, dans le Proche-Orient : Mésopotamie ancienne (Sumer, Akkad), Syrie ancienne (Ougarit), Phénicie ancienne (Tyr, Sidon). La Grèce antique et hellénistique eut aussi ses révélations et celles-ci furent intégrées dans certaines expériences religieuses, rituels d'initiation sur lesquels nous ne savons que peu de choses mais dont il faut tenir compte. Les « pratiques » de l'inspiration méritent d'être reconnues, que ce soit en terre d'influence grecque, ou en milieu sémitique. L'ensemble d'apocalypses, tel qu'il se manifeste dans l'Antiquité tardive, ne saurait être confiné dans les frontières chronologiques de cette époque : les processus d'héritage et de transmission nous conduisent à les regrouper avec des textes plus anciens remontant au IIIe siècle av. J.-C. (Qumrân) et avec des textes plus tardifs qui reprennent les mêmes schémas (en Islam).

C'est à l'intérieur de ce « tableau » à la fois spatial et temporel que devrait apparaître ce que nous avons voulu montrer et qui peut se résumer dans la plus grande simplicité : « relations directes et fréquentes ». Cette « banalité » n'est pas sans conséquences sur le point de vue qu'il faut adopter désormais : point de vue *associatif et non point dissociatif*. On ne peut plus se réfugier à l'intérieur des confortables frontières spatiales, chronologiques, linguistiques, religieuses (car ces religions apparaissent elles aussi comme *un vaste milieu d'échanges et d'interrelations*). On ne peut plus regarder comme capitale la recherche des « sources » et moins encore la quête des « sources orientales » qui se fonde sur une ignorance des phénomènes d'interaction évoqués ici.

La dernière partie de notre livre est, si l'on peut dire, « prospective » par rapport à l'objectif principal : l'apocalyptique médiévale en Occident n'est présentée ici que comme suggestion, ou pierre d'attente : le travail de rapprochements qui a été fait pour les périodes anciennes en milieu méditerranéen est à faire pour des périodes plus récentes : mais il se présentera tout autrement, et les questions qu'il posera ne seront sans doute pas les mêmes. Il ne suffira plus de considérer globalement un « milieu de production » comme le bassin méditerranéen. Les relations entre Orient et Occident apparaîtront sous une autre forme et n'auront peut-être pas les mêmes incidences sur la recherche.

Enfin, l'unique contribution qui porte sur notre temps a été appelée par une exigence éthique, et non point dans un but scientifique : de même, dans ce livre, nous avons voulu faire apparaître, de-ci, de-là, des traces de l'expérience humaine dont nos textes ne sont que des vestiges archéologiques.

C. K

I
TRADITIONS DE L'AU-DELÀ ET CONCEPTIONS DE L'UNIVERS DANS LE PROCHE-ORIENT ANCIEN

Introduction

En Mésopotamie

Jean BOTTÉRO,
« Le Pays-sans-retour »

En Syrie ancienne : Ougarit

Paolo XELLA,
« Baal et la mort »

Dans la Phénicie ancienne

Sergio RIBICHINI,
« Traditions phéniciennes
chez Philon de Byblos :
Une vie éternelle pour des dieux mortels »

INTRODUCTION

Il peut paraître insolite d'ouvrir des perspectives aussi lointaines dans le temps.

En décidant de commencer ce livre par trois contributions
sur des textes qui, traditionnellement, ne sont pas considérés
comme « apocalyptiques », on prend le risque de faire croire
que l'on adopte un parti de confusion ou de comparatisme
hors de propos. Or, il ne s'agit pas de faire entrer de force
dans « l'apocalyptique » des textes qui n'en relèvent pas, ou
n'en relèvent que par certains aspects. Il ne s'agit pas non plus
de dire sans précautions : voici les « sources » des textes qui,
plus tard, dans une aire géographique identique ou voisine
seront proprement « apocalyptiques ».

Ces trois contributions présentent, chacune, un point de vue
qui leur est personnel sur les deux problèmes posés à l'instant[1].

D'emblée, Jean Bottéro affirme que les textes dont il parle
n'ont rien à voir avec une quelconque visée de « révélation ».
Mais il est intéressant de les introduire en tant
qu'« archétypes » ou « prototypes » du *genre* que représente la
catabase et de certains thèmes « qui auront la vie longue et se
retrouveront un peu partout ensuite dans le monde : la Méso-

---

1. Les passages cités entre guillemets sont extraits des contributions en question.

potamie, par là, a des chances de nous fournir, au moins, les plus vieux exemplaires connus de ce genre littéraire ». Le destin d'un tel prototype est d'être réutilisé, réinterprété en tout ou en partie et, à mesure que se succèdent les réutilisations, de se réduire « à une charpente, un canevas, un ensemble de traits purement formels » susceptibles de s'adapter « ailleurs, à d'autres idéologies, d'autres doctrines, d'autres sensibilités ».

Cette présentation des textes mésopotamiens va dans le sens de la visée initiale de notre livre : ils indiquent le point de départ de ce phénomène étonnant que sont la persistance de *motifs* sur une durée très longue et leur diffusion, à partir du Proche-Orient, dans une aire géographique très vaste.

Paolo Xella porte tout de suite son attention sur les phénomènes de conservation, sélection, réélaboration qui s'opèrent en fonction des divers systèmes socioculturels et politiques. Puis il marque nettement ce qui, dans la descente de Baal aux enfers, présente des *traits eschatologiques* : anéantissement momentané de Baal, retour à la vie active puis affrontement décisif avec Mot, la mort ; mise en ordre cosmique, régulation du cycle vie-mort. Les premières pages de cette contribution prennent clairement parti sur la place qu'il convient d'accorder aux textes ougaritiques par rapport à un éventuel « code apocalyptique idéal » (à supposer qu'il en existe un sur lequel tout le monde pourrait s'accorder). Il est bien évident que « la documentation ougaritique ne présente que des *éléments* ou des *thèmes* qui relèvent de cet éventuel « code apocalyptique idéal ».

Ce qui, par exemple, la caractérise, c'est qu'elle « ignore toute sotériologie individuelle outre-tombe et n'en élabore aucune qui serait de l'ordre du mystère ». Voilà qui est très différent, en effet, des visions apocalyptiques qui sont présentées au centre de ce livre. Mais la présence des textes ougaritiques est d'autant plus utile à notre propos que « ces mythes font partie du patrimoine culturel archaïque de la culture syro-palestinienne envers laquelle l'Ancien et le Nouveau Testament, aussi bien que la vaste littérature née autour d'eux, ont de considérables dettes qui, jusqu'à présent, demeurent fort peu étudiées et comprises ».

La contribution de Sergio Ribichini pose avec acuité le problème des sources : il ne nous reste quasiment rien de la littérature phénicienne ; celle-ci nous est donc transmise par des *réélaborations* établies dans des milieux culturels différents du milieu d'origine et à travers plusieurs intermédiaires : ainsi, en remontant le temps, Eusèbe de Césarée cite Philon de Byblos, lequel avait traduit en grec l'ouvrage de Sanchuniaton, lequel était déjà un intermédiaire qui prétendait transmettre les « écritures secrètes » de l'ancien sage Taautos. Cette chaîne de transmission, complexe à plus d'un égard, montre qu'on ne peut pas toujours poser le problème des « sources » en termes simples et, parfois même, il est si embrouillé, du fait des remaniements et des réélaborations, qu'on ne peut plus le poser du tout : ou bien, il faut attendre de découvrir de nouveaux documents archéologiques qui, s'ils existent, pourraient ouvrir un accès plus direct à la littérature phénicienne.

A son tour, Sergio Ribichini situe ses textes par rapport à l'apocalyptique en cherchant à faire apparaître « les éléments typologiques qui peuvent se distinguer comme "apocalyptiques" si l'on considère cette définition non pas à l'intérieur de la tradition judéo-chrétienne mais plutôt dans un milieu historico-culturel plus vaste qui tient compte du modèle apocalyptique pour le reconnaître dans différentes cultures religieuses et y repérer les éléments qui peuvent concourir à *l'affinement du modèle même*[2]. Dans notre cas, il s'agit principalement de révélations de mystères, de descriptions sur l'origine des temps, de contes sur un sort privilégié dans l'au-delà ».

---

2. C'est moi qui souligne.

Les textes qui nous sont présentés ici sont en relation étroite avec *le mystère des origines* — ce qui est un thème récurrent des apocalypses apocryphes étudiées dans la suite de ce livre. Ce mystère des origines, parce qu'il n'est pas accessible à tous, est *voilé* par des mythes, des allégories. Un homme exceptionnel, en l'occurrence Sanchuniaton, s'attache à les *dévoiler* en les débarrassant des mythes. Mais, après lui, « les prêtres » voilèrent à nouveau ce qu'ils estimaient ne pas devoir laisser connaître à tous.

Il ne faut pas se laisser induire en erreur, toutefois, par ces actes de « dévoilement » : « derrière le mécanisme choisi par Philon, se révèle aussi la réalité de la religion phénicienne où il n'y avait aucun ''homme de vérité'', aucune ''révélation de mystères'', mais plutôt des textes et des traditions véritablement originaires qu'il fallait mettre en valeur grâce à l'autorité de quelqu'un ». Un usage qui sera, également, caractéristique des apocalypses apocryphes qui, pour paraître dignes de foi, devaient être mises sous l'autorité d'un prophète ou d'un saint des temps anciens.

La subtilité de ces textes du Proche-Orient ancien apparaît donc aussi bien en milieu mésopotamien que syrien et phénicien : non point « révélations » mais, en quelque sorte, mise en scène des problèmes vitaux ; comme le dit Jean Bottéro à propos de la descente d'Ishtar aux enfers, le but de ce mythe n'est point de « révéler » les données sur la vision de l'univers, mais de les « utiliser » comme « autant de décors et de ressorts d'une suite d'événements imaginaires » qui, tous, tiennent aux problèmes « posés par l'état et la marche des choses [...] ».

Il ne m'appartient pas d'éclaircir la subtilité des distinctions, mais le fait que ces distinctions soient établies par les trois contributions (chacune le faisant à sa manière et dans sa perspective propre) permet de suggérer « la marge » qui existe entre ces textes du Proche-Orient ancien et ceux qui sont appelés « apocalyptiques » sans réticences par les exégètes.

Si nous sommes dépaysés par ces distinctions, c'est qu'il nous faut prendre conscience d'une certaine distance entre nos manières de penser et celles des cultures que nous évoquons : loin de procéder à des assimilations hâtives, nous avons à évaluer l'originalité respective de chacune des réponses qui furent données au problème de l'ordre du monde, de la place du destin humain dans les destinées cosmiques.

La contribution de Sergio Ribichini nous permet d'envisager une technique que l'on pourrait appeler « technique des points de vue conjugués ». Aux exemples déjà présentés, ajoutons un dernier témoignage. Quelle « solution » le polythéisme phénicien donna-t-il au problème de la mort ? Elle est étrange, on le verra, et fermement combattue par Eusèbe de Césarée : c'est une perspective de « libération personnelle qui n'a aucun caractère de salvation ».

A nous de nous interroger sur le sens que nous donnons aux mots.

A nous, aussi, de nous demander quelle est notre attitude à l'égard de la diversité des points de vue et, même, à l'égard des « coupes stratigraphiques » que l'histoire nous amène à pratiquer dans les « gisements » de mythes, de récits, de conceptions.

C. K

LE « PAYS-SANS-RETOUR »

par

Jean BOTTÉRO

1. C'est le nom que les anciens Mésopotamiens donnaient à l'espace dans lequel ils reléguaient leurs défunts : *kur.nu.gi.a.*, en sumérien, et *erṣet lâ târi* en accadien[1], « le Pays d'où l'on ne revient pas ».

Ils ne se sont pourtant pas contentés d'une telle définition négative, la seule à leur portée — comme à la nôtre. Ils ont voulu se figurer sous des traits plus parlants ce « lieu des morts », non seulement en l'intégrant à leur vue d'ensemble de l'Univers, et en développant à son sujet toute une série de fantasmes, mais en imaginant diverses visites qu'y auraient faites des personnages dont certains, à la différence des trépassés, en seraient « revenus ».

Avant de présenter ces compositions littéraires, et notamment le texte de la plus exemplaire d'entre elles, il serait utile de donner, en trois mots, une vue cavalière, tout d'abord de leur « cosmologie » ou, s'il faut parler proprement — puisqu'elle ne se fondait que sur des apparences et des « imaginations calculées » —, de leur *mythologie* du Cosmos et, d'autre part, pour les mêmes raisons, de leur *mythologie* de

---

1. On sait que la civilisation mésopotamienne est radicalement « bilingue » : établie sur deux langues de culture — le sumérien (la plus ancienne utilisée) et l'accadien, lesquels n'ont pas la moindre parenté linguistique entre eux.

la Mort et de l'Après-mort. Tant pour la relative parcimonie de nos sources et leur répartition fort inégale dans le lieu et le temps, que pour l'impossibilité d'entrer ici dans des explications infinies, il va sans dire qu'il ne sera guère possible de tenir compte de la diachronie et de considérer ces élucubrations autrement que comme les produits d'une civilisation plus de trois fois millénaire, certes, mais que nous ne pouvons observer qu'au télescope.

2. En matière « cosmologique », ce qui paraît avoir le plus frappé ces vieux Mésopotamiens lorsqu'ils se sont mis à considérer le Monde autour d'eux, c'est que tout ce qu'ils pouvaient ainsi embrasser du regard depuis leur vaste plaine cernée d'un bras de mer, de hauteurs et de montagnes, formait un tout cohérent, nous dirions un *système*, et un système *vertical*, en élévation, essentiellement commandé par la bipartition du « haut » et du « bas » : en haut, le Ciel ; en bas, la Terre. Mais à ce Ciel, qui leur semblait (comme à nous) une immense coupole, et justement parce que s'était imposée à eux la conviction d'un système, ils ont opposé, non la surface de la terre, mais une autre demi-sphère, imaginée, dont cette terre n'aurait été, en somme, que la coupe diamétrale : symétrique du Ciel et qui composait avec lui ce formidable globe du système cosmique.

Dans le Ciel, ils avaient un certain nombre d'éléments à placer : les astres et les météores ; puis les divinités chargées des phénomènes atmosphériques et célestes, ainsi que des affaires d'ici-bas. De même, il leur restait d'autres données à localiser dans l'Anti-Ciel : d'abord la Nappe immense d'eau douce qui devait bien se cacher sous le sol[2] puisqu'elle en sourdait par les puits et les sources ; ensuite, un certain nombre de divinités, non seulement mobilisées par cette Nappe, mais que le même souci de symétrie et de systématique leur avait fait

---

2. C'est ce que l'on appelait l'*Apsû*, qu'on trouvera mentionné plus loin (p. 70, vers 27) avec *Éa*, qui en était le souverain maître.

confiner là, en contrepoint de la population céleste. La terre des hommes, qu'ils imaginaient plate et comme une île géante limitée de partout par les « eaux amères » de la Mer et les Hauteurs et les Montagnes de l'Horizon, était placée exactement entre les deux moitiés du Monde.

3. Tant que les hommes restaient en vie, ils allaient et venaient sur cette face de la terre. Mais à leur mort, que se passait-il[3] ?

Pour l'entendre, il faut savoir, tout d'abord, qu'en Mésopotamie le seul mode connu, depuis la nuit des temps, de traitement des cadavres, c'était l'ensevelissement dans des tombes, le plus souvent individuelles, mais volontiers rapprochées, soit de la maison familiale, soit de l'agglomération de leurs proches.

D'autre part, comme l'idée d'un retour pur et simple au « néant » n'était aisément ni accessible, ni acceptable, on avait postulé la présence, en chacun de nous, d'une sorte de calque, de double ombreux, que l'on appelait en sumérien *gedim*, mot passé en accadien sous la forme *etemmu* et que nous traduirions par « ombre », « fantôme » ou, si l'on veut, « âme », « esprit », mais en donnant à ces mots leur sens folklorique et non pas, évidemment, psychologique ou philosophique. Latent et comme virtuel tant que durait la vie, l'*etemmu* se détachait, à la mort, du corps devenu cadavre et, tout en gardant avec lui une relation certaine mais mystérieuse et que l'on n'a sans doute jamais cherché à définir, il prenait dès lors une condition indépendante que l'on se figurait en l'accommodant, tout ensemble, à l'état vaporeux et inconsistant qu'on était bien forcé de lui reconnaître et à l'image assoupie, pensive et impassible du cadavre : en accord avec ces données, il ne pouvait plus mener qu'une *existence* de soi torpide, engourdie,

---

3. Sur ce chapitre, on peut se reporter à « La mythologie de la Mort en Mésopotamie ancienne », p. 25-52 de *Death in Mesopotamia*, Actes de la XXVIe rencontre assyriologique internationale, éd. par Bendt ALSTER, Copenhague, 1980.

floue, très loin de la *vie* remuante et bruyante qui avait été la sienne auparavant.

La mise en terre systématique des corps avait naturellement tourné l'attention vers le sous-sol, autrement dit vers cette demi-sphère symétrique et complémentaire de la coupole céleste. C'est donc là, et ce ne pouvait être que là, qu'on avait imaginé le « lieu des morts », leur territoire et leur Pays et, puisque la mort était notoirement un phénomène irréversible, leur « Pays-sans-retour ». Certes, les corps demeuraient en leur sépulcre, où ils retrouvaient, peu à peu, l'apparence et la consistance de cette argile dont les dieux les avaient modelés lors de leur création. Mais leurs *etemmu* gagnaient le « Pays-sans-retour », dont la tombe, creusée en terre, formait comme un soupirail, une entrée individuelle, par laquelle le défunt que l'on y déposait se trouvait introduit vers cette démesurée caverne souterraine où l'on imaginait tous les trépassés réunis — tous, sans distinction et sans tri liminaire sur quelque critère, moral ou autre, que ce fût.

Tel était, disait-on, le « Destin » universel des hommes, inscrit dans leur nature, et commandé par la volonté des dieux dont tout l'Univers dépendait.

4. Un pareil schéma, reflet direct des propres conditions du Cosmos et de la Vie humaine, ne pouvait pourtant guère être laissé dans sa sécheresse première. Les anciens Mésopotamiens avaient trop d'imagination pour ne point broder sur ce canevas. Sans vouloir rapporter ici tout ce qu'ils y ont ajouté, en traits plus d'une fois contradictoires, du reste, comme c'est quasiment la règle dans tout régime mythologique de pensée, contentons-nous de résumer pour l'heure l'image qu'ils s'étaient faite du « Pays » des Trépassés, puisque c'est elle qui nous retient ici d'abord.

Le modèle à leur portée, et qui sautait d'emblée aux yeux, c'était celui de leur propre pays : un territoire défini, gouverné par un souverain (en Mésopotamie, on était de tradition strictement monarchique), lequel, entouré de sa famille, de ses hauts fonctionnaires, de tout son personnel et de sa cour, vivait en son palais, au centre de sa capitale, emmantelée de remparts et à laquelle on n'avait accès que par des portes cadenassées et surveillées. Ainsi se sont-ils figuré le « Pays des Morts ».

Une fois que les hommes avaient quitté la terre pour entrer en leur nouvel espace souterrain, comme des migrants qui passent la frontière, retirés de la domination des dieux célestes, ils tombaient sous celle des dieux « infernaux », leurs nouveaux maîtres et souverains.

Il semble qu'anciennement ces dieux aient eu à leur tête, non pas un roi (comme c'était quasiment la règle, en tout cas pour les « dieux d'en haut »), mais une reine : *Ereshkigal* en sumérien, « Dame de la Grand-Terre » : « Grand-Terre » était aussi un des noms du « Pays-sans-retour », soulignant l'immensité que l'on attribuait à un espace où s'étaient entassées tant de générations depuis la nuit des temps. Au cours du IIe millénaire avant notre ère, le premier rang y a été pris par un dieu : Nergal, et un mythe, dont nous aurons à dire deux mots, racontait comment il avait occupé cette place en devenant l'époux de la Reine d'Enfer. Ce Nergal et son épouse, entourés de leur famille, de toute une armée d'agents et de hauts fonctionnaires — dont les titres et les offices étaient directement pris de leurs modèles d'ici-bas —, vivaient au propre centre et tréfonds du « Pays-sans-retour », dans un Palais digne de leur majesté. Parmi les dignitaires du royaume, on mettait volontiers en avant une sorte de Conseil supérieur que l'on appelait les *Anunna*, ou *Anunnaki*, et qui, réunis en une façon de Tribunal, avaient, avec le souverain, droit de décision concernant les affaires du Royaume. Mais le terme Anunna/Anunnaki s'est aussi employé, en d'autres contextes, pour désigner l'ensemble des divinités assignées à l'Enfer, et dont une tradition voulait qu'elles fussent en nombre égal (le chiffre de trois cents était retenu quelquefois) à celui des divins habitants des régions célestes (que l'on réunissait alors sous le nom d'*Igigi*) : toujours ce même esprit de symétrie et de système ! Un des officiers les plus connus était le terrible factotum du souverain : *Namtar* (en sumérien, « Destin ») et nous connaissons aussi par son nom le Portier-chef : *Petû*, « Ouvre (porte) ».

La Ville où se trouvaient à la fois ce Palais et ces autorités, c'était la Capitale du Royaume infernal ; mais souvent on la confondait pratiquement avec lui, comme s'il n'avait réellement consisté qu'en une gigantesque métropole. Aussi l'appelait-on « Grand-Ville » (*Urugal*, mais aussi *Irkalla* en sumérien), synonyme de « Grand-Terre » ci-dessus : le nom de Nergal : *Nè(?)eri$_{u}$gal,* voulait dire en sumérien « Gouverneur de la Grande Cité ». Cette Ville, comme celles d'ici-bas, était enfermée dans une ligne inviolable de remparts. Et même, l'imagination mythopoiétique se trouvant naturellement portée à l'emphase, on avait parfois septuplé ces murailles, chacune avec sa porte, gardée par un impitoyable concierge — on citait leurs noms redoutables. Le rôle de ces cerbères, Petû, leur chef, en tête, c'était, et de ne laisser pénétrer que les morts, uniques citoyens du Royaume, et, une fois qu'ils étaient entrés, de les garder prisonniers (on appelait parfois la Porte de l'Enfer : « Porte des Emprisonnés ») et d'empêcher toute évasion.

5. Pour le dire en passant — et ce n'est qu'une des nombreuses contradictions du système — leur garde n'était pas toujours efficace. Que les morts fussent une fois pour toutes assignés à résidence en leur nouvel espace, c'était la conséquence logique de leur nouvel état définitif. Mais, en ce temps-là comme toujours et partout, il arrivait que les survivants eussent le sentiment d'un retour des défunts auprès d'eux : ils « voyaient » ces « revenants », en songe ou hallucination ; ils les « entendaient » gémir ou faire tapage ; ils se sentaient « hantés » par eux. Ce pouvait être le cas d'*etemmu* que les circonstances exceptionnelles de leur trépas (au cours d'un voyage en quelque contrée désertique, sur un champ de

bataille, par noyade, etc.) n'avaient pas permis d'ensevelir et d'introduire par là dans leur « Pays » d'assignation : ceux-là erraient, irrités et méchants, à la surface de la terre, cherchant à se venger sur les vivants de leur infortune. Mais il y avait aussi ceux dont les héritiers, au mépris de leurs obligations familiales les plus strictes, ne s'occupaient plus, refusant ou négligeant de leur faire ces modestes offrandes symboliques d'eau versée sur leur tombe ou de bribes de nourriture, qui suffisaient désormais, pensait-on, à soutenir leur chétive existence. Ceux-là aussi se retournaient contre les coupables et leur infligeaient, en retour, mille misères. On connaissait les moyens de chasser ces persécuteurs, autrement dit de les refouler dans leur « Pays » : nous avons conservé quantité de procédures, dites « exorcistiques », dans ce but. Mais le fait est qu'en dépit de l'implacable surveillance des « Portiers » d'En-bas et de la Règle absolue qui confinait tous les morts, sans exception, à l'intérieur de leur citadelle infernale, les chemins de cette dernière paraissent avoir été quotidiennement hantés d'allants et de venants...

6. Autre contradiction, à signaler de même. Nos documents insistent, çà et là, en accord avec l'importance et la dignité des dieux souverains d'En-bas, sur la splendeur et le faste de leur résidence et de leur vie. Mais en même temps, leur situation, sous terre, dans l'Anti-Ciel, inclinait à affecter du signe négatif toutes leurs prérogatives, au contrepied de celles d'« en-dessus » de la surface de la terre, et du Ciel. On imaginait donc le « Pays des Morts », l'Enfer, triste et sombre, enseveli dans une torpeur et un lourd silence perpétuels : on le rêvait comme ces cavernes — que certains avaient eu sans doute l'occasion de découvrir et d'explorer — noires, humides, feutrées, et hantées seulement par des grappes d'oiseaux nocturnes, serrés les uns contre les autres, craintifs et paralysés dans les ténèbres. La nourriture n'y était que de terre et d'eau de ruissellement ou de vidange : qu'y a-t-il d'autre sous le sol ? Et une telle tristesse, un tel accablement, une telle mélan-

colie, envahissaient même l'existence des divinités qui régnaient sur ces lieux, à l'envers de la Terre et du Ciel.

7. N'avançons plus, ici, qu'une autre inconséquence. Compte tenu de ce que le trépas et ses suites étaient uniformément inscrits dans la propre nature et le destin universel des hommes comme tels, on devait forcément confondre *tous* les morts, en leur « Pays », dans la même existence larvaire, somnolente et indéfinie, sans qu'intervînt jamais entre eux la moindre discrimination, par exemple à la suite d'un « jugement » porté sur chacun en vertu de ses mérites ou démérites de quelque ordre que ce fût : « moral », juridique, religieux... Et pourtant, quelques documents laisseraient entendre que s'était introduite au Royaume des Morts, on ne sait quand, ni pourquoi, ni comment, une hiérarchie entre trépassés riches et pauvres, dignitaires et va-nu-pieds, prospères et misérables. Si l'on y regarde de près, c'était, en fait, la simple transposition, voire la poursuite de l'état des choses ici-bas. Ces gens, qui avaient de l'inégalité et de la différence un sens que nous avons presque perdu et qui se résignaient plus que nous à des nécessités qu'ils sentaient, confusément, supérieures et, au bout du compte, indéclinables, s'étaient habitués à admettre que la diversité de nos conditions pendant notre vie se poursuivait à jamais dans l'après-vie. Non par mérite personnel mais par fatalité et par chance, ou malchance.

8. Telle était donc, à grands traits, dans ses lignes de force et ses contradictions, la mythologie de l'Au-delà selon les anciens Mésopotamiens.

La question peut se poser de savoir s'ils pensaient tous de même. Car dans leur pays où lire et écrire étaient une technique et un art si difficiles que seuls des spécialistes longuement exercés en étaient capables, et où *tout* ce qui était mis par écrit, toute la littérature, passait par leurs mains, constituait leur prérogative, on pourrait après tout se demander si les textes qu'ils nous ont laissés ne reflètent pas avant tout leur propre opinion sur les choses. Mais, pour peu qu'on s'y arrête un moment, est-il vraiment imaginable que, du seul fait de leur état de lettrés, ils aient acquis, parmi leurs concitoyens, une idéologie et une sensibilité particulières qu'il faudrait, du reste, logiquement étendre à tous les domaines de la pensée et du cœur ? Il y aurait quelque formalisme malsain à le soutenir et, même si l'expression *écrite* de la mythologie de la Mort et de l'Après-mort est vraisemblablement plus précise que n'en était la tradition *orale* parmi la majorité des habitants du pays, on peut tenir sans crainte ce que nous avons résumé ci-devant de la conception du Destin et du « Pays des Morts », pour la croyance générale de ces vieilles gens, propre et coextensive à leur civilisation.

Dans ces conditions, entrée dans la conscience commune et traditionnelle, cette représentation collective du sort des hommes après leur vie, de leur assignation au « Pays-sans-retour » et des lois de fonctionnement de cet Empire infernal, ne pouvaient être l'objet d'un « secret » ou d'une « révélation » quelconques. Si donc, au cours des siècles, divers auteurs ont cru devoir composer un certain nombre de « catabases », de pièces littéraires dans lesquelles se trouvait présentée, d'une manière ou d'une autre, une « descente en Enfer », une « visite » au « Pays-sans-retour », du moins est-il certain que ce n'était pas le moins du monde en vue de dévoiler aux lecteurs des arcanes concernant l'Au-delà.

Ces œuvres utilisent seulement le motif de la « descente en Enfer », chacune pour son compte et dans son propre but. Elles nous sont inégalement précieuses, dans la mesure où — avec bien d'autres documents — elles nous permettent d'entrer dans l'idéologie mésopotamienne de l'Après-mort ; mais aussi, et peut-être surtout, à nos yeux d'historiens, parce qu'elles représentent un certain nombre de thèmes, voire de types littéraires, qui auront la vie longue et se retrouveront un peu partout, ensuite, dans le monde : la Mésopotamie, par là, a des chances de nous fournir, au moins, les plus vieux exemplaires connus de ce genre littéraire. C'est pourquoi il vaut la peine de les recenser et de les présenter au moins sommairement ici, quitte à nous étendre un peu plus sur la plus remarquable d'entre elles.

9. Deux de ces pièces, en langue sumérienne — et composées apparemment au tournant du IIIe au IIe millénaire —, sont moins des « visites » de l'Enfer que des « arrivées » dans ce lieu : leurs héros, décédés, rejoignant leur lieu d'assignation — le Royaume des Trépassés. La mieux conservée est celle que l'on a intitulée *La Mort d'Ur-nammu*, d'un peu moins de 250 lignes[4]. Le poème est centré sur un événement historique : la mort (vers 2094, après seize ans de règne) du souverain fondateur de la IIIe dynastie d'Ur ; c'est cette disparition, en pleine activité et en pleine gloire, qui est d'abord déplorée. Après quoi, le défunt nous est présenté introduit dans son nouvel habitacle : conformément aux obligations de son rang (qu'il garde donc, d'une certaine manière, dans l'Au-delà), il s'en va d'abord rendre hommage à tous les dieux qui jouent un rôle important au Royaume des Trépassés et il leur présente des offrandes pour se concilier leur bonne grâce et dans l'espoir de s'attirer leurs faveurs. Puis on lui accorde, comme il convient à son rang, du personnel pris entre les trépassés — autrement dit, on l'installe dans sa nouvelle et définitive existence de *souverain* défunt. Mais la nostalgie le prend de tout ce qu'il a quitté d'animé et de joyeux sur la terre pour entrer dans un monde aussi morose et déprimant.

10. Originairement plus ample (environ 450 lignes), mais beaucoup moins bien conservée, *La Mort de Gilgamesh*[5] semble en gros de la même veine. Il y est question, cette fois,

---

4. Texte édité par S.N. KRAMER dans *Journal of Cuneiform Studies*, XXI, 1967, p. 104-122 ; avec des notes et des restitutions de C. WILCKE aux p. 81-92 des Actes de la XVIIe rencontre assyriologique internationale, 1969.

5. Ce qu'il en reste : 95 vers ou fragments de vers d'un côté, et 42 de l'autre — sans rien entre eux pour les rejoindre —, est traduit, avec références appropriées, par S.N. KRAMER, aux p. 50-52 d'*Ancient Near Eastern Texts Relating to the Old Testament*[2], 1955.

du célèbre souverain archaïque (vers 2600) d'Uruk, passé dans
la légende, voire dans l'épopée, lesquelles semblent avoir
exploité surtout, en sus de ses hauts faits, son vain refus de la
mort et ses efforts inutiles pour conquérir l'immortalité. Ici,
parmi les débris et les lacunes du texte, le même thème est mis
en valeur : Gilgamesh reçoit avis qu'il devra mourir. Puis, on
le voit, plus loin, arrivé lui aussi au Royaume des Ombres, où
il rend pareillement hommage aux dieux, comme Urnammu et
sans doute dans le même esprit. Le texte souligne qu'il se
trouve alors d'emblée entouré de sa femme, de sa famille et de
sa cour : trait qui évoque peut-être la sinistre coutume funéraire archaïque, illustrée par la découverte fameuse des
Tombes royales d'Ur (milieu du IIIe millénaire), dans lesquelles
les corps des souverains, parmi leur somptueux mobilier et leur
équipage, étaient accompagnés des cadavres de leur maison,
par dizaines...

11. Le même Gilgamesh est encore au centre d'une autre
catabase : dans le conte[6] intitulé *Gilgamesh, Enkidu et l'Enfer*,
écrit en sumérien, à la même époque que les deux précédents,
et à peu près entièrement conservé sur ses quelque 300 vers.
C'est une histoire assez compliquée et dont seuls les deux derniers tiers nous intéressent : Gilgamesh, qui a reçu en cadeau
de la déesse Inanna un Cercle et une Baguette[7], insignes-talis-
mans de pouvoir, les a malencontreusement laissés choir, par
une crevasse ouverte en la terre, jusque dans l'Empire des
Morts. Son serviteur Enkidu s'offre à les aller rechercher : Gilgamesh lui enseigne comment il lui faudra se comporter pour
que l'on ne remarque point sa qualité de non-mort et que sa
visite ne tourne point mal. Mais il néglige ces avertissements,

---

6. Transcrit, traduit et commenté dans la thèse inédite — université de
Pennsylvanie — de A. SCHAFFER, *Sumerian Sources of Tablet XII of the Epic
of Gilgamesh*.

7. Pour ce Cercle et cette Baguette (que l'on retrouvera plus loin, p. 80,
vers 129 et 136), voir la note p. 91s de l'*Annuaire 1971-1972 de la IVe section
de l'École pratique des hautes études*, Paris, 1972.

si bien qu'on le garde en Enfer. Gilgamesh finit pourtant par obtenir des dieux qu'on le libère ; il l'interroge alors sur les diverses catégories d'individus qu'il a pu observer parmi la population de l'Enfer et sur leur manière d'y subsister. Après ce dialogue, qui finit abruptement, la suite et la fin ne nous sont pas connues. La pièce a été traduite en accadien, avec quelques différences textuelles : la plus notable porte sur la qualité d'Enkidu lorsqu'il ressort de l'Enfer ; dans le sumérien, c'est bien lui, en personne semble-t-il ; dans l'accadien, ce n'est que son « esprit », et sa permission de sortie n'est vraisemblablement que momentanée. Une telle modification est en accord avec l'usage que les lettrés accadiens ont, tardivement, fait de cette histoire : ils l'ont raccrochée à la fin de l'*Épopée de Gilgamesh*, dont elle forme la XIIᵉ et dernière tablette, au moins selon l'édition « définitive » ninivite. Dans la seconde partie de cette œuvre fameuse, était rapportée la mort d'Enkidu : une fois retourné chez lui, après ses aventures subséquentes à la vaine recherche de l'immortalité, Gilgamesh était donc censé obtenir un dernier contact passager avec son ami, lequel ne pouvait, vu son état, se proposer à lui autrement qu'en « fantôme »...

12. Les choses se présentent quelque peu différemment dans le mythe en accadien que nous connaissons sous le nom de *Nergal et Ereshkigal* : il ne s'agit plus d'un mortel descendu, mort ou vif, dans l'Empire des Ombres, mais d'un dieu, dont on a voulu expliquer comment, d'abord membre de la société divine céleste, il a pris place — et même la première place — parmi les divinités infernales. L'histoire, composée sans doute au cours de la première moitié du IIᵉ millénaire, nous est parvenue en deux recensions : l'une, plus courte (88 vers) et assez bien conservée, de peu après le milieu du IIᵉ millénaire ; l'autre, plus longue (environ 400 lignes en son entier) et menée avec des différences notables, mais bien plus lacuneuse, dans

un manuscrit du second quart du Ier millénaire[8]. Leur canevas est identique : Nergal, dieu céleste, pour avoir manqué gravement de respect à Ereshkigal, Souveraine de l'Enfer, en la personne de son représentant, est poursuivi par la rancune de la déesse, qui veut le châtier. Éa, le plus intelligent des dieux et leur conseiller, convainc Nergal d'aller affronter son ennemie chez elle, et celui-ci se rend donc en Enfer. La version ancienne ne fait état que d'une visite ; l'autre en suppose deux : mais, en l'un et l'autre cas, dans des conditions, il est vrai, quelque peu différentes, Nergal finit par épouser Ereshkigal et s'installer auprès d'elle en souverain de l'Enfer.

13. Un document unique, en accadien, d'origine assyrienne, et à dater vraisemblablement du VIIe siècle avant notre ère (traduit par R. Labat aux p. 94-97 de l'ouvrage cité n. 8), nous présente à son tour une « descente » en Enfer assez particulière : en un songe[9], qui nous y est conté. Les circonstances de ce songe ne nous sont pas claires, du fait que seul le revers de la tablette, contenant les quelque 34 dernières lignes du texte, reste suffisamment intelligible : la face est trop endommagée pour qu'on se flatte d'en comprendre le sens exact. Dans ces conditions, on ne peut que faire des conjectures. La plus vraisemblable est qu'il s'agit, sous les derniers souverains assyriens sargonides, des hésitations de la cour de

---

8. Traduction des deux par R. LABAT, aux p. 98-113 des *Religions du Proche-Orient asiatique*, 1970.

9. Dans l'*Épopée de Gilgamesh*, il y avait, dès la seconde moitié du IIe millénaire (fragment dit « de Megiddo »), et dans l'édition ninivite (tabl. VII/IV : 11-55), un passage mutilé qui racontait également une descente en Enfer en songe. Terrassé par le mal qui devait l'emporter, Enkidu se voyait, dans un cauchemar en quelque sorte prémonitoire, saisi par une sorte de démon à l'aspect effrayant, qui l'entraînait en Enfer (ici, dans la version ninivite, prenait place le passage, signalé plus loin, p. 68, n. 10, parallèle aux premières lignes d'*Ishtar aux Enfers*). Là, il se trouvait mis en présence, devant la reine Ereshkigal, de toute la population des Trépassés, dont le texte signale surtout les plus éminents : souverains et dignitaires. La cassure qui interrompt le récit ne nous permet pas de nous en faire une idée plus précise. Aussi suffisait-il de signaler ce document.

Ninive touchant la politique à suivre vis-à-vis de Babylone, conquise et dominée, mais qui gardait un prestige considérable. Le prince héritier, appelé ici Kummâ, et qui, dans l'hypothèse, devrait être Assurbanipal (668-627), est donc censé avoir rêvé qu'il se trouvait transporté en Enfer : un tableau effrayant nous est dressé de la cour infernale devant laquelle il aurait comparu et se serait senti comme condamné à mort. Mais un fantôme — celui, sans doute, de son grand-père Sennachérib (704-681) — serait intervenu pour le sauver, à charge que, de retour chez lui, il persuade son père, le roi régnant, Asarhaddon (680-669), d'obéir à la volonté des implacables dieux de l'Enfer — autrement dit de conformer sa politique en la matière à celle du parti auquel appartenaient les auteurs du pamphlet. Ces derniers comptaient donc sur la foi de leurs lecteurs ou auditeurs à la réalité du rêve, en quelque sorte admonitoire, et sur une certaine terreur de l'Au-delà, présenté ici pour la première fois sous des couleurs délibérément terrifiantes, pour influencer les vivants. Il y a là, pour le moins, une exploitation originale de la Catabase qui, elle aussi, fera plus tard fortune.

14. Reste la *Descente d'Ishtar (Inanna) en Enfer* : la plus fameuse, la plus détaillée, la mieux conservée et la mieux connue. C'est celle de la déesse appelée en sumérien Inanna et en accadien Ishtar. Ici aussi nous avons deux versions, l'une en langue sumérienne[10] : elle est beaucoup plus longue, sur à peu près 400 vers ; l'autre, en accadien, est plus courte — 138 vers — et même, sur la fin, carrément abrégée, sinon télescopée[11].

---

10. Traduction à paraître dans S.N. KRAMER-J. BOTTÉRO, *La Mythologie mésopotamienne* ; de larges passages sont cités, et la pièce entière résumée, dans S.N. KRAMER, *Le Mariage sacré*, 1983, p. 136 ss.

11. Voir *Le Mariage sacré*, cité p. 179 ss, en attendant *La Mythologie mésopotamienne* ; traduction intégrale dans l'ouvrage cité de R. LABAT, p. 258 ss.

Aux p. 79-110 de l'*Annuaire* cité, v. note 7, on trouvera un exposé général du contenu des deux versions de la *Descente*, des problèmes qu'elles posent, de leur relation mutuelle et de leur signification substantielle.

C'est pourtant elle que nous allons traduire et expliquer ici, non seulement parce que, si elle n'est attestée que par des manuscrits au plus tôt de la fin du IIᵉ millénaire, elle préserve des traits archaïques éliminés de la version sumérienne, laquelle devrait pourtant remonter, au plus tard, aux premiers temps de ce millénaire ; mais parce qu'elle nous présente, dans un texte plus court et plus nerveux, peut-être davantage de données topiques concernant le « Pays-sans-retour » ; et aussi parce que, connue des assyriologues, puis de la galerie, dès le début de ce siècle, et bien avant la version sumérienne (découverte et publiée seulement en 1950), elle avait été longtemps interprétée tout à rebours, et elle l'est encore, çà et là, même en des ouvrages savants (ainsi col. 152 du tome III de *Der kleine Pauly*, 1975/1979), alors qu'on peut aujourd'hui, grâce aux précisions du texte sumérien, lui restituer son sens véritable.

En voici donc, entrecoupé seulement de quelques indications et commentaires pour en faciliter l'intelligence, le texte entier disposé suivant le manuscrit ninivite, le plus connu [12].

15. On comprend d'emblée qu'il s'agit de la visite — peut-être même faut-il dire : de l'incursion — qu'Ishtar, déesse céleste, veut faire en Enfer, sans autre motif apparent que son propre caprice, voire, comme le laisse entendre la réaction d'Ereshkigal (lignes 28-36), son ambition de venir la supplanter à la tête de son Empire.

1 [13] Au Pays-sans-retour, le domaine d'E[reshkigal],
    Ishtar, la fille de Sîn, décida de se rendre ;
    Elle décida de se rendre, la fille de Sîn,
    En la Demeure obscure, la Résidence d'Irkalla [14] ;

---

12. Un autre manuscrit, trouvé à Assur, et moins bien conservé, facilite çà et là la restitution du texte de Ninive défectueux, et introduit quelques variantes, que j'ai signalées lorsqu'elles en valaient la peine.

13. Les chiffres en retrait, à gauche, numérotent les « vers » selon la répartition du manuscrit de Ninive.

14. Les « vers » 4-10 se retrouvent quasi-mot pour mot, d'une part dans le rêve prémonitoire d'Enkidu, signalé ci-dessus, v. note 9 (VII/IV : 3 ss) ; d'autre part, dans le récit de la visite faite à l'Enfer par Nergal (*Nergal et Ereshkigal*, version longue — ci-dessus, p. 66 —, fin de la col. II et premiers vers de la III). On ne sait trop dans quel sens a joué la dépendance littéraire.

5   En la Demeure d'où ne ressortent plus ceux qui y sont
                                                      entrés,
     Par le Chemin à l'Aller sans Retour ;
     En la Demeure où les arrivants sont déprivés de (toute)
                                                      lumière,
     Ne subsistant plus que d'humus et alimentés de terre,
     Affalés dans les Ténèbres, sans jamais voir le jour,
10   Revêtus, comme des oiseaux, d'un accoutrement de plumage,
     Tandis que s'épand la poussière sur verrous et vantaux !

La voici donc devant l'entrée de la citadelle infernale :

     Arrivée à la Porte du Pays-sans-retour
     Elle adressa (ces) mots au Gardien de la Porte :
     « Gardien, ouvre ta Porte !
15   Ouvre ta Porte, que j'entre, moi (qui-te-parle) !
     Si tu ne me laisses pas entrer, moi (qui-te-parle),
     Je martèlerai la Porte à en briser les verrous,
     J'en secouerai les montants à en démolir les vantaux,
     Et je ferai remonter les Morts, qui dévoreront les Vivants,
20   (Tant et si bien que) les Morts dépasseront-en-nombre les
                                                      Vivants[15] ! »
     Le Gardien ouvrit donc la bouche, prit la parole
     Et s'adressa à la puissante Ishtar :
     « Demeure-là, Madame, ne quitte point la (Porte),
     Je transmettrai ton nom à la Reine Ereshkigal ! »
25   Le Gardien entra donc et s'adressa à Ereshkigal :
     « (Il y a) là, dit-il, ta "sœur" Ishtar qui [attend à la Porte
                                                      (?)],
     Celle qui joue à la Grand-Corde-à-sauter
     Et qui révolutionnerait l'Apsû (jusque) en présence
                                                      d'Éa... ! »

Ce disant, il la dépeint à la fois, selon sa réputation, comme
futile et ne pensant qu'à s'amuser, et capable, dans ce but,
d'apporter le désordre jusque dans le domaine irréprochable

---

15. Pareillement, 19-20 se retrouvent-ils aux lignes 11'-12' de la colonne V
du même *Nergal et Ereshkigal*.

du plus sage des dieux. Mais Ereshkigal n'avait sans doute pas besoin de cela pour suspecter quelque tour de la façon d'Ishtar et pour entrer d'emblée en fureur :

> Lorsque Ereshkigal eut ouï cette adresse,
> Son visage blêmit comme un (rameau coupé de) tamaris,
> 30 Et tel un éclat de roseau (?), ses lèvres s'assombrirent !
> « Que me veut-elle ? Qu'a-t-elle (encore) imaginé ?
> Je veux banqueter moi-même en compagnie des Anunnaki,
> (doit-elle se dire),
> M'alimenter de terre et m'abreuver d'eau trouble !
> Déplorer le destin des jeunes-hommes enlevés à leurs
> épouses ;
> 35 Déplorer le destin des jeunes-femmes arrachées au giron de
> leurs maris ;
> Déplorer le destin des bébés expédiés avant leur heure ! »

Ce sont ses propres prérogatives en tant que Reine des Morts qu'Ereshkigal énumère ainsi, en soupçonnant Ishtar de les lui vouloir prendre, pour les ajouter aux siennes : elle pressent que la déesse venue d'En-haut veut lui ravir sa place.

16. Mais elle a déjà son plan ; aussi accepte-t-elle qu'on l'introduise :

> « Va lui ouvrir la Porte, Gardien :
> Mais traite-la selon la Règle antique (de l'Enfer) ! »
> Le Gardien s'en fut donc et lui ouvrit la Porte :
> 40 « Entre, Madame (lui dit-il) : Kutû[16] se réjouit de
> t'accueillir !
> Le palais du Pays-sans-retour est en liesse de ta visite ! »

Il parle ainsi, captieusement, pour la mettre en confiance, car il a bien compris ce qu'attendait de lui sa Maîtresse. Selon

---

16. *Kutû* (en sumérien *Gù-du₈-a*), nom d'une ville dont la divinité poliade était Nergal, a été plus d'une fois entendu, par métaphore, du Royaume infernal de ce dieu.

la « Règle antique » qui voulait qu'on n'entrât en Enfer qu'après avoir tout perdu (« Nu je retournerai dans le sein de ma mère », comme dira Job [Jb 1,21] dans la Bible), il va la dépouiller de tout ce qu'elle a sur elle à mesure qu'il lui fera franchir les Sept Portes successives qui mènent au Palais central de l'Enfer, où se trouve Ereshkigal :

> L'introduisant par la première Porte, il écarta (d'elle)
> Et confisqua la Grand-Couronne de sa tête !
> « (Mais) pourquoi (dit-elle), ô Gardien, emportes-tu la
>   Grand-Couronne de ma tête ?
> — Entre, Madame ! C'est la règle posée par la Souveraine
>   de l'Enfer ! »
> 50   L'introduisant par la seconde Porte, il écarta (d'elle)
> Et confisqua ses Boucles d'oreilles.
> « (Mais) pourquoi (dit-elle), ô Gardien, emportes-tu mes
>   Boucles d'oreilles ?
> — Entre, Madame, c'est la Règle posée par la Souveraine
>   de l'Enfer ! »
> L'introduisant par la troisième Porte, il écarta (d'elle)
> Et confisqua les Perles de son Collier !
> « (Mais) pourquoi (dit-elle), ô Gardien, emportes-tu les
>   Perles de mon Collier ?
> 50   — Entre, Madame ! C'est la Règle posée par la Souveraine
>   de l'Enfer ! »
> L'introduisant par la quatrième Porte, il écarta (d'elle)
> Et confisqua le Cache-seins de sa Poitrine !
> « (Mais) pourquoi (dit-elle), ô Gardien, emportes-tu le
>   Cache-seins de ma Poitrine ?
> — Entre, Madame ! C'est la Règle posée par la Souveraine
>   de l'Enfer ! »
> L'introduisant par la cinquième Porte, il écarta (d'elle)
> Et confisqua la Ceinture de pierres fines de ses Lombes !
> 55   « (Mais) pourquoi (dit-elle), ô Gardien, emportes-tu la Cein-
>   ture de pierres fines de mes Lombes ?
> — Entre, Madame ! C'est la Règle posée par la Souveraine
>   de l'Enfer ! »

L'introduisant par la sixième Porte, il écarta (d'elle)
Et confisqua ses Anneaux de Mains et de Pieds !
« (Mais) pourquoi (dit-elle), ô Gardien, emportes-tu mes
                          Anneaux de Mains et de Pieds ?
— Entre, Madame ! C'est la Règle posée par la Souveraine
                                        de l'Enfer ! »

60 L'introduisant par la septième Porte, il écarta (d'elle)
Et confisqua la Robe d'apparat qui (lui couvrait) le corps !
« (Mais) pourquoi (dit-elle), ô Gardien, emportes-tu la Robe
                          d'apparat qui (me couvre) le Corps ?
— Entre, Madame ! C'est la Règle posée par la Souveraine
                                        de l'Enfer ! »

La voici donc en Enfer, mais dépouillée de tout ce qu'elle
portait, et par conséquent — toutes ces parures, nous le com-
prenons mieux par la version sumérienne, étaient autant de
porte-pouvoirs — à la merci d'Ereshkigal.

Sitôt Ishtar (ainsi) descendue au (tréfonds du) Pays-sans-
                                                    Retour,
A sa vue, Ereshkigal entra en fureur,
65 Et Ishtar, inconsidérément, se jeta sur elle !

Mais le crêpage de chignon n'aura pas lieu, puisque Ishtar
est sans force. Il reste à la réduire à la dernière extrémité, et,
en somme, à l'état de cadavre, comme quelqu'un qu'auraient
attaqué ensemble toutes les maladies imaginables :

Mais Ereshkigal ouvrit la bouche, prit la parole
Et adressa (ces) mots à Namtar, son Lieutenant :
« Va, Namtar [...],
Lâche sur elle les Soixante Maladies[17] [...]
70 Les maladies des yeux sur ses yeux !
Les maladies des bras sur ses bras !

---

17. La fin de 68 s est perdue.

Les maladies des pieds sur ses pieds !
Les maladies des entrailles sur ses entrailles !
Les maladies de la tête sur sa tête !
75   [Lâche-les ?] sur son corps tout entier ! »

17. Ainsi exténuée et comme assimilée aux autres sujets
d'Ereshkigal, la voilà donc immobilisée en enfer, et incapable
d'en sortir. C'est alors que dans l'Univers commencent à se
faire sentir les effets de la disparition de la déesse qui com-
mandait au rut et à l'amour physique :

Or, une fois Ishtar [ainsi retenue en Enfer],
(Voilà que) nul taureau ne montait plus de génisse,
Nul baudet ne fécondait plus d'ânesse,
Nul homme n'engrossait plus de femme, à son gré :
(Mais) chacun dormait seul en sa chambre
80   Et chacune s'en allait coucher à part :

Ce qui préoccupe les dieux, et tout d'abord leur intendant
général : car s'il n'y a plus d'amour, il n'y aura plus de naissances — plus d'animaux pour aider les hommes, et surtout
plus d'hommes pour assurer les travaux indispensables au bien-
être et à la subsistance des dieux. Voilà pourquoi il va
implorer Sîn de pourvoir à la libération de la prisonnière —
mais le père d'Ishtar lui-même ne semble pas vouloir donner
suite ; il s'adresse alors à Éa, le plus malin des dieux, celui qui
a toujours dénoué toutes leurs crises et résolu toutes leurs
difficultés :

Papsukkal, le Lieutenant des Grands-dieux, accablé et
                                                navré,
Habillé et coiffé de deuil,
S'en vint, découragé (?), pleurer devant Sîn, le père
                                                (d'Ishtar) !
(Puis) il laissa découler ses larmes devant Éa-le-Souverain :

85   « Ishtar (lui dit-il), descendue aux Enfers, n'en est pas
                                                         remontée !
     Et dès lors, depuis qu'elle est (ainsi) descendue au Pays-
                                                     sans-retour,
     (Voilà que) nul taureau ne monte plus de génisse,
     Nul baudet ne féconde plus d'ânesse,
     Nul homme n'engrosse plus de femme, à son gré,
     (Mais) chacun dort seul en sa chambre,
90   Et chacune s'en va coucher à part ! »

Éa, qui n'est jamais pris au dépourvu, trouve aussitôt le
remède à ce mal : un remède subtil, à sa manière. Pour
amollir l'implacable Ereshkigal, il va lui expédier un de ces
efféminés, que l'on connaissait bien en Mésopotamie[18], à la
fois « plaisant-à-regarder » (c'est, en somme, la signification
de son nom) et ridicule. C'est même le premier : le prototype
de ces êtres, qu'Éa « invente » ainsi, et le passage, on le verra
plus loin, a quelque chose d'étiologique.

     Alors Éa, en sa profonde intelligence, eut une idée :
     Il créa Aṣushu-namir, l'Inverti (et lui dit) :
     « Va, Aṣushu-namir, dirige-toi vers l'Entrée du Pays-sans-
                                                        retour,
     Et que, les Sept-Portes une fois ouvertes devant toi,
95   Ereshkigal, à ta vue, soit mise en gaîté !
     Sitôt son cœur joyeux et son âme de bonne humeur,
     Soutire-lui un serment par les Grands-dieux ! »

Il veut dire : un serment de lui accorder ce qu'il désirera,
puisqu'il aura réussi à la distraire : il demandera donc le libre
accès à l'Outre, réceptacle de la Boisson des dieux, laquelle

---

18. Sur ces personnages, leur rôle et leur statut social, on peut se reporter à
« L'Amour ''libre'' à Babylone et ses servitudes », p. 27-42 de *Hommes et
Bêtes*, éd. L. POLIAKOV, Paris, 1981.

dispensant et entretenant leur vie immortelle sera propre à réanimer le « cadavre » d'Ishtar[19].

> « Puis, enhardis-toi, et jette les yeux sur l'Outre :
> "Madame (diras-tu), qu'on m'accorde de m'abreuver à
> l'Outre"[20] ! »

Ereshkigal a compris, mais trop tard, où il veut en venir : elle se venge sur lui en lui promettant, à lui, et, naturellement, à tous ceux dont il est le prototype, un destin pénible et méprisé : c'est par là que le trait est étiologique :

> 100 A ces mots, Ereshkigal
> Se frappa la cuisse (de dépit) et se mordit le doigt (de rage) :
> « Tu m'as demandé là (dit-elle), quelque chose d'interdit !
> Eh ! bien ! Je vais porter contre toi, Aṣushu-namir, une
> Grande Malédiction
> < Et t'assigner à jamais un (pénible) Destin >[21] :
> (Désormais), ta pitance sera (celle produite par) les "Charrues-de-ville"
> 105 Et ta boisson, (celle) des caniveaux de la ville
> Tu (ne) stationneras (que) dans les renforcements des remparts,
> Et (ne) demeureras (qu') au seuil des portes :
> Ivrognes et soiffards te souffletteront (à leur gré) ! »

18. Mais avant cette algarade, elle avait prêté serment, et ce serment, elle doit le tenir : la précaution d'Éa était bien

---

19. C'est pourquoi l'on parlera plus loin (113 et 118) de l'« Eau vitale », évidemment contenue dans l'Outre.

20. Ici, par un procédé assez rare dans le style narratif élevé, et qui supposerait un raccourcissement volontaire ou accidentel du texte (peut-être en relation avec les télescopages de la partie finale : voir plus loin, p. 78), l'auteur saute sans transition des conseils d'Éa à Aṣushu-namir (vers 91-99), au récit des événements consécutifs à l'exécution de ses ordres (100 ss), laquelle est passée sous silence comme telle.

21. Cette partie du texte (ici entre < >) ne figure pas dans le manuscrit d'Assur. L'image des « Charrues-de-ville », au vers suivant, est obscure.

calculée ! Elle a toutefois besoin, pour une décision aussi exceptionnelle — libérer de l'Enfer quelqu'un qui s'y trouvait détenu —, de l'aval du Grand Conseil. Elle le fait donc convoquer, selon le cérémonial traditionnel, avant de procéder à la « réanimation » d'Ishtar :

<blockquote>

Puis Ereshkigal (r)ouvrit la bouche, (re)prit la parole
110 Et adressa ces mots à Namtar, son Lieutenant :
« Namtar, va faire-ouvrir-la-Porte de l'Egalgina[22],
Parsèmes-en le seuil de coquillages (apotropéens),
(Et) convoque les Anunnaki, pour les (y) faire siéger sur
(leurs) cathèdres d'or.
Puis, après avoir aspergé Ishtar d'Eau-vitale, amène-la
moi ! »
115 Namtar s'en alla donc faire-ouvrir-la-Porte de l'Egalgina,
Dont il parsema le seuil de coquillages (apotropéens) ;
Et après avoir convoqué les Anunnaki, il les (y) fit siéger
sur leurs cathèdres d'or !
Puis, Ishtar aspergée d'Eau-vitale, il l'amena devant
(Ereshkigal) !
</blockquote>

Celle-ci, évidemment, ne peut désormais que la libérer : c'est pourquoi Namtar, qui l'a prise en charge, lui fait franchir à rebours les Sept-Portes, en lui rendant à chacune la parure-talisman qui y avait été retenue :

<blockquote>

Quand il lui fit franchir la première Porte, il lui restitua
La Robe d'apparat (qui) lui (couvrait) le Corps ;
120 Quand il lui fit franchir la seconde Porte, il lui restitua
Ses Anneaux de Mains et de Pieds ;
Quand il lui fit franchir la troisième Porte, il lui restitua
La ceinture de pierres fines (?) de ses Lombes ;
Quand il lui fit franchir la quatrième Porte, il lui restitua
</blockquote>

---

22. *Egal-gina* (en sumérien : « Palais inébranlable (?) » ; le manuscrit d'Assur écrit à la place *Dili-gina*, peu clair) paraît être le nom de la Salle par ailleurs inconnue du Grand Conseil Infernal.

Le Cache-seins de la Poitrine ;
Quand il lui fit franchir la cinquième Porte, il lui restitua
Les Perles de son Collier ;
Quand il lui fit franchir la sixième Porte, il lui restitua
Ses Boucles d'oreilles ;
125 Et quand il lui fit franchir la septième Porte, il lui restitua
La Grand-Couronne de sa Tête !

19. Ici commence la partie finale du récit, elliptique et sché-
matisée, et que l'on ne peut comprendre sans faire appel au
contenu du texte détaillé de la version sumérienne. Il y était
marqué tout d'abord que, nul ne pouvant quitter l'Enfer sans
y fournir un suppléant, la déesse, accompagnée d'une troupe
de gendarmes démoniaques, devait aller chercher sur terre
l'otage qui serait détenu à sa place, sous peine de s'y voir
ramener elle-même. C'est la situation que condense le vers suivant, mis sur la bouche d'Ereshkigal et adressé à Namtar,
escorteur d'Ishtar en sa quête :

« (Que) si elle ne te fournit pas son remplaçant, ramène-
là[23] ! »

Ce remplaçant, poursuit la version sumérienne, la déesse
devait finalement le choisir en la personne de son amant,
Dumuzi (Tammuz en accadien), qu'elle cédait ainsi aux
démons, pour l'avoir trouvé — inconscient ou ignorant ? — en
fête, et non pas en deuil comme ses autres proches, auparavant
visités et qu'elle n'avait donc pas voulu livrer. Dans notre
texte, on dirait que l'insouciant bien-être, dans lequel est rencontré Tammuz, a été préparé par Namtar, sur les ordres

_____

23. Cette injonction, le manuscrit d'Assur la glisse plus haut, après 118, au
moment où Ishtar, remise en vie, va commencer à quitter l'enfer, ce qui est
peut-être la place logique du passage. Il la fait précéder d'une ligne, actuellement mutilée, qui semble la présenter comme un ordre donné à Namtar par sa
Maîtresse.

d'Ereshkigal — puisque c'est évidemment elle qui s'adresse ici à lui. Pas la moindre allusion n'est faite à la réaction d'Ishtar : même supposée connue, un texte véritablement suivi et cohérent aurait dû tout au moins la signaler. Mais il est clair que, pour des raisons "réelles" ou "textuelles" qui nous échappent, la teneur du récit a été ici considérablement écourtée, jusqu'à l'obscurité :

> « Pour ce qui est de Tammuz, l'"époux" de ses premières
> (-amours),
> Fais-le se laver d'eau claire, se frotter de parfum,
> Se revêtir d'une tenue d'éclat ! Qu'il batte de la Baguette[24]
> bleue,
> 130 Et que des filles de joie lui animent le cœur !

Dans une pareille situation, Ishtar abandonnait donc Tammuz à Namtar. Le texte sumérien, complété et doublé d'un certain nombre de parallèles, qui décrivaient en détails pathétiques la « passion » du jeune homme, finalement arraché à la vie et entraîné en Enfer, faisait état des réactions de sa sœur, Geshtinanna, désespérée de le voir ainsi emmené de force, et qui faisait tout pour le garder auprès d'elle. C'est ce que résume la péricope suivante, dans laquelle la sœur de Tammuz, appelée ici Belili, qui ne se doutait de rien et, toute à sa toilette, pousse des cris déchirants lorsqu'elle s'aperçoit brusquement qu'on lui ravit son frère :

> Or, Belili, ayant parachevé sa parure,
> Sa poitrine était recouverte (d'un collier) de perles d'onyx (?) !
> Lorsqu'elle ouït l'appel désespéré de son frère, elle arracha
> la parure de son corps
> Et les perles d'onyx (?) qui recouvraient (son) giron :
> 135 « (C'est) mon unique frère (criait-elle) : ne me l'arrachez
> pas ! »

---

24. Touchant cette Baguette et ce Cercle, v. note 7, plus haut.

Geshtinanna allait même plus loin, nous conte la version sumérienne : elle offrait de partager avec Dumuzi son emprisonnement en Enfer — six mois elle, six mois lui ; ce qui était finalement accepté. Ici le mythe rejoignait le rite, qu'il avait du reste originellement pour but d'expliquer. On célébrait dans la liturgie, à la fin du mois qui portait le nom de l'amant-victime d'Ishtar, son deuil et son départ pour l'Enfer ; six mois après, on fêtait allègrement sa remontée. C'est à quoi fait de toute évidence allusion le passage final de notre récit : Tammuz est censé revenir du Pays-sans-retour, avec ses propres emblèmes-talismans de pouvoir : Cercle et Baguette, escorté des mêmes officiants et officiantes qui avaient déploré sa mort. Et l'on ajoute, à la fin, un trait qui ne nous est pas attesté ailleurs, jusqu'ici : à l'occasion de cette fête, les morts, compagnons de détention de Tammuz, auraient été, en quelque sorte, autorisés à « remonter » avec lui, au moins pour prendre leur part de festivité, en humant la fragrance des aromates qu'on y brûlait :

> Lorsque Tammuz remontera, Baguette bleue et Cercle rouge[24] avec lui remonteront !
> Remonteront, pour l'escorter, (ses) pleureurs et pleureuses :
> (Même) les morts remonteront, humer la bonne-odeur des fumigations !

Ainsi se termine le récit de la *Descente d'Ishtar aux Enfers*. Cette « remontée » de Tammuz, lorsqu'on ignorait encore la version sumérienne, complète et explicite, avait abusé les commentateurs et les lecteurs : lesquels pensaient à Eurydice descendue aux Enfers pour délivrer Orphée. En fait, ce n'était pas pour ramener avec elle son chéri qu'Ishtar était descendue au Pays-sans-retour, mais pour l'y précipiter. Un tel procédé, parfaitement conforme au caractère indépendant, affranchi, égoïste de la déesse, qui n'avait jamais été imaginée ni véritablement « épouse », ni mère, mais qui représentait seulement aux yeux de ses fidèles l'« Amour libre » dans tout son éclat[25], rendait compte du rite d'éclipse semestrielle du dieu, et il n'y a guère de doute que cette disparition même, sous terre, n'était que la traduction en langage rituel très archaïque de ce sommeil de la nature au cours de la période chaude de l'année (de juin-juillet à novembre-décembre, autrement dit, pour employer le calendrier local, du mois de Tammuz au mois de Kislim), lorsque tout était sec et brûlé sur le sol.

20. Connue en Mésopotamie, au moins sous sa forme sumérienne, dès le premier tiers du IIe millénaire avant notre ère, la *Descente d'Ishtar aux Enfers*, plus topique et plus cohérente que les autres récits comparables en sumérien ou en accadien, est aussi, on l'a vu, beaucoup plus riche et complexe que son titre ne le suggérait d'abord. Elle demeure incompréhensible si on ne la replonge pas dans toute la trame culturelle des anciens Mésopotamiens : non seulement leur vision de l'Univers, leur idée de la Vie et de la Mort, mais leur représentation de la Nature et le rôle des nombreux agents surnaturels qui y intervenaient... Toutes ces données, elle n'était point faite pour les « révéler », comme autant de « mystères » : elle les utilisait simplement comme autant de décors et de ressorts d'une suite d'événements imaginaires, « calculés » dans le dessein de rendre raison de problèmes posés par l'état et la marche des choses — en l'occurrence, le propre rythme local de la Nature. C'était un *mythe* : et voilà pourquoi elle tenait de si près à la vie entière de ses auteurs et destinataires.

C'est comme telle qu'elle s'est diffusée, très anciennement sans doute, ainsi que, nous le savons fort bien par ailleurs, quantité de trouvailles — littéraires et autres — des anciens Mésopotamiens. C'est comme telle que — du moins sommesnous autorisés à l'avancer dans l'état actuel de nos connaissances historiques — elle a chance de nous représenter, au

---

25. On se fera une idée de ce caractère d'Ishtar, en lisant, notamment, les p. 176 s de S.N. KRAMER, *Le Mariage sacré*, Paris, 1983.

moins le modèle le plus archaïque, et peut-être le propre archétype d'un genre littéraire largement répandu, plus tard, dans le lieu et le temps, celui des Catabases : descentes, voyages et découvertes dans l'Au-delà. Ce qu'elle n'est devenue qu'en perdant son contenu et son sens propres, pour se réduire à une charpente, un canevas, un ensemble de traits purement formels que l'on a adaptés ailleurs à d'autres idéologies, d'autres doctrines, d'autres sensibilités — comme c'est le sort de tous les prototypes.

BAAL ET LA MORT*

par
Paolo XELLA

Dans la Syrie de l'âge du bronze (IIᵉ millénaire avant J.-C.), les traditions religieuses sont représentées essentiellement par les poèmes mythologiques d'Ougarit (Ras Shamra) qui, pour la plupart, retracent les vicissitudes du dieu poliade Baal.

Ces documents sont écrits dans une langue soignée, littérairement élaborée. Tels qu'ils se présentent actuellement, ils ont derrière eux une longue histoire : traditions orales sélectionnées, réélaborées et, pour finir, transcrites, recopiées durant des générations. La langue dans laquelle ils sont transmis est donc plutôt archaïsante par rapport aux autres documents découverts dans les archives d'État.

Comme il arrive toujours dans de tels cas, il faut voir, derrière ce processus de rédaction, sélection et conservation des textes propres au palais et au temple, un choix culturel bien précis. Parmi les traditions religieuses nombreuses et variées de l'aire syro-palestinienne — qui remontent au moins jusqu'aux textes d'Ebla —, on décida de n'en fixer par écrit et de n'en transmettre qu'un nombre limité : le choix se porta sur les

---

* La contribution de Paolo XELLA est traduite de l'italien par Claude KAP-PLER, à l'exception des citations de textes anciens, en français dans le texte original. (N.D.E.).

textes qui répondaient le mieux aux problèmes et aux thèmes considérés comme fondamentaux d'un point de vue socioculturel et politique.

Parmi ces thèmes, une place de choix revient au défi dramatique que Baal, le « champion » de l'ordre divin, oppose à Mot, personnage masculin qui représente la mort insatiable et génératrice du chaos. Le conflit entre les deux personnages présente d'importants traits eschatologiques, parmi lesquels la descente de Baal aux enfers, son anéantissement momentané, puis son retour à la vie active et l'affrontement décisif avec Mot. Même si, formellement, il n'y aura ni vainqueur ni vaincu, l'ordre cosmique personnifié et défendu par Baal sera préservé des attaques d'une mort qui, auparavant, était sans limites : désormais, elle sera réduite à accomplir son devoir naturel sans plus menacer d'extinction le genre humain.

Ces quelques aperçus donnent une idée de toutes les implications que comporte pour l'homme une théomachie de cet ordre qui met en jeu non seulement la survie même du genre humain, mais aussi, en un sens, son destin *post mortem* qui est strictement lié au sort du dieu Baal. Autrement dit, ces textes s'interrogent, avec le langage du mythe, sur les questions clés que l'homme se pose depuis toujours : d'où vient la mort ? Comment l'affronter ? Qu'advient-il de l'homme après la mort ? Comment se présente l'au-delà ?

Bien que la culture ougaritique ait conçu la précarité de la condition humaine avec un sens dramatique, elle ne donne à ce propos aucune réponse de type doctrinal ou systématique. L'ancienne religion syrienne, déjà, système polythéiste, ignore toute sotériologie individuelle outre-tombe et n'en élabore aucune qui serait de l'ordre du mystère.

Les textes qui nous sont parvenus sont précisément des mythes, non pas des traités théologiques ou des écrits « à thèse » : ils proposent *un récit*, non *une explication*. Aucune exégèse conventionnelle ne leur fut appliquée, même si l'on y croyait de manière immédiate, comme on croit à une vérité traditionnelle et sacrée. De tels récits cherchaient à fonder la réalité culturelle et naturelle dans tous les aspects et présupposés qui paraissaient les plus importants aux hommes de ce temps.

Quoique l'usage se soit établi d'appliquer des interprétations de type « apocalyptique » — ou orientées en ce sens — à des milieux culturels divers, différents de celui du milieu juif, puis judéo-chrétien du IIe siècle avant J.-C. au Ier siècle après J.-C., nos textes ne peuvent entrer dans cette perspective pour des raisons chronologiques, géographiques et historico-culturelles qui apparaissent évidentes.

Il n'empêche, cependant, que la documentation syrienne en question présente des éléments ou des thèmes qui relèvent d'un « code apocalyptique » idéal, en même temps que d'autres totalement étrangers à ces préoccupations.

On peut compter parmi les premiers la tension vers un certain type de renouvellement humain et cosmique, le besoin de chercher des *exempla*, situations exemplaires sur un plan divin, rassurantes et susceptibles d'affirmer une espérance de salut, formulées cependant en termes typiquement polythéistes (il s'agit d'être sauvé *des maux* et non pas d'un mal métaphysique, d'être sauvé *dans* le monde et non pas *du* monde, lequel est entendu comme un cosmos sans ruptures).

Cependant, il n'y a pas, contrairement aux canons de l'apocalyptique classique, d'effort pour réinterpréter les textes, ni de tension entre un patrimoine traditionnel qui s'est cristallisé et de nouvelles exigences culturelles qui seraient des innovations dramatiques liées à l'apparition d'événements historiques particuliers. Il n'y a pas, naturellement, d'attente messianique, on ne cherche pas à fuir le *hic et nunc* qui constitue, dans la vision polythéiste, la seule dimension existante et concevable. Enfin, il n'y a aucune recherche d'une félicité perdue, d'une perfection des origines qu'il s'agirait de retrouver par l'entremise de visions extatiques ou de révélations d'ordre surnaturel.

Dans le cas qui nous occupe, la « nature » constitue le cadre de référence : au lieu d'un effort pour parvenir à la vérité du « tout autre », s'instaure une solidarité entre les hommes et les dieux, occupés, les uns et les autres, à construire, non sans peine, un cosmos rassurant pour résister aux menaces *actuelles* d'un chaos toujours prêt à faire irruption.

Si nous attirons l'attention sur les premiers éléments plutôt que sur les divergences, ce n'est certes pas pour rechercher une chimérique quintessence de l'idée apocalyptique qu'on ne peut pas définir en dehors de ses propres paramètres historiques de forme et de fond. Mais il est justifié de privilégier ces thèmes comme témoins de « réponses » culturelles inhérentes à un comportement de l'homme en face de thèmes spécifiques, que nous pourrions aussi appeler « eschatologiques » au sens large : il s'agit de témoignages historiques (et utilisables seulement historiquement) de l'espace accordé par de nombreuses civilisations antiques et modernes à des thèmes de « renouvellement ». Le nœud central est le problème de la présence/absence, de la recherche de l'essentiel et, en conséquence, d'une réponse culturelle au fait inéluctable de la mort, de la dissolution corporelle ; une réponse qui peut être présentée comme « donnée », « trouvée » ou « révélé/redévoilée », qui peut être adressée à l'individu comme au genre humain tout entier ; qui peut se situer dans un avenir eschatologique, comme fuite du présent, ou dans un présent pleinement « historique » et consciemment accepté comme tel.

Bien entendu, il n'est pas sans importance de savoir comment, quand et pourquoi telle réponse fut donnée à tel problème. Cependant, s'il est vrai que l'histoire humaine est faite d'innombrables et diverses créations, toujours originales par les différentes façons de combiner les éléments culturels, il est vrai aussi qu'il s'agit d'une tradition unique, immense et ininterrompue qui travaille continuellement et diversement sur un nombre limité d'éléments récurrents : les combinaisons toujours nouvelles qui en résultent s'articulent selon des paramètres clairement redevables à des moments et des phases culturels divers.

Si l'on accorde une égale importance à toutes ces considérations, il n'apparaîtra pas du tout arbitraire de reconsidérer les mythes ougaritiques de Baal et de Mot selon les principes d'interprétation que suggère ce livre. Cette perspective est d'autant plus fondée que ces mythes font partie du patrimoine traditionnel archaïque de la culture syro-palestinienne envers laquelle l'Ancien et le Nouveau Testament, aussi bien que la vaste littérature née autour d'eux, ont de considérables dettes qui, jusqu'à présent, demeurent fort peu étudiées et comprises.

Baal a triomphé du terrible Yam, le Prince-Mer, divinité du chaos, liée manifestement aux eaux marines et fluviales : il a ainsi établi sa propre souveraineté sur le cosmos. Il a obtenu que lui fût construit un splendide palais, signe tangible d'une royauté durement conquise et, là, il invite tous les dieux à un banquet pour fêter le succès de ses entreprises. Suspendant un moment l'allégresse du banquet, Baal s'éloigne pour accomplir une sorte de reconnaissance de ses domaines : un voyage qui lui fait prendre conscience de ce qu'il représente pour les hommes qui l'adorent, du besoin vital qu'ils ont de pouvoir entendre le ton, entendre sa « voix sainte » ; de leurs espoirs de salut : il s'agit pour eux d'être sauvés d'une mort qui, à défaut des limites imposées par la vieillesse, la maladie ou la mort, est in-naturelle.

Ainsi s'affirme la nécessité d'une confrontation entre le champion des dieux et la Mort qui, en ce temps-là, menaçait même les immortels. Baal sait désormais que l'ennemi est sur le point d'arriver par la fenêtre qui met son palais en communication avec la terre.

Mais qui est cet adversaire sans visage ? Mot, éternellement affamé de vie et de vies, tente d'imposer à l'univers sa loi de dissolution, d'anéantissement indiscriminé. Le voici qui s'exclame :

> C'est moi seul qui règne sur les dieux,
> moi seul qui engraisse sur les dieux et les hommes,
> moi seul qui suis rassasié des multitudes de la terre !

Cet « ultime ennemi » demeure en un lieu souterrain, décrit comme une gigantesque tombe. En désespoir de cause, Baal lui envoie des messagers pour lui faire hommage : dernière tentative, peut-être, pour apaiser ses exigences. L'itinéraire qui mène à l'au-delà fait l'objet d'une intéressante description :

> Donc vous vous dirigerez
> vers le mont Tharghuziza,
> vers le mont Tharrumagi,
> vers les deux hauteurs qui limitent la Terre.
> Escalade le mont par les mains
> la hauteur au-dessus des paumes
> et descendez dans la « demeure de réclusion » de l'au-delà :
> vous serez comptés parmi ceux qui descendent dans l'au-delà.
> Alors vous vous dirigerez
> au milieu de sa cité, « Ruine ».
> L'Abîme est le trône de sa résidence,
> la Boue est la terre de son domaine !
> Mais en garde, hérauts divins !
> Ne vous approchez pas du divin Môt !
> Qu'il ne fasse pas de vous un agneau dans sa bouche,
> un chevreau dans les meules de sa gueule.

Mais c'est là une ambassade inutile. L'inexorable Mort fait à Baal le compte de ses massacres et de ses victimes et lui déclare que l'heure est venue de succomber à son tour, de descendre dans sa gorge insatiable.

> « Message du divin Môt,
> parole de l'aimé d'El, le Fort !
> Oui, mon appétit est l'appétit du lion au désert,
> ou le désir insatiable du squale dans la mer,
> ou l'étang qui attire les buffles,

ou la source, appât des biches.
Ah, en vérité, réellement
ma gorge n'engloutit que de la fange !
Maintenant, donc, je pourrai manger à pleines mains :
que mon désir soit rassasié par l'aiguière,
que la coupe puisse couler à flots !
Invite-moi, Baal, avec mes frères,
appelle-moi, Haddou, avec mes compagnons,
pour manger des mets avec mes frères,
pour boire du vin avec mes compagnons !
As-tu oublié, Baal, que je puis te transpercer ?
[...]
Car tu as frappé Lotan, le serpent malin,
tu as anéanti le serpent tortueux !
Shaliyat aux sept têtes tu l'as saigné à blanc,
tu as disséminé les cieux d'entrailles[1] !
Moi-même maintenant te dévorerai,
je te mangerai en lambeaux,
les entrailles en loques !
Il faut que tu descendes dans la gorge du divin Môt,
dans les entrailles de l'aimé d'El, le Fort ! »

[Baal doit se rendre à l'appel de la Mort.]

Baal entrera dans son ventre,
il descendra dans sa bouche lorsque brûlent l'olive,
les produits de la terre et le fruit des arbres.
Le Puissant Baal a peur de lui,
l'Aurige des nuées le craint vraiment.
« Allez annoncer au divin Môt,
répétez à l'aimé d'El, le Fort :
Message du Puissant Baal,
parole du plus puissant des héros !
"Je suis confus, divin Môt !
Je suis ton esclave, je le serai pour toujours !" »

---

1. Allusion à un combat mythique entre Baal et des créatures monstrueuses du chaos, que le dieu a littéralement mis en morceaux, remplissant le ciel des parties de leurs corps immenses (échos mythiques d'une cosmogonie primordiale).

[A l'annonce de la reddition du champion des dieux,
                Môt exulte :]

> Il se réjouit le divin Môt,
> il élève la voix et s'exclame :
> « Donc Baal m'invite avec mes frères,
> Baal m'appelle avec mes compagnons. »

Le texte présente alors une longue lacune. Cependant, nous parvenons à comprendre que Baal est convoqué par El qui lui donne une série de conseils pour éviter que sa catabase dans la gueule de Mot ne provoque une tragique interruption de la vie sur terre, fatale aux hommes comme aux dieux. Baal emmènera avec lui dans l'au-delà ses propres fils, ses propres pouvoirs, ses propres énergies vitales, laissant toutefois un « fils » (un « veau ») qui, sans doute, devra veiller à garantir la fécondité. Telles sont les dernières paroles d'El :

> « Mais toi, prends avec toi ton nuage,
> ton vent, ta foudre, ta pluie,
> avec toi tes sept valets,
> tes huit serviteurs ;
> (prends) avec toi Pidray, la lumineuse,
> avec toi Talay, la pluvieuse.
> Puis rends-toi au cœur de la montagne Kankanay,
> escalade la montagne par les mains,
> la hauteur au-dessus de tes paumes
> et descends dans la "demeure de réclusion" de l'au-delà :
> tu seras compté parmi ceux qui descendent dans l'au-delà,
> et les dieux sauront que tu es mort. »

Entrent alors en scène deux messagers qui rapportent à El le sort tragique de Baal, englouti par la mort.

> Alors ils se dirigent
> auprès d'El, à la source des fleuves,

au confluent du cours des deux océans.
Ils arrivent à la demeure d'El
et entrent dans le pavillon du Roi, Père des ans.
Ils élèvent leur voix et disent :
« Nous avons erré jusqu'aux confins de la terre,
jusqu'aux limites des eaux ;
nous sommes arrivés jusqu'à "Beauté[2]", dans le domaine de la
                                                              peste,
jusqu'à "Douceur[2]", dans les champs riverains des morts ;
jusqu'à Baal, tombé dans l'au-delà :
il était mort, le Puissant Baal,
il avait péri, le Prince, Seigneur de la terre ! »
Alors le bienveillant El, le miséricordieux,
descend du trône, s'affaisse sur le marchepied,
et du marchepied il s'affaisse sur la terre.
Il répand sur sa tête la cendre du deuil,
sur son crâne la poussière de l'humiliation.
Il s'enroule dans des bandes de deuil,
il incise sa peau avec une pierre,
il tranche la double tresse au rasoir ;
il sillonne les joues et le menton,
il fend les muscles de son bras,
il laboure comme un jardin sa poitrine,
il égratigne comme une vallée son dos.
Il élève la voix et s'exclame :
« Baal est mort ! Que va devenir le peuple ?
Le fils de Dagan ! Que vont devenir les multitudes ?
Derrière Baal, moi-même vais descendre dans l'au-delà ! »

Même Anat, sœur de Baal, est bouleversée d'apprendre la
mort de son frère. Mais, de même que l'amour, qui est plus
fort que la mort, sa ténacité et sa foi lui permettent de
retrouver le corps de Baal. Avec l'aide de la déesse solaire
Shapash, elle le transporte au sommet du Safon, la montagne

---

2. Épithètes qui désignent des « petits noms » de Baal, ou des allusions
euphémisantes à l'au-delà.

consacrée au dieu, et elle l'ensevelit, en accomplissant un grandiose sacrifice funèbre.

> « Baal est mort ! Que va devenir le peuple ?
> Le fils de Dagan ! Que vont devenir les multitudes ?
> Derrière Baal descendons dans l'au-delà,
> auprès de lui descendra aussi Shapash, la lampe divine ! »
> Quand elle fut rassasiée de pleurer,
> de boire ses larmes comme du vin,
> d'une voix forte elle s'exclame à Shapash, la lampe divine :
> « Porte-moi, je t'en prie, le (corps du) Puissant Baal ! »
> Shapash, la lampe divine, obéit,
> elle porte le Puissant Baal,
> sur l'épaule d'Anat elle le place.
> Et elle le remonte en haut, dans les replis du Safon,
> elle le pleure et l'enterre,
> en le plaçant dans le cimetière des dieux chthoniens.
> Elle immole soixante-dix buffles,
> bêtes de trois ans, pour le Puissant Baal ;
> elle immole soixante-dix bœufs,
> bêtes de trois ans, pour le Puissant Baal ;
> elle immole soixante-dix moutons,
> bêtes de trois ans, pour le Puissant Baal ;
> elle immole soixante-dix cerfs,
> bêtes de trois ans, pour le Puissant Baal ;
> elle immole soixante-dix bouquetins,
> bêtes de trois ans, pour le Puissant Baal ;
> elle immole soixante-dix ânes,
> bêtes de trois ans, pour le Puissant Baal.
> Elle pose son offrande funèbre comme nourriture,
> elle place sa portion comme aliment pour les dieux.
> [...]

Les dieux tentent de combler le vide du pouvoir en mettant sur le trône de Baal le dieu Athar, qui est plus doué par l'intelligence que par la force. Mais celui-ci se révèle fatalement incapable de succéder au disparu, comme l'avait prévu le sage El.

C'est à ce moment que survient la vengeance d'Anat. Avec la force du désespoir, animée par une foi aveugle, par un amour invincible, Anat entreprend la fébrile recherche de son frère dans l'autre monde et, enfin, elle parvient jusqu'à Mot, qu'elle traite à tu et à toi :

> un jour, deux jours passent,
> la pucelle Anat le recherche.
> Comme le cœur de la vache pour son veau,
> comme le cœur de la brebis pour son agneau,
> ainsi le cœur d'Anat bat pour Baal.
> Alors elle saisit Môt par le bord de la tunique,
> elle l'attrape par le bas du manteau ;
> elle élève la voix et s'exclame :
> « Toi, Môt, donne-moi mon frère ! »
> Et le divin Môt répond :
> « Qu'est-ce que tu veux de moi, ô Vierge Anat ?
> C'est moi qui ai circulé et erré
> par toutes les montagnes, jusqu'aux entrailles de la terre,
> par toutes les hauteurs, jusqu'aux entrailles des champs !
> Mon appétit avait besoin des hommes,
> mon appétit des multitudes de la terre !
> Je suis arrivé jusqu'à ''Beauté'', dans le domaine de la peste,
> jusqu'à ''Douceur'', dans les champs riverains des morts.
> J'ai rejoint le Puissant Baal,
> j'ai fait de lui un agneau dans ma bouche,
> comme un chevreau dans les meules de ma gueule il a été
>   trituré ! »
> Shapash, la lampe divine, est ardente,
> la vigueur des cieux est dans les mains du divin Môt !
> Un jour, deux jours passent,
> les jours deviennent des mois,
> la pucelle Anat le recherche.
> Comme le cœur de la vache pour son veau,
> comme le cœur de la brebis pour son agneau,
> ainsi le cœur d'Anat bat pour Baal.
> Alors elle saisit le divin Môt :
> avec l'épée elle le fend,

> avec le van elle le vanne,
> au feu elle le brûle,
> à la meule elle le triture.
> dans le champ elle le disperse.
> Les oiseaux dévorent sa chair,
> les moineaux en consomment les lambeaux :
> la chair crie à la chair !

Après une autre lacune, le texte donne finalement le récit du « retour » de Baal, ressuscité et rescapé de la mort, Mot, qu'Anat a démembré et disséminé dans le monde, transformant l'action de la mort en quelque chose d'acceptable (et même culturellement nécessaire), non plus monstrueusement indiscriminé. Il revient maintenant à Baal de conquérir, en personne, le droit d'affronter la mort en s'engageant dans l'ultime duel.

Suivent des paroles, prononcées par un personnage inconnu, qui sont un vœu, une prémonition du « retour » de Baal.

> Mais si le Puissant Baal est vivant,
> s'il vit, le Prince, seigneur de la terre,
> dans un rêve du bienveillant El, le miséricordieux,
> dans un songe du Créateur des créatures,
> les cieux feront pleuvoir de la graisse,
> les torrents feront couler du miel :
> je saurai alors que le Puissant Baal est vivant,
> qu'il vit, le Prince, seigneur de la terre.
> Dans un rêve du bienveillant El, le miséricordieux,
> dans un songe du Créateur des créatures,
> les cieux font pleuvoir de la graisse,
> les torrents font couler du miel !
> Il se réjouit le bienveillant El, le miséricordieux.
> Il place ses pieds sur le marchepied,
> il déride son front et sourit,
> élève la voix et s'exclame :
> « Désormais je puis m'asseoir et m'apaiser,
> mon cœur s'apaisera dans ma poitrine,

car le Puissant Baal est vivant,
car il vit, le Prince, seigneur de la terre ! »
D'une voix forte il s'exclame à la Vierge Anat :
« Écoute, ô Vierge Anat !
Dis à Shapash, la lampe divine :
"Scrute les sillons des champs, ô Shapash,
scrute les sillons des champs d'El :
le seigneur des sources des terres labourées,
le Puissant Baal, où est-il ?
Où est le Prince, seigneur de la terre ?" »
Elle s'en va la Vierge Anat,
elle se rend tout de suite
auprès de Shapash, la lampe divine ;
elle élève la voix et s'exclame :
« Message du taureau El, ton père,
parole du bienveillant, celui qui t'a engendré.
Scrute les sillons des champs, ô Shapash,
scrute les sillons des champs d'El :
le seigneur des sources des terres labourées,
le Puissant Baal, où est-il ?
Où est le Prince, seigneur de la terre ? »
Et Shapash, la lampe divine, répond :
« Des cruches, on verse le vin rougeoyant,
on apporte une guirlande pour ta parenté,
et je rechercherai le Puissant Baal ! »

Un passage du texte, que nous ne possédons plus, devait raconter comment la déesse solaire Shapash « retrouve » Baal ressuscité. Toute la création vient de remporter un triomphe partiel sur la mort. Nous trouvons maintenant Baal en pleine vigueur : il s'apprête à affronter Mot dans la rencontre finale.

Baal saisit les fils d'Athirat :
les grands, il les frappe de l'épée,
les petits, il les abat à terre.
Ensuite Baal s'assied sur son trône royal,
sur la chaise, le siège de son pouvoir.

> Les jours deviennent des mois,
> les mois deviennent des années,
> puis, à la septième année,
> le divin Môt vient se plaindre
> devant le Puissant Baal.
> Il élève la voix et s'exclame :
> « C'est à cause de toi, Baal, que j'ai souffert l'humiliation !
> C'est à cause de toi que j'ai souffert le van qui m'a vanné ;
> c'est à cause de toi que j'ai souffert l'épée qui m'a fendu ;
> c'est à cause de toi que j'ai souffert le feu qui m'a brûlé ;
> c'est à cause de toi que j'ai souffert la meule qui m'a trituré ;
> c'est à cause de toi que j'ai souffert le crible qui m'a criblé ;
> c'est à cause de toi que j'ai souffert la dispersion dans le
>   champ ;
> c'est à cause de toi que j'ai souffert la dispersion dans la mer !
> Donne-moi l'un de tes frères, que je le dévore, [...]
> Il est temps que les hommes soient ma nourriture,
> mon aliment les multitudes de la terre ! »

Dans un premier temps, Mot avait cherché le maximum : dévorer Baal lui-même ; après le traitement que lui infligea Anat, Mot/la mort se répandit dans le monde : terre et mer ; les cieux, c'est-à-dire les dieux, ne sont pas touchés. Maintenant, il menace de détruire sans discernement l'humanité si Baal ne lui concède pas l'un de ses « frères » (un dieu mineur ?). Le texte ici souffre d'une lacune : Baal devait probablement refuser, déniant ainsi tout espace à Mot. Mais la mort est une donnée inévitable du cosmos : l'issue de la rencontre finale, qui ne voit ni vainqueur ni vaincu, consacre, d'un côté, la souveraineté de Baal qui, toutefois, est contraint de reconnaître, au moins en partie, les prétentions légitimes du divin Mot.

> Ils se regardent comme deux fauves :
> Môt est fort, Baal est fort !
> Ils s'encornent comme deux buffles :
> Môt est fort, Baal est fort !

Ils se mordent comme deux serpents :
Môt est fort, Baal est fort !
Ils chargent comme deux coursiers :
Môt tombe, Baal tombe !
Là-dessus Shapash crie à Môt :
« Écoute, je t'en prie, ô divin Môt !
Comment oses-tu te battre avec le Puissant Baal ?
Comment le taureau El, ton père, t'exaucerait-il ?
Sans doute il retirerait le soutien de ton siège,
sans doute il renverserait ton trône royal,
sans doute il briserait ton sceptre souverain ! »
Le divin Môt a peur,
l'aimé d'El, le Fort, craint.
Môt tremble à sa voix,
il s'humilie (?) devant Baal,
qui s'assied sur son trône royal,
sur la chaise, le siège de son pouvoir.

Avoir trouvé un adversaire invincible qui lui a échappé pour ressortir vivant de sa gueule signifie pour Mot une réduction effective de son avidité sans borne : même la mort, désormais, devra respecter des limites et des règles, telles que l'impossibilité de frapper les dieux et de dévorer *sans mesure* les hommes ; ces règles seront sous le contrôle de Baal qui prendra sous sa protection les défunts, tous ceux qui sont tombés devant son ancien ennemi.

C'est précisément parce qu'il a affronté les risques mortels de la descente dans l'autre monde que Baal est nommé, à Ougarit, Baal-*rpu*, c'est-à-dire « Baal le guérisseur » ou « Baal le sauveur ». Sous cette acception, Baal est honoré dans le culte en tant qu'éponyme et chef des ancêtres, de tous les grands hommes qui ont rencontré la mort (et, à leur tête, les rois défunts) vénérés comme *rpum* (exactement, « guérisseurs » ou « sauveurs ») par l'antique société syrienne.

La grandeur des thèmes et des événements narrés par ce mythe se fonde justement sur la compétition instaurée entre les deux rivaux, laquelle permit d'établir de justes rapports à la base de l'éternelle dialectique entre la vie et la mort et d'attribuer à ceux qui abandonnent ce monde un rôle qui ne fût pas totalement passif et tragique.

Même si le poème de Baal et de Mot use d'un langage agraire, cette convention sert à exprimer une réalité différente, infiniment plus complexe et moins rebattue que celle de l'alternance des saisons, de la mort et de la résurrection de la nature. Sans pouvoir approfondir ici tous les aspects de cette interprétation, il faut observer au moins que le langage symbolique employé (Baal se retrouve parmi les mottes de terre, il « resurgit » sur la cime nuageuse du mont Safon ; Mot semble traité comme une céréale, etc.) était celui qui se prêtait le mieux, dans la Syrie antique, à devenir la métaphore de l'expérience millénaire de la mort. Ce qui occupe la place centrale, c'est l'homme, non pas la terre aride ou l'eau dispensatrice de vie. Et si l'on tient compte des implications rituelles de l'aventure mythique — dont témoignent aussi d'autres documents —, il est clair que la catabase de Baal aux enfers ouvre la voie aux morts en leur offrant d'être reconnus comme membres d'une communauté, celle des *rpum* qui continue à survivre dans la mémoire et dans le culte des vivants. Ancêtres aimés et utiles à l'assemblée humaine, les *rpum* intervenaient en faveur des vivants comme guérisseurs des maladies, comme bailleurs de fertilité, de fécondité, comme protecteurs personnels à tout niveau et en toute circonstance : non plus, donc, larves menaçantes, souffrantes et pleines de rancœur envers ceux qui vivent sous le soleil, mais ancêtres honorés dans le culte et la mémoire historique d'une société qui a choisi de n'abandonner personne derrière elle.

Ici réside le point crucial de la dissension qui a opposé durant des siècles le « Cananéen » Baal à la culture yahviste, le dieu du polythéisme au « dieu unique » par excellence. Si la royauté de Baal sur toute forme de vie peut apparenter sans scandale le dieu syrien à Yahvé (« dieu des vivants », par définition), le fait que le premier étende ses soins aux défunts et à leur sort provoque une rupture irrémédiable entre les deux figures. C'est l'un des motifs essentiels pour lesquels la religion de Baal (et la vision du monde qui lui était associée) fut combattue et repoussée durement par ceux qui écrivirent la Bible. Le dieu unique ne tolérait pas que ses fidèles eussent d'autres interlocuteurs que lui : point d'exception, pas même s'il s'agissait de leurs propres morts, humbles créatures humaines qu'il suffisait de se rappeler et d'honorer modestement dans un au-delà d'où n'était pas exclue l'espérance.

Ainsi, à travers l'aventure mythique « exemplaire » de Baal et de Mot, à travers cette formulation particulière du culte des morts/ancêtres (l'un des aspects les plus caractéristiques de la religion dans l'aire syro-palestinienne), la culture ougaritique trouvait à opposer sa propre réponse à l'anéantissement perpétuel de qui mourait, contraint dans les meilleurs des cas à une pénible sous-existence comme esprit toujours maléfique. En réintégrant les morts dans un système positif de valeurs sociales, la culture syrienne faisait de Baal, par là même — sous la forme de Baal-*rpu*, leur éponyme —, l'une des plus fascinantes et complexes figures de divinité médiatrice, sans ambiguïté du point de vue de l'homme : il n'est pas étonnant que les partisans du dieu d'Israël l'aient combattu avec acharnement comme le plus dangereux des adversaires.

APERÇUS BIBLIOGRAPHIQUES

Les passages des poèmes ougaritiques cités ici ont été traduits d'après les tablettes éditées en transcription par M. DIETRICH, O. LORETZ, J. SANMARTIN, *Die keilalphabetischen Texte aus Ugarit*, Neukirchen-Vluyn, 1976.

Principales traductions des poèmes ougaritiques : A. JIRKU, *Kanaanäische Mythen aus Epen aus Ras Schamra-Ugarit*, Gütersloh, 1962 (en allemand). A. CAQUOT, M. SZNYCER, A. HERDNER, *Textes ougaritiques, I - Mythes et légendes*, Paris, 1974 (en français). J.C.L. GIBSON, *Canaanite Myths and Legends*, Edinburgh, 1978 (en anglais). G. del OLMO LETE, *Mitos y leyendas de Canaan según la tradición de Ugarit*, Madrid, 1981 (en espagnol). P. XELLA, *Gli antenati di Dio. Divinità e miti della tradizion di Canaan*, Verona, 1983 (en italien).

Dans chacun de ces ouvrages, on trouvera une bibliographie détaillée sur les textes et les divers épisodes.

TRADITIONS PHÉNICIENNES CHEZ PHILON DE BYBLOS : UNE VIE ÉTERNELLE POUR DES DIEUX MORTELS

par

Sergio RIBICHINI

Si l'on voulait rester fidèles à la notion aujourd'hui usuelle d'« apocalypses », entendue comme une catégorie spécifique d'écrits qui auraient surgi dans le milieu judéo-chrétien, liés à la révélation de vérités ou d'événements particuliers passés ou futurs, nous devrions nier l'existence d'une littérature apocalyptique d'origine phénicienne. Mais, avec plus de précision, nous devrions aussitôt ajouter que nous ne disposons pas même d'une littérature proprement phénicienne. En effet, si étrange que cela paraisse, du peuple qui, au dire des Grecs, découvrit l'alphabet, restent seulement quelque six mille inscriptions funéraires ou dédicatoires, la plupart stéréotypées, auxquelles s'ajoutent les transcriptions grecques et latines de quelques noms ou termes particuliers ; jusqu'à présent, ni archives, ni bibliothèque n'ont été mises au jour par les fouilles qui, de plus en plus, accroissent la connaissance de cette civilisation. Nous savons toutefois qu'il y avait des archives et qu'elles étaient quelquefois même très riches ; nous connaissons, de plus, l'existence de nombreuses compositions en langue phénicienne sur différents sujets : ce sont les auteurs classiques qui nous informent à ce propos, en citant plus ou moins fidèlement leurs sources phéniciennes à plusieurs titres, parfois par hasard, parfois avec des buts apologétiques ou polémiques. Ainsi, on se trouve toujours, avec ce type de documentation, en face d'un double problème : la récupération des traditions phéniciennes s'apparente nécessairement à une enquête qui cherche à établir la part de « réélaboration » à laquelle ces traditions ont été soumises dans des milieux culturels différents de l'original, lesquels, à leur tour, peuvent avoir favorisé ou conditionné une nouvelle adaptation, ou pis, un déguisement de la réalité phénicienne.

Un cas « exemplaire » de cette situation est offert par l'*Histoire phénicienne* de Philon de Byblos (Ier-IIe siècle de notre ère), dont l'évêque Eusèbe de Césarée nous a conservé des fragments dans sa *Praeparatio Evangelica* (dorénavant *PE*, écrite vers 320 après J.-C.). Pour réfuter la doctrine du polémiste païen Porphyre (232-305 après J.-C., environ), l'écrivain chrétien cite à plusieurs reprises, comme authentiques, de nombreuses informations sur la cosmogonie et la théogonie des Phéniciens, qui, d'après lui, auraient été à l'origine du polythéisme des Anciens. C'est justement dans ces traditions que l'on peut trouver des éléments typologiques qui peuvent se distinguer comme « apocalyptiques », si l'on considère cette définition non pas à l'intérieur de la tradition judéo-chrétienne, mais plutôt dans un milieu historico-culturel plus vaste, qui tient compte du modèle apocalyptique pour le reconnaître dans différentes structures religieuses et y repérer les éléments qui peuvent concourir à l'affinement du modèle même. Dans notre cas, il s'agit principalement de révélations de mystères, de descriptions sur l'origine des temps, de contes sur un sort privilégié dans l'au-delà. De ces éléments nous voulons nous enquérir ici, selon deux cheminements distincts : le premier lié à la question des sources, très compliquée dans ce cas, pour comprendre à quel type de remaniement, de réélaboration ont été soumises ces traditions phéniciennes par rapport aux grands courants de pensée de la fin de l'Antiquité ; le deuxième pour pénétrer, à travers cela, dans la réalité des éléments « apocalyptiques » de la religion phénicienne.

1. Sanchuniathon et la révélation des « secrets » phéniciens

Les traditions conservées par Philon de Byblos nous sont parvenues, pour ainsi dire, de troisième main : Eusèbe cite Philon à titre de source, presque toujours directe, de son *Histoire phénicienne*, parfois en paraphrasant ou en prenant la citation du *De abstinentia* de son adversaire Porphyre ; Philon, selon ses propres dires, traduit en grec l'ouvrage phénicien d'un certain Sanchuniathon de Béryte, qui aurait vécu, selon lui, avant la guerre de Troie ; cette source phénicienne est d'ailleurs garantie dans son autorité par Porphyre lui-même[1]. Mais les complications dans l'origine et la transmission de ces traditions anciennes ne s'arrêtent pas là. Au dire du même Philon, toujours cité par Eusèbe, le Phénicien Sanchuniathon a, en réalité, un seul mérite : celui d'avoir découvert les « écritures secrètes » de l'ancien sage Taautos, qui,

éminent en science parmi les Phéniciens, fixa le premier les règles de la piété religieuse en les faisant passer du stade de l'inexpérience du vulgaire à celui de l'expérience éclairée (*PE* I 10, 43).

Les choses étant ainsi, Sanchuniathon, homme très savant et très habile, qui désirait apprendre de tout le monde ce qui s'est passé depuis l'origine, depuis que l'univers existe, mit tout son zèle à tirer de sa cachette l'œuvre de Taautos. Il savait que, de tous ceux qui ont vécu sous le soleil, Taautos est le premier à avoir inventé l'écriture et à avoir entrepris d'écrire des livres, et il l'a mis à la base de son traité. Les Égyptiens l'ont appelé Thôuth, les Alexandrins Thôth et les Grecs ont traduit son nom par Hermès (*PE* I 9, 24).

---

1. Cf. *PE* I 9, 21-22.

Philon, donc, traduit Sanchuniathon qui, à son tour, a publié les traités de Taautos. L'œuvre de Sanchuniathon est pourtant retenue par Philon comme particulièrement méritante, par rapport à la situation qui précédait et entourait cet écrivain, due au fait que prêtres et hiérologues, avant lui et après lui, avaient considérablement déformé la vérité. Philon dit à ce propos :

Les événements primordiaux furent notés par les Kabiroi, selon les instructions mêmes du dieu Taautos. Thabion, le premier hiérophante de tous ceux qui ont jamais habité en Phénicie, ayant interprété toutes ces données de la vie physique et cosmique, transmit tous ces éléments aux orgéons et aux prophètes (*PE* I 10, 38-39).

Et dans un autre passage, il ajoute :

Les plus récents des hiérologues ont rejeté les faits qui se sont passés depuis l'origine. Inventant des allégories et des mythes, et leur fabriquant une parenté avec les phénomènes cosmiques, ils ont établi des mystères et les ont cachés d'épaisses ténèbres, si bien qu'on ne pouvait pas voir facilement ce qui s'était passé en réalité. Mais lui (= Sanchuniathon), consultant les Écritures secrètes qu'il avait découvertes [...], s'employa à apprendre tout ce qu'il n'était pas permis à tous de connaître. Quand ce fut fini, il acheva de réaliser son dessein en éliminant le mythe des origines et les allégories. Ensuite les prêtres postérieurs voulurent cacher à nouveau cet enseignement et le rétablir dans le mythe. Et c'est alors que le mystère, qui n'était pas encore parvenu chez les Grecs, y apparut (*PE* I 9, 26).

Voilà donc un authentique « homme de vérité », qui mit tout son zèle à révéler les événements de l'Antiquité la plus ancienne ! Voilà encore un véritable historien, qui voulut rétablir la vérité sur l'origine du monde et du temps, dévoiler les mystères, les fumées obscures diffusées par hiérophantes et hiérologues, qui nombreux, au dire de Philon, peuplaient l'histoire phénicienne après le sage Taautos !

Mais peut-on véritablement assigner à ce Sanchuniathon, et encore auparavant à ce Taautos, un rôle « apocalyptique », pour leurs qualités de révélateurs et d'interprètes du temps originel ? Faut-il vraiment reconnaître une valeur documentaire pleine à ces personnages et à leurs vicissitudes ? Comme l'on verra, précautions et réserves s'imposent à plusieurs niveaux sur cette question.

L'évêque Eusèbe, en premier lieu, cite Philon et son ouvrage pour emprunter à Porphyre ses armes les meilleures ; il s'en remet donc fermement à l'autorité du savant de Byblos pour convaincre son lecteur et réfuter son adversaire ; mais, évidemment, quoiqu'il veuille nous donner un tableau complet et objectif, son dessein est de montrer l'impiété absurde et l'inanité du polythéisme païen, dès ses origines phéniciennes. Il utilise donc Philon pour discréditer l'allégorie, qui dissimule, à son avis, les turpitudes propres aux religions païennes ; l'attitude antiallégorique de Philon lui donne l'avantage et il cite ainsi ce qu'il veut de l'auteur païen. On ne peut donc définir Eusèbe comme un historien « objectif ». Mais la question principale, en tout cas, est de savoir quel degré de subjectivité historique on peut reconnaître à cette filière d'écrivains, à partir de Taautos jusqu'à Philon. Comme l'on verra, les allégations du savant de Byblos ne peuvent pas être prises à la lettre et n'ont pas une valeur authentiquement historique. Sûr du fait que les Grecs avaient emprunté aux Phéniciens leurs mystères, Philon écrit qu'il a voulu « chercher la vérité » dans son pays d'origine et écrire une histoire qui fût *vraie* « en cherchant avec zèle et après avoir dépouillé une importante documentation[2] ». En lisant les fragments de son *Histoire*, en effet, on s'aperçoit bien qu'il a réellement consulté plusieurs sources phéniciennes, les traditions de Byblos et de Tyr en particulier. Toutefois, même si on ne peut pas le traiter de faussaire, il faut constater, en premier lieu, que ses déclarations

---

2. Cf. *PE* I 9, 27.

polémiques envers toute sorte d'allégorisme et contre les mystères qu'il faut révéler n'appartiennent pas au monde phénicien de Sanchuniathon, qui figure au centre de la diatribe religieuse ; elles se révèlent, au contraire, typiques du milieu intellectuel et religieux de l'ère romaine impériale, de l'époque syncrétiste dans laquelle vécut Philon. Quant à Sanchuniathon, cet écrivain phénicien, peut-être n'a-t-il jamais existé ; ou bien son apport créatif dans la composition de l'*Histoire phénicienne* élaborée par Philon a été maigre et discutable. Ce personnage, qui nous est connu presque seulement grâce à Philon et à Eusèbe, dans les fragments cités et d'autres, à un examen attentif de tous les témoignages, se révèle comme un historien auquel, à la fin de l'Antiquité, on attribuait plusieurs livres sur les Phéniciens ; Philon, donc, a probablement utilisé le *nom* de Sanchuniathon pour donner de l'atmosphère à son *Histoire*, qui paraissait ainsi « garantie » par l'autorité d'un ancien auteur phénicien et dérivée, en plus, des enseignements du très sage Taautos. Voilà alors la suite d'auteurs et de noms dans la composition et transmission de l'*Histoire phénicienne*, bien que les textes du Proche-Orient ancien nous parviennent presque entièrement anonymes (c'est tout au plus le nom du colophon qui est conservé) ; voilà surtout la référence à la sagesse de Taautos, le personnage final, qui nous donne le moyen décisif pour éclaircir toute la question.

Le dieu Taautos, inconnu dans les panthéons de la Phénicie, même dans la pensée de Philon — qui le déclare néanmoins authentiquement phénicien — est identique au dieu égyptien Thôth, l'Hermès Trismégiste, maître de toute sagesse. Nous sommes ici en présence d'un autre élément qui n'appartient pas au monde phénicien, mais plutôt au milieu culturel et religieux de Philon. Le *topos* de l'Hermès égyptien, seigneur du langage et de la connaissance, très répandu par la littérature hermétique, était en effet, dès l'âge des Ptolémée, au centre d'une série de compositions qui révélaient son ancien enseignement et fondaient la validité d'une sagesse « barbare » par opposition au rationalisme hellénique, désormais en crise profonde. Sous la plume de Philon ce Thôth-Hermès devient le dieu phénicien Taautos, et transmet son message de vérité non seulement aux Égyptiens, mais aussi aux Phéniciens, dès les origines du monde. Après la série des auteurs, voilà par conséquent la filière même des livres cachés, des secrets dévoilés et obscurcis à nouveau : c'est Philon qui, suivant la mode littéraire de son temps, « personnalise » ses sources phéniciennes et s'en remet à l'autorité d'une sagesse orientale plus ancienne et plus digne de foi que celle du monde grec. Mais derrière le mécanisme choisi par Philon se révèle aussi la réalité de la religion phénicienne où il n'y avait aucun « homme de vérité », aucune « révélation de mystères », mais plutôt des textes et des traditions véritablement originaires, qu'il fallait mettre en valeur grâce à l'autorité de quelqu'un et aux surprises de leur transmission.

2. A l'origine du monde

Philon commence la traduction de l'*Histoire phénicienne* de Sanchuniathon en exposant ainsi la théologie des Phéniciens, « révélée » par cet auteur :

Il place à l'origine de l'Univers un Air opaque et venteux ou un Souffle d'air opaque, et le Chaos bourbeux, ténébreux. Ces éléments étaient indéfinis et restèrent sans limite pendant une longue durée de temps. Mais lorsque, dit-il, le Souffle se prit d'amour pour ses propres principes et que se produisit un mélange, on appela cette combinaison le Désir. C'est là le principe de la création de toute chose. Mais lui-même ne connaissait pas sa propre création [...].

Il y avait des animaux dépourvus de sentiment, de qui naquirent des êtres doués de l'esprit, et ils furent appelés Zophasemin, c'est-à-dire contemplateurs (ou « gardiens ») du ciel. Ils (?) furent façonnés à la ressemblance d'un œuf (*PE* I 10, 1-2).

Comme l'on voit, il s'agit d'une cosmogonie décrite comme un processus éminemment physique, sans l'intervention de démiurges ou de divinités ; elle rappelle aussi les spéculations sur l'origine du monde de l'orphisme, et présente des affinités avec les autres traditions sémitiques sur ce thème, même si l'esprit du récit paraît être profondément différent. A tout cela s'ajoute le fait que l'extrait d'Eusèbe est très concis et, probablement, résume la citation de l'œuvre de Philon : ce qui nous empêche d'en faire une critique plus précise. Voyons, en tout cas, comment, après ces faits, eut lieu la génération des animaux :

Et l'Air s'étant mis à flamboyer, l'embrasement agissant sur la terre et la mer provoqua des vents, des nuages, des chutes et des déversements considérables d'eaux célestes. Une fois que, à cause de la chaleur solaire, ces éléments eurent été séparés, qu'ils eurent été écartés de leur emplacement propre, qu'ils se furent à nouveau rencontrés dans l'air et qu'ils se furent entrechoqués, alors se produisirent tonnerre et éclairs et, au fracas du tonnerre, les animaux doués d'intelligence et dont il a été parlé se réveillèrent ; ils furent épouvantés par le vacarme, et, mâles comme femelles, commencèrent à se mouvoir sur la terre et dans la mer (*PE* I 10, 4).

Après ces événements, Philon nous informe sur les premiers hommes mortels, Aiôn et Protogonos, qui découvrirent la nourriture que l'on tire des arbres et engendrèrent les premiers habitants de la Phénicie ; il poursuit encore avec les premières manifestations de culte :

De grandes sécheresses ayant eu lieu, ils tendirent les mains vers le ciel en s'adressant au soleil. Car ils le tenaient pour un dieu, le seul souverain du ciel, ils l'appelaient Beelsamem, c'est-à-dire chez les Phéniciens souverain du ciel, chez les Grecs Zeus (*PE* I 10, 7).

De la race de ces personnages naquirent encore des enfants mortels, qui mirent au monde des fils de proportions et de stature supérieures (ce sont le Kassios, le Liban, l'Anti-Liban et le Brathy) ; d'eux naquirent deux frères, Samemroumos, autrement appelé Hypsouranios, et Ousoos :

Hypsouranios habita Tyr et inventa les cabanes faites avec des roseaux, des joncs et du papyrus ; puis il entra en conflit avec son frère Ousoos, qui, le premier, avait découvert les vêtements pour protéger le corps avec les peaux des animaux qu'il avait eu la force de capturer [...].

Ousoos se saisit d'un arbre et l'ayant ébranché, il osa le premier embarquer sur la mer ; il consacra deux stèles au feu et au vent, et les adora et leur adressait des libations avec le sang des animaux qu'il capturait. Après leur mort, ceux qui restèrent leur consacrèrent des bâtons ; ils rendaient un culte aux stèles et ils leur offraient des fêtes chaque année. Longtemps après naquirent de la race d'Hypsouranios [...] deux frères qui inventèrent le fer et la manière de le travailler ; l'un des deux, Chusor, pratiqua les formules, les incantations et la mantique. On dit qu'il s'agissait d'Héphaïstos et qu'il inventa l'hameçon, l'appât, la ligne, les embarcations et que, le premier de tous les hommes, il navigua. C'est pourquoi, après sa mort, on le vénéra comme un dieu (*PE* I 10, 10-11).

Nous sommes ici en présence d'une tradition phénicienne que Philon a élaborée en partant probablement du matériau mythique de la ville de Tyr ; plusieurs passages de ce fragment, en particulier, peuvent être comparés avec d'autres traditions, conservées par exemple dans les *Dionysiaca* de Nonnos de Panopolis ; le dieu artisan Chusor, en outre, attesté dans l'onomastique phénicienne, est bien connu dans les textes cananéens d'Ougarit.

Des traditions de Tyr on passe aux traditions de Byblos, à travers plusieurs générations d'inventeurs, avec le récit d'Elioun et d'Ouranos :

[...] C'est à leur époque qu'apparaissent un certain Elioun appelé Hypsistos (= le Très-haut) et une femme appelée Bèrouth, qui habitaient aux environs de Byblos. D'eux naît Epigeios Autochthon, qu'on appela plus tard Ouranos et dont on emprunta le nom pour désigner aussi l'élément qui est au-dessus de nous, à cause de sa très grande beauté. Il lui naît une sœur des parents que j'ai indiqués, qui fut appelée Gè, et, en raison de sa beauté, on appela ensuite du même nom la terre. Leur père, Hypsistos, après qu'il eut péri dans une rencontre avec des bêtes sauvages, fut divinisé, et ses enfants lui consacrèrent libations et sacrifices (*PE* I 10, 14-15).

Le nom de cet Elioun-Hypsistos est bien connu dans la religion des Cananéens et des Phéniciens par plusieurs témoignages : l'épisode de sa mort pendant la chasse rappelle les récits analogues de l'Ougaritien Aqhat et du Phénicien Adonis. Après l'histoire d'Elioun suit, dans le récit, la geste d'Ouranos, son fils, et la guerre qui opposa ce dernier à Kronos-El, né du mariage d'Ouranos avec sa sœur Gè. L'histoire des Ouranides, qui occupe dorénavant la place centrale de la narration, est pleine de combats, de luttes fratricides, d'épisodes sanglants ; elle rappelle d'autres traditions orientales, auxquelles même la théogonie grecque d'Hésiode est redevable.

Le débat de Kronos contre son père commence par le désaccord de ses parents, dû aux nombreuses aventures sexuelles d'Ouranos :

Gè, mécontente dans sa jalousie, mena la vie dure à Ouranos au point qu'ils divorcèrent. Ouranos, bien que séparé d'elle, usait de violence, quand il le voulait, pour l'approcher et s'unir à elle, puis la quittait à nouveau. Il s'efforçait même d'anéantir les enfants qu'il avait eus d'elle. Gè les protégea souvent avec l'aide des alliés qu'elle mit de son côté. Kronos, arrivé à l'âge d'homme [...], se dresse contre son père Ouranos pour venger sa mère [...]. Et ainsi, ayant engagé le combat, Kronos détrôna Ouranos et lui succéda au pouvoir [...]. Kronos, ayant pour fils Sadidos, le fit périr de son propre fer parce qu'il l'avait pris en suspicion, et il lui ôta la vie, se faisant le meurtrier de son propre enfant ; de la même manière encore, il coupa la tête de sa fille, si bien que tous les dieux furent épouvantés devant l'état d'esprit de Kronos. Par la suite, Ouranos, qui était en exil, envoya secrètement sa fille, la vierge Astarté, avec ses deux sœurs Rhéa et Dioné pour supprimer Kronos par ruse. Mais Kronos les prit et fit d'elles, qui étaient ses sœurs, ses épouses légitimes. Ouranos l'ayant appris envoya contre Kronos [...] des autres alliés, et Kronos les rallia à sa cause et les retint auprès de lui [...]. La trente-deuxième année de son pouvoir souverain et de son règne, Élos, c'est-à-dire Kronos, ayant tendu un piège à Ouranos, son père, dans un endroit situé à l'intérieur des terres et l'ayant réduit en sa puissance, l'ampute des parties, tout près des sources et des fleuves. A cet endroit Ouranos fut divinisé et il rendit l'esprit ; le sang de ses parties s'égoutta dans les sources et les fleuves, et jusqu'à nos jours on en indique l'endroit [...]. Comme était survenue une peste meurtrière, Kronos fait à son père Ouranos le sacrifice de son fils unique, et se circoncit, en obligeant ses alliés, auprès de lui, à en faire autant. Et peu de temps après il divinise un autre fils, qu'il avait eu de Rhéa, nommé Mouth, après sa mort. Les Phéniciens l'appellent Thanatos et Pluton (*PE* I 10, 16-18 ; 21-23 ; 29 ; 33-34).

Voilà donc la geste de Kronos et les caractères qu'elle présente dans l'*Histoire phénicienne* de Philon de Byblos. Sa lutte pour instaurer son pouvoir royal conclut pratiquement le récit fragmentaire d'Eusèbe sur la théologie des Phéniciens. L'écrivain chrétien, toutefois, nous donne un peu plus loin d'autres renseignements à propos de cette royauté et nous informe aussi — toujours en citant Philon — sur le sort de ce grand et terrible roi :

Kronos, que les Phéniciens appellent El, fuit par la suite, après la fin de sa vie, divinisé pour s'identifier avec l'astre de Kronos (*PE* I 10, 44).

Mais le moment est arrivé d'évaluer à fond la signification spécifique des nombreuses morts et divinisations qu'on rencontre dans cette *Histoire* d'hommes-dieux et dans d'autres sources sur la religion des Phéniciens.

3. Évhémérisme et réalité

On a souvent souligné, dans les études philoniennes, l'adhésion pleine et complète de l'auteur aux thèses d'Évhéméros de Messène (IVᵉ siècle av. J.-C.) et de ses disciples évhéméristes, qui considéraient les mythes comme un souvenir des histoires les plus anciennes déformées et détournées par les générations postérieures. C'est exactement la position de Philon, qui s'en prend à toute sorte de spéculation et d'allégorisme avant et après son Sanchuniathon. On exprime ainsi une opinion correcte quand on refuse d'assigner à ce Sanchuniathon (c'est-à-dire aux Phéniciens) les idées évhéméristiques de Philon ; toutefois on ne peut pas douter que cet auteur ait réellement utilisé des sources phéniciennes ; de même, on ne peut pas admettre tout court que Philon, vivant au temps d'Hadrien, eût, de propos délibéré, attribué à ses sources et à ses ancêtres concitoyens les idées sur la nature des dieux défendues par Évhéméros. L'hypothèse la plus vraisemblable est au contraire que Philon lui-même crut en des dieux anthropomorphes comme en des hommes déifiés et que, de cette idée, il découvrit une confirmation dans les récits phéniciens sur les dieux et l'origine du monde. Philon, cité par Eusèbe, écrit ceci :

Il est nécessaire d'expliquer préalablement [...] que les plus anciens des Barbares, singulièrement les Phéniciens et les Égyptiens, de qui le reste de l'humanité a reçu cet usage, regardaient comme les plus grands dieux les hommes qui avaient fait quelque découverte utile à l'existence, ou avaient en quelque domaine rendu service aux peuples. Parce qu'ils voyaient en eux des bienfaiteurs et la source de beaucoup d'avantages, il les adoraient comme des dieux même après leur mort, après leur avoir aménagé des temples, et ils leur consacraient des stèles et des bâtons en les appelant de leurs noms, rendant même un magnifique culte à ces objets ; et les Phéniciens leur attribuèrent les plus grandes fêtes. En particulier, ils affectèrent soit à des éléments de l'Univers, soit à certains de ceux qu'ils croyaient être des dieux, des noms qu'ils empruntaient à leurs propres rois ; et ils ne reconnaissaient pour dieux que les dieux physiques : le soleil, la lune, les autres planètes, les éléments et ce qui s'y rattache, si bien qu'ils avaient des dieux mortels et des dieux immortels (*PE* I 9, 29).

Dans ce fragment de l'œuvre de Philon nous trouvons conservée une page authentique de la religion phénicienne, qui est confirmée par plusieurs données : ainsi par exemple le culte des stèles et des bétyles, largement vérifiable dans les livres de l'Ancien Testament, dans les auteurs classiques et surtout dans les découvertes archéologiques ; ainsi également l'allusion au culte des éléments de l'Univers, où il est possible de reconnaître la vénération de plusieurs divinités phéniciennes ; ainsi surtout la mention des dieux-rois et la distinction entre dieux mortels et dieux immortels. Il faut souligner que ce dernier point manifeste la réalité du polythéisme phénicien dans un élément peut-être le plus caractéristique : à côté des grandes divinités très anciennes, on y trouve en effet des dieux « jeunes », pour ainsi dire, surgis probablement d'une précédente vénération des souverains divinisés, attestée du moins dans la Syrie de l'âge du bronze. Pour ces personnages royaux et divins, le mythe narre leurs vicissitudes, leur mort, leur transformation glorieuse en dieux immortels. L'exemple le plus clair de cette situation nous est donné par le dieu Melqart (en phénicien *mlqrt*, « roi de la cité ») pour lequel Philon dit simplement qu'il était fils de Dèmarous, de la descendance d'Ouranos, et qu'on l'appelait aussi Héraklès[3]. Grâce à d'autres sources nous savons toutefois qu'il s'agissait exactement d'un dieu dont la mort et la résurrection étaient célébrées à partir du Xe siècle avant J.-C. ; d'un dieu mourant dans le feu d'un bûcher et réveillé par ses prêtres ; d'un dieu-roi, ancêtre et fondateur de la ville de Tyr, dont les ossements étaient ensevelis et vénérés dans ses sanctuaires. A côté de Melqart on trouve également le personnage royal de l'Adonis de

3. Cf. *PE* I 10, 27.

Byblos, décédé dans un accident de chasse, vivant néanmoins après sa mort et célébré dans la joie des fêtes Adonies encore aux premiers siècles de notre ère. Une histoire de mort et de retour à la vie était de même attribuée au dieu Eshmun (dit dans les inscriptions phéniciennes *šr qdš*, « prince saint »), qui se tua, selon une tradition rapportée par Damascius, en amputant ses parties pour échapper aux amours de la déesse Astronoé et qui revint à la vie par la volonté de cette dernière. D'autres témoignages, soit de l'Ancien Testament, soit des auteurs classiques, viennent encore nous confirmer le caractère mourant et ressuscitant de ces personnages et d'autres êtres surhumains de la religion phénicienne.

Dans son évhémérisme, donc, Philon — du moins quand il parle de personnages divinisés après leur mort — nous présente une réalité de la religion phénicienne, dans laquelle il faut reconnaître l'existence d'une idée de vie, mort et réveil appliquée à certains personnages de l'histoire passée — idée d'un sort privilégié dans l'au-delà, qui permet à ces êtres mortels de l'Antiquité « mythique » de descendre aux enfers et de vivre, dès ce moment, une expérience nouvelle, divine, éternelle.

Le passage de la mort à la glorification pour les dieux-rois mortels de la tradition phénicienne est marqué dans nos sources par des mots qui signifient « se réveiller », « revenir à la vie », « être encore en vie », « être élevé », etc. Il ne s'agit pas là, à vrai dire, d'une vision eschatologique de la vie que peut atteindre dans l'au-delà le commun des mortels, mais plutôt d'une perspective de libération personnelle qui n'a aucun caractère de salvation, qui se présente tout au plus comme une possibilité de fuir des difficultés de la vie ou comme un expédient pour se soustraire à l'heure actuelle. La foi dans ces dieux mortels pouvait ainsi représenter, sinon un espoir de salut, du moins un paradigme de perfection et une proposition séduisante : on rappellera à ce propos l'histoire mythique d'Elissa-Didon, reine de Carthage, qui se jeta dans le feu du bûcher pour fuir un mariage absolument indésiré ; ou la mort d'Hamilcar, commandant de l'armée carthaginoise à Himère, qui se suicida lui aussi dans le feu sacrificiel pour racheter de sa vie la débâcle militaire ; ou enfin la mort de Sophonisbe, épouse du dernier général de Carthage, qui préféra brûler dans l'incendie du temple d'Eshmun, plutôt que de se rendre aux Romains.

Une vie éternelle donc pour des rois-dieux mortels : extraordinaire solution polythéiste au problème de la mort, qui ne devait ni ne pouvait être comparée avec *la* solution par excellence, proposée par la religion chrétienne. On comprend ainsi très bien l'insistance de l'évêque Eusèbe sur l'unicité et la pleine validité de « la doctrine de salut, qui nous enseigne à fuir sans nous retourner ces éléments de la théologie phénicienne et à chercher un remède à cette démence des Anciens[4] ». Le culte d'un Dieu sauveur était vraiment autre chose pour lui que la théologie phénicienne garantie par l'autorité de Sanchuniathon, le païen sage et savant, qui citait toutefois pour dieux

non le Dieu universel, ni même les dieux célestes, mais des mortels, hommes et femmes, et non pas policés et tels que l'on croie devoir les accueillir pour leur vertu morale ou les imiter pour leur philosophie, mais imprégnés du vice de la méchanceté et d'une totale perversité ; ceux-là même qui sont encore de nos jours tenus pour dieux par tous, à travers villes et campagnes (*PE* I 9, 22).

_____
4. Cf. *PE* I 10, 54.

NOTE BIBLIOGRAPHIQUE

Sur la littérature en phénicien, sur les sources d'où procède la connaissance de la civilisation phénicienne, voir S. MOSCATI, *Il mondo dei Fenici*, Milano, 1979².

Sur l'activité littéraire de Philon et le milieu culturel de son époque, cf. L. TROIANI, *L'opera storiografica di Filone da Byblos*, Pisa, 1974 ; et G. BRIZZI, *Il « nazionalismo fenicio » di Filone di Byblos e la politica ecumenica di Adriano : Oriens Antiquus*, 19 (1980), 117-131.

Pour le texte de l'*Histoire phénicienne* de PHILON, on a suivi presque toujours la traduction française de la *Praeparatio Evangelica* d'EUSÈBE selon l'édition de J. SIRINELLI et E. de PLACES (*Sources chrétiennes*, 206), Paris, 1974 ; dans le commentaire de ces auteurs on trouvera une excellente analyse des problèmes relatifs à l'attitude d'Eusèbe. Le texte grec des fragments de Philon est publié aussi dans F. JACOBY, *Die Fragmente der Griechischen Historiker*, III C, Leiden, 1958, n. 790, 802-824.

Sur la valeur documentaire de l'*Histoire phénicienne* et du personnage de Sanchuniathon, il faut voir principalement les différentes positions de P. Nautin et de O. Eissfeldt ; la bibliographie sur ce sujet pourtant est très abondante : on peut se référer aux indications bibliographiques de H. W. ATTRIDGE-R.A. ODEN jr, *Philo of Byblos, The Phoenician History* (*The Catholic Biblical Quaterly, Monograph Series*, 9), Washington, 1981. Pour l'attitude antiallégorique de Philon, voir en particulier J. PEPIN, *Mythe et allégorie. Les origines grecques et les contestations judéo-chrétiennes*, Paris, 1976, 217-220.

Sur la cosmologie phénicienne, l'origine de l'homme, les inventions, les gestes de Kronos et d'Ouranos, il faut voir les études récentes de J. EBACH, *Weltenstehung und Kulturentwicklung bei Philo von Byblos*, Stuttgart, 1979, et de A.I. BAUMGARTEN, *The « Phoenician History » of Philo of Byblos. A Commentary*, Leiden, 1981.

Nous avons examiné les traditions sur les dieux mourants de la religion phénicienne et leurs rapports avec le culte des souverains dans *Morte e sacrificio divino nelle tradizioni sul pantheon fenicio : Atti della seconda settimana di studio « Sangue e Antropologia biblica nella Patristica » (Roma, 23-28 novembre 1981)*, 2 vol., Roma, 1982, 815-852.

II

INFLUENCES DE LA GRÈCE SUR LE JUDAÏSME ET SUR LE CHRISTIANISME DES DÉBUTS

Introduction

En Grèce

Claude BÉRARD,
« Apocalypses éleusiniennes »

En Israël et dans le Proche-Orient hellénisé

Antonio PIÑERO-SÁENZ,
« Les conceptions de l'Inspiration
dans l'apocalyptique juive et chrétienne »

INTRODUCTION

« L'Instant Éternel », instant où la Révélation fond sur l'homme, qu'il l'ait cherchée ou non. Ce n'est pas une définition. A l'expérience vécue de la Révélation, seule convient l'allusion.

Nous parlons de « révélations ». Mais à partir de quels témoignages ? Des textes : poèmes, inscriptions, récits plus ou moins marqués par une technique artistique et par un ensemble de conventions littéraires, marqués aussi, éventuellement, par des visées d'apologie ou d'enseignement.

Que savons-nous, à travers ces textes, de l'expérience vécue, celle des hommes qui ont effectivement reçu, dans leur corps et dans leur âme, la Révélation ? De cette expérience vécue, il nous est difficile d'approcher. Certains diront que c'est un objectif illusoire... Le « document », quel qu'il soit, ne livre pas nécessairement le secret de l'humain. Encore avons-nous le choix des documents, dans certains cas.

Ainsi, on pourra s'étonner que la Grèce ne soit pas représentée ici par ceux que l'on peut considérer comme les plus célèbres témoignages de la Révélation : pensons à Er, fils d'Armenios, qui, laissé pour mort sur le champ de bataille, partit pour l'au-delà en même temps que bien d'autres âmes, fut le seul à se voir révéler les secrets de l'Univers et se réveilla dix jours plus tard, sur le bûcher funéraire, pour raconter ses visions (Platon, *République*, X, 613a-621d) :

C'est comme cela [...] qu'a été sauvé le récit et que, n'ayant point

« péri », il pourra nous sauver nous aussi, si nous y ajoutons foi ; nous passerons alors dans de bonnes conditions le fleuve de la plaine du Léthé et nous ne souillerons pas notre âme (*Rép.*, 621b-c).

Voilà exprimée de manière claire l'un des buts les plus typiques du récit apocalyptique. D'autres passages, que l'on nomme eschatologiques, figurent chez Platon. Le *Phédon* (107a-114e) consacre un long exposé au soin qu'il faut avoir de son âme en vue de sa destinée *post mortem*. L'itinéraire et le sort de l'âme après la mort s'assortissent d'une cosmologie, d'une géographie de l'au-delà, d'une description détaillée du Tartare et d'une rapide évocation des sanctions. Ce passage, il est vrai, ne se présente pas sous la forme d'une révélation. De même, le *Gorgias* (523a-526d) garde ce caractère d'exposé et non de révélation pour décrire le scénario du jugement des âmes lors de leur arrivée aux enfers et dire les catégories où sont classées les âmes.

Il ne manque pas, dans la littérature grecque, de descentes aux enfers : celle d'Ulysse (*Odyssée*, chant XI), celle d'Orphée, celle d'Héraclès qui partit rechercher Alceste. Mais si le dévoilement de l'au-delà peut être considéré comme l'un des traits constitutifs des révélations, il ne suffit pas, à lui seul, à caractériser une apocalypse : chacun des trois premiers auteurs de ce livre a tenu à préciser quel rapport pouvait s'instaurer, selon lui, entre ce motif et ce qu'il entend par « apocalypse ».

Mais, dira-t-on, il y a d'autres textes qui sont plus proches de la Révélation, du genre apocalyptique ; de ceux-là, on trouvera une évocation suggestive dans le livre de Ioan P. Couliano et dans d'autres ouvrages qui y sont mentionnés*.

En réalité, ce qui a guidé notre choix, c'est le désir d'échapper, provisoirement, aux documents écrits, dans le dessein — peut-être illusoire ! — de nous rapprocher du concret : parmi les « témoins » de la révélation, il n'y a pas que des

---

* Joan P. Couliano, *Expériences de l'Extase*, Payot, 1984.

textes. Il y a des lieux où se pratiquaient des rites
épiphaniques : les vestiges qui demeurent, monuments, images
peintes sur des vases, donnent une idée de ces rites. Et c'est,
malgré tout, à Platon que nous pourrions devoir la justification de notre parti pris ; évoquant le Télèphe d'Eschyle,
Socrate s'exprime ainsi :

> « "Simple, dit-il en effet, est le chemin qui conduit chez Hadès",
> tandis que, selon moi, cette route n'est ni simple, ni unique : on
> n'aurait dans ce cas même pas besoin de guides ; car, s'il n'y avait
> qu'une voie, nulle part en effet on ne ferait fausse route ; mais en
> réalité le chemin a, semble-t-il, nombre de bifurcations, de
> carrefours : *la preuve de ce que je dis, je la tire des rites et des cou-*
> *tumes qui se pratiquent ici.* »

Parmi les rites, nous avons choisi une expérience cultuelle,
celle de la Révélation à Éleusis. Elle demeure, pour nous, en
grande partie inconnue puisque les séquences les plus importantes étaient sous le sceau du secret. Toutefois, le site même
d'Éleusis, les vestiges du sanctuaire, nous permettent de
refaire, dans une certaine mesure, le parcours de ceux qui pré-
tendaient à l'initiation et des prêtres ou prêtresses qui, par la
répétition rituelle de la geste divine, devaient leur ouvrir la
voie. C'est, pour l'archéologue, un parcours plein d'hypothèses
mais, même fragmentairement, cette expérience humaine peut
apparaître à travers les documents dont nous disposons. Il
n'était pas possible de raisonner ici sur l'ensemble des
données : par nécessité, Claude Bérard a limité son exposé à
l'analyse d'une série d'images qui représentent la séquence
rituelle, n'y adjoignant que quelques observations sur le site
archéologique d'Éleusis (ces dernières seront développées dans
d'autres publications de l'auteur).

La compréhension de l'image, comme le fait remarquer
Claude Bérard, est tributaire, plus que d'autres, de
l'expérience : du seul fait que l'image n'est pas assortie d'un

texte explicatif, elle ne peut être comprise que par référence à
ce qui a été vu et vécu, elle est *signum* et *memoraculum*.

Que pouvons-nous apprendre de la révélation, telle qu'elle
était vécue à Éleusis, à travers ces images ? Le scénario représenté est celui — bien connu — de l'enlèvement de Coré, fille
de la déesse des moissons, Déméter, de sa descente, contrainte
et forcée, aux enfers, royaume de son ravisseur, de la période
de détresse cosmique qui s'ensuivit (Déméter « cache » le blé),
du retour de Coré sur terre pour une demi-année, du rétablis-
sement de l'équilibre cosmique.

Dans ce spectacle sacré, « initiands », prêtres et dieux jouent
une partie décisive avec la mort : celui qui est descendu au
royaume des morts et en est revenu sait désormais que la mort
n'est qu'une étape dans le processus vital, processus dont
semailles et moissons donnent une image très suggestive. Voilà
qui nous rappelle l'histoire de Baal, en rapport, elle aussi, avec
le rythme des céréales. La contribution de Claude Bérard, en
effet, se trouve au point d'articulation de deux systèmes de
représentation que nous avons voulu mettre en regard : elle
repose sur l'évocation d'un type de mythe dont tout le bassin
méditerranéen est familier. Mais, d'une part, elle ne s'en tient
pas au mythe lui-même, puisqu'elle expose une forme de *révélation vécue* à travers ce mythe dans le culte des Mystères, et,
d'autre part, elle montre une voie d'accès à la révélation qui,
si elle se rattache par son scénario à des formes très anciennes,
exerce un rayonnement sur des cultures de la même époque et
l'exercera encore sur des époques ultérieures. Les révélations
éleusiniennes se déroulaient dans un monde, la Grèce, où l'inspiration divine opérait volontiers dans un cadre rituel : les pratiques d'incubation (quête de l'inspiration entourée d'un rituel
précis : on venait dormir dans certains lieux sacrés, en particulier des grottes, pour appeler une vision en songe où le dieu
communiquait son message), les pratiques dionysiaques, les
divinations de la Pythie appartiennent au même monde que
l'expérience éleusinienne.

Il n'y a pas à prétendre que toutes ces pratiques témoignent, parce qu'elles sont grecques, de conceptions et d'expériences semblables ! Le sujet a déjà été étudié et, quoique ce ne soit pas un domaine de certitudes, on sait bien qu'il y a là une relative variété. Aussi n'irons-nous pas affirmer que les révélations éleusiniennes sont les seules à favoriser le rayonnement des conceptions et pratiques grecques. Elles font allusion, simplement, à l'un des types d'expérience dont nous allons trouver des échos dans l'exposé d'Antonio Piñero-Sáenz.

La contribution d'Antonio Piñero-Sáenz sur *les conceptions de l'Inspiration dans l'apocalyptique juive et chrétienne* présente le sujet extrêmement complexe des interactions entre les conceptions grecques, juives et chrétiennes. Son procédé d'exposition se conforme à la complexité de ce « tissu » en entrelaçant les fils principaux.

— Un exposé chronologique des textes dessine l'évolution des conceptions tout en marquant les traits persistants ou la récurrence d'idées périodiquement occultées.

— La question centrale est celle du rapport entre la personne du prophète et la puissance inspiratrice : quelle est la part d'autonomie du prophète, quelle est celle de la soumission, de l'effacement de soi sous l'effet de l'inspiration divine ? L'apocalyptique juive de l'Ancien Testament présente des conceptions assez subtiles pour qu'on ne puisse les résumer de manière monolithique ; mais on peut dire, en simplifiant, qu'elle ménage la personne du prophète en lui laissant une relative autonomie par rapport au *pneuma* divin. Pour les Grecs, au contraire, l'inspiration est beaucoup plus coactive : l'invasion du souffle divin tend à réduire au rang de simple instrument l'être humain qui prophétise. Ces points de vue, apparemment éloignés (selon un exposé simplifié par nécessité), vont se nuancer et se contaminer réciproquement dans les *Oracles sibyllins* juifs : l'un de leurs traits les plus originaux est l'interaction entre l'inspiration coactive par invasion du souffle divin d'une part, et l'élévation noétique propre à la Sibylle d'autre part. Quant aux chrétiens des premiers siècles, leur conception de l'inspiration ne diffère pas sensiblement des précédentes : elle conserve toute la gamme des subtilités que développaient, en s'entremêlant ou s'influençant réciproquement, les conceptions juives, grecques classiques et hellénistiques. Cependant, on observe une tendance très nette à réduire l'autonomie du prophète par rapport à la puissance inspiratrice. Même si le visionnaire joue un rôle actif, sa vision est terrible, elle l'engage dans une dépendance totale à l'égard de la divinité. Il arrive que le prophète perde tout à fait conscience, s'efface entièrement en tant que personne et devienne simple réceptacle du *pneuma* qui parle à travers lui : une conception que l'Ancien Testament n'aurait point admise et qui manifeste une forte pénétration des idées grecques.

— Comment se manifeste l'inspiration ? Dans les conceptions les plus archaïques, le fameux *pneuma*, souffle divin, force extérieure à l'homme, qui porte physiquement le prophète, n'était peut-être pas dépourvu de connotations orgiastiques païennes. Mais, progressivement hypostasié, il devient *Pneuma*, partie intégrante de Dieu lui-même. L'inspiration se manifeste diversement : vent-esprit, fluide — parfois igné — versé dans la bouche et la poitrine du prophète, livre ingéré, dictée céleste, vision en état de veille, vision en songe, intervention d'un ange. Cette question des manifestations de l'inspiration est étroitement liée, on le voit, à celle des modalités de la transe prophétique : l'inspiration exerce une action physique sur le prophète. Celui-ci peut être transporté dans les cieux, soit corps et âme (comme c'est le cas des translations les plus anciennes), soit en esprit seulement (encore un effet des influences grecques ?).

Le prophète peut se trouver saisi, soudainement, par l'inspiration ; mais il peut aussi l'appeler, la provoquer par diverses pratiques : jeûne, prière et même, peut-être, absorption de substances théophores. La coupe offerte à Esdras, par exemple, est-elle un pur symbole, simple vestige métaphorique de pratiques platonico-dionysiaques, ou désigne-t-elle l'objet d'une expérience concrète, l'ingestion proprement dite ?

Tout ce qui regarde l'entrelacs de ces deux questions — manifestations de l'inspiration et modalités de la transe prophétique — mène à un autre problème :

— Dans ces expériences prophétiques ainsi relatées, quelle est la part de fiction littéraire, quelle est celle de l'expérience vécue ? Question sans doute insoluble à laquelle, sagement, Antonio Piñero-Sáenz choisit de ne pas s'attarder : si nous nous limitons — par la force des choses ! — à vouloir dégager les « conceptions de l'inspiration », il nous suffit de prendre pour hypothèse de travail ce qui était un préalable aux croyances des époques envisagées : le caractère vécu de l'expérience prophétique. Cela n'exclut pas pour autant de reconnaître l'existence des intentions apologétiques et celle des conventions littéraires inhérentes à des textes profondément poétiques : le prophète a le droit d'être artiste, à plus forte raison quand c'est Dieu qui parle à travers lui !

C. K

APOCALYPSES ÉLEUSINIENNES

par
Claude BÉRARD

L'abondance des sources relatives aux mystères d'Éleusis, loin d'en élucider le contenu, agit au contraire comme un obstacle et en masque la signification ; ce problème est encore amplifié par l'abondance de la bibliographie qui occulte, au sens propre, la lumière qui jaillissait dans le Télestérion, le théâtre initiatique, au moment de la révélation.

Le phénomène éleusinien devrait être analysé à l'aide de trois types de sources complémentaires, et cela simultanément.

1. Les sources littéraires

Elles contiennent le *hiéros logos*, c'est-à-dire le *texte* sacré qui raconte les aventures de Déméter et Coré aboutissant à l'institution des mystères. Ces sources ressortissent à l'ordre du récit, écrit ou lu, avec les avantages et les contraintes de documents qui peuvent prêter à des analyses linguistiques.

2. Les sources archéologiques architecturales

Elles nous renseignent d'une part sur les bâtiments qui servaient de cadre aux différents épisodes des mystères, d'autre part sur le *parcours* qu'avaient à accomplir les initiés. Cette notion de parcours est fondamentale parce qu'elle fait intervenir la dimension temporelle dans le déroulement des mystères. On constate ainsi qu'à chaque moment de la cérémonie correspond un lieu différent avec ses caractéristiques fonctionnelles. Le Ploutonion, théâtre en plein air, précède le Télestérion, théâtre clos. Un dernier théâtre à gradins droits permet aux mystes d'assister enfin au départ de Triptolème.

3. Les sources iconographiques*

Les scènes peintes aux flancs des vases attiques (550-350) constituent une imagerie qui obéit à ses propres règles. La richesse de cette imagerie ne doit pourtant pas en dissimuler les lacunes volontaires : ce qui est montré ne donne certes aucun renseignement précis sur le centre de la révélation éleusinienne ; les temps forts du mystère sont absents, censurés par définition, mais non les temps faibles qui mettent en évidence le rythme de la cérémonie et donc sa durée. Il est ainsi possible de lire « en creux » le déroulement des mystères.

Ces trois types de sources font intervenir la notion de durée et donc de séquence héortologique. On devrait tenter un déchiffrage simultané de ces données, comme si elles étaient placées sur une même portée, combinant ainsi les avantages d'une lecture horizontale avec ceux d'une lecture verticale.

---

* Elles figurent à la fin de l'article.

> Heureux qui descend sous terre en ayant vu cela. Il sait
> la fin de la vie donnée par dieu ; il sait aussi son com-
> mencement[1].

PINDARE

Aborder les mystères d'Éleusis sous l'éclairage apocalyptique
nécessite un mot d'explication. Il ne saurait ici être question de
répondre aux multiples interrogations que posent et les sources
littéraires et les documents iconographiques[2]. Nous aimerions
en revanche dégager les renseignements susceptibles d'être
extraits d'une série d'images figurées aux flancs de quelques
vases datés entre la fin du VI⁰ et le début du IV⁰ siècle.

Deux problèmes surgissent d'emblée. En premier lieu, il faut
rappeler que le terme « apocalypse » n'est pas attesté dans la
sphère éleusinienne, du moins dans la fourchette chronologique
envisagée ici — ce qui ne veut pas pour autant dire qu'il soit
erroné ou anachronique[3]. Cependant, selon l'acception première et générale de « révélation divine », il ne fait aucun
doute qu'il soit adéquat dans un système religieux dont les
expériences les plus profondes sont fondées sur des visions,

---

1. PINDARE, fragment 137. Cf. A. MOTTE, *Prairies et jardins de la Grèce
antique*, Bruxelles, 1973, p. 280 ; P. LÉVÊQUE, « Olbios et la félicité des
initiés », dans *Mélanges C. Delvoye*, Bruxelles, 1982, p. 124 *sq.*
2. Clefs bibliographiques en fin d'article.
3. Je ne suis pas certain que le sens de « révélations des mystères divins » se
rencontre avant l'Épître aux Romains, 16, 25. Cf. L. LEGRAND, *L'Annonce à
Marie* (Lc 1, 26-38). *Une apocalypse aux origines de l'Évangile*, Paris, 1981,
p. 128 *sqq.*

plus exactement sur des mises en scène, des spectacles mystiques, ou plutôt « mystériques ».

En second lieu, il est légitime de s'interroger sur la valeur du témoignage de l'imagerie à propos d'un thème aussi particulier. Si la tradition « littéraire » a respecté le secret des mystères, ou si, simplement, elle n'a pu en rendre compte parce que l'essence des cérémonies, par définition (il ne s'agit pas d'*apprendre* mais d'*éprouver*, de *ressentir*), se dérobe à une mise en forme de type linguistique — trop rationnelle —, la tradition iconographique quant à elle, plus populaire, est-elle susceptible de franchir ces obstacles de communication sans pour autant violer les exigences du silence ? En d'autres termes, est-il concevable que les peintres aient pu offrir à leur clientèle des représentations ressortissant à des « révélations » divines ? La question est pertinente car, à quelques exceptions près, les vases pris en considération ne constituent pas une vaisselle « liturgique » qui aurait été créée à usage interne — comme pour les rituels d'Artémis au sanctuaire de Brauron, par exemple. En outre, tous n'ont pas été découverts *in situ*, ce qui leur aurait conféré un caractère votif ; qu'ils aient été mis au jour dans des tombes, en revanche, n'est évidemment pas anodin et témoigne de la valeur spirituelle personnelle qu'attribue à de tels objets leur propriétaire.

Il ne faut peut-être pas surestimer la notion de secret et de mystère. De nombreux rituels nous demeurent aujourd'hui obscurs parce que nous sommes coupés des situations culturelles et cultuelles qui tout naturellement les rendaient intelligibles. Les Grecs n'ont souvent rien dit, ni rien montré de telles pratiques religieuses parce qu'elles leur paraissaient de la plus grande banalité ; ainsi, la consultation de l'oracle delphique demeure énigmatique, bien que des milliers de personnes en aient bénéficié chaque année. A Éleusis également, des milliers d'initiés n'ont rien révélé de scènes que tout candidat à l'initiation pouvait contempler sans problème. Si nous possédons des images éleusiniennes, c'est que les scènes représentées, pourrait-on

dire, faisaient partie de la séquence initiatique sans pour autant
trahir le contenu spirituel du moment le plus intense. Au reste,
l'image ne fonctionne pas ici sur un plan didactique ; pour son
propriétaire, la lecture ne peut passer que par la mémoire de
ce qu'il a vu et éprouvé directement : *signum* et *memoraculum*.

Un détail illustre bien pareille affirmation : les initiands portent fréquemment une sorte de « bâton » typiquement éleusinien (cf. fig. 7) qui constitue pour nous un droit de suite dans
la mise en séquence des images. Cet objet n'était certes pas un
accessoire secret vu l'occurrence de ses représentations. Or, le
nom qu'il portait dans l'Antiquité ne nous a été transmis que
par des sources tardives et douteuses : nous avons proposé
récemment (Bérard, 1985) le terme de *dragma*, faisceau, celui
adopté traditionnellement par la critique étant certainement
erroné *(bacchos)*.

Il faut avouer encore que le corpus des images éleusiniennes
est l'un des plus difficiles à traiter en raison, entre autres, de
son manque d'homogénéité ; ce défaut est sans doute partielle-
ment dû au fait que l'appellation « mystères d'Éleusis »
englobe non seulement plusieurs degrés et niveaux d'expériences religieuses, mais encore toute une diversité de cérémonies réparties dans l'espace, Athènes (Éleusinion), Agra (petits
mystères), Éleusis (grands mystères), sinon même d'autres fêtes
patronnées par Déméter. Il ne faut donc pas s'étonner que,
d'une scène à l'autre, les différences soient parfois
considérables ; elles tendent à perturber les classifications
réductrices proposées par les archéologues. Mais il arrive aussi
que la clé du sens se cache précisément dans ces écarts qui ani-
ment le rythme des séquences.

L'opposition entre l'enlèvement de Coré et son retour des
Enfers permet d'appréhender ce qu'on peut espérer de la
représentation d'une « révélation divine », car distinguer une
image apocalyptique d'une scène mythologique quelconque ne

va pas de soi. Notre première image[4], malheureusement très mutilée, figure sur un gobelet offert en ex-voto aux déesses d'Éleusis (fig. 1). Elle illustre de façon plus ou moins précise l'*Hymne homérique à Déméter*, daté approximativement du premier quart du VIᵉ siècle. On connaît l'histoire : Coré, fille de Déméter, cueille des fleurs avec ses compagnes quand soudain la terre s'ouvre et laisse passer Hadès, dieu des Enfers, qui a surgi sur son char. Il s'agit là de la fin du premier épisode : le rapt a réussi, et le char s'enfonce dans le sol ; la jeune fille esquisse un geste de désespoir et lance peut-être un dernier appel au secours. Plusieurs figures féminines — ses compagnes de jeu, parmi lesquelles il faut noter la présence d'Athéna et d'Artémis — entourent le groupe central. Hermès, le dieu des passages chthoniens, brandit son caducée et se retourne pour suivre l'action dont sa présence garantit la réussite. Devant l'attelage, un petit Éros tient une torche et une couronne de feuillage pour la future épouse. La présence de ces diverses divinités est capitale ; elle révèle que, toute brutale que soit la scène, elle s'inscrit dans un programme divin à long terme. Il ne s'agit pas d'une aventure purement érotique.

Cette illustration dramatique ouvre le récit sacré. Dès lors tout va se précipiter et s'enchaîner : quête de la mère désolée, Déméter, qui aboutit à Éleusis, blocage du cycle de la nature et donc famine, menace de mort pour l'humanité (« la terre ne faisait pas lever le grain car Déméter à la belle couronne l'avait caché », v. 307), intercession des dieux, de Zeus en particulier, retour momentané de la jeune femme, à jamais liée à son époux souterrain pour avoir mangé un grain de grenade,

---

4. La sélection opérée dans le corpus est en partie arbitraire. Pour des raisons techniques, il a fallu limiter le nombre des illustrations. Par ailleurs, certaines images sont en trop mauvais état pour être reproduites sans un long commentaire. Enfin, il reste malheureusement impossible d'obtenir quelques photographies importantes, certains musées refusant toute collaboration.

Les scènes reproduites ici sont classées sous la rubrique générale « Éleusis » sans qu'on ait distingué de façon précise les différentes fêtes dans le calendrier héortologique, non plus que les degrés initiatiques.

retrouvailles de la mère et de la fille, allégresse générale, restauration de l'ordre cosmique, croissance des végétaux, maturation du blé, révélation des rites secrets.

Par rapport aux représentations du retour de celle qu'il faut dorénavant appeler Perséphone, de son nom infernal, cette image est isolée dans l'iconographie attique classique alors que le thème connaîtra une grande fortune, dès l'époque hellénistique, par le biais de la symbolique funéraire. Il n'est peut-être par surprenant que les peintres aient d'abord mis l'accent sur le retour des Enfers et la joie des retrouvailles plutôt que sur le désespoir suscité par l'enlèvement et ses conséquences sinistres. Nous croyons cependant que des causes plus profondes expliquent ce déséquilibre statistique. Premièrement, l'autre face du vase montre la conclusion heureuse de l'entreprise : Triptolème, le « missionnaire » éleusinien[5], s'apprête à s'envoler sur son char ailé, porteur d'une gerbe d'épis de blé que lui a confiée Déméter (cf. fig. 9) ; il va diffuser et enseigner les cultures céréalières au reste de l'humanité. Deuxièmement, la scène du rapt n'est pas localisable sinon dans un ailleurs fantastique (la plaine de Nysa), alors que le retour se déroule à Éleusis, dans un endroit très précis, visible de tout un chacun. Troisièmement, telle que nous la voyons figurée sur le vase, la descente aux Enfers ne peut être qu'une illustration du *hieros logos*, le texte sacré récité aux mystes (les choses « dites », *legomena*), alors que le retour était l'objet d'un rituel joué dans le sanctuaire : une grotte dans laquelle la protagoniste surgissait par un escalier dérobé — que l'on peut emprunter aujourd'hui encore — servait de cadre au spectacle (les choses « données à voir », *deiknumena*).

Au rapt en char correspond donc le retour à pied (fig. 2) : la terre s'est entrouverte derechef et Perséphone apparaît à la

---

5. Nous avons identifié cette scène grâce au bouquet d'épis et grâce à un détail du char de Triptolème. J.H. Oakley, quant à lui, a même réussi à lire le nom du héros (AJA 89, 1985, 701).

lumière comme attirée par les torches que tient devant elle Hécate. A l'arrière-plan, Hermès, caducée pointé vers le bas, assure le succès de l'aventure. Déméter, sceptre en main, contemple calmement la montée surnaturelle. A cette illustration du mythe de référence, l'imagerie a articulé une version rituelle qui donne l'écho du spectacle montré aux candidats (fig. 3). Les dieux ont disparu, remplacés par un prêtre porte-torches ; sa silhouette se profile derrière Perséphone qui surgit du sol à mi-corps. Une ronde de créatures démoniques vient de pratiquer le rituel évocatoire — l'appel cogné[6] — à l'aide des instruments des ténèbres, grandes mailloches servant à pilonner la terre (le petit personnage à gauche est « l'initié du foyer » qui représente sa classe d'âge dans la cérémonie). A la présence et à l'action magique d'Hermès sur le plan du mythe correspond donc le martelage des officiants humains sur le plan du rite — la substitution est rigoureuse dans toute l'imagerie.

Quelles que soient les assurances ultimes données aux mystes, il est certain que ce moment de la séquence était capital : il atteste qu'on peut échapper aux Enfers sous certaines conditions. Les représentations infernales existent sans être très nombreuses : l'image qui ressort de leur examen n'est pas particulièrement exaltante ! Sur une amphore à figures noires (fig. 4), nous voyons Hermès, porte-parole divin, enjoindre à Hadès de laisser partir Perséphone. Or le lieu de l'action est symbolisé par Sisyphe poussant son rocher : ce sont les grands pécheurs, maudits et damnés, qui servent à caractériser le souterrain séjour, même sur une scène dont la protagoniste est notre héroïne, connotée positivement puisqu'elle tient les épis de blé. Le retour de la déesse signifie tou-

---

6. Bérard (1974), p. 75 *sqq*. Depuis 1974, le dossier de l'appel cogné s'est beaucoup enrichi ; voir par exemple, en dernier lieu, C. MARCEL-DUBOIS, « La paramusique dans le charivari », dans J. LE GOFF et J.-C. SCHMITT, éd., *Le Charivari*, Paris, 1981, p. 45 *sqq*, principalement p. 49 : ma thèse demeure donc exacte même si l'on croit à la réalité des pratiques de martelage agraire dans l'Attique de l'époque classique, ce qui est absolument invraisemblable.

jours la remise en branle du cycle de la nature ; la dimension
cosmique de l'événement demeure essentielle. Dans l'imaginaire
des Athéniens, Déméter est figurée avec une charrue et Hadès,
qui s'appelle aussi Pluton, a été volontairement confondu et
assimilé avec Ploutos, dieu de la richesse, et porte de ce fait
une corne d'abondance généreuse (fig. 5). Avec Perséphone et
les épis, ce sont le blé, les céréales (l'orge), le pain, mais aussi
l'ensemble des dons de la nature qui sont garantis.

Après son séjour aux Enfers, Perséphone forme de nouveau
un couple étroitement uni avec sa mère Déméter. Les hommes
sont invités à participer à la joie des retrouvailles et à la contemplation de l'harmonie cosmique ainsi restaurée. Une série
de tableaux montre comment les Grecs se représentaient cette
découverte de la divinité. Le document le plus éclairant a été
offert en ex-voto par une femme du nom de Niinniôn (fig. 6).
La forme de l'objet, qui reproduit la façade d'un temple, n'est
pas insignifiante. A droite et à gauche, le décor des montants
suggère les faisceaux d'initiation ; deux de ceux-ci, croisés,
sont d'ailleurs dessinés au centre même de l'image, au premier
plan. A l'intérieur du cadre, à gauche en haut, une colonne
signale l'architecture du sanctuaire. Un groupe d'hommes et de
femmes suivant une prêtresse et un prêtre mystagogues, tous
deux porte-torches, arrivent en présence des deux déesses,
Déméter en haut et Perséphone en bas ; celle-ci tend une coupe
à libation au-dessus d'un autel en forme d'omphalos qui cris-
tallise le centre de l'espace sacré. Dans la réalité du rituel, ce
sont bien entendu des prêtresses qui tiennent les rôles des divinités (leurs fonctions sont attestées par des inscriptions) ; mais
grâce à la liberté de composition dont jouit le peintre, les
déesses sont ici figurées plus grandes que les autres partici-
pants, suggérant ainsi une vision de type épiphanique. Notons
que les jeux des torches devaient contribuer à renforcer l'efficacité religieuse de ces apparitions. Trois catégories de personnages sont donc réunies ici : les initiands, les prêtres et les
dieux. Les mystes sont couronnés de myrte et portent des

rameaux de cette plante ; les deux femmes maintiennent des vases rituels en équilibre sur leur tête, les *kernoi*, sorte de coupes dont le contenu est piqué de rameaux ; un jeune garçon tient une cruche pour pratiquer une libation. Les prêtres sont caractérisés par leur taille et la richesse de leur costume. Enfin, les déesses trônent en majesté, avec le sceptre, insigne de leur dignité. Au registre supérieur, dans le tympan, on retrouve un groupe d'initiés accompagnés d'une joueuse de double flûte[7].

Sur une autre image (fig. 7), les mêmes acteurs, dans le sanctuaire, sont groupés autour de Perséphone, debout, appuyée à une longue torche, entre Déméter, assise à gauche, et le parèdre mâle à droite, Triptolème, trônant sur un siège ailé entouré de serpents. Deux prêtres porte-torches servent d'intermédiaires entre les initiands munis des bâtons éleusiniens et la triade divine. On relèvera que le myste de gauche, au registre inférieur, tient également une massue, ce qui le désigne comme Héraclès, le héros exemplaire, le protomyste qu'il avait fallu initier afin qu'il puisse réussir ses exploits infernaux : rapt de Cerbère, récupération de Thésée, assistance à Alceste et, parfois, à Protésilas. Héraclès est le type même de l'initié éleusinien : il a traversé les Enfers sans y rester bloqué. Après sa mort sur le bûcher, son apothéose n'est-elle pas le couronnement de son aventure spirituelle ? Héraclès en effet ne finit pas aux Enfers mais devient le compagnon des Olympiens. Être admis à la révélation divine orchestrée dans le sanctuaire d'Éleusis, c'est donc suivre le modèle donné par le héros le plus célèbre de l'Antiquité.

La tradition mentionne enfin, dans le cadre des cérémonies, plusieurs enfants divins, qui sont le fruit de hiérogamies très secrètes. Sur une hydrie à figures rouges (fig. 8), Gê, la Terre-Mère, remet à Déméter un petit garçon dont l'identité exacte

---

7. La flûte en question est en fait un instrument à anche dont les sonorités sont sans doute plus proches de celles du hautbois ou de la clarinette. Cf. G. DEVEREUX, *Baubo, la vulve mythique*, Paris, 1983, p. 67.

est difficile à préciser ; la corne d'abondance sur laquelle il est assis indique toutefois dans quel contexte situer cette nouvelle apparition (cf. fig. 5). Il faut relever la présence de Triptolème, au registre supérieur, qui tient les épis et la coupe à libation ; à droite, on retrouve le prêtre porte-torches ; enfin, à gauche, on remarque avec intérêt que Perséphone adopte la même attitude que sur la figure précédente mais qu'elle tient alors un faisceau d'initiation dans la main gauche, faisceau répété dans le champ devant elle. De même qu'Héraclès est considéré comme l'initié exemplaire, Perséphone apparaît comme la protomyste par excellence, la première à avoir expérimenté les chemins de l'Hadès, à l'aller mais surtout au retour. On constate ainsi que plus on progresse dans la séquence, plus on avance dans le drame mystique, plus les catégories religieuses tendent à se confondre jusqu'à fusionner totalement. La révélation aboutit ainsi à une sorte d'identification des initiés aux divinités qu'ils adorent ; les mystes entrent dans la révélation jusqu'à glisser sur le plan divin, du moins aux degrés supérieurs de l'échelle initiatique[8]. Dans plusieurs textes, la langue grecque joue très habilement des ambiguïtés du terme *koré*, qui signifie jeune fille, mais aussi la Coré par excellence, la fille de Déméter, par mariage Perséphone, la maîtresse des Enfers[9].

Après ces épisodes d'une grande intensité, dans lesquels Perséphone, Déméter et l'enfant divin tiennent la vedette, l'intérêt se déplace pour se concentrer sur Triptolème. Nous l'avons vu entrer en scène dans la figure 7, d'abord sans épis, puis, dans la figure 8, portant les épis ; la figure 9, qui conclut la séquence, est un hymne à la gloire du blé (« caché » par

---

8. Le sexe des candidats n'intervient pas dans cet ordre sacré et mystique : Bérard (1974), p. 135.

9. N.M. KONTOLÉON, *Aspects de la Grèce préclassique*, Paris, 1970, p. 54, et Arch. Ephem. 1974, p. 1 *sqq* ; cf. aussi C. SEGAL, « "Antigone" : Death and Love, Hades and Dionysus », dans C. SEGAL, éd., *Oxford Readings in Greek Tragedy*, Oxford, 1983, p. 167 *sqq*.

Déméter durant le séjour infernal de Perséphone). Le cadre culturel est soigneusement construit ; colonne et architrave à gauche, autel allumé à droite. De nombreux membres du clergé sont réunis ; les rois éleusiniens, appartenant aux grandes familles responsables des liturgies du sanctuaire, Eumolpides et Kérykès ; des prêtresses tenant des bouquets d'épis et des coupes à libation ; la prêtresse de Déméter, à côté de l'autel, qui soulève son voile nuptial, allusion au mariage sacré et à l'enfant divin. Triptolème lui-même s'apprête à partir, missionnaire agraire, porteur des épis symboliques, mais aussi propagateur des messages résurrectionnels éleusiniens. Derrière lui, une prêtresse abaisse une torche au-dessus de sa tête tandis que Perséphone tient la cruche prévue pour remplir la coupe de la libation qui marquera le départ. Nous sommes à nouveau confrontés à un spectacle sacré, comme lors du retour de la déesse.

En simplifiant, on peut résumer ainsi la leçon de l'imagerie. A l'arrière-plan se situe une histoire, un récit illustré par la scène du rapt (fig. 1). Puis, premier temps fort, les initiands assistent au retour de la déesse et aux retrouvailles de la mère et de la fille (fig. 2 et 3). Ensuite, sans que nous puissions préciser comment, les mystes sont progressivement intégrés dans l'action dramatique jusqu'à devenir peut-être eux-mêmes acteurs parmi les prêtres et les dieux (*drômena* : fig. 6, 7 et 8). Mais derechef les visions jouent un rôle primordial et les candidats voient surgir des enfants, messagers de vie, promesse d'abondance (fig. 8). La dimension cosmique des événements est soulignée par la présence de la Terre-Mère, énorme et triomphante (fig. 8), qui rappelle la portée universelle de ces naissances miraculeuses. Enfin toute l'aventure est branchée en permanence sur la nature *(physis)* et plus particulièrement sur les cultures céréalières. La disparition de Coré a provoqué une catastrophe (occultation du blé) ; mais, des Enfers, Perséphone rapportera le blé (fig. 4) dont les épis gonflés seront triomphalement produits devant les mystes (ostension du blé, fig. 9).

Déméter tient la charrue et Ploutos la corne d'abondance, tout comme Gê (fig. 5 et 8). Ainsi les niveaux inférieurs sont-ils source de vie ; la mort n'est qu'une étape dans un processus cyclique dont le déroulement parfait est garanti par les dieux et les rites qui actualisent périodiquement les différents épisodes du mythe. Précisons en dernier lieu que les cérémonies ne concernent pas seulement Athènes, l'Attique et ses habitants. Il suffisait de se trouver un parrain pour être admis à l'intérieur du sanctuaire. Héraclès s'était ainsi fait adopter par un Athénien. Les Romains feront de même à l'époque impériale. Quelques succursales ont été créées dans d'autres villes, à Alexandrie par exemple. Mais c'est Éleusis qui demeurera le centre des mystères, ne serait-ce que parce que l'on y voit l'endroit exact d'où Perséphone est remontée à la lumière. L'omphalos signale le centre de cette géographie sacrée (fig. 6). Triptolème rayonne à partir de ce centre privilégié.

Le bénéfice personnel que chacun retirait de cette expérience est difficile à apprécier. Les initiés avaient *vu*, ils *savaient*, ils étaient *heureux*, bienheureux. L'imagerie de la mort nous fournit peut-être quelques indications sur la réception et le fonctionnement de ces révélations. Un vase funéraire présente une scène (fig. 10) localisable sur les bords du fleuve infernal, l'Achéron. Charon, le passeur, appuyé sur sa gaffe, attend une jeune femme, la défunte, que lui amène Hermès. De petites âmes ailées volettent dans le champ. Or, dans ce moment décisif, au seuil du passage ultime, la protagoniste ne fait aucun geste d'effroi ou de désespoir. Bien au contraire, elle se présente comme une jeune femme la tête couverte du voile nuptial. Ayant vécu intimement la révélation éleusinienne, elle n'est plus seule ni désarmée pour affronter cette dernière épreuve : Hermès l'accompagne, paternel et rassurant : il a assisté à l'enlèvement de Coré par Hadès (fig. 1), puis il est allé aux Enfers la rechercher sous le nom de Perséphone (fig. 4) et a surveillé son retour à la lumière (fig. 2). Il est donc le garant de ce passage, promesse d'immortalité bienheureuse.

Il faut avouer toutefois que, en Attique du moins, l'imagerie funéraire comme telle ne fournit aucun indice objectif sur le statut initiatique des personnages. Les épis et les faisceaux n'apparaissent jamais dans la main des défunts qui montent dans la barque de Charon ; en tout cas on ne les distingue pas car les coffrets que tiennent les acteurs ne laissent pas entrevoir leur contenu. S. Papaspyridi a publié jadis un dessin (fig. 11), en s'inspirant des images figurées sur les lécythes funéraires à fond blanc[10], qui illustre la description faite par Pausanias (10, 28, 3) d'une fresque delphique « apocalyptique » sur laquelle une prêtresse éleusinienne franchit le fleuve infernal porteuse d'un coffret « initiatique » ; celui-ci est fermé, bien entendu ! Il est possible, par exemple, qu'il puisse contenir une sorte de passeport éleusinien, du type des lamelles en or dites orphico-pythagoriciennes qu'on retrouve dans les tombes d'Italie du Sud[11] ; on y découvre aussi des épis de blé en or.

L'Italie du Sud, précisément, voit proliférer au IVe siècle une quantité extraordinaire de vases spécifiquement funéraires sur lesquels des scènes éleusiniennes, souvent inédites, permettent de prolonger la réflexion. Un cratère monumental du Peintre de Darius, récemment publié[12] (fig. 12), nous fournira notre conclusion. On y voit au centre le sanctuaire d'Éleusis désigné comme tel par une inscription ; à l'intérieur, Médée est en dis-

---

10. Archaiologikon Deltion 8, 1923 (1925) 137. Pour Déméter et les épis sur un lécythe funéraire à fond blanc, cf. R. OLMOS ROMERA, *Catalogo de los vasos griegos... 1*, Madrid, 1980, p. 52 *sqq.*

11. C. PICARD, *Manuel d'archéologie grecque. La sculpture 4, 2*, Paris, 1963, p. 1403 *sqq.*

12. A.D. TRENDALL, « Medea at Eleusis », dans *Record of Art Museum*, Princeton University 43, 1, 1984, p. 5 *sqq.* Cf. BÉRARD (1985) p. 25 et M. SCHMIDT, « Medea und Herakles : zwei tragische Kindermörder », dans *Mélanges K. Schauenburg*, édités par E. BÖHR et W. MARTINI, Mayence, 1986, p. 169 *sqq.*

cussion avec un homme âgé, un messager ou le pédagogue des enfants. Ceux-ci sont assis sur un autel, donc en position de suppliants, en demandeurs d'asylie (droit de jouir de l'asile inviolable dans les lieux sacrés). A droite, en dessous de Déméter et de Perséphone, faisant pendant aux Dioscures, nous retrouvons le protomyste éleusinien par excellence, Héraclès, qui tient non seulement un rameau de myrte consacré, mais encore, et surtout, le faisceau éleusinien qui le désigne comme initié (élément capital négligé par M. Schmidt) ; il reçoit un ordre d'Iris, la messagère de Zeus, qui fait un geste très précis de la main droite, deux doigts étendus. Nous pensons que cette scène extraordinaire n'a pas encore reçu d'explication pleinement satisfaisante. Aucun texte ne permet de comprendre pourquoi Héraclès se trouve en présence de Médée et de ses enfants à Éleusis. Mais il semble que se profile, derrière la sinistre et tragique figure de la magicienne orientale, meurtrière de ses enfants, une solution positive qui ressortirait à la tradition apocalyptique éleusinienne. Le sanctuaire mystérique est un lieu de connaissance et d'espoir. Les divinités et les héros qui le patronnent et le fréquentent, Déméter et Perséphone, Héraclès et les Dioscures, tous ont triomphé des Enfers et peuvent témoigner de la valeur et de la puissance des révélations éleusiniennes.

CLEFS BIBLIOGRAPHIQUES

C. AELLEN et al., *Le Peintre de Darius et son milieu*, Genève, 1986, p. 157 *sqq*.

C. BÉRARD, *Anodoi. Essai sur les passages chthoniens*, Bibliotheca Helvetica Romana 13, Rome, 1974 ; p. 91 *sqq* : « Le jeu de Coré » ; et p. 129 *sqq* : « Les retrouvailles de Coré ».

— « Fêtes et mystères », dans *La Cité des images. Religion et société en Grèce antique,* éd. par l'Institut d'archéologie et d'histoire ancienne, Lausanne, et le Centre de recherches comparées sur les sociétés anciennes, Lausanne, Paris, 1984, p. 110 *sqq*.

— « La lumière et le faisceau : images du rituel éleusinien », dans *Recherches et documents du centre Thomas More*, n° 48, déc. 1985, p. 17-33.

— « Images du polythéisme éleusinien », dans l'ouvrage collectif édité par C. BÉRARD, *L'Image en jeux*, Lausanne, 1987.

U. BIANCHI, « Ho sumpas aiôn », dans *Studia G. Widengren oblata 1* (= *Numen* supplément 21), Leyde, 1972, p. 277 *sqq*.

W. BURKERT, « Apokalyptik im frühen Griechentum : Impulse und Transformationen », dans *Apocalypticism in the Mediterranean World and the Near East*, éd. par D. HELLHOLM, Tubingue, 1983, p. 235 *sqq*.

K. KERÉNYI, *Eleusis, Archetypal Image of Mother and Daughter*, New York, 1967.

E. La ROCCA, *L'età d'oro di Cleopatra*, Rome, 1984, p. 65 *sqq*.

P. LÉVÊQUE, « Olbios et la félicité des initiés », dans *Rayonnement grec, Hommages à C. Delvoye*, Bruxelles, 1982, p. 113 *sqq*.

— « Structures imaginaires et fonctionnement des mystères grecs », dans *Studi Storico Religiosi 6*, fasc. 1-2, 1982, p. 185 *sqq*.

A. MOTTE, *Prairies et jardins de la Grèce antique*, Bruxelles, 1973, *passim*.

N.J. RICHARDSON, *The Homeric Hymn to Demeter*, Oxford, 1974 ; cf. W. BURKET dans *Gnomon*, 49, 1977, p. 440 *sqq*.

A.D. TRENDALL, « A Campanian Lekanis in Lugano with the Rape of Persephone », dans *Quaderni tricinesi di numismatica e antichità classiche* 10, 1981, p. 155 *sqq*.

L. WEIDAUER, « Eumolpos und Athen », dans *AA*, 1985, p. 195 *sqq*.

TABLE DES FIGURES

Fig. 1 : l'enlèvement de Coré.

Fig. 2 : le mythe du retour.

Fig. 3 : le rituel d'évocation.

Fig. 4 : le départ des Enfers.

Fig. 5 : les symboles de l'abondance et de la vitesse des cultures.

Fig. 6 : les prêtres conduisent les mystes devant les deux déesses.

Fig. 7 : les initiés entourent la triade éleusinienne.

Fig. 8 : apparition de l'enfant divin.

9a

9b

Fig. 9a et 9b : le départ de Triptolème.

Fig. 10 : le voyage aux enfers : l'initié apaisé.

Fig. 11 : le coffret mystérique dans la barque infernale.

12a

Fig. 12a et 12b (cf. p. suivante) : apocalyptique et eschatologie.

12b

LES CONCEPTIONS DE L'INSPIRATION DANS L'APOCALYPTIQUE JUIVE ET CHRÉTIENNE*
(VIᵉ s. av. J.-C.—IIIᵉ s. ap. J.-C.)

par

Antonio PIÑERO-SÁENZ

Le mouvement apocalyptique dans la littérature d'Israël commence après la triste expérience de défaite, de désespoir et d'exil, avec le prophète Ézéchiel. Si, en tout temps, les transes prophétiques se présentent comme un départ pour l'inconnu, comme un voyage dans l'au-delà, cela est plus vrai encore dans le prophétisme apocalyptique, préoccupé — encore plus que le précédent — de la prochaine venue d'un royaume messianique qui devrait inaugurer la fin des temps. Cette attente, cette angoisse vitale sont sensibles aussi dans les transes prophéti-

* N.B. LISTE DES ABREVIATIONS. *Adv. Haer.* : Adversus Haereses. — *Ap.* : Apocalypse. — *Chron.* : Livre des Chroniques (AT). — *Comm.* : Commandements (= « Mandata », section du *Pasteur*). — *Co.* Épître aux Corinthiens. — *Erg.* : Ergänzung (note 9). — *Hell.* : hellenistische (note 10). — *Mor.* : Moralia (Plutarque). — *Sim.* : Similitudes (section du *Pasteur*).

TDan : Dan
TLev : Lévi
TNef : Neftali ⎱ Testament des Douze Patriarches.
TRub : Ruben ⎰
Vis. : Visions (section du *Pasteur*).

ques qui commencent à offrir des traits plus énergiques, plus accusés. Le mouvement apocalyptique, dans le judaïsme, se prolonge peut-être jusqu'au début du IIIe siècle de notre ère et il se rattache sans solution de continuité à l'apocalyptique chrétienne dont le dernier témoin est la secte montaniste (fin du IIe siècle-première moitié du IIIe).

Dans ce contexte apocalyptique, comment voyants et prophètes concevaient-ils leur inspiration ? Quelles sont les conceptions psychologiques de fond qui soutenaient ces croyances dans les divers modes d'inspiration et de quelles sources peuvent-ils provenir ?

Ézéchiel nous présente, pour la première fois depuis Élisée (2 R, 2, 10), un texte très clair sur la relation immédiate entre l'invasion de l'esprit divin *(pneuma)* et la capacité prophétique :

« Prononce un oracle, fils de l'homme. » L'Esprit du Seigneur tomba sur moi et me dit : « Parle, dis : "Ainsi parle le Seigneur [...]" » (Ez 11, 4, Trad. œcum., Livre de Poche).

Nous trouvons ici une conception très répandue dans le monde israélite et cananéen ancien[1] (aussi bien que dans le bassin méditerranéen en général), mais qui n'avait pas joué un rôle aussi dominant dans le prophétisme « classique » (Isaïe, Jérémie, Osée, Michée, Amos)[2] : l'inspiration prophétique provient de l'action spécifique de l'Esprit de Dieu sur l'homme (hébreu : *ruah Adonai*).

---

1. Cf. 2 Chron. 18,23 ; 1 R 22,1-35, spéc. v. 23, et surtout le chap. 10 du 1er des Rois : confréries des prophètes (extatiques).

2. Cf. S. MOWINCKEL, « Ecstatic Experience and rational Elaboration in the Old Testament Prophecy » : *Acta Orientalia* 13, 1935, p. 277. E. FASCHER, *Prophetes*, Giessen, 1929, p. 141. J. LINDBLOM, *Prophecy in Ancient Israel*, Oxford, 1963, p. 38-106. Le manque de relation *pneuma*-prophétie chez ces prophètes peut s'expliquer par un théocentrisme monothéiste accentué dans ses conceptions théologiques. Les prophètes ne voulaient pas parler d'une force divine, presque personnelle, interposée entre Dieu et l'homme.

L'irruption pneumatique produit en Ézéchiel des transes extatiques très claires. L'acte inspiratoire est dû alors à la pénétration dans le corps du prophète d'un élément extérieur, qui n'est pas Yahvé lui-même, mais une « force » qui vient de Lui. Que cet élément, le *pneuma*, soit conçu comme un vent se déduit avec clarté de la description de la première vision :

Ils allaient dans la direction où l'Esprit voulait aller, et les roues s'élevaient en même temps ; c'est que l'esprit des vivants était dans les roues (1,20 ; cf. aussi 37,9).

C'est à la lumière du premier texte cité (11,4) que nous devons interpréter un autre passage (3,22 s) dans lequel la relation *pneuma* divin-prophétie paraît un peu obscure parce que nous ne trouvons pas la détermination « du Seigneur » auprès du substantif *pneuma* :

C'est là que la main du Seigneur fut sur moi ; Il me dit : Lève-toi [...] Je me levai et sortis dans la vallée ; voici que la gloire du Seigneur se trouva là [...] Un esprit vint sur moi ; il me fit tenir debout. Il me parla et me dit [...] :

Plusieurs commentateurs considèrent qu'il s'agit ici d'une « force vitale » (*pneuma* sans article) et non de « l'Esprit du Seigneur ». Cela est bien possible pour 2,2, mais non pour 3,12, 14, 22, où il n'est pas question d'une force vitale, mais d'une force extérieure, et divine, d'un *pneuma* qui porte physiquement le prophète.

Comme pour les prophètes antérieurs d'Israël, l'expression habituelle des transes d'Ézéchiel est la *vision*. Elle est introduite par des formules typiques telles que « la parole de Yahvé fut sur moi[3] [...] » (1,3). Mais dans la description des transes on perçoit une atmosphère exaltée, distincte de celle qui prési-

---

3. Expression typique qui désigne le commencement des transes.

dait aux visions des prophètes précédents. Dans 1,28 s, Ézéchiel tombe face contre terre (de même dans 3,22) et entend une voix. Il se sent comme pétrifié ; l'Esprit l'envahit et le tient debout. Avant — ou pendant — la vision il subit une *translation*. Nous lisons dans 8,3 :

> Il étendit une forme de main et me saisit par une mèche de cheveux ; puis l'esprit me souleva entre ciel et terre ; en visions divines il m'emmena à Jérusalem [...] (cf. aussi 2,12 LXX).

Il ne s'agit pas ici d'un « envol de l'âme », seule et séparée du corps — impensable à cette époque dans les conceptions anthropologiques hébraïques —, mais d'un transport qu'on imaginait physique et absolument réel.

Remarquons ici la passivité du prophète. On lit dans 3,26 s :

> Je collerai ta langue à ton palais ; tu seras muet [...] Mais quand je te parlerai, j'ouvrirai ta bouche et tu leur diras : Ainsi parle le Seigneur [...] (cf. 33,22).

Après quoi, son corps est brisé et son esprit reste étourdi et hébété (3,15). Ézéchiel lui-même était très conscient de son état psychique supranormal dans ses transes révélatrices. Il l'exprime en usant abondamment de l'expression « tomba (fut) sur moi la main du Seigneur[4] », qui n'est pas utilisée par les prophètes immédiatement précédents et qui désigne un sentiment de pression et d'écrasement physique. Mais, en revanche, le prophète ne perd pas complètement ses facultés intellectuelles et peut réfléchir sur son état de passivité (cf., par exemple, 3,14). Dans 9,8, pendant la vision, Ézéchiel peut même intervenir en faveur du peuple, qui va être écrasé par la colère divine.

La tendance à établir un lien entre l'action du *pneuma* et le

---

4. Locution ancienne qui sert d'ailleurs à exprimer la force de Yahvé qui « tombe » sur quelqu'un (1 S 7,12 ; 2 R 3,11, etc.).

pouvoir prophétique est nette aussi chez les autres prophètes post-exiliques. Ainsi est décrite la mission du prophète dans le Trito-Isaïe (61,1) : « L'Esprit du Seigneur Dieu est sur moi [...] Il m'a envoyé porter un joyeux message aux humiliés [...]. » Également, dans le texte très connu de Joël 3,1 :

Après cela, je répandrai mon Esprit sur toute chair. Vos fils et vos filles prophétiseront, vos vieillards auront des songes, vos jeunes gens auront des visions. Même sur les serviteurs et les servantes, en ce temps-là je répandrai mon Esprit.

La reine de Babylone soutient que Daniel est un « homme savant » (c'est-à-dire magicien et prophète), capable de déchiffrer des songes divins, parce que « l'Esprit de Dieu est en lui » (5,12). Cela signifie que cet Esprit habite physiquement à l'intérieur du prophète et en fait un homme différent. Dans l'histoire de Suzanne (version de Théodotion, v. 45), l'Esprit Saint — qui « est suscité » à l'intérieur du jeune Daniel — est responsable du cri prophétique qui sauvera l'innocente.

L'Esprit divin, dès le post-exil, est dépourvu des connotations orgiastiques païennes, qui se mêlaient sans doute aux transes des anciennes confréries des prophètes israélites (1 R). Le *Pneuma* est maintenant presque hypostasié, mais tout à fait subordonné à Yahvé. Il procède exclusivement de Lui et il est presque une part de la divinité. Dès lors, il n'y a pas le moindre soupçon à accepter le rôle qu'il joue dans l'inspiration.

Parfois, survient un personnage très important, celui de l'*ange interprète* : il apparaît pour la première fois chez Zacharie (1,8 ; 2,1 ; 4,1, etc.). Ce prophète est un vrai visionnaire qui emploie des traits proprement surréalistes dans les descriptions de ses visions. Mais à l'intérieur des transes mêmes, il y a toujours place pour un dialogue entre le prophète et l'ange qui le guide, qui « parle avec lui » et lui *explique* tout par ordre de Dieu. C'est un schéma que nous retrouverons souvent dans les pseudépigraphes ultérieurs.

La vision provoque l'affaiblissement du corps, comme le signale expressément le voyant, dans le livre de Daniel :

Alors, moi, Daniel, je défaillis et je fus malade pendant des jours [...] J'étais terrifié à cause de la vision et personne ne le comprenait (8,27).

Dans la vision de l'homme vêtu de lin (10,5-9), le visage de Daniel est altéré, « ses traits, bouleversés, se décomposent et il ne conserve aucune force ». Dans les versets 11 s, un ange vient, le réconforte et lui explique la vision. Il est bien possible que ce soit la situation d'angoisse psychologique et d'oppression où se trouvait le peuple après l'expérience de l'exil qui ait contribué, avec des influences de l'Orient[5], à former l'atmosphère d'exaltation qui se manifeste dans la bizarrerie des visions de cette époque.

Une nouveauté s'introduit : l'ordre, vraiment inouï jusqu'alors, de tenir secret le contenu de la vision « jusqu'au moment final ». La révélation tend donc à s'adresser à des cercles d'initiés.

Cette tendance à l'ésotérisme dans les révélations est aussi l'atmosphère générale des pseudépigraphes de l'Ancien Testament. Cette littérature est comme le miroir où se reflète une spiritualité exaltée qui prétend conserver pur le message spirituel des livres saints traditionnels. En ce qui concerne les types d'inspiration, les pseudépigraphes nous offrent un ensemble assez homogène, consistant surtout en visions, angélophanies, auditions de voix et voyages célestes. Des écrits situés dans des espaces et des temps suffisamment divers présentent les mêmes phénomènes de croyances dans les transes inspiratrices. For-

---

5. Cf. Anders HULTGÅRD, « Ecstasy and Vision », dans *Religious Ecstasy*, éd. par N.G. HOLM, Stockholm, 1982, p. 219 *sqq.*, avec des textes de la religion perse ancienne.

mules et clichés littéraires se répètent constamment mais, derrière eux, se cachent des expériences réelles ou, du moins, présentées au lecteur comme absolument réelles : cela nous indique clairement qu'il existait un accord, une opinion commune sur l'inspiration, sur la manière dont étaient induites les transes.

Dans l'*Hénoch éthiopien* (1 Hénoch), la partie introductrice nous met tout à fait dans l'ambiance du livre. On y voit d'emblée les éléments qui rendent évidente cette révélation : la vision déclenchée par un ange.

Ceci dégage une fonction, celle d'interprète, que nous connaissons déjà par le livre de Zacharie. Mais ici, au moins dans un cas, l'ange est l'inspirateur direct. Il souffle (82,7) et communique ainsi des informations précieuses. C'est la conception du vent-esprit, que nous avons vue plus haut ; toutefois, il n'est pas question d'être *habité* par lui.

Les transes visionnaires sont évidemment extatiques du point de vue de l'observateur, mais elles ménagent un dialogue direct entre Dieu et Hénoch (14,24 s), ou entre l'homme et l'ange (19,1 ; 25,3, etc.). Quant au narrateur, il ne considère pas sa vision comme une expérience subjective. Au contraire. Si pour l'homme normal les cieux sont « hermétiques », pour le juste, l'élu, en revanche, les cieux s'ouvrent et ainsi il peut contempler *réellement* quelque chose qui pour le commun des mortels demeure invisible. Dans un fragment du *Livre de Noé* (1 Hénoch 106-8), par exemple, le caractère objectif de la vision s'accentue, car Hénoch explique qu'il a lu l'avenir de Noé dans les tables célestes, où sont réellement écrits tous les mystères (106,19). Ces tables existent objectivement, quoiqu'elles demeurent occultes et inaccessibles à l'homme courant.

Un autre phénomène typique (par exemple dans 1 Hénoch) sont les translations. Elles peuvent être de deux sortes. L'*une*, que l'on suppose antérieure à la vision elle-même et qui se présente comme absolument objective, comme une translation physique, corps et âme. Dans 52,1 elle est provoquée par un vent violent et, curieusement, dans la translation finale d'Hénoch — à la façon d'Élie (2 R 2,11) — le narrateur fait intervenir, en guise de véhicule, le « char de l'Esprit », ce qui paraît tout à fait naturel de la part d'un prophète comme Hénoch. L'*autre* survient durant la vision ou le rêve. Dans ce cas l'intention de l'auteur n'est pas claire, mais il semble que, au moins à l'endroit où le narrateur lui-même accentue le caractère visionnaire (cf. 14,8), il s'agisse d'un « envol de l'âme », réellement libérée des attaches corporelles. S'il en était ainsi nous nous trouverions devant une importante distinction entre le prophète « apocalyptique » et le prophète « classique » de l'Ancien Testament. Pour celui-ci, comme nous l'avons remarqué auparavant, la translation de l'âme sans le corps était impensable ; par contre, ce phénomène est normal dans les conceptions helléniques de l'inspiration poétique (Platon, *Ion* 534 a, b, e ; *Phèdre* 245 a) et mantique (par exemple, *Épiménide, sub voce*, dans la *Souda*). Faut-il y voir un trait caractéristique de l'hellénisation des conceptions juives de l'inspiration ?

A travers les visions et les translations, Hénoch se retrouve « plein de sagesse » (37,4). Le narrateur suppose que cette sagesse n'est pas un produit résiduel des visions mais vient sous l'effet d'un esprit octroyé à Hénoch *a posteriori* (91,1). Cette conception est semblable à celle du « savant inspiré » du livre de la Sagesse uni ici à une personnalité prophétique.

L'esprit apparaît dans ce texte comme « déversé ». La formule est typique (cf., par exemple, Jb 31,12), et la conception de fond est peut-être due à l'idée que s'écoule un fluide mystérieux versé réellement et physiquement dans la bouche et le cœur du prophète. Toute cette atmosphère sapientielle porte en elle l'idée que le voyant se souvient parfaitement, à travers ses transes, de tout ce qui s'est passé dans un stade antérieur. Il peut alors le transmettre dans les livres aux générations à venir (68,1 ; 82,1 ; 93,1) par ordre direct de Dieu (14,1) dans un état de pleine lucidité (14,2).

Dans le *Livre des Jubilés* un ange complète la révélation substantielle que Dieu fit à Moïse sur le mont Sinaï. Yahvé ordonne à Moïse d'écrire les paroles divines (1,26), mais en même temps il demande à l'ange d'écrire pour Moïse « ce qui s'est passé depuis la création du monde » (1,27). L'ange, qui parle parfois au singulier et parfois au pluriel, comme pour se référer à un groupe d'esprits qui agirait en commun, ne joue pas un autre rôle, en dépit de l'ordre de Dieu, que celui de « déchiffreur des tables célestes », et c'est lui qui dicte à Moïse ce qu'il doit écrire (2,1 s ; 23,32). Cette conception de l'inspiration scripturaire comme une *dictatio celestis* ne peut être plus mécanique. De plus, d'un autre côté, cette fiction était très commode pour expliquer d'une manière satisfaisante la connaissance que montrent les livres sacrés sur la création du monde, question à laquelle l'Ancien Testament ne s'est pas affronté et qu'il n'a même pas posée.

Dans un cadre de conceptions traditionnelles, la démonologie du *Testament des douze patriarches* peut éclairer indirectement la conception de l'esprit prophétique. Dans *TRub* 2,1 et 3,2, Ruben explique à ses fils qu'on a donné aux hommes sept esprits qui le font pécher. Dans *TSim* 2,6, Siméon s'excuse d'avoir tenté de tuer son frère Joseph, parce que, explique-t-il, un esprit lui aveugla la raison. Également, dans *TJud* 19,4, on donne la même excuse que Siméon. Sa mauvaise action était due aux machinations d'un esprit pervers dont il était habité et qui tâchait de le convaincre (*TDan* 1,6) le poussant à agir, finissant par aveugler complètement sa raison. En dépit de l'activité des esprits, décrite en traits énergiques, l'être humain conserve sa liberté. Mais si l'homme cède, le mauvais esprit fait de lui un instrument (*TNef* 8,6) ; ainsi s'accentue, plus que sous l'Ancien Testament, la faiblesse de l'homme devant l'assaut de l'esprit. Cependant, dans l'unique allusion claire à l'esprit prophétique (*TLev* 2,3 ; cf. 18,7), on conçoit son activité comme une espèce d'illumination, ou d'élévation intellectuelle *(pneuma synéseôs)* dont est animé celui qui le reçoit.

Nous verrons réunis ces traits un peu contradictoires (passivité et illumination) avec encore plus de clarté dans le livre IV d'Esdras.

Le plus remarquable dans l'inspiration de la prophétesse des *Oracles sibyllins* juifs (livres III-IV-V) est la coaction divine interne qui la pousse à proférer des oracles :

> Arrête-toi ; je dirai ce que Dieu me pousse à dire [...] il me fait violence au-dedans avec son fouet [...].

E. Norden[6] a mis en relation ce passage avec *Énéide* 5,102 et 6,77 *(ut primum cessit furor... at Phoebi nondum patiens...).* De la comparaison des textes on déduit que ce passage des *Oracles sibyllins* fait référence à la conception populaire selon laquelle le dieu habite la prophétesse et peut la rendre aussi fougueuse qu'un coursier. Dans 4,1 s (cf. 5,325 s), le narrateur rejette toute relation avec Apollon et fait dépendre la Sibylle directement du Dieu des juifs. Plus intéressant encore : l'auteur juif fait de la Sibylle non seulement une prophétesse des gentils, mais une descendante directe de Noé (3,819 ; 827 s). Cela signifie, pour le moins implicitement, qu'on ne voit, dans sa manière de prophétiser, absolument rien de scandaleux ni d'étrange ou qu'on y voit, en tout cas, quelque chose dont pouvait s'accommoder facilement, en modifiant légèrement sa mentalité, un juif orthodoxe.

Mais essayons de préciser plus encore la manière dont on conçoit l'inspiration de cette Sibylle descendante de Noé, et cela grâce à certains passages dans lesquels la prophétesse fait allusion à son état. En premier lieu, il faut noter l'absence totale de toute référence à la vision, qui était le mode normal d'inspiration d'un prophète juif. Dans 3,700, nous trouvons une allusion aux transes inspiratrices par influence pneuma-

---

6. E. NORDEN, *Aeneis Buch IV*, Berlin, 1927 (réimp., 1957), p. 144-153.

tique dans un vocabulaire reflétant l'influence homérique et peut-être stoïcienne :

Dieu m'ordonne de prophétiser [...] va s'accomplir ce que l'esprit honnête de Dieu me met dans la poitrine.

Bien qu'isolé, le passage est significatif : la conception juive du *pneuma* prophétique et celle de l'inspiration sibylline s'entremêlent.

L'impulsion interne à émettre des oracles — à laquelle nous avons fait allusion tout à l'heure — est due à une espèce de fixation de la parole divine dans la poitrine (cf. aussi 3,162 ; 4, 18-23). Mais il semble que cette fixation de la parole divine entre en relation avec une influence qui réside dans l'intellect même de la prophétesse. C'est ce qu'indiquent plusieurs textes qui font référence à son *noûs* (3,165 ; 3,300 ; 5,286). Cela suppose une certaine contradiction que nos auteurs inconnus n'ont pas perçue : d'une part, ils éliminaient radicalement la liberté et la personnalité de la prophétesse, d'autre part, ils voyaient dans la transe prophétique une élévation des facultés psychiques et intellectuelles, de telle sorte que la prophétesse semble collaborer par ses propres facultés à la réalisation des oracles. La Sibylle, se référant aux grands prophètes d'Israël, mentionne aussi cet aspect de l'élévation noétique du prophète. « Il mettait dans ma poitrine une pensée excellente [...] », lisons-nous dans 3,508. A part ce type d'inspiration, elle ne semble en admettre aucun autre. Cela explique la méprisante attaque contre d'autres manières de divination, fondamentalement inductives, dans 3,224 s. Nous pouvons nous demander si les sibyllistes concevaient cette « élévation mentale » de la prophétesse comme une « illumination » ou quelque chose de ce genre. Les textes ne l'affirment ni ne le nient. Il est probable que les sibyllistes se rangent à l'opinion commune de l'Antiquité qui faisait des transes extatiques de la prophétesse quelque chose de *sui generis*, en même temps qu'ils tentaient de l'assimiler à ce que nous pouvons appeler la « parole divine intérieure » (gr. : *egéneto rêma Kyríou epí...*) des prophètes d'Israël. Cela supposerait une conception assez respectueuse de la personnalité de la prophétesse qui ne serait pas un simple instrument mécanique. Quoi qu'il en soit, il est clair ici que la mentalité israélite se laisse envahir par le monde hellénique. En un sens, la prophétesse garde une certaine autonomie par l'exercice de ses qualités propres et, dans un autre sens, elle reste l'instrument qui agit sous la contrainte de l'inspiration : ce dernier trait étant, lui, proprement grec.

C'est ainsi que nous allons assister à une pénétration de plus en plus nette des influences grecques et à une accentuation des aspects « mécaniques » de l'inspiration. On peut dire la même chose à l'égard du *Testament de Moïse*. Dans 11,6, nous pouvons observer que, aux yeux du rédacteur, il y a une parfaite identité entre Moïse prophète et Esprit Saint prophétique. A l'époque de l'Ancien Testament, pareille confusion eût été impossible.

Dans le *Livre des Secrets d'Hénoch* (slave) apparaît à nouveau avec clarté la *dictatio celestis*. Un ange dévoile à Hénoch les secrets du ciel et de la terre, en les lui lisant dans les livres célestes (22,12 s) et, après lui avoir offert une plume adéquate, lui ordonne d'écrire tout ce qu'il a vu et entendu. Ainsi fit Hénoch qui, durant 60 jours et 60 nuits, écrivit 365 livres (23,6) afin qu'ils fussent transmis de génération en génération (33,8 ; 54,1). Pour les juifs de l'époque, ces révélations d'Hénoch étaient quasiment canoniques. Hénoch était un prophète et le narrateur concevait l'inspiration de ses écrits comme un acte absolument mécanique.

De l'*Apocalypse* (syriaque) *de Baruch* se dégagent la nécessité de purification (plusieurs fois mentionnée), les effets de la prière pour hâter la manifestation divine, et aussi le rôle important du jeûne (chap. 47,8). Cette insistance sur les moyens préparatoires s'éloigne du prophétisme classique et se rapproche de la réalité païenne ambiante.

Le plus intéressant du *Testament de Job*, pour notre propos, est la description des transes des filles de Job (chap. 46-52). Sentant venir l'heure de sa mort, Job répartit entre ses fils sa copieuse fortune. Les trois femmes recevront, seulement, chacune une ceinture. Lorsque Hemera se ceint avec la sienne, « elle reçoit un autre cœur » et commence à parler d'une manière inspirée dans la « langue des anges ». Les deux autres sœurs ressentent les mêmes transes (49,2 ; 50,2). Leurs hymnes ont pour thème les « grandeurs de Dieu » (51,3) et ces transes-là sont présidées par l'Esprit Saint personnifié (51,2). Les commentateurs s'accordent à voir ici un cas de *glossolalie* prophétique à laquelle s'adonnaient aussi les chrétiens de Corinthe (1 Co 12,10) et où l'influence des conceptions hellénistiques est indéniable. D'autre part, tout le passage où la femme de Job l'incite à élever la voix en manière de protestation contre Dieu (chap. 24 s) est un vrai cas « d'inspiration diabolique ». Dans 23,11, l'esprit suit physiquement Sytide, se cache derrière elle, lui change la pensée et, finalement, découvert par Job, il se voit sévèrement réprimandé et désarmé (27,1). Nous sommes là presque devant un cas d'« eggastrimythía » ou ventriloquisme prophétique, qui est très connu dans la mantique hellénique[7]. De même, le récit des ceintures merveilleuses a un caractère magique qui ne s'explique pas non plus à partir de conceptions prophétiques vétéro-testamentaires classiques.

Dans un monde d'anges, de visions et de songes nous retrouvons encore, au *Livre IV d'Esdras*, la nécessité des préparations indispensables à l'expérience prophétique. La structure de ce qu'on nomme « visions » (sauf la 1re et la 7e) est la suivante : jeûne / prière-plaintes / envoi de l'ange / vision-songe / prière pour demander l'explication / explication. Dans

---

7. Cf. Luis GIL, *Los Antiguos y la inspiración poética*, Madrid, 1966, chap. VIII : « Entusiasmo y Ventriloquia ». Textes anciens sur ce phénomène : Aristoph., *Vesp.* 1019 ; Schol. Plato, *Soph.* 252 C ; Schol. à Hippocr. *Épid.* 5,63 (= 7,28) ; Plutar., *Mor.* 414 E ; Artémidore 3,21 ; Article dans la *Souda, sub voce*.

la cinquième vision, il n'est pas fait expressément mention du jeûne, mais on la sent sous-jacente. Dans la quatrième, notons la curieuse substitution, à un jeûne total, d'une austère diète à base d'herbes et de fleurs (9,24). Esdras est-il en train de se préparer à la vision en ingérant des substances théophores ?

Mais, pour notre propos, le plus intéressant du livre est l'histoire finale où l'on nous raconte comment Esdras reconstitue les Écritures saintes brûlées lors de la prise de Jérusalem. Dieu lui ordonne de préparer des tablettes pour écrire et de s'assurer l'aide de cinq scribes rapides. Dieu dit :

> Tu viendras ici et j'allumerai en ton cœur la lumière de l'intelligence *(lucernam intellectus)*, qui ne s'éteindra que lorsque tu auras terminé d'écrire (14,25).

Esdras s'exécute. Puis il entend une voix, qui lui dit : « Ouvre la bouche et bois ce que je te donne. » Suit le récit :

> J'ouvris la bouche et voilà qu'on me donna un calice. Il était plein d'un liquide qui semblait être de l'eau et qui avait la couleur du feu. Je le bus et je sentis que mon cœur débordait d'intelligence et en ma poitrine croissait la sagesse et mon âme mémorisait (ce que j'étais en train d'apprendre). Le Très-Haut donna aussi l'intelligence aux cinq garçons qui étaient en train d'écrire ce que l'on disait, en lettres qu'ils ne comprenaient pas (14,41 s).

Après quarante jours de dictée, durant lesquels Esdras ne mange absolument rien, il reconstitue de mémoire les livres sacrés en 24 tomes, plus 70 autres de doctrines ésotériques. Cet intéressant passage ne peut s'expliquer qu'à partir de la mentalité vétéro-testamentaire. Toutefois, l'influence de conceptions platonico-dionysiaques est palpable. La coupe offerte à Esdras représente la substance théophore par l'ingestion de laquelle l'homme devient « plein d'Esprit Saint », inspiré.

La conception de l'Esprit paraît plutôt rude et matérialiste. Elle a de notables concomitances avec la « grâce » que Marc, le gnostique d'Irénée de Lyon (*Adv. Haer.* 1,13,2), laissait distiller dans un calice et qui, une fois ingérée, rendait prophétesses les femmes qui accompagnaient le maître gnostique. Le texte du IVe Esdras nous semble une tentative de rationalisation syncrétiste, sous l'influence de la mentalité grecque, d'idées déjà existantes sur l'inspiration. D'un côté, le thème judaïsé de l'Esprit Saint ; de l'autre, l'état extatique, preuve extérieure, dans tout le paganisme environnant, de la possession divine, en concomitance aussi avec les croyances grecques dans le *lálon hýdôr* (« l'eau qui fait parler », comme celle de la source Castalie) et le vin dionysiaque. Il y a, cependant, une différence importante avec les idées helléniques. En dépit de l'état extatique, il n'y a pas élimination de la conscience, comme dans les transes de la Pythie par exemple, mais augmentation de la capacité intellectuelle et authentique illumination. Ce deuxième aspect ne s'explique pas à partir de conceptions grecques : il faut recourir à l'influence globale des traditions de l'Ancien Testament et surtout à l'inspiration sapientielle du livre de la Sagesse. L'ébauche d'explication des transes prophétiques par illumination est vraiment intéressante mais les chrétiens de leur côté devront attendre la crise montaniste pour l'apprendre.

Un regard attentif aux conceptions qui transparaissent à travers les maigres affirmations sur l'inspiration dans les pseudépigraphes de l'Ancien Testament nous permet de découvrir une tendance évolutive vers des conceptions plus rigides et plus mécanistes. Pourquoi cette tendance ? Sans doute parce que des idées extérieures, helléniques, arrivaient en foule depuis un monde qui avait déjà professé une telle interprétation mécaniste de l'inspiration poétique et mantique, idées qui s'étaient étendues en même temps que les habitudes et la langue grecque. Le fait est d'autant plus remarquable si l'on considère que la littérature épigraphique prétend se situer, la plupart du temps, dans la ligne spirituelle de l'opposition nationaliste à tout ce qui était étranger. Mais les influences extérieures devaient être si fortes qu'elles furent incorporées presque sans qu'on ait conscience d'admettre un corps idéologique étranger.

Dans l'Apocalyptique chrétienne, l'atmosphère spirituelle revêt un caractère qui n'est pas éloigné du monde des pseudépigraphes de l'Ancien Testament. Dans le dernier livre du Nouveau Testament, l'Apocalypse de Jean, nous avons l'occasion de contempler les expériences d'un prophète vraiment conscient de son rôle et qui exige l'autorité canonique pour ses paroles (22,18). Les commentateurs considèrent les visions de Jean comme un mélange indissoluble d'artifice littéraire et d'expérience vécue. Mais, comme nous l'avons constaté auparavant à propos des pseudépigraphes de l'Ancien Testament, ce dernier élément suffit pour que nous admettions de trouver ici la description d'un état extatique accepté communément par les chrétiens des dernières années du Ier siècle de notre ère.

La préface du livre indique le processus de la révélation, qui s'échelonne de la manière suivante : Dieu → Jésus → Ange → Prophète → Peuple. Cette division est bien apocalyptique : la distance entre l'homme et la divinité est si grande qu'elle ne peut être franchie sans l'aide d'intermédiaires. Dans l'*Ap* on suppose aussi que le mode normal de révélation est la vision, et qu'il n'y a pas de transes visionnaires sans une participation directe du *Pneuma* divin. Dans 22,6, la divinité est présentée comme le « Dieu des esprits des prophètes ». C'est-à-dire, le Dieu des prophètes qui emplit les esprits de *pneuma* prophétique. Jean décrit le surgissement de la vision avec les mots *egenómen en pneúmati* (« je fus saisi par l'Esprit » : 1,10 ; 4,2 ; etc.). L'expression signifie subir des transes extatiques en tombant dans le domaine de l'Esprit, lequel ouvre les yeux pour la vision. En d'autres cas, on ouvre les yeux du prophète, la vision se produit et il tombe au pouvoir de l'Esprit. Le voyant n'a pas besoin de se préparer : il devient inspiré, gratuitement.

La vision n'est pas simple et tranquille, mais terrible et compliquée. Le visionnaire joue un rôle très actif. Plutôt qu'une vision il semble qu'il y ait un transport du voyant dans un autre monde, fascinant mais aussi réel que le sien, dans lequel il parle, demande des informations et écrit ce qu'on lui dicte...

La vision inaugurale contient déjà presque tous les éléments de ses révélations. D'abord, les transes *(egenómen*...), puis l'audition d'une voix céleste, et l'ordre d'écrire. La voix s'incarne dans le personnage du Fils de l'Homme, Jésus, entouré des éléments typiques d'une épiphanie : vêtements blancs, feu, lumière éblouissante. Entre le voyant et la figure céleste il y a un dialogue, ou plutôt une *dictatio*... Le lecteur sent aisément qu'il n'y a pas de différences substantielles avec les pseudépigraphes de l'Ancien Testament.

Plusieurs fois, dans le livre, on entend l'avertissement : « Que celui qui a des oreilles entende ce que l'Esprit dit aux Églises » (3,22). Dans ce texte (et dans ses parallèles : **2**, 7, 11, 17, 29 ; **3**, 6, 13), on observe avec clarté que le *Pneuma* et le prophète sont presque une seule et même chose. Il n'y a pas confusion des personnalités, mais Jean paraît aller plus loin dans la dépendance divine que le prophète vétéro-testamentaire typique, quand il commençait son discours en annonçant : « Ainsi parle le Seigneur [...]. » Dans sa vision, Jean est comme un canal de l'Esprit dans un état évident d'altération de ses facultés mentales, presque sans personnalité propre. On sent aussi cet effacement de la personnalité quand, en certains passages, on introduit *ex abrupto* des expressions de la divinité dans la bouche de Jean : « Je suis l'Alpha et l'Oméga » (1,8), ou « l'Esprit et l'Épouse disent : Viens » (22,17). Dans 10,9 le prophète doit manger un livre. Puis il entend l'ordre : « il te faut à nouveau prophétiser ». C'est le même phénomène que chez Ézéchiel et Esdras : la contrainte divine qui pousse à prophétiser est inéluctable.

Le *Pasteur* d'Hermas est une apocalypse chrétienne du

IIᵉ siècle qui fut presque considérée comme canonique[8]. Le livre est pleinement un artifice littéraire (cela ayant été depuis longtemps mis en relief par M. Dibelius[9]) mais nous y trouvons cependant de précieux renseignements sur les conceptions populaires chrétiennes de ce siècle à propos des caractéristiques du prophète dans la communauté.

Celui qui reçoit la révélation, Hermas, se présente lui-même comme un simple messager, un homme comme les autres qui n'est pas spécialement digne de recevoir des visions, dont le destinataire ultime est la communauté des croyants. Les traits caractéristiques de ses expériences prophétiques nous sont déjà connus : les cieux s'ouvrent ; il contemple le spectacle et dialogue avec l'ange interprète. Une autre fois, il reçoit une « épître céleste » (*Vis.* 2, 1,4 s ; cf. Éz 2,9 et Ap 10,8). Le processus de réception est typique : a) l'épître vient du ciel mystérieusement ; b) il faut la transmettre au peuple, mais l'original, divin, ne peut pas rester sur terre ; c) la transcription et la compréhension de l'épître sont liées à de multiples difficultés et exigent une révélation ultérieure.

Les transes visionnaires répondent aussi à un schéma typique : a) description des circonstances ; b) transport physique du voyant par l'Esprit ; c) prière de demande ; d) vision ; e) dialogue explicatif. La première apparition de l'ange révélateur a aussi le caractère d'une épiphanie générique. On l'a comparée depuis longtemps à l'épiphanie du Poimandrès dans le *Corpus Hermeticum* 1,1[10]. Il y a quatre moments fondamentaux : a) apparition ; b) l'être céleste se présente lui-même ; c) réaction du récepteur (confusion ; peur ; douleur) ;

---

8. Cf. le matériel réuni par E. MANGENOT dans le *Dictionnaire de Théologie catholique* II 2 col. 1565, ou dans A. HARNACK, *Geschichte der altchristlichen Literatur*, Leipzig (réimp.), 1958, I, p. 51-58.

9. *Der Hirt von Hermas*, dans *Handbuch zum NT*, Erg. Heft, p. 427-430. Cf. aussi L.W. Barnard, *Studies in the Apostolic Fathers and their Background*, Oxford, 1968, p. 151.

10. Cf. R. REITZENSTEIN, *Poimandrès*, Leipzig, 1904 (réimp. Darmstadt, 1966), p. 12 s, 32 s ; *Hell. Wundererzählungen* (réimp. 1963), p. 126.

d) réponse de la figure céleste (« Ne te trouble pas ») ; message. Il n'est pas nécessaire d'établir une dépendance littéraire entre les deux écrits. Il s'agit seulement de l'utilisation d'un schéma commun et traditionnel. Nous trouvons aussi dans le *Pasteur* (comme dans IV *Esdras* et *Ap. Bar.*) qu'on se prépare aux transes par le jeûne et la prière.

Le *Pneuma* joue encore une fois le rôle prépondérant que nous pouvons imaginer.

> Je marchais vers Cumes... et, tout en marchant, je m'endormis ; l'Esprit me saisit et m'emmena par une route non frayée[11].

Il est évident que Hermas exprime toujours par le mot *pneuma* un pouvoir spirituel. Mais que désigne-t-il par là ? La Troisième Personne de la Trinité (ou la Deuxième, parce qu'il les confond) ou simplement une force divine ? Les rôles de l'ange et du *pneuma* sont inextricablement mêlés :

> L'ange de la pénitence vint à moi et me dit : Je veux te montrer tout ce que t'a montré l'Esprit Saint qui t'a parlé sous la forme de l'Église (une vieille femme). Car cet Esprit est le Fils de Dieu. Aussi longtemps que tu étais trop faible par la chair, rien ne te fut montré par l'intermédiaire d'un ange ; mais quand tu fus affermi grâce à l'Esprit et que tu eus par toi-même la force de soutenir la vue d'un ange, alors te fut montrée par l'intermédiaire de l'Église la construction de la tour. Dans de bonnes et saintes dispositions tu as pu tout voir, comme de la part d'une vierge. Maintenant tu vois grâce à un ange, mais inspiré par le même Esprit (*Sim.* 9, 1, 1-4).

Nous trouvons des précisions sur l'action du *Pneuma* prophétique dans les descriptions du faux et du vrai prophète dans *Comm.* 11, 14 s :

> Quand le faux prophète entre dans une assemblée pleine d'hommes

---

11. *Vis.* 1,1,2 ; trad. de R. JOLY, *Sources chrétiennes*, 53 *bis*.

justes qui détiennent l'Esprit de la divinité, s'ils se mettent à prier, cet homme se vide, et l'esprit terrestre, pris par la peur, s'enfuit de lui. L'homme est atteint de mutisme, et tout brisé il ne peut plus parler. Si tu serres à la réserve du vin ou de l'huile et que tu mettes au milieu un pot vide, quand tu voudras débarrasser la réserve, le pot que tu y as mis vide, tu le trouveras vide. De même les prophètes vides, quand ils viennent parmi les esprits des justes, tels ils sont venus, tels on les retrouve[12].

Ce passage, très intéressant, n'a pas besoin de commentaire. Le prophète est, pour Hermas, comme le *eggastrímythos* grec (cf. *supra*), le réceptacle matériel d'un *pneuma* qui parle à travers ses organes de la parole. Le bon prophète, en conséquence, est celui qui est rempli du bon Esprit. Il ne parle pas quand il veut, mais « lorsque Dieu veut qu'il parle », parce que « ce n'est pas lorsque l'homme a envie de parler que parle l'Esprit Saint » (*Comm.* 11,8). Quand un homme qui détient l'esprit divin entre dans une assemblée, il arrive qu'

alors l'ange de l'Esprit prophétique qui est près de lui remplit cet homme, et celui-ci, rempli de l'Esprit Saint, parle à la foule comme le veut le Seigneur (*ibid.*, 9).

Cette figure angélique est bien étrange. Il ne s'agit pas de l'interprète que nous connaissons déjà dans la tradition juive et chrétienne, mais vraiment d'un *daimon páredros* (un ange custode ?), qui est près du prophète et a pour mission de le remplir de l'Esprit. Le *Pneuma*, quoiqu'il soit une personne divine chez Hermas, a des traits matériels. Il est, à la fois, comme un fluide versé physiquement dans le réceptacle humain, et le fils de Dieu. L'idée de l'habitation de l'Esprit est conçue chez Hermas comme quelque chose de physique, cela ressort clairement du texte suivant :

---

12. Cf. aussi *Comm.* 3 et 10, qui ont la même pneumatologie.

Si tu es patient, l'Esprit Saint qui habite en toi sera pur de n'être pas obscurci par un autre esprit mauvais. Trouvant un large espace libre, il sera content, il se réjouira avec le vase qu'il habite et servira Dieu avec grande allégresse, puisqu'il aura en lui l'aisance. Mais si arrive un accès de colère, tout de suite l'Esprit Saint, qui est délicat, se trouve à l'étroit, sans espace pur, et il cherche à quitter ce lieu (*Comm.* 5, 12-3).

Le reste de l'apocalyptique chrétienne des premiers siècles suit aussi la ligne traditionnelle et ne présente aucune innovation importante dans les conceptions des transes inspiratrices. Mais il est intéressant de constater que le christianisme maintient sans solution de continuité une interprétation de l'inspiration prophétique qui remonte à Ézéchiel et se poursuit dans les pseudépigraphes de l'Ancien Testament.

L'*Apocalypse de Pierre* est, du point de vue littéraire, un discours de la révélation de Jésus sur le mont des Oliviers. Mais il est disposé comme un recueil de *visions*, racontées à la manière apocalyptique. Sur ce mode d'inspiration il n'apporte ni précision ni enrichissement.

L'*Apocalypse de Paul* nous présente une copie d'un écrit qui procéderait, selon l'auteur, de saint Paul lui-même. Après l'avoir écrit, l'apôtre le cache dans les murs de sa maison de Tarse jusqu'au moment opportun de la manifestation. Plus tard, un ange, dans une vision nocturne, dévoile le secret à un chrétien fidèle. Cette apocalypse prétend être la description détaillée de l'assomption de Paul au troisième ciel, dont il parle dans 2 Co 12. Toute la narration dépeint un voyage céleste, une translation qui n'est pas substantiellement différente de celles qui nous sont déjà connues par les livres d'Hénoch. Dans 11,1 nous lisons :

Après ces choses-là je vis un ange qui se tenait auprès de moi. L'Esprit me saisit et me conduisit dans le troisième ciel...

Vient ensuite la description du voyage à travers firmament, paradis, enfer, etc. Dans la translation, Paul dialogue avec un ange et entend l'ordre céleste de transmettre cette révélation aux foules.

Plus intéressante est la description des transes prophétiques que nous fait l'auteur, ou le rédacteur final de l'*Ascension d'Isaïe*. Le mode de révélation est la vision, mais l'Esprit joue un rôle si absolu que la personnalité du prophète reste au second plan, dans une obscurité totale. Le narrateur nous dit que, quand le prophète parlait avec le roi Ézéchias, l'Esprit Saint vint sur lui et le fit parler (6,8). Tout le monde vit et entendit les paroles de l'Esprit Saint. L'assistance se mit à genoux parce que c'était le *Pneuma* qui parlait vraiment dans le prophète.

Après, [continue le rédacteur], il se tut et la conscience l'abandonna jusqu'au point qu'il ne voyait plus les hommes qui l'entouraient.

Le narrateur commente :

La foule ne pensait pas qu'une élévation *(elevatio)* avait pris Isaïe, mais le prophète savait bien qu'il s'agissait d'une révélation.

Le mot *elevatio* signifie probablement un « envol de l'âme », que nous connaissons déjà, parce qu'on lit ensuite : « Et quand finit la vision, je revins *(reversus)* et je racontai ma vision à Ézéchias. » *Reversus* signifie, naturellement, la fin de l'« envol de l'âme », le retour à la normalité. La figure de l'*angelus interpres* ne peut manquer dans le récit de la vision. En effet, dans le chapitre suivant (7), Isaïe raconte lui-même sa vision :

Je voyais un ange glorieux [...], il me prit par la main, et me conduisit dans les hauteurs. Je dis : Qui es-tu ? Il répondit : Quand je te porterai en haut, je te montrerai la vision par laquelle je suis envoyé (7,4).

Ainsi, il est aisé de voir que les conceptions de l'inspiration telles qu'elles apparaissent chez les premiers chrétiens ne différaient pas substantiellement de ce qu'elles étaient dans l'apocalyptique juive. Dans l'un et l'autre cas, on sent l'influence des conceptions grecques et hellénistiques qui tendent à faire du prophète un simple instrument : l'inspiration adopte un processus opératif un peu « mécanique ». Cette tendance à laisser à l'arrière-plan la personnalité du prophète est significative dans le domaine de l'apologétique des premiers siècles : en effet, une prophétie était un argument beaucoup plus fort si l'on admettait qu'elle provenait exclusivement de la divinité, sans participation humaine. Tel était, en tout cas, le point de vue du paganisme environnant.

Il est de fait que les conceptions des transes révélatrices chez les chrétiens des premiers siècles ne devaient pas beaucoup différer de ce que pensaient, sur les mêmes transes, les païens. Dans Montanus, le prophète chrétien de Phrygie, et dans ses prophétesses, parlait directement l'Esprit du Seigneur, qui avait plus d'autorité que l'épiscopat de l'Église officielle. Voilà qui était bien dangereux pour l'ordre et pour la hiérarchie ecclésiastique, comme on peut le déduire facilement des écrits de l'époque du Tertullien montaniste. C'est dans le combat contre la secte montaniste que l'Église officielle essaiera d'épurer ses conceptions sur le mode d'inspiration de ses propres prophètes en même temps que l'interprétation du prophétisme vétéro-testamentaire. Avec Origène on essaiera d'expliquer le phénomène de l'inspiration précisément comme une « illumination » suivant des traits qu'on avait *in nuce* dans l'Ancien Testament, et même dans les pseudépigraphes (IVe Esdras). Ainsi, quoique Dieu reste la cause principale de la révélation, l'homme participe aussi avec ses facultés mentales à l'acte prophétique et ne se transforme pas en un simple instrument mécanique. Paul en avait déjà établi le principe dans son fameux apophtegme aux chrétiens de Corinthe : « L'Esprit des prophètes est soumis aux prophètes mêmes » (1 Co 14,32). On veut ainsi faire une nette séparation entre le devin hellénistique et le prophète juif ou chrétien. Mais cela sera la tâche des siècles à venir.

LINÉAMENTS

Relation directe et causale entre l'Esprit et le pouvoir prophétique. VIᵉ s. av. →

L'esprit de Dieu tombe sur le prophète et pénètre physiquement en lui.

Le *pneuma* est une force vitale, conçue comme un vent violent, ou comme un fluide versé à l'intérieur du prophète. IXᵉ s. av. →

Conception de l'Esprit, en général, rude et matérialiste.

L'expression habituelle des transes est la *vision* et l'audition de voix. VIIIᵉ s. av. →

Avant ou pendant la vision le prophète subit une *translation* de l'âme et du corps (il n'y a pas de séparation entre les deux) VIᵉ-IIIᵉ s. av.

Intervention d'un *ange interprète,* qui guide le prophète et lui explique ce qu'il voit. Vᵉ-IVᵉ s. av. →

Tendance à l'ésotérisme : la révélation visionnaire tend à s'adresser uniquement à des cercles d'initiés. IIIᵉ s. av. →

Possibilité d'un envol de l'âme (séparée du corps ; influence hellénistique). IIIᵉ s. av. →

Résultat des visions : le prophète plein de sagesse. La « parole divine dans la poitrine » signifie une influence positive dans l'intellect du prophète. IIIᵉ s. av. →

Mais, à la fois, tendance à concevoir plus mécaniquement l'inspiration (influence hellénistique) :

— confusion Esprit Saint/Prophète ; IIIᵉ s. av. →

— *dictatio coelestis* : écriture mécanique et extatique ;

— envoi d'une épître céleste ;

— insistance sur les moyens extérieurs préparatoires pour la révélation (purification, prière, jeûne). Iᵉʳ s. av. →

Ébauche d'explication des transes prophétiques par illumination intellectuelle. Iᵉʳ s. ap. →

Division en plusieurs stades du processus de la révélation (distance divinité-homme). Iᵉʳ s. ap. →

Schématisation des transes visionnaires suivant un ordre typique (artifice littéraire). Iᵉʳ s. ap. →

Processus de séparation entre le devin païen et le prophète chrétien. IIᵉ s. ap. →

III

APOCALYPSES
DES RELIGIONS DU LIVRE

Apocalypses des religions du Livre
au creuset de la Méditerranée

Florentino GARCÍA-MARTÍNEZ,
« Les traditions apocalyptiques
à Qumrân »

Claude KAPPLER,
« L'Apocalypse latine de Paul »

Étienne RENAUD,
« Le récit du *mi ^{c} râj* :
une version arabe
de l'ascension du Prophète,
dans le *Tafsîr* de Tabarî »

Angelo Michele PIEMONTESE,
« Le voyage de Mahomet
au paradis et en enfer :
une version persane du *mi^crâj* »

Madeleine SCOPELLO,
« Contes apocalyptiques
et apocalypses philosophiques
dans la Bibliothèque de Nag Hammadi »

Philippe GIGNOUX,
« Apocalypses et voyages
extra-terrestres
dans l'Iran mazdéen »

INTRODUCTION

Apocalypses des religions du Livre, au creuset de la Méditerranée

La partie centrale qui s'ouvre maintenant ne peut se définir parfaitement ni par une chronologie bien arrêtée, ni par une aire géographique trop nettement délimitée. La plupart des textes qui vont être présentés se sont élaborés dans le bassin méditerranéen et, tout d'abord, au Proche-Orient. Mais leur diffusion dépassera bien vite les limites du bassin méditerranéen. La période sur laquelle nous avons d'abord fixé notre attention est celle de l'Antiquité tardive. Mais le « bagage » de motifs apocalyptiques qui semble alors constitué est fort tributaire de périodes plus anciennes et donnera lieu, également, à une production ultérieure, très élaborée. C'est-à-dire que si nous voulions tracer un plan, sur des critères strictement chronologiques, nous donnerions la place centrale aux apocalypses de l'Antiquité tardive (lesquelles sont, en majeure partie, chrétiennes car, à cette période, l'apocalyptique juive en perte de vitesse est « reprise » par l'apocalyptique chrétienne) et nous chercherions à montrer leurs « correspondances » avec ce qui a précédé et ce qui a suivi. Tel n'est pas notre but.

Nous voulons considérer comme *un ensemble* des « histoires » qui s'échelonnent du IIIe siècle avant notre ère au IXe siècle de notre ère : disons des *histoires* plutôt que des textes, car si l'on regarde les textes qui nous les ont transmises, les questions de dates deviennent encore plus vertigi-

neuses. Le texte n'est que le support d'une « histoire » qui a
subi, auparavant, nombre d'avatars, oraux, écrits ou les deux
ensemble. Une fois écrit, le texte est susceptible de remaniements et d'enrichissements qui ne modifient pas nécessairement
le « noyau » : ainsi certains récits de *mi'râj* (ascension de
Mahomet), fixés au IXᵉ siècle, s'enrichissent mais ne se modifient pas : c'est pourquoi on peut considérer qu'un texte du
XIIᵉ siècle est, dans un sens, du IXᵉ pour sa structure de base.

Autrement dit, il est exclu de se fier entièrement à une chronologie pour situer la famille de textes que nous présentons ici.
Toutefois, si l'on considère la période citée plus haut, il ressort
que, arithmétiquement, le centre de gravité est cette plate-
forme du IIᵉ au Vᵉ siècle de notre ère où fleurit, un peu partout
dans le bassin méditerranéen, une abondante littérature apocalyptique.

C'est une période où s'opère une énorme synthèse des motifs
apocalyptiques, une redistribution, une réinterprétation et un
nouveau mouvement de diffusion.

Nouvelles manières de voir l'apocalyptique

Une apocalypse préqumrânienne dont on a trouvé des restes
à Qumrân, le *Livre d'Hénoch*, remonte au IIIᵉ siècle avant
J.-C.

Les manuscrits des parties les plus anciennes que nous possédons
maintenant remontent au IIIᵉ siècle avant J.-C., ce qui veut dire que
les originaux de ces parties, le *Livre des Veilleurs* et le *Livre Astronomique*, qui circulaient comme œuvres indépendantes, sont encore plus
anciens (F. Garcia-Martinez).

L'une des conséquences en est qu'il faut réviser l'opinion
selon laquelle l'apocalyptique juive serait née dans la situation
de crise des débuts du IIᵉ siècle avant J.-C. comme une réac-

tion à une situation historique d'oppression. Cette conception foncièrement « sociologique » de l'apocalyptique n'est peut-être pas à récuser, mais elle n'est qu'un point de vue partiel et parfois partial. La découverte de nouveaux textes plus anciens amène à rectifier le rapport chronologique qui avait été établi entre les événements et les textes connus jusqu'alors, et à affiner, surtout, la théorisation de ce rapport. De plus, comme le souligne F. Garcia-Martinez dans sa contribution, « une Tradition qui s'échelonne sur un demi-millénaire ne saurait être monolithique » : il nous faut adopter une nouvelle perception de la chronologie et de l'évolution à l'intérieur de la Tradition apocalyptique, Tradition *pluriforme* par excellence.

Les apocalypses se distinguent selon F. Garcia-Martinez par deux grandes tendances : l'une, *cosmique* (*Livre des Veilleurs, Livre Astronomique*, vers les IVe et IIIe siècles avant J.-C.), l'autre *historique* (*Livre de Daniel*, IIe siècle avant J.-C.), et il existe, bien entendu, des apocalypses qui combinent les deux tendances. Mais les seules œuvres qumrâniennes qui comportent un voyage dans l'au-delà ou des visions de l'au-delà sont du type *cosmique*. C'est donc celles-ci qui seront présentées par l'auteur, en particulier le *Livre des Veilleurs*, qui sera repris plus tard comme première partie dans le *Livre d'Hénoch* éthiopien.

Les grandes lignes : schémas de trois textes importants

Le voyage d'Hénoch dans l'au-delà est dominé par *le problème du mal* : le mal trouve son origine dans la chute des anges, les « Veilleurs » qui, en s'unissant aux filles des hommes, ont procréé des géants et commis le crime de révéler aux femmes les connaissances secrètes dont ils étaient dépositaires. Le mal s'abat donc sur l'humanité. Mais les hommes protestent devant Dieu qui décide d'envoyer les anges fidèles pour « punir et enchaîner les Veilleurs jusqu'au jour de leur jugement, et purifier la terre ». En attendant ce châtiment et cette restauration finale du monde, Hénoch est choisi pour annoncer aux Veilleurs leur sort à venir. C'est ce qu'il fait : les Veilleurs, saisis d'effroi, lui demandent d'intercéder pour eux. Hénoch écrit leur prière et, tandis qu'il la récite, il s'endort. Pendant ce sommeil, il est élevé « à travers les phénomènes naturels jusqu'aux cieux », puis jusqu'au palais divin où il est introduit. Il racontera ensuite aux Veilleurs les visions reçues durant ce voyage céleste.

Ce schéma concorde avec deux autres expériences extatiques : l'une, qui occupe une grande place dans la littérature apocryphe chrétienne, l'*Apocalypse de Paul*, et l'autre, qui, en Islam, constitue l'un des épisodes les plus célèbres, les plus essentiels de la vie de Mahomet : son ascension ou *mi^crâj*, dont nous verrons ici une version arabe extraite du *Tafsîr* (explication du Coran) de Tabarî, IXᵉ siècle, présentée par Étienne Renaud, et une version persane extraite du *Tafsîr* de Abû'l-Fûtûh al-Râzî, du début du XIIᵉ siècle, présentée par A.M. Piemontese.

Grosso modo, le schéma est le suivant, dans les trois cas :

1. Constatation que *l'homme est pécheur*. Ou bien le péché et le mal sont expliqués par une contamination initiale du monde, comme dans le *Livre d'Hénoch*, ou bien ils sont simplement constatés : tantôt avec insistance *(Apocalypse de Paul)*, tantôt sans insistance *(mi^crâj)*.

Les conséquences touchent *le rapport entre l'homme et la nature* : ou bien l'homme et la nature tout entière sont marqués par le mal (Hénoch), ou bien l'homme seul fait le mal et la nature se révolte contre l'obligation qui lui est faite de subir ce mal *(Apocalypse de Paul)*, ou bien l'homme qui fait le mal n'engage que lui-même *(mi^crâj)*.

2. Un homme pur est choisi par Dieu qui lui accorde une expérience extatique afin qu'il puisse ensuite transmettre aux hommes une partie de cette expérience, ce qui doit les mener vers la conversion et le salut.

3. Cet Élu est emmené au ciel soit par la force des éléments naturels (Hénoch), soit par un ange (Paul, Mahomet) qui le guide et répond à ses questions.

4. La visite du cosmos, celle des lieux de délices, celle des lieux de tourments, se déroule dans chaque cas selon des étapes et des proportions différentes, mais elle constitue une phase importante de l'expérience.

5. L'arrivée devant le Trône de Dieu est le sommet de l'expérience : la part d'ineffable prend le pas sur tout le reste. Du dialogue avec Dieu transparaissent divers éléments qui regardent surtout le problème du mal, car l'objet de l'ascension est dans chaque cas, plus ou moins ouvertement, une *intercession*.

6. L'Élu revient sur terre et annonce le message dont il vient d'être gratifié.

Que l'on ne prenne pas ce schéma pour une « typologie » des ascensions et pas même pour un véritable « dénominateur commun » des ascensions présentées ici. C'est une approximation, tout au plus.

Quelques recoupements frappants peuvent s'établir entre des passages du *Livre des Veilleurs* et des passages du *miᶜrâj*.

Dans un cas comme dans l'autre, la vision du Trône est le sommet de l'extase, et « l'expérience du néant est condition de l'approche de Dieu » (F. Garcia-Martinez). Le visionnaire est parvenu en un lieu où n'ont accès aucun ange, aucun être de chair. C'est devant le Trône que l'Élu reçoit la parole divine et, en même temps, sa mission prophétique. Dans le cas du *Livre des Veilleurs*, la mission de l'Élu est d'annoncer aux Veilleurs leur châtiment, dans le cas du *miᶜrâj*, la mission de Mahomet est d'annoncer à sa communauté qu'elle a déjà obtenu le pardon de Dieu, qu'elle est la meilleure, que le Coran est le « seigneur des Livres » et que Mahomet est le sceau des Prophètes. Le message prophétique d'Hénoch, comme celui de Mahomet, est authentifié par la vision du Trône de Dieu. Ce trait qui semble proprement sémitique est absent du texte chrétien. Paul dit bien qu'il reçut, à un moment de son ascension, des révélations ineffables qu'il ne lui est pas permis de divulguer, mais son expérience ne passe pas par ce sommet de l'extase qu'est la vision du Trône et par l'anéantissement de soi. Elle reste beaucoup plus anecdotique : la grande scène de pardon qui advient en réponse à l'intercession de Paul et à la supplique des damnés a pour protagoniste le Christ couronné qui descend avec une synthèse d'« accessoires » issus de l'Ancien Testament : les quatre Vivants, l'autel, le voile, le trône (auxquels s'ajoutent les vingt-quatre vieillards issus de l'apocalypse johannique) : ces « accessoires » n'ont plus la valeur d'expérience du *Tout Autre* qu'ils avaient dans le monde sémitique.

L'authentification de la mission de Paul est donnée surtout par la révélation des secrets cosmiques et par la rencontre avec les prophètes, les saints, la Vierge.

Pour Paul, l'aspect « prophétique » s'est mué en « apostolique ».

Il y a, on le voit, de grandes variations d'une expérience à l'autre. Mais il faut bien constater qu'elles puisent à un « stock » d'éléments communs. Chacune des religions auxquelles elles appartiennent se réfère évidemment à celle, à celles qui l'ont précédée. Le premier personnage que Paul rencontre dans son ascension est Hénoch. Puis ce sera Élie, Isaïe, Jérémie, Ézéchiel, Amos, Michée, Zacharie..., et Abraham, Isaac, Jacob, Lot, Job et d'autres... Quant à Mahomet, il voit dans le premier ciel Adam, dans le deuxième Jésus et Jean, dans le troisième Joseph, dans le quatrième Idris (qui est aussi identifiable à Hénoch et à Hermès), dans le cinquième Aaron et le peuple d'Israël, dans le sixième Moïse.

Qu'il s'agisse de l'*Apocalypse de Paul* ou du *miᶜrâj*, chaque religion veut se montrer comme une synthèse des précédentes et comme l'ultime révélation. Il n'y a donc pas rejet mais désir d'intégration.

Il faut tenir compte du fait que chacune de ces apocalypses

(Livre des Veilleurs, Apocalypse de Paul, mi^c râj) se situe à des moments différents de l'histoire de la religion à laquelle elle appartient : la longue évolution et les réutilisations successives des thèmes, des éléments du *Livre des Veilleurs* sont décrits par F. Garcia-Martinez. Le *mi^c râj* intervient au tout début de la carrière prophétique de Mahomet, et c'est cette expérience qui signe son élection prophétique, c'est elle qui sera la pierre de touche de la foi : les convaincus se rangeront du côté de Mahomet, formant la communauté des croyants ; les autres s'écarteront du Prophète, se désignant eux-mêmes comme incroyants. L'ascension de Mahomet marque donc le déclenchement initial, ce qui lance le dynamisme de formation et de conquête pour celle qui se considère comme la dernière des grandes religions du Dieu Unique.

L'*Apocalypse de Paul*, elle, n'est pas un militantisme des débuts : c'est la prédication d'une Église déjà bien constituée qui cherche à affirmer ses instruments de pouvoir.

Il est important d'apprécier les divergences de tonalité entre ces trois apocalypses qui sont plus ou moins vengeresses, plus ou moins pessimistes ou optimistes, plus ou moins constructives.

Cela tient peut-être à des partis pris propres à chaque religion mais aussi au fait que chacune de ces apocalypses porte son attention sur des points différents : pour le *Livre des Veilleurs*, il s'agit de châtier les anges déchus et, sur ce point, le christianisme s'entend avec le judaïsme pour ne pas leur accorder de pardon. L'*Apocalypse de Paul* considère les péchés de l'humanité parmi lesquels existe toute une gamme, depuis les plus véniels jusqu'aux péchés sans pardon. Le *Mi^c râj* considère une communauté naissante, celle des musulmans : tout est dominé par le caractère merveilleux de l'expérience muhammadienne qui ouvre les portes du paradis et les voies d'accès vers Dieu. Ce n'est pas le châtiment des péchés qui constitue le centre d'intérêt de l'enseignement, quoique les principales règles de conduite du musulman soient fermement énoncées et qu'il n'y ait pas d'équivoque sur les supplices réservés aux pécheurs dans l'enfer.

Vues communes sur des points particuliers

Beaucoup de rapprochements s'imposent d'eux-mêmes sur des points particuliers. On peut partir de la contribution de F. Garcia-Martinez pour établir ces rapprochements dont nous ne citerons ici que quelques exemples :

— Description de la Cité Céleste dans le texte qumrânien intitulé *Jérusalem Nouvelle*, et dans l'*Apocalypse de Paul* (dans cette dernière, la description est moins riche, moins minutieusement détaillée).

— Description de rituels célestes dans le texte qumrânien *Règle des chants pour l'holocauste de Sabbat*, et trace de rituels célestes dans l'*Apocalypse de Paul* où les anges présentent quotidiennement à Dieu les actions des hommes (réminiscence, peut-être, de III *Baruch* 12, apocalypse apocryphe juive).

— Évocation du concert céleste des louanges à Dieu. Le rituel de la louange est présent diversement dans les textes qumrâniens, en particulier dans la *Règle des chants*..., dans l'*Apocalypse de Paul* où se trouve évoqué David qui entraîne tout un chœur céleste dans son *Alleluia*, et dans le *miᶜrâj* où l'ange de louanges a des milliers de têtes, de bouches et de langues qui célèbrent la grandeur de Dieu...

— Il faut également mettre en relation les descriptions communes aux textes juifs, chrétiens, musulmans du paradis, des fleuves paradisiaques, du « coq cosmique » (ou autre oiseau cosmique, tel le phénix), des eaux purificatrices où les âmes sont plongées avant d'être envoyées dans les délices ou les tourments, etc. Les éléments communs ne manquent pas mais il ne suffirait pas de les relever, car chaque élément — ou « motif » — peut avoir un sens particulier en rapport avec son contexte. Ce travail de repérage, d'identification et de comparaison des éléments ou « motifs » propres aux apocalypses des religions du Livre reste à faire, et l'on devra intégrer à cet ensemble l'étude de grands textes iraniens préislamiques tels que l'*Ardâ Vîrâz - Nâmeh*, voyage d'Ardâ Vîrâz dans l'au-delà qui présente de nombreux traits communs avec l'*Apocalypse de Paul*.

Les différences d'interprétation

Les différences d'interprétation pour des scènes analogues apparaissent de manière flagrante si on rapproche deux scènes de jugement de l'âme, l'une prise dans l'*Apocalypse de Paul de Nag Hammadi* (présentée ici par Madeleine Scopello) et l'autre dans l'*Apocalypse latine de Paul* dont nous avons parlé jusqu'à présent (présentée par Claude Kappler).

Dans les deux cas, l'âme, après sa mort, se trouve agressée par des témoins de ses bonnes et mauvaises actions, par des « douaniers » *(Apocalypse de Paul de Nag Hammadi)* ou par des « anges terrifiants » *(Apocalypse latine de Paul)* qui cherchent à lui couper la route. Mais le nombre et la nature des témoins sont tout à fait différents selon le contexte : dans l'*Apocalypse de Paul de Nag Hammadi*, les « témoins » sont des esprits démoniaques qui ont incité l'âme à pécher, tandis que dans l'*Apocalypse latine de Paul*, ce sont à la fois les victimes du pécheur, l'ange gardien et les puissances mauvaises qui cherchent à s'approprier l'âme durant sa vie comme après sa mort. Dans les deux cas, l'âme appartient par ses actes à la cohorte céleste dont elle a suivi les conseils ou les tentations pendant sa vie terrestre.

Le châtiment, lui aussi, diffère selon le contexte : chez les gnostiques, l'âme est renvoyée dans un corps charnel, le lieu de châtiment est notre terre qui est nommée « terre des morts » ou « monde des morts ». Tandis que, pour les chrétiens de l'*Apocalypse latine de Paul*, le lieu redoutable se trouve dans l'au-delà et présente une large gamme de tortures. De même pour les musulmans du *mi‘râj*.

Les phénomènes majeurs

Ainsi se dessinent les phénomènes majeurs de cette vaste littérature apocalyptique.

— Phénomènes de *synthèses*, dont nous avons déjà vu plusieurs exemples dans les comparaisons des pages précédentes, phénomènes de *circulation des motifs*, d'une religion à l'autre, d'une époque à l'autre, d'une religion dominante à une secte et vice versa (ainsi des textes qumrâniens et des textes juifs canoniques).

— Phénomènes de *réinterprétation* ou, tout simplement, d'*interprétations diverses* de motifs analogues. L'un des exemples les plus frappants en est l'interprétation gnostique de la remontée de Paul à travers les cieux : l'imagerie traditionnelle est réinterprétée par les gnostiques dans un sens tragique, la remontée de Paul symbolise « la lutte de l'âme contre les puissances cosmiques qui la gardent prisonnière de l'*heimarmenè* » (Madeleine Scopello) et Paul n'est pas seulement un Élu déjà « sauvé » qui doit mener les hommes vers le salut, mais un « *salvator salvandus* », c'est-à-dire un sauveur qui, durant sa remontée, accomplit également son propre salut.

Les deux phénomènes en question apparaissent particulièrement bien dans la contribution de Madeleine Scopello qui vise à montrer comment s'entrelacent les diverses traditions qui coexistent ou qui se succèdent et montre, en même temps, comment certains éléments sont réinterprétés (ici dans un sens gnostique et parfois très philosophique).

— A l'intérieur d'une même tradition religieuse s'observent aussi des phénomènes d'*amplification*. Le cas le plus patent dans les textes présentés ici est celui du *mi‘râj* : l'extrait

qu'Étienne Renaud donne du *Tafsîr* de Tabarî, l'un des plus
anciens commentaires en arabe du Coran (IXᵉ siècle de notre
ère) et l'un des plus prisés, se voit développé d'une manière
extrêmement imagée, anecdotique, luxuriante dans le *Tafsîr* de
Abu'l-Fûtûh al-Râzî (début du XIIᵉ siècle) que propose Angelo
M. Piemontese et auquel je me suis référée précédemment pour
mes comparaisons.

Le même phénomène apparaît à propos de l'*Apocalypse
latine de Paul* : fort développée dans le Texte Long de Paris
dont un échantillon est donné à titre de comparaison à la fin
de la contribution de Claude Kappler, cette apocalypse existe
sous une forme beaucoup plus dépouillée dans une autre version latine (textes de Graz et de Zürich) qui sert ici de base à
la traduction de cette apocalypse.

— La *diversité des « genres »* apparaît fort bien dans la
suite de contributions fournies ici et, particulièrement, dans
celle de Madeleine Scopello dont le titre à lui seul manifeste la
diversité, « Contes apocalyptiques et apocalypses philosophiques... ».

Il n'est pas possible de s'étendre sur la diversité des
« genres » mais il est clair que les textes apocalyptiques sont
de types très variés, par la forme, le fond, les objectifs. Forme
et fond sont probablement déterminés par l'objectif (enseignement, prédication, militantisme...) et par le public auquel est
destiné le texte. Mais sur ce public, nous ne savons pas grand-
chose et sommes réduits à des hypothèses sommaires ou à des
catégorisations contestables.

Quand apocalypses et voyages dans l'au-delà sont dissociés...

Dans la plupart des textes proposés ici, la révélation apparaît
liée à un voyage dans l'au-delà qu'un être vivant accomplit
avec son corps. Or ce n'est pas un cas général. Il y a diverses
modalités de la révélation, comme cela apparaît dans l'*Apoca-*

lypse de Jacques de Nag Hammadi (M. Scopello) : elle relate les enseignements que Jésus transmet à Jacques *à propos* du voyage de l'âme après la mort — enseignements auxquels Jacques adhère fortement car il s'identifie à l'âme dans sa remontée. C'est une instruction de maître à disciple qui se déroule entre Jésus et Jacques : elle concerne un avenir auquel Jacques accorde valeur de présent dans la mesure où il s'agit non seulement d'une révélation sur le sort de l'âme après la mort, mais d'un enseignement métaphorique sur la *voie initiatique* que doit suivre le disciple dès maintenant pour remonter vers son origine céleste.

Cette superposition du sens « *réaliste* » et du sens *métaphorique* de l'ascension préfigure les voies interprétatives qu'adopteront ultérieurement les *soufis* à propos du *mi⁽c⁾râj* : l'ascension de Mahomet deviendra le modèle de l'expérience extatique à laquelle chaque disciple peut être appelé, celle de l'Union avec son Dieu, dans l'anéantissement de soi.

La contribution de Philippe Gignoux occupe une place particulière du fait qu'elle distingue apocalypses et voyages dans l'au-delà, donnant ainsi deux axes à l'exposé. Ce choix résulte en partie du sens que l'auteur accorde à *apocalypse* en rendant ce mot à un champ sémantique classiquement adopté par nombre de biblistes, celui des prédictions sur la fin des temps. Les précédents contributeurs examinent très peu cet aspect car leurs apocalypses s'y prêtent moins ou ne s'y prêtent pas. F. Garcia-Martinez distinguait parmi les apocalypses qumrâniennes des apocalypses « cosmiques » et des apocalypses « historiques » tout en ajoutant que les deux aspects peuvent être conjugués dans un même texte. Il a présenté les apocalypses « cosmiques » parce qu'elles constituent un domaine moins connu à l'heure actuelle. L'*Apocalyse latine de Paul*, le *mi⁽c⁾râj* et les apocalypses gnostiques de Nag Hammadi analysés ici n'ont pas pour préoccupation principale les événements de la fin du monde, mais l'histoire de chaque âme s'intègre dans l'histoire du salut universel et, d'une certaine manière, la dimension individuelle rejoint la collective.

La contribution que présente Philippe Gignoux s'inscrit dans sa réflexion d'ensemble sur l'apocalyptique iranienne et, plus exactement, sur la place de l'apocalyptique iranienne « dans l'ensemble des apocalyptiques au Moyen-Orient ancien » (P. Gignoux).

Il s'attache à des questions de fond : question de terminologie (ce que veut dire le mot *apocalypse*), et choisit nettement un parti, questions de méthode et révision de quelques idées tenaces tributaires de la hantise des « sources » : ainsi, l'apocalyptique iranienne aurait influencé décisivement l'apocalyptique juive (par exemple, le *Livre de Daniel* avec lequel le *pseudo-Bahman Yašt* et le *Jāmāsp-nāmag* présentent des analogies). Mais n'est-ce pas plutôt l'inverse ?

Selon Philippe Gignoux, « l'apocalypse (iranienne) ancienne paraît comme largement empruntée et de rédaction très tardive », ce qui, en revanche, n'est pas le cas des voyages dans l'au-delà : ceux-ci sont « beaucoup plus originaux ». Distinguons deux types de voyages dans l'au-delà : voyage de l'âme du mort (exemple : le *Hadôxt Nask* avestique), voyage de l'âme d'un vivant (Ardâ Vîrâz, Kirdîr).

L'un des aspects les plus originaux des représentations iraniennes par rapport à toutes celles que nous avons évoquées précédemment touche la conception de l'âme. En réalité,

il y a au moins trois ou quatre âmes, celle qui anime le corps *(gyân)*, celle qui continue de vivre après la mort *(ruvân)*, celle qui préexiste à tout être humain *(fravašî)* et à laquelle s'unira la *ruvân*, enfin cette personnification de la bonne ou mauvaise conscience *(daêna)* qui est comme le double de la *ruvân* (Ph. Gignoux).

Conceptions qui remontent à une époque lointaine dont témoignaient déjà l'*Avesta* et sa partie la plus ancienne, les *Gâthâs*.

Autre originalité des documents iraniens : l'un des textes, la vision de Kirdîr, relate l'expérience extatique d'un personnage historique du IIIᵉ siècle de notre ère « dont on connaît la vie et les œuvres, à savoir l'organisation et le développement du mazdéisme, grâce aux quatre inscriptions qu'il a fait graver sur la roche » (P. Gignoux). Le texte de son voyage dans l'au-delà est visible aujourd'hui encore par tout voyageur qui passe par les deux sites du Fârs où se trouvent les roches gravées. Situation bien particulière que celle de ce texte en plein air (même s'il est lacunaire et dans une langue accessible aux seuls spécialistes), combien différente des situations « confidentielles » où demeurèrent pendant tant de siècles d'autres textes : grottes de Qumrân, jarres de Nag Hammadi et, quoique dans une moindre mesure, bibliothèques où s'enterrèrent nombre de manuscrits !

*
* *

L'ordre dans lequel les contributions vont s'enchaîner n'est pas strictement chronologique, quoique la première partie présente les textes les plus anciens (Qumrân). Il serait illusoire d'établir un ordre chronologique dans la mesure où la datation des textes est parfois douteuse et où, quand elle ne l'est pas, elle n'est pas nécessairement représentative de l'époque à laquelle ils se sont élaborés, en général plus ancienne que l'émergence des textes dont nous disposons.

Par surcroît, beaucoup de textes sont le fruit de synthèses qui s'étendent sur plusieurs siècles. Nous avons donc choisi un ordre de présentation qui, sans négliger l'argument chronologique, propose une autre cohérence, celle des *points de vue* adoptés par les textes eux-mêmes et par les contributeurs qui les examinent, les deux étant substantiellement liés dans la plupart des cas.

Ainsi les quatre premières contributions (celles de Garcia-Martinez, de Kappler, de Renaud et de Piemontese) s'associent volontiers par tous les recoupements, toutes les comparaisons qui s'imposent d'elles-mêmes et dont nous avons donné une idée : elles s'apparentent par leur aspect « cosmique », par le schéma d'ensemble du voyage dans l'au-delà et par de nombreux motifs communs.

Les apocalypses de Nag Hammadi (Madeleine Scopello) relèvent d'une vision du monde propre aux gnostiques, même si cette vision n'est pas née de rien... : le dualisme de certains textes qumrâniens n'est pas sans analogies avec celui des gnostiques. Mais l'interprétation des divers *topoï* du voyage dans l'au-delà et de la révélation se montre vraiment originale par rapport aux autres textes : le lecteur en jugera.

Enfin, les données particulières de l'apocalyptique iranienne ont mené Philippe Gignoux à faire des choix qui distinguent sa contribution des précédentes en ceci qu'elle dissocie apocalypses et voyages dans l'au-delà.

La diversité de la matière entraîne une nécessaire diversité de points de vue et ce n'est pas l'un de ses moindres charmes.

C. K.

LES TRADITIONS APOCALYPTIQUES
A QUMRÂN

par

Florentino GARCÍA-MARTÍNEZ

> Considère la vision
> qui a été dite sur toi,
> les rêves des prophètes
> qui se rapportent à toi
> (11Q Ps^a XXII, 13-14)

Dans l'euphorie qui suivit les premières publications des découvertes de Qumrân dans les années cinquante, on voyait les manuscrits de la mer Morte comme un remède miracle. Ils allaient permettre de résoudre, non seulement les épineuses questions des origines chrétiennes ou de l'évolution du texte de l'Ancien Testament, mais aussi les problèmes des origines et l'évolution de l'Apocalyptique. Dans ces années, la presque totalité des manuscrits qumrâniens était considérée comme apocalyptique ; la Communauté qumrânienne, une Communauté fermée sur elle-même et traversée d'un fort courant d'attente eschatologique, était vue comme une communauté apocalyptique. De là, l'espoir de pouvoir saisir finalement le milieu dans lequel avait pris corps et s'était développée la fascinante littérature apocalyptique, l'espoir de cerner le contexte dans lequel les éléments babyloniens, perses, méditerranéens, voire grecs ou égyptiens, se fondent dans ce résultat unique que nous appelons les Apocalypses.

Mais ces espérances n'ont pas été comblées et aujourd'hui, un certain désarroi se fait sentir parmi les chercheurs qui s'occupent de l'Apocalyptique et de Qumrân. Au dernier grand Congrès international dédié à l'Apocalyptique, dont les résultats viennent d'être publiés, de très bons connaisseurs de la littérature qumrânienne se sont résignés à ne voir dans l'Apocalyptique qu'un genre littéraire par rapport auquel la contribution des manuscrits de Qumrân serait, somme toute, assez marginale et relative.

Et pourtant, je reste convaincu que l'on est au seuil d'une nouvelle compréhension de l'Apocalyptique juive grâce, précisément, à l'apport des manuscrits de Qumrân. Sans prétendre faire ici une théorie générale de l'Apocalyptique, qu'il me soit permis de présenter brièvement en quoi les données nouvelles offertes par les manuscrits de la mer Morte ont changé notre manière de voir l'Apocalyptique.

Comme il arrive souvent, la lumière est venue de là où on l'attendait le moins. Dans notre cas, cette nouvelle compréhension de l'Apocalyptique n'est pas venue des nouvelles Apocalypses, auparavant inconnues, écrites par les membres de la Communauté de Qumrân, mais d'une Apocalypse préqumrânienne de laquelle on a trouvé des restes à Qumrân : le *Livre d'Hénoch*. On a décelé, en fait, parmi les débris des fragments de la grotte 4, qui contenait la Bibliothèque centrale de la Communauté de Qumrân, pas moins de onze copies différentes, bien qu'extrêmement fragmentaires, de l'original araméen de cette Apocalypse.

Avant ces découvertes on ne connaissait le *Livre d'Hénoch* dans sa totalité que dans la traduction éthiopienne, bien qu'une série d'extraits en grec, copte, latin et syriaque nous en attestât la popularité et sa diffusion dans l'Antiquité. Les savants avaient décelé dans l'œuvre éthiopienne son caractère

composite et la relative antiquité de certaines de ses compo-
santes, et avaient postulé l'existence d'un original sémitique à
la base de la traduction grecque et de la traduction éthiopienne
postérieure.

Ces suppositions ont été confirmées par la découverte des
fragments araméens de Qumrân. La surprise, l'élément révolu-
tionnaire de la découverte, résident dans la *date* qu'il faut
maintenant attribuer aux différentes parties du livre qui circulaient indépendamment et dans la *date* où elles furent réunies
dans une œuvre unique. Les manuscrits des parties les plus
anciennes que nous possédons maintenant remontent au
IIIe siècle avant Jésus-Christ, ce qui veut dire que les originaux
de ces parties, le *Livre des Veilleurs* et le *Livre Astronomique*,
qui circulaient comme œuvres indépendantes, sont encore plus
anciens. En tout cas, le seuil auparavant infranchissable du
IIe siècle est largement dépa sé. Leur réunion dans une unité
plus complexe, comprena t les divers éléments du *Livre
d'Hénoch* à l'exception du *Livre des Paraboles* (chap. 37-71 de
l'*Hénoch* éthiopien), était déjà faite au Ier siècle avant J.-C.

Ces données nouvelles sont lourdes de conséquences.
D'abord elles nous prouvent l'existence d'un courant, d'une
Tradition Apocalyptique dans laquelle se reconnaissent les
diverses Apocalypses. Tant le *Livre des Veilleurs* que le *Livre
Astronomique* ou que le *Livre des Songes* sont de véritables
Apocalypses au sens le plus restreint du terme. Or, si ces Apocalypses indépendantes ont pu être rassemblées et intégrées, dès
le Ier siècle avant J.-C., dans une unité supérieure, le *Livre
d'Hénoch*, véritable Apocalypse, cela nous montre que l'Apocalyptique était bel et bien quelque chose de plus qu'un simple
genre littéraire. Le rédacteur qui a mis ensemble le *Livre des
Veilleurs*, le *Livre des Songes* et l'*Épître d'Hénoch*, malgré les
différences entre les trois ouvrages, l'a fait parce que ces trois
œuvres composées autour de la figure du Patriarche reflétaient
un courant de pensée commun, appartenaient à une même tradition que nous pouvons nommer Apocalyptique. Cette Tradi-

tion devait être assez solide et assez complexe pour que des œuvres très diverses, comme *Daniel, IV Esdras,* l'*Apocalypse d'Abraham* ou l'Apocalypse du Nouveau Testament, aient pu s'y reconnaître.

Si les origines de cette Tradition Apocalyptique juive sont désormais à situer au IIIᵉ ou IVᵉ siècle avant J.-C., leur arrière-plan apparaît dans une nouvelle perspective. Le dilemme classique des origines de l'Apocalyptique dans le courant prophétique ou dans le courant sapientiel se révèle comme un faux problème. La Tradition Apocalyptique naît et se développe en parallèle à la Prophétie et à la Sagesse. Il n'est donc pas surprenant de trouver dans quelques-uns des représentants du courant sapientiel des accents polémiques contre certains traits spécifiques de la Tradition Apocalyptique.

Une autre conséquence, aussi importante, est que l'origine de cette Tradition Apocalyptique ne doit pas être cherchée dans la situation de crise des débuts du IIᵉ siècle avant J.-C., ni dans les conflits qui précèdent et provoquent la révolte des Maccabées. Contrairement à ce que l'on pense habituellement, l'Apocalyptique n'est pas née comme une réaction, ce n'est pas une solution eschatologique au désespoir de la situation présente. L'attente eschatologique, tout comme la conception particulière de l'histoire que l'on trouve dans Daniel et dans un grand nombre des Apocalypses postérieures, est absente des plus anciennes Apocalypses du IIIᵉ ou IVᵉ siècle avant J.-C.

Cette observation implique que nous sommes obligés, dès maintenant, de poser le problème de l'Apocalyptique dans une perspective historique qui tienne compte de la chronologie et de l'évolution à l'intérieur de la Tradition Apocalyptique. Une Tradition qui s'échelonne sur un demi-millénaire ne saurait être monolithique. Autrefois, la constatation qu'il était impossible de retrouver des éléments caractéristiques communs et exclusifs aux Apocalypses portait à réduire l'Apocalyptique à un pur genre littéraire. La perspective historique apportée par les textes qumrâniens permet de comprendre le développement de ses idées en contraste avec d'autres courants de pensée, ainsi que l'apparition de conceptions nouvelles comme réponse aux circonstances différentes, voire la négation même de certains éléments à l'intérieur de la Tradition originaire. On est donc confronté à une Tradition pluriforme. Dorénavant nous devrons compter sur deux types d'Apocalypses à l'intérieur de cette Tradition. Le plus ancien, dont les premiers représentants sont le *Livre des Veilleurs* et le *Livre Astronomique*, et que l'on pourrait dénommer « cosmique », apparaît au IIIᵉ ou IVᵉ siècle avant J.-C. L'autre type, que l'on pourrait caractériser comme « historique » et dont le meilleur représentant reste le *Livre de Daniel*, affleure de toute sa charge eschatologique pendant la grande crise du IIᵉ siècle avant J.-C.

Naturellement, à l'intérieur de la Tradition Apocalyptique ces deux types d'Apocalypses ne resteront pas isolés. C'est pourquoi nous pouvons trouver des Apocalypses qui combinent la systématisation de l'histoire en périodes, l'attente eschatologique propre aux Apocalypses historiques avec l'intérêt pour le cosmos et les sciences des Apocalypses cosmiques.

A Qumrân, l'influence de cette Tradition Apocalyptique, tant dans sa version cosmique que dans sa version historique, fut double : d'une part, elle conditionna profondément la pensée propre à la Secte, d'autre part, elle donna origine à des Apocalypses nouvelles, écrites à l'intérieur de la Communauté.

L'influence des Apocalypses historiques, notamment de Daniel, dans la pensée de la Secte, est reconnue universellement et ne doit pas nous retenir ici ; il suffit de se reporter par exemple à la première colonne de la Règle de la Guerre. Du livre même de Daniel, on a trouvé six copies dans les grottes 1, 4 et 6. Le livre de Daniel est cité comme Écriture sainte dans le florilège de la grotte 4 : « Comme il est écrit dans le livre de Daniel le Prophète », et les allusions aux passages de Daniel dans les écrits sectaires sont innombrables.

Moins connu, mais pour nous encore plus intéressant, est le

fait que dans la Communauté ont été composés des ouvrages apocalyptiques dans le sillage du Daniel canonique. De maigres restes de trois de ces Apocalypses écrites en araméen sont apparus à la grotte 4.

De la première, connue sous le sigle 4Q 246, nous n'avons qu'un seul fragment contenant deux colonnes incomplètes. Il nous offre une description de l'histoire culminant dans la paix eschatologique à la manière de Daniel. Un voyant tomba devant le trône du roi et lui parla. Il décrivit les malheurs à venir, parmi lesquels la référence aux rois d'Assur et d'Égypte joue un rôle important. Plus importante encore sera l'apparition d'un personnage mystérieux qui reçoit les titres de « Fils de Dieu » et « Fils du Très-Haut ». Ce personnage sera grand et tous le serviront. Son apparition sera suivie de tribulations : « Un peuple écrasera un autre peuple, et une ville une autre ville. » Mais ces tribulations passeront « comme un éclair », et dureront seulement « jusqu'à ce que se lève le peuple de Dieu et que tout se repose de l'épée ». Le résultat sera la fin de la guerre, un royaume éternel dans lequel tous construiront la paix, le Dieu Grand sera avec lui et lui soumettra tous ses ennemis.

La deuxième Apocalypse du type historique est encore plus directement dépendante de Daniel, vu que Daniel lui-même en est le protagoniste. De cet ouvrage nous ont été conservées trois copies, desquelles seulement quelques fragments ont été publiés. Elles portent les sigles 4Q psDan[a, b, c]. Avec cette composition araméenne pseudo-daniélique nous possédons le premier échantillon de la large chaîne des Apocalypses pseudo-daniéliques, modèle particulier de littérature apocalyptique qui connaîtra un ample essor aux époques byzantine et médiévale et dont nous possédons plusieurs compositions dans les langues les plus diverses. Dans le texte araméen, Daniel présenta, devant le roi et ses nobles, le parcours de l'histoire sainte depuis le déluge jusqu'à l'époque hellénistique. Cette période est traitée avec beaucoup plus de détails que les autres, et est suivie de la description des jours derniers. Du texte préservé ne ressort pas clairement si Daniel raconte une vision de l'histoire devant le roi, ou bien s'il lit un ancien document ; mais, en tout cas, il emploie le schéma des quatre empires pour encadrer l'histoire, et sa description de l'ère eschatologique finale comprend l'affirmation de la résurrection.

La troisième de ces Apocalypses reste encore inédite. La description préliminaire dont on dispose la décrit comme un ouvrage araméen, conservé en deux exemplaires, qui raconte une ou plusieurs visions. Le visionnaire rencontre quatre arbres parlants. A sa demande : « Quel est ton nom ? », le premier arbre répond : « Babel ». La réponse du deuxième devait être « Perse », car le voyant dit : « C'est donc toi qui domines sur la Perse [...]. » Ce qui nous suggère que cette œuvre emploie aussi le schéma des quatre empires, caractéristique des Apocalypses historiques.

L'influence, à Qumrân, des Apocalypses de type cosmique est moins facilement repérable mais tout aussi profonde. Si l'on accepte, avec P. Sacchi, que l'essence de l'Apocalyptique la plus ancienne, le principe qui a guidé le développement de ses idées fondamentales, est la réflexion autour de l'origine du mal, vue comme conséquence d'une souillure dérivée d'un péché commis avant l'histoire, on comprend bien son influence sur le Maître de Justice et sur la pensée reflétée dans les grandes compositions qumrâniennes : la Règle de la Communauté et les Hymnes.

Selon Sacchi, pour le *Livre des Veilleurs*

le mal est une réalité objective et pas simplement une réalité subjective, une transgression ; cette réalité n'est point le résultat de l'action humaine et de ses avatars historiques ; le mal est la conséquence d'une contamination et d'une impureté qui ont envahi, anciennement, peut-être même originairement, la nature du cosmos et de l'homme. Ce péché d'origine, on l'identifie tout d'abord au péché des anges descendus sur la terre au temps de Yared ; on pense ensuite à un péché plus ancien (le péché des anges des sept étoiles), puisque Caïn a péché bien avant Yared. Le support de cette conception du péché est la croyance dans l'âme désincarnée, capable de vivre sans le corps, destinée à vivre dans les vallées de l'Occident.

C'est dans cette ligne de pensée que trouve ses origines le déterminisme qumrânien. A Qumrân, l'homme est péché plus encore que pécheur.

On lit dans les Hymnes :

> Moi, je suis une créature d'argile, ce qu'on pétrit avec de l'eau,
> réceptacle d'ignominie et source de souillure,
> fournaise d'iniquité et bâtisse de péché,
> esprit d'égarement, pervers, sans intelligence,
> effrayé par les jugements justes (1Q H I, 21-23).

L'homme porte en soi l'impureté dès la naissance :

> Quel être de chair est capable de cela ?
> Quelle créature d'argile peut accomplir de telles merveilles,
> alors qu'elle est dans l'iniquité depuis le sein maternel
> et jusqu'à la vieillesse dans l'infidélité coupable ?
> Moi, je sais que ce n'est pas à l'homme qu'appartient la justice
> ni au fils d'homme la perfection de la conduite
>
> (1Q H IV, 29-30).

Cette impureté ne vient donc pas de l'homme. La cause de tout mal est le Prince des Ténèbres :

> Dans la main de l'Ange de ténèbres
> il y a toute la domination des fils de perversité ;
> ils marchent dans des voies de ténèbres.
> Et c'est à cause de l'Ange de ténèbres
> que s'égarent tous les fils de justice ;
> tous leurs péchés, leurs iniquités, leur culpabilité,
> les fautes de leurs œuvres sont l'effet de son emprise,
> selon les mystères de Dieu, jusqu'à Son temps.

> Tous leurs fléaux et les moments de leur détresse
> sont l'effet de l'emprise de sa haine.
> Et tous les esprits de son lot
> font trébucher les fils de lumière (1Q S III, 21-24).

Mais le domaine de cet Ange est voué à la destruction.

> Dieu, dans les mystères de Son intelligence
> et dans Sa glorieuse Sagesse,
> a mis un terme à l'existence de la perversité
> et, au moment de la « visite », Il l'exterminera à jamais.
> Et alors, pour toujours, paraîtra la vérité du monde,
> car il s'est souillé dans les voies d'impiété
> par l'emprise de la perversité
> jusqu'au moment du jugement décisif (1Q S IV, 18-20).

En attendant, les forces de lumière et les forces de ténèbres livrent un combat dans le cœur de chaque homme :

> Jusqu'à ce moment, les esprits de vérité et de perversion
> luttent dans le cœur de l'homme ;
> (les hommes) marchent dans la sagesse ou dans la folie.
> Et, selon l'héritage de chacun dans la vérité et la justice,
> ainsi il hait la perversité ;
> et, selon son appartenance au parti de la perversité
> et de l'impiété (qui sont) en lui,
> ainsi il déteste la vérité (1Q S IV, 23-24).

Cette appartenance soit au « lot de la lumière », soit au « lot des ténèbres » est déjà fixée avant la naissance. Il y a même un horoscope de la grotte 4 qui détermine la part de lumière et la part de ténèbres qui se mêlent et se combattent dans chaque homme selon le jour de sa naissance, et qui nous donne l'exemple le plus extrême du déterminisme qumrânien.

Ces quelques textes nous prouvent l'influence des idées des Apocalypses cosmiques dans la pensée qumrânienne. Ces Apocalypses ont stimulé à Qumrân, tout comme les Apocalypses historiques, la composition de différents ouvrages apocalyptiques. Et ce sont précisément ces Apocalypses du type cosmique, les seules œuvres qumrâniennes qui contiennent des voyages dans l'au-delà ou des visions de l'au-delà. Notre choix de textes est donc facilement résolu. Mais pour comprendre ces textes qumrâniens, il faut d'abord donner au moins un exemple des Apocalypses cosmiques préqumrâniennes qui ont influencé la composition des Apocalypses qumrâniennes.

Nous commençons donc par la plus ancienne des Apocalypses juives aujourd'hui connues : le *Livre des Veilleurs*, la première partie du *Livre d'Hénoch*, éthiopien. Du *Livre des Veilleurs*, nous avons choisi de traduire uniquement les chapitres 14-16 du texte éthiopien.

Ces chapitres nous offrent un résumé parfait du contenu de l'œuvre totale, présentant un caractère homogène, et forment une sorte d'unité à l'intérieur du livre. Ils contiennent tous les éléments formels caractéristiques des Apocalypses au niveau du cadre narratif et au niveau du langage. Les révélations qu'ils nous transmettent correspondent au noyau essentiel des Apocalypses cosmiques.

Les voyages d'Hénoch dans l'au-delà des chapitres 17 et suivants intègrent des éléments provenant de la mythologie grecque et d'autres d'origine égyptienne dans un cadre cosmologique babylonien, alors que le voyage dans l'au-delà des chapitres 14-16 trouve ses racines dans l'Ancien Testament, notamment dans la vision du trône de Dieu qui figure chez Ézéchiel, et est ainsi une création typiquement juive.

De plus, ces chapitres, proportionnellement bien représentés parmi les fragments provenant de Qumrân, nous les trouvons dans deux des cinq manuscrits du *Livre des Veilleurs* trouvés à Qumrân : 4Q En[b] et 4Q En[c].

On ne peut faire de traduction suivie que sur la version éthiopienne ; mais les fragments araméens de Qumrâm nous assurent sa fidélité substantielle par rapport à l'original perdu.

Nous utilisons la traduction de F. Martin, la modifiant à la lumière des fragments de Qumrân et de la nouvelle édition critique du texte éthiopien faite par A. Knibb.

Livre des Veilleurs (Livre d'Hénoch, chap. 14-16)

Chapitre 14

Livre des paroles de justice et de la réprimande des Veilleurs qui existent depuis l'éternité, comme l'a ordonné le Saint et le Grand dans cette vision. J'ai vu dans mon rêve ce que je dis maintenant avec une langue de chair et avec mon souffle, avec la bouche que le Grand a donnés aux hommes pour qu'ils parlent et comprennent avec leur cœur. De même que Lui a créé l'homme et l'a destiné à comprendre la parole de sagesse, ainsi Il m'a créé et destiné à reprendre les Veilleurs, les fils du ciel.

J'ai écrit votre pétition ; mais dans ma vision il me fut révélé que votre pétition ne serait pas exaucée pour tous les jours de l'éternité, et que la condamnation contre vous est définitive ; votre pétition ne serait pas exaucée. Désormais vous ne monterez plus au ciel de toute l'éternité, et il a été ordonné de vous enchaîner sur la terre pour tous les jours de l'éternité. Mais auparavant vous aurez vu la destruction de vos enfants bien-aimés ; leurs biens, vous ne les posséderez point, et eux, ils tomberont devant vous par l'épée. Et votre pétition ne sera exaucée ni pour eux, ni pour vous-mêmes. Et, tandis que vous pleurez et suppliez, vous ne prononcez pas une parole de l'écrit que j'ai écrit.

Or la vision m'apparut ainsi : Voici, dans la vision, que des nuages m'appelèrent, et le brouillard m'appela ; le cours des étoiles et les éclairs me firent hâter et m'emmenèrent ; et les vents, dans la vision, me firent voler et me firent hâter ; ils m'emportèrent en haut et me firent entrer dans les cieux. J'entrai jusqu'à ce que je fusse arrivé près d'un mur construit en pierres de grêle ; des langues de feu l'entouraient, et elles commencèrent à m'effrayer. J'entrai dans les langues de feu et j'approchai d'une grande maison, bâtie en pierres de grêle ; les murs de cette maison étaient comme une mosaïque en pierres de grêle, et son sol était de neige. Son toit était comme le chemin des étoiles et des éclairs, et au milieu d'eux, il y avait des chérubins de feu, et son ciel était d'eau. Un feu brûlait autour des murs et sa porte flambait dans le feu. J'entrai dans cette maison brûlante comme le feu et froide comme la neige, et il n'y avait ni agrément ni vie. La peur me couvrit et le tremblement me saisit. Ému et tremblant, je tombai sur ma face. Et voici, je vis dans la vision une autre maison plus grande que la première, dont toutes les portes étaient ouvertes devant moi. Elle était bâtie en langues de feu, et était en tout si excellente, en magnificence, en splendeur et en grandeur, que je ne peux vous décrire sa magnificence et sa grandeur. Son sol était de feu et au-dessus il y avait des éclairs et le cours des étoiles ; même son toit était de feu ardent. Je regardai et je vis dans son intérieur un trône élevé : son aspect était comme la glace, et son pourtour était comme le soleil brillant et la voix des chérubins. De sous le grand trône sortaient des fleuves de feu ardent, et on ne pouvait pas les regarder. La Grande Gloire siégeait sur ce trône, et son vêtement était plus brillant que le soleil et plus blanc que toute neige. Aucun ange ne pouvait entrer, et l'aspect de la face du Glorieux et du Magnifique aucun être de chair ne pouvait le voir. Une mer de feu brûlait autour de Lui, et un grand feu se dressait devant Lui ; aucun de ceux qui l'entouraient ne s'approchait de Lui ; des myriades de myriades se tenaient devant Lui, mais Lui ne demandait pas un conseil saint. Et les saints qui étaient près de Lui ne s'éloignaient pas, ni de nuit ni de jour, et ne se séparaient pas de Lui.

Et moi, jusqu'à ce moment, j'avais un voile sur ma face et je tremblais, mais le Seigneur m'appela de sa propre bouche et me dit : « Approche ici, Hénoch, à ma parole sainte. » Et Il me souleva et m'approcha de la porte ; et moi je regardais, la tête baissée.

Chapitre 15

Il m'adressa la parole et me dit de sa voix : « Écoute, n'aie pas peur, Hénoch, homme juste, scribe de justice ; approche ici et écoute ma voix. Et va, dis aux Veilleurs du ciel qui t'ont envoyé supplier pour eux : C'est à vous qu'il convient d'intercéder pour les hommes et non pas aux hommes pour vous. Pourquoi avez-vous abandonné le haut ciel, saint et éternel, vous êtes-vous couchés avec les femmes, vous êtes-vous souillés avec les filles des hommes, avez-vous pris des femmes, avez-vous agi comme les enfants de la terre, et avez-vous engendré des fils géants ? Vous étiez spirituels, saints, vivant une vie éternelle, mais vous vous êtes souillés avec les femmes, vous avez engendré avec le sang de la chair, vous avez désiré selon le sang des hommes, et vous avez fait comme ceux qui sont chair et sang, qui meurent et qui périssent. Pour cela je leur ai donné des femmes, pour qu'ils les fécondent et que des enfants en soient engendrés, qu'ainsi toute œuvre s'accomplisse sur la terre. Mais vous, vous fûtes d'abord spirituels, vivant une vie éternelle, immortelle, pour toutes les générations du monde ; pour cela je ne vous ai pas attribué de femmes, car le séjour des spirituels est dans le ciel.

Et maintenant, les géants qui sont nés du corps et de la chair seront appelés sur la terre esprits mauvais, et sur la terre sera leur séjour. Des esprits mauvais sont sortis de leur chair parce qu'ils ont été faits d'en haut ; leur origine et leur premier fondement viennent des Saints Veilleurs. Ils seront des esprits mauvais sur la terre, et ils seront appelés esprits des mauvais. Les esprits du ciel ont leur demeure dans le ciel, mais les esprits de la terre, qui sont nés sur la terre, ont leur demeure sur la terre. Et les esprits des géants, des Naphil, qui oppriment et sont corrompus, font irruption, combattent et brisent sur la terre et y font le deuil ; ils ne mangent aucune nourriture et n'ont point soif, et sont inconnaissables. Ces esprits s'élèveront contre les enfants des hommes et contre les femmes, car ils sont sortis d'eux.

Chapitre 16

Aux jours du meurtre, de la destruction et de la mort des géants, quand les esprits seront sortis de leur corps, leur chair sera détruite sans jugement ; ainsi ils seront détruits jusqu'à ce qu'il soit accompli le jour de la grande consommation éternelle sur les Veilleurs et sur les impies. »

Et maintenant, dis aux Veilleurs qui t'ont envoyé supplier pour eux, et qui autrefois habitaient dans le ciel : « Vous étiez dans le ciel, mais les secrets ne vous avaient pas encore été révélés ; vous n'avez connu qu'un mystère futile ; dans l'endurcissement de votre cœur vous l'avez communiqué aux femmes et, par ce mystère, les femmes et les hommes ont multiplié le mal sur la terre. » Dis-leur donc : « Il n'y aura pas pour vous de paix. »

Le contexte dans lequel s'insère le voyage d'Hénoch dans l'au-delà est celui de la chute des anges, des Veilleurs, comme origine du mal sur la terre. Le double mythe, des origines des géants et de la transmission de connaissances célestes à la terre, est fusionné dans un seul grand mythe des origines du mal, résultat du commerce charnel entre les fils de Dieu et les filles des hommes et la révélation de connaissances secrètes aux hommes de la part du fils de Dieu. Le mal fait ainsi irruption sur la terre et les hommes en subissent les conséquences, ils en sont victimes. Leur cri arrive jusqu'aux anges fidèles qui portent la cause des hommes devant le Très-Haut et intercèdent passionnément pour eux. Dieu décide le châtiment ; Il envoie les anges fidèles punir et enchaîner les Veilleurs jusqu'au jour de leur jugement, et purifier la terre. Une fois déraciné le mal et restaurée la justice, suivra la période finale dans laquelle la terre retrouvera une fertilité prodigieuse ; les justes vivront jusqu'à ce qu'ils aient engendré mille enfants et achèveront leurs jours dans la paix ; tout mal et tout péché disparaîtront pour toujours ; bref, on retrouvera à la fin des temps le bonheur des origines, multiplié et inépuisable.

Mais cette restauration est encore pour le futur, le mal est toujours présent, et Hénoch est choisi pour annoncer aux Veilleurs leur jugement. Hénoch reçoit, de la bouche d'un ange, la révélation sur la nature et la signification de la chute des anges, et la transmet aux Veilleurs rassemblés au pied de l'Hermon, aux sources de Dan. Quand il leur annonce le jugement, les Veilleurs sont saisis d'effroi et lui demandent d'intercéder pour eux devant Dieu. Hénoch écrit leur prière et la récite jusqu'au moment où il s'endort. Dans son sommeil il a une vision qu'il raconte ensuite aux Veilleurs : ce sont les chapitres que nous avons traduits ci-dessus.

Cette vision comprend un double élément : la montée au ciel avec la description du trône de la gloire, et la mission prophétique qu'Hénoch reçoit de la bouche de Dieu.

La montée est linéaire et ascendante, à travers les phénomènes naturels, jusqu'aux cieux. Là, Hénoch progresse jusqu'au palais divin et est introduit à l'intérieur. La langue du visionnaire, tout en utilisant des éléments d'Ézéchiel, essaie de nous suggérer l'indescriptible au travers de paradoxes et par l'accumulation de détails contradictoires, jusqu'à arriver à l'expérience du néant comme condition de l'approche de Dieu. La fascination et la terreur du sacré transpirent dans les phrases du visionnaire et grandissent à mesure qu'il s'approche du trône de la gloire. Dans ce palais divin, qui ressemble à un temple céleste, le visionnaire arrive jusqu'aux portes du saint des saints, là où aucun ange ne peut entrer et aucun être de chair ne peut regarder. Et c'est là, devant cette présence transcendante, qu'il entend l'appel de la parole divine et reçoit sa mission prophétique.

Cette mission est modelée sur les vocations prophétiques de l'Ancien Testament et a pour but essentiel de faire comprendre aux Veilleurs leur péché et de leur annoncer leur châtiment. Le péché des Veilleurs est décrit surtout comme une contamination de la nature céleste, un mélange de la chair et de l'esprit. La part spirituelle contaminée, résultat du mélange, restera sur la terre en forme d'esprits mauvais.

Les deux éléments du récit sont parfaitement intégrés. Le message prophétique d'Hénoch, qui contient sa réflexion sur les origines du mal, est authentifié par sa vision du trône de Dieu. Les Veilleurs proviennent du ciel où était leur demeure. La description de cette demeure céleste doit être pour eux la preuve que de là provient le message de condamnation qu'Hénoch leur porte, du trône de la gloire. Le voyage dans l'au-delà d'Hénoch devient, ainsi, une expérience prophétique.

Ce même schéma : vision des réalités de l'au-delà et interprétation prophétique de ces réalités, nous le retrouvons dans d'autres Apocalypses qumrâniennes du type cosmique, telles que les *Visions* d'ᶜAmram.

Cet ouvrage araméen dont on a trouvé cinq copies à Qumrân (4Q ᶜAmramᵃ⁻ᵉ) est une véritable Apocalypse, bien qu'il présente des traits communs avec la littérature testamentaire. En lui, de fait, le patriarche mourant révèle à ses fils les visions qu'il a eues quand il était à Hébron, à la manière de l'Apocalypse de Jean qui présente ses révélations sous la forme d'une lettre apostolique. La vision principale de 4Q ᶜAmram concerne les deux chefs des esprits et leur lutte pour la possession du corps et de l'âme d'ᶜAmram, un thème que l'on retrouvera souvent dans les Apocalypses postérieures.

Nous traduisons les quelques fragments d'une certaine importance publiés jusqu'à maintenant.

4Q ᶜAmram

Copie du livre des paroles des visions d'ᶜAmram, fils de Qahat, fils de Lévi : tout ce qu'il raconta à ses fils et ce qu'il leur recommanda au jour de sa mort, en l'an cent trente-six. L'année de sa mort était l'année cent cinquante-deux de l'exil d'Israël en Égypte.

[...] dans ma vision, la vision du songe : voici que deux faisaient un jugement sur moi et disaient [...] et ils engageaient à mon sujet une grande dispute. Je les interrogeai : « Depuis quand avez-vous pouvoir sur moi de cette manière ? » Et ils me répondirent et me dirent : « Nous avons reçu pouvoir et nous avons pouvoir sur tous les hommes. » Et ils me dirent : « Lequel d'entre nous choisis-tu ? » Je levai mes yeux et regardai : l'un d'entre eux avait l'aspect terrifiant, comme un serpent, et son habit était teint de couleurs, et sombre de ténèbres était [...] Et je regardai l'autre et, voici [...] dans son apparence, et son visage était souriant et sa peau était [...] beaucoup, et tous ses yeux [...]

[...] ayant pouvoir sur toi [...] celui-ci, qui est-il ? » Et il me dit : « Ce veilleur [...] est Malkî-résaᶜ. » Et je dis : « Mon seigneur, quelle est [...] et toute sa voie est sombre, et toute son action est sombre, et dans les ténèbres il [...] tu vois. Et il a pouvoir sur toutes les ténèbres, et moi, j'ai pouvoir sur toute la lumière. Depuis les régions supérieures jusqu'aux inférieures j'ai pouvoir sur toute la lumière et sur tout ce qui appartient à Dieu, et j'ai pouvoir sur les hommes de Sa grâce et de Sa paix. J'ai reçu pouvoir sur tous les fils de la lumière. » Et je l'interrogeai et lui dis : « Quels sont tes noms [...] » Et il me répondit et me dit : « Mes trois noms sont [...]

Moi, je vous le fais savoir et je voudrais même vous faire renoncer à l'injustice. Car tous les fils de la lumière seront lumineux et tous les fils des ténèbres seront sombres. Les fils de la lumière seront [...] et par toute leur connaissance ils seront [...] mais les fils des ténèbres seront retranchés [...]. Car toute folie et iniquité sont sombres, mais toute paix et vérité sont lumineuses. Et tous les fils de la lumière iront vers la lumière, vers la joie éternelle et vers la réjouissance ; tandis que tous les fils des ténèbres iront vers les ténèbres, vers la mort et vers la perdition.

Dans notre texte, la vision de l'au-delà ne se rapporte pas à un voyage dans les réalités célestes, mais au combat que les esprits livrent sur l'âme du juste. Cette dispute prend la forme d'un procès, dans lequel, sans doute, sont évaluées les parts de lumière et de ténèbres qui forment l'être du patriarche, et dans lequel ᶜAmram même doit choisir pour un des deux camps antagonistes. Dans une perspective clairement dualiste, notre texte décrit l'univers entier divisé en lumière et ténèbres. Chacun des deux protagonistes célestes domine sur une des parties affrontées. Cette révélation est fondamentale, puisqu'elle montre la division des hommes et leur destinée. Les hommes sont fils de la lumière ou fils des ténèbres parce qu'ils tombent sous la domination des anges qui ont pouvoir sur la lumière ou sur les ténèbres. C'est cette domination donc, l'élément qui prédétermine leur destinée finale : la joie éternelle ou la mort et la perdition.

ᶜAmram décrit en détail l'apparence des deux personnages célestes et ceux-ci lui révèlent leurs fonctions et leurs noms secrets. C'est du moins ce que fait le Prince de la lumière, le seul qui parle dans le texte préservé. La description de leur apparence externe et de leurs fonctions prépare et justifie l'exhortation d'ᶜAmram à ses fils. Comme lui-même, eux aussi devront choisir la domination de l'un ou l'autre des êtres célestes. Tout comme dans le *Livre des Veilleurs*, ici aussi, la révélation des mystères de l'au-delà a une fonction prophétique. C'est pour faire renoncer ses enfants à l'injustice, pour les aider à choisir la lumière, qu'ᶜAmram leur offre ses révélations sur le monde des anges.

Dans d'autres Apocalypses qumrâniennes du type cosmique, cet élément prophétique n'est pas immédiatement apparent. Au moins dans les parties du texte qui nous ont été préservées. Par contre, l'élément de voyage dans l'au-delà prend le plus grand relief.

Tel est le cas du texte connu comme *Jérusalem Nouvelle* (Jér. Nouv. Ar.) qui nous offre un véritable tour guidé de la ville sainte céleste. Cette œuvre araméenne devait être assez populaire dans le milieu qumrânien, comme le prouve le fait que l'on a trouvé des copies dans la moitié des grottes à manuscrits.

La structure littéraire du texte est très simple et suit de près le schéma d'Ézéchiel 40 s. Le visionnaire est conduit par un guide céleste qui l'introduit et lui fait parcourir la ville. Ce même guide mesure la ville en détail, employant comme mesure de base une canne égale à sept coudées (la valeur métrique de la coudée est d'environ un demi-mètre).

L'œuvre commence, apparemment, avec la description d'un gigantesque rempart à douze portes qui entoure la ville et protège sa sainteté. Suit une description détaillée des différentes parties de la ville et sans doute aussi du temple. La partie finale comprend une description du culte céleste, dans laquelle le visionnaire contemple le développement du rituel.

Nous utilisons les plus grands fragments de la grotte 5, complétés par d'autres fragments de la grotte 4, pour la description de la visite de la ville ; pour la description du rituel nous traduisons un fragment de la grotte 2, complété par un autre du rouleau de la grotte 11.

Jérusalem Nouvelle

Et il m'introduisit à l'intérieur de la ville et il mesura la longueur et la largeur de chaque îlot[1] : cinquante et une cannes sur cinquante et une, en carré tout autour ou trois cent cinquante-sept coudées de chaque côté. Et il y avait un péristyle tout autour du bloc, le portique de la rue, de trois cannes ou vingt et une coudées.

Et de même, il me montra les dimensions de tous les îlots. Entre deux îlots, il y avait la rue, large de six cannes ou quarante-deux coudées. Et il y avait de grandes rues qui allaient de l'est à l'ouest ; la largeur de deux d'entre elles était de dix cannes ou soixante-dix coudées, et la troisième, qui passait à la gauche du Temple, mesurait dix-huit cannes de large ou cent vingt-six coudées. La largeur des rues qui allaient du sud au nord était de neuf cannes et quatre coudées ou soixante-sept coudées pour chacune des deux rues ; et la rue centrale, qui passait au milieu de la ville, mesurait treize cannes et une coudée ou quatre-vingt-douze coudées. Et toutes les rues et la ville étaient pavées de pierre blanche [...] marbre et jaspe.

Et il me montra les dimensions de quatre-vingts poternes ; la largeur des poternes était de deux cannes ou quatorze coudées. Dans chacune des portes il y avait deux battants de pierre ; la largeur des battants était d'une canne ou sept coudées.

Et il me montra les dimensions des douze portails ; la largeur de leurs portes était de trois cannes ou vingt et une coudées. Dans chacune des portes il y avait deux battants ; la largeur des battants était d'une canne et demie ou dix coudées et demie. A côté de chaque porte il y avait deux tours, une à droite et une à gauche ; leur largeur et leur longueur avaient la même dimension : cinq cannes sur cinq ou

---

1. Le mot araméen, dérivé de l'hébreu, désigne un faubourg. Ici, il signifie *bloc d'immeubles, pâté de maisons*, d'où *îlot* (on peut préférer ce mot pour sa brièveté).

trente-cinq coudées. Et la largeur de l'escalier qui montait à la hauteur des tours du côté intérieur de la porte, à droite des tours, était de cinq coudées. Les tours et les escaliers avaient cinq cannes sur cinq et cinq coudées ou quarante coudées, de chaque côté de la porte.

Et il me montra les dimensions des portes des îlots ; leur largeur était de deux cannes ou quatorze coudées. La largeur de [...] mesurait [...] coudées. Et il mesura la largeur de chaque vestibule : deux cannes ou quatorze coudées, et son linteau : une coudée. A chaque vestibule il mesura ses battants ; et il mesura à l'intérieur du vestibule : sa longueur était de treize coudées et sa largeur de dix coudées.

Et il m'introduisit à l'intérieur du vestibule, et là il y avait un autre vestibule ; et la porte du côté du mur intérieur, à droite, avait les dimensions de la porte extérieure : sa largeur était de quatre coudées et sa hauteur de sept coudées, et elle avait deux battants. Et devant cette porte était le vestibule de l'entrée ; sa largeur était d'une canne ou sept coudées, la longueur de l'entrée était de deux cannes ou quatorze coudées, et la hauteur de deux cannes ou quatorze coudées. Et la porte en face de la porte qui s'ouvrait à l'intérieur de l'îlot avait les dimensions de la porte extérieure. Et à gauche de cette entrée il me montra une cage d'escalier qui tournait et montait ; sa largeur et sa longueur avaient les mêmes dimensions, deux cannes sur deux ou quatorze coudées. Et les portes en face de ces portes avaient les mêmes dimensions. Il y avait un pilier au milieu de l'intérieur de l'escalier, autour duquel l'escalier tournait et montait ; sa largeur et sa longueur étaient de six coudées sur six, en carré. Et l'escalier qui montait à son côté était de quatre coudées de large ; il tournait et montait jusqu'au toit, à une hauteur de deux cannes.

Et il m'introduisit à l'intérieur de l'îlot et il me montra là les maisons d'une porte à l'autre ; elles étaient quinze : huit d'un côté jusqu'à l'angle, et sept de l'angle jusqu'à l'autre porte. La longueur des maisons était de trois cannes ou vingt et une coudées, et leur largeur de deux cannes ou quatorze coudées. Et toutes les chambres étaient semblables. Leur hauteur était de deux cannes ou quatorze coudées. Leurs portes, au milieu, étaient de deux cannes ou quatorze coudées de large. Et il mesura la largeur du centre de la maison et l'intérieur des chambres : quatre coudées ; la longueur et la hauteur étaient d'une canne ou sept coudées.

Et il me montra les dimensions des maisons de [...] ; la salle était de dix-neuf coudées de long et sa largeur était de douze coudées. Dans chaque maison il y avait vingt-deux lits et onze fenêtres bouchées au-dessus des lits, et à leur côté il y avait le caniveau extérieur. Et il mesura l'embrasure de chaque fenêtre : sa hauteur était de deux coudées, sa largeur de [...] coudées, et sa profondeur était la largeur du mur.

[...] leur chair [...] en offrande agréable [...] et ils entreront au Temple [...] huit séas de fine fleur de farine [...] et ils apporteront le pain [...] vers l'orient sur l'autel. Et ils mettront les pains en deux piles sur la table devant le Seigneur. Et sur les deux piles de pain, ils mettront de l'encens [...] le pain, et ils sortiront le pain en dehors du Temple, à droite, de son côté ouest. Et le pain sera divisé entre les quatre-vingt-quatre prêtres.

Et je regardais jusqu'à ce qu'il [...] d'entre toutes les sept divisions des tables de [...] le signe [...] les plus âgés d'entre eux, et quatorze prêtres [...] les prêtres.

Les deux pains sur lesquels se trouvait l'encens [...] Je regardais jusqu'à ce que l'un des deux pains fût donné au grand prêtre [...] avec lui, et que l'autre fût donné au deuxième qui se tenait debout à part [...]

Je regardais, jusqu'à ce que fût donné à tous les prêtres [...] du bélier du troupeau, un à chaque personne [...] jusqu'au moment où ils s'assirent [...] un dans chaque [...]

A première vue, rien n'est plus loin du langage typique des Apocalypses que la monotonie et le manque d'imagination des descriptions de notre texte. Et pourtant tout indique que l'auteur de l'Apocalypse de Jean l'a connu et utilisé. La donnée la plus frappante du texte traduit est le souci de précision et de détail. Sans aucune peur d'ennuyer ses lecteurs, l'auteur décrit et donne les mesures des îlots qui occupent l'intérieur de la ville, des poternes, des portes, des escaliers, des maisons, des porches, des salles... Son récit donne une impression d'exactitude, de chose vue, dont la réalité ne laisse aucun doute. L'auteur s'éloigne même consciemment de son modèle Ézéchiel en transformant la ville en un rectangle entouré d'un rempart, au lieu du carré d'Ézéchiel, mieux adapté au symbolisme et qui sera repris par l'Apocalypse de Jean. Les douze portes du rempart s'ouvrent sur des avenues qui divisent ainsi la ville, et servent, en plus, à séparer les parties les plus saintes du reste.

Pour les lecteurs, le contraste de cette ville, harmonieuse, gigantesque et régulière, avec la Jérusalem réelle et connue devait être immédiat et frappant.

Et c'est précisément cet élément de contraste que nous révèle l'enseignement de l'œuvre. La véritable Jérusalem et le vrai Temple ne sont pas la Jérusalem et le Temple souillés, avec lesquels les sectaires de Qumrân ont coupé les liens. Le vrai modèle est au ciel ; et la révélation et la manifestation de ce modèle ne servent pas uniquement à entretenir le rêve, mais justifient la rupture et remplissent l'absence douloureuse.

Cet élément est encore plus clair dans la description du culte céleste. Malgré l'état lacuneux des fragments, les différences avec le culte officiel sont notables. Les pains correspondent aux pains de proposition, mais la présence des quatre-vingt-quatre prêtres reste mystérieuse. Très significative, à côté du grand prêtre, nous rencontrons la figure d'un autre, le deuxième, que la Règle de la Guerre nous présente également à côté du prêtre en chef.

Le culte que le visionnaire décrit s'appuie sur les prescriptions mosaïques, mais selon la manière dont elles sont interprétées à l'intérieur de la Communauté. La révélation du culte céleste permet aux sectaires de s'associer et d'entrer en communion avec lui.

Les serviteurs du culte céleste sont, naturellement, les anges. Leur caractère sacerdotal est fortement souligné dans un des hymnes de la « Liturgie angélique » ou « Règle des chants pour l'holocauste de Sabbat ».

4Q 400 1 I 1-8 ; 14-19

Du maître de sagesse. Chant du sacrifice du premier sabbat, le quatre du premier mois.

Louez le Dieu des cieux avec une voix de jubilation
vous, les êtres divins entre tous les plus saints des saints,
et dans la divinité de Sa majesté exultez,
parce que entre les saints éternels Lui a établi les plus saints des
saints
pour qu'ils soient pour Lui prêtres qui l'approchent dans Son
temple royal,
serviteurs de la Présence dans Son Sanctuaire glorieux,
dans l'assemblée de tous les dieux de connaissance.
Dieu a gravé ses ordonnances pour toutes les créatures spiri-
tuelles,
et les préceptes de Sa bouche pour tous ceux qui établissent la
connaissance,
le peuple de Sa glorieuse intelligence,
ceux des êtres divins qui s'approchent de la connaissance [...]
pour l'éternité.
Et de la sainte source aux temples du Saint [...]
les prêtres qui l'approchent, les serviteurs de la Présence du Roi
de Sainteté [...]

[...] Eux ne supportent nul être dont le chemin est perversité.
Il n'y a pas d'impur dans ses lieux saints.
Il a gravé pour eux des préceptes de sainteté,
avec lesquels se sanctifient tous les saints éternels.
Il purifie les purs de la lumière
pour qu'ils éliminent tous ceux dont le chemin est perversité.
Et eux rendent propice Sa volonté en faveur de tous les con-
vertis du péché.
Il a donné une langue de connaissance aux prêtres qui s'approchent,
et de leurs bouches sortent les enseignements de tous les saints
avec Ses préceptes glorieux,
pour rapprocher les hommes de sa piété
en vue d'une miséricordieuse rémission éternelle ;

et pour détruire dans la vengeance de son zèle tous les fils de la
débauche.

Il a établi pour Lui des prêtres qui s'approchent,
les plus saints des saints [...]

Ce texte, comme tous ceux que nous allons traduire ensuite,
provient d'une Apocalypse qumrânienne extrêmement intéressante. L'œuvre, qui a reçu le titre : *Serek Širôt ʿÔlat Haššabbāt*, a
été conservée dans cinq manuscrits de la grotte 4, un de la
grotte 11, et un autre provenant de Massada. Probablement, elle
contenait treize compositions, une pour chacun des treize premiers
sabbats de l'année. Elle est un produit typique de la Communauté
de Qumrân et décrit les louanges que les anges chantent pendant
l'office du Sabbat dans les sanctuaires du Temple céleste. La révélation de cette liturgie angélique et sa récitation à Qumrân permettent aux membres de la Communauté d'accorder leur liturgie terrestre à la liturgie céleste et d'entrer en communion avec elle.

Dans cet ouvrage, nous trouvons des descriptions des cieux
et des sanctuaires célestes et leurs différentes parties, des éléments de leur architecture comme les portes, vestibules, etc.,
ou de leur décoration. Mais ici, nous n'avons pas un tour
guidé, comme celui de la *Jérusalem Nouvelle*, mais des révélations des réalités célestes en rapport uniquement avec la description de la liturgie que les diverses sortes d'anges célèbrent
dans les différents sanctuaires des cieux. Plutôt que de sept
cieux, notre texte parle de sept sanctuaires différents dans les
cieux. Il ne résulte pas clairement du texte préservé si l'on doit
imaginer sept sanctuaires différents, superposés les uns sur les
autres dans les sept cieux, ou sept sanctuaires concentriques à
la manière des sept cieux des Apocalypses. Bien que deux des
textes parlent de sept cieux, chacun avec son trône, l'image la
plus courante est celle du ciel conçu comme un grand temple
avec sept sanctuaires, chacun avec sa légion d'anges-prêtres qui
offrent leur liturgie, guidés par un ange grand prêtre, assisté à
son tour par un deuxième, comme dans la *Jérusalem Nouvelle*.

Dans ces sanctuaires célestes tout participe au culte. Un des hymnes nous décrit les mouvements des anges et la participation des éléments du sanctuaire dans la proclamation de la gloire de Dieu.

4Q 405 23 I 6-13

Les êtres divins Le louent dans le territoire de leur place et tous les esprits des firmaments purs se réjouissent dans Sa gloire.
Et il y a une voix de bénédiction de toutes ses divisions
qui raconte ses glorieux firmaments
et loue ses portes avec une voix de jubilation.
Quand les êtres divins de connaissance entrent par les glorieux portails,
et chaque fois que les saints anges sortent à[2] leurs domaines,
les portails d'entrée et les portes de sortie font connaître la gloire du Roi,
bénissant et louant tous les esprits des êtres divins
dans l'entrée par les portes de sainteté.
Et il n'y en a aucun parmi eux qui transgresse la loi,
et aucun qui résiste aux paroles du Roi.
Ils ne courent hors du chemin
ni ne s'attardent hors de leur territoire ;
ils ne se dépassent dans leurs missions
ni ne s'abaissent.
Car Il (Dieu) ne montre miséricorde quand domine la fureur meurtrière de sa colère,
Il ne juge pas quand son ire glorieuse est partie[3].
Le Terrible est roi des êtres divins,
redoutable au-dessus de tous les êtres divins,
et Il les envoie à Ses missions dans l'ordre.

---

2. Sortent « à ». Le texte hébreu dit littéralement : « Dans les entrées des êtres divins par les portails de gloire et dans toutes les sorties des anges de sainteté à leurs domaines [...]. » Les domaines des anges sont donc conçus en dehors du sanctuaire divin.

3. Le sens du texte n'est pas très clair. Mais je crois qu'il donne le motif de l'obéissance des anges : la terreur de Dieu.

Un autre fragment nous décrit en détail les vêtements des anges comme des vêtements sacerdotaux. Dans notre cas, il nous dépeint les vêtements des anges supérieurs qui accompagnent le char divin. La terminologie employée montre clairement que nous avons affaire à la description des vêtements d'Aaron et des ornements du tabernacle de l'Exode ; mais d'autres éléments proviennent de la description des habits du grand prêtre du Rouleau de la Guerre de Qumrân, et surtout, de la description des armes. Les ressemblances avec d'autres descriptions apocalyptiques des vêtements des anges sont aussi frappantes que les différences.

4Q 405 23 II 7-13

Dans leurs positions merveilleuses se tiennent des esprits habillés en brocart, comme une œuvre tissée, gravée de décorations splendides. Au milieu de la glorieuse image il y a une étoffe cramoisie, teinte de la lumière de l'esprit du saint des saints : les étoles qu'ils portent dans leur position sainte devant le Roi. Les esprits sont habillés d'une étoffe teinte de lumière, et au milieu de l'image une étoffe blanche ; la ressemblance de l'esprit glorieux est comme une œuvre d'or précieux, brillant de lumière. Et tous leurs ornements sont brillamment brochés d'une bande artistique, comme une œuvre tissée.

Ceux-ci sont les chefs merveilleusement habillés pour le service, les chefs du plus grand royaume des saints du Roi saint, dans tous les temples élevés de son glorieux royaume.

Les chefs de l'offrande ont une langue de connaissance, et bénissent le Dieu de connaissance dans toutes ses œuvres glorieuses.

Naturellement, une place de choix appartient à la description du char du trône de la Gloire. Le fragment suivant nous décrit l'arrivée du char du trône dans le Temple céleste. Le char, ici, n'est pas l'objet statique de la vision du courant mystique de la Merkhabah, mais est en mouvement, et ce mouvement est un élément du culte. Le char se déplace d'un lieu à un autre dans le temple, dans une sorte de procession qui fait partie de la liturgie céleste.

4Q 405 22

Les serviteurs de la présence de la gloire, dans le tabernacle du Dieu de connaissance, se prosternent devant Lui.

Les chérubins bénissent quand s'élève la voix silencieuse des êtres divins vivants.

Et quand s'élèvent leurs ailes il y a un son de jubilation : la voix silencieuse des êtres divins.

Eux bénissent l'image du char *(merkhabah)* du trône au-dessus du firmament des chérubins, et chantent la gloire du firmament lumineux en dessous de la résidence de Sa gloire. Quand les roues se déplacent les anges saints reviennent ; ils sortent d'entre les cercles glorieux comme une image de feu, les esprits du saint des saints ; tout autour une image de fleuves de feu, de l'apparence du vermeil ; et créatures éblouissantes dans brocart glorieux, merveilleusement teint et brillamment broché, les esprits des êtres divins vivants se déplacent continuellement avec la gloire des chars merveilleux. Et il y a une voix silencieuse de bénédiction parmi le bruissement de leur déplacement ; et ils louent le Saint dans le retour à leurs chemins. Quand ils s'élèvent, ils s'élèvent merveilleusement ; quand ils se posent, ils s'arrêtent.

La voix joyeuse de jubilation se tait et il y a une bénédiction silencieuse des êtres divins dans tous les camps des êtres divins, et une voix de louange [...] d'entre toutes leurs divisions [...] et toutes leurs recrues exultent chacune à son poste.

Dans les textes cités et dans le reste de l'œuvre, il apparaît clairement qu'on applique la langue du culte sacrificiel à l'offrande des louanges. Mais cet élément nous pose un grave problème d'interprétation. De la solution qu'on lui donne dépend la compréhension globale de l'œuvre.

Ce problème peut être posé dans les termes des titres qui introduisent les diverses compositions : « Chant du sacrifice de sabbat ». La phrase peut signifier soit que le chant qui suit sert à accompagner le sacrifice que l'on offre, le sabbat, soit que le chant lui-même est le sacrifice du sabbat.

La première interprétation paraît être appuyée par le fait que la cour céleste de notre texte est sans doute une cour sacerdotale avec un ange grand prêtre dans chacun des sanctuaires, des « prêtres qui s'approchent », des « serviteurs de la Présence », etc., et que la fonction classique du sacerdoce en Israël fut toujours le sacrifice.

Et pourtant, contrairement à la *Jérusalem Nouvelle* et à d'autres textes de l'époque comme le *Testament de Lévi*, il n'y a dans notre texte aucune trace d'autel dans lequel les sacrifices auraient pu être offerts, ni aucune trace du rituel qui accompagne les sacrifices. L'élément central du culte angélique est la louange. Cette louange exprimée dans les hymnes est le sacrifice du sabbat.

L'idée est fondamentale dans la pensée qumrânienne :

> Ils expieront pour la culpabilité de la faute et l'iniquité du
> péché,
> ils obtiendront la bienveillance (de Dieu) pour le pays,
> sans la chair des holocaustes et la graisse des sacrifices.
> L'offrande des lèvres selon le droit sera comme une odeur de
> justice,
> et la perfection de conduite comme le don d'une offrande
> agréable (1Q S IX, 4-5).

La rupture avec le temple et le culte est ici totale et ne pourra être réparée que lorsque le temple et les sacrifices seront purifiés, rendant ainsi possible le retour des exilés du désert à la Jérusalem renouvelée.

Pour les sectaires de Qumrân la révélation de la liturgie angélique montre la vraie nature du culte céleste dans lequel, comme à Qumrân, les sacrifices ont été substitués par l'offrande des louanges. La Communauté qumrânienne, qui a rompu avec le temple de Jérusalem et ses sacrifices et a développé toute une théologie de la Communauté comme temple spirituel dans lequel la louange se substitue aux sacrifices, peut, confiante, célébrer sa liturgie en utilisant ces hymnes comme sacrifice du sabbat, participant ainsi à la liturgie céleste et entrant en communion avec les anges, dans l'attente d'un retour au vrai culte sacrificiel dans la Jérusalem renouvelée.

Notre dernier texte, le plus étendu et le plus complet de ceux qui ont été préservés, nous montre la présence de l'au-delà céleste révélé au sein de la Communauté qui, aux abords de la mer Morte, a recueilli et transformé les Traditions Apocalyptiques.

4Q 402 1 I 1-44

Psaume d'exaltation dans la langue du troisième des princes
suprêmes,
pour exalter le Dieu des anges élevés,
avec chacune des sept paroles d'exaltation merveilleuse.

Psaume de louange dans la langue du quatrième
au Puissant qui est au-dessus de tous les êtres divins
avec ses sept merveilleux pouvoirs ;
Il louera le Dieu des pouvoirs
avec chacune des sept paroles de louange merveilleuse.

Psaume d'action de grâces dans la langue du cinquième
au Roi de la gloire
avec ses sept actions de grâces merveilleuses ;
Il donnera grâces au Dieu glorieux
avec chacune des sept paroles de merveilleuses actions de grâces.

Psaume de jubilation dans la langue du sixième
au Dieu de la bonté
avec ses sept merveilleuses jubilations ;
Il acclamera le Roi de la bonté
avec chacune des sept paroles de merveilleuse jubilation.

Psaume de chant dans la langue du septième des princes
suprêmes,
un chant de force pour le Dieu de sainteté
avec ses sept chants des merveilles ;
Il chantera au Roi de la sainteté
avec chacune des sept paroles des chants merveilleux.

Sept psaumes...

Le premier parmi les princes suprêmes
bénira au nom de la gloire de Dieu
tout ceux qui [...]
avec sept paroles de merveille ;
et bénira tous [...]
dans Son saint Temple avec sept paroles de merveille ;
et bénira ceux qui ont connaissance éternelle.

Le deuxième parmi les princes suprêmes
bénira au nom de Sa fidélité toutes ses positions
avec sept paroles de merveille ;
et bénira avec sept paroles de merveille ;
et bénira tous ceux qui exaltent le Roi
avec sept paroles de Sa merveilleuse gloire,
pour pureté éternelle.

Le troisième parmi les princes suprêmes
bénira au nom de Sa majesté élevée
tous les exaltés de la connaissance
avec sept paroles d'exaltation ;
et tous les êtres divins de Sa fidèle connaissance les bénira
avec sept paroles de merveille ;
et bénira tous les rassemblés pour la justice
avec sept paroles de merveille.

Le quatrième parmi les princes suprêmes
bénira au nom de la majesté du Roi
tous ceux qui marchent dans la droiture
avec sept paroles de majesté ;
et bénira ceux qui fondent la majesté

avec sept paroles de merveille ;
et bénira tous les êtres divins
qui s'approchent de Sa connaissance fidèle
avec sept paroles de justice,
pour Ses glorieuses tendresses.

Le cinquième parmi les princes suprêmes
bénira au nom de Sa majesté merveilleuse
tous ceux qui connaissent les mystères des cieux resplendissants
avec sept paroles de Sa fidélité élevée ;
et bénira tous ceux qui se précipitent vers Sa volonté
avec sept paroles de merveille ;
et bénira tous ceux qui Lui rendent grâces
avec sept paroles de majesté,
pour merveilleux remerciements.

Le sixième parmi les princes suprêmes
bénira au nom des pouvoirs des êtres divins
tous les puissants en intelligence
avec sept paroles de Ses merveilleux pouvoirs ;
et bénira tous ceux dont le chemin est parfait
avec sept paroles de merveille
pour qu'ils soient constamment avec ceux qui existent
                                            éternellement ;
et bénira tous ceux qui espèrent en Lui
avec sept paroles de merveille,
pour le retour de Ses miséricordieuses tendresses.

Le septième parmi les princes suprêmes
bénira au nom de Sa sainteté
tous les saints entre ceux qui fondent la connaissance
avec sept paroles de Sa merveilleuse sainteté ;
et bénira ceux qui exaltent Ses jugements
avec sept paroles de merveille,
pour boucliers robustes ;
et bénira tous les rassemblés pour la justice qui louent Sa
                          royauté glorieuse [...] perpétuité,

avec sept paroles de merveille,
pour la paix éternelle.

Et tous les princes suprêmes
béniront ensemble le Dieu des êtres divins au nom de Sa sainteté
avec tous les témoignages septiformes (?),
et béniront les rassemblés pour la justice ;
et tous les bénis [...]

Béni soit le Seigneur, le Roi de tout,
au-dessus de toute bénédiction
et [...] au nom de Sa gloire.
Et Il bénira tous les bénis, éternellement.

*Du maître de sagesse. Chant du sacrifice du septième sabbat,
le seize du mois.*

Louez le Dieu des cieux
vous, les exaltés parmi tous les êtres divins de la connaissance.
Saints de Dieu sanctifiez le Roi de la gloire
qui sanctifie avec Sa sainteté tous Ses saints.
Chefs des exultations de tous les êtres divins
exultez le Dieu de majesté exultant,
parce que dans la splendeur des exultations est la gloire de Sa
royauté.
De là viennent les exultations de tous les êtres divins
avec la splendeur de toute Sa royauté.

Exaltez Son exaltation aux cieux,
vous, êtres divins des dieux élevés,
et Sa glorieuse divinité au-dessus de tous les cieux élevés,
parce qu'Il est le Dieu des dieux pour tous les chefs des cieux,
et le Roi des rois pour toutes les assemblées éternelles,
avec la volonté de Sa connaissance.
Par les paroles de Sa bouche existent tous les dieux élevés ;
par ce qui sort de Ses lèvres, tous les esprits éternels ;
par la volonté de Sa connaissance, toutes les créatures avec leurs
entreprises.

Acclamez, vous qui acclamez Sa connaissance,
avec acclamations parmi les êtres divins merveilleux,
et proclamez Sa gloire dans la langue de tous ceux qui procla-
ment la connaissance.
Ses chants merveilleux dans la bouche de tous ceux qui procla-
ment,
parce qu'Il est le Dieu de tous ceux qui chantent la connaissance
pour toujours
et le Juge dans Son pouvoir de tous les esprits de compréhension.

Remerciez, vous, tous les dieux de majesté, le Roi de la majesté,
parce que tous les dieux de connaissance rendent grâces à Sa
gloire,
et tous les esprits de justice rendent grâces à Sa fidélité.
Leur connaissance et leurs remerciements acceptent les jugements de Sa bouche
au retour de Sa puissante main, pour jugement de récompense.

Chantez le Dieu fort dans l'offrande de l'esprit suprême
avec les chants de joie des êtres divins
et célébrez avec tous les saints,
pour qu'il y ait des chants merveilleux dans la joie éternelle.

Louez avec eux, vous, les fondations du saint des saints,
les piliers de support du firmament le plus élevé,
et tous les angles de son édifice.
Chantez le Dieu du pouvoir terrible,
vous tous, esprits de connaissance et de lumière,
pour supporter ensemble le pur firmament resplendissant
de Son temple saint.

[...], vous, esprits des êtres divins,
pour manifester éternellement le firmament suprême des cieux,
tous ses poutres et murs,
tout son édifice, les œuvres de Sa construction,
vous, les esprits du saint des saints, les êtres divins vivants,
les esprits de sainteté éternelle au-dessus.

NOTE BIBLIOGRAPHIQUE

Éditions des textes :

Hénoch éthiopien : Michael A. KNIBB, *The Ethiopic Book of Enoch. A New Edition in the Light of the Aramaic Dead Sea Fragments*, Oxford, Clarendon Press, 1978. — François MARTIN, *Le Livre d'Hénoch traduit sur le texte éthiopien*, Paris, Letouzey et Ané, 1906.

Fragments araméens d'*Hénoch* : J.T. MILIK, *The Books of Enoch. Aramaic Fragments of Qumrân Cave 4*, Oxford, Clarendon Press, 1976.

Fragments araméens de *Jérusalem Nouvelle* : M. BAILLET, J.T. MILIK, et R. de VAUX, *Discoveries in the Judaean Desert of Jordan. III. Les « Petites Grottes » de Qumrân*, Oxford, Clarendon Press, 1962. — B. JONGELING, « Publication provisoire d'un fragment provenant de la grotte 11 de Qumrân (11Q Jér. Nouv. Ar.) », *Journal for the Study of Judaism I (1970)*, 58-64.

Fragments araméens des *Visions d'ᶜAmram* : J.T. MILIK, « 4Q Visions de ᶜAram et une citation d'Origène », *Revue biblique LXXIX (1972)*, 77-97.

Fragments hébreux de la « Règle des chants pour l'holocauste du Sabbat » : J. STRUGNELL, « The angelic liturgy at Qumrân. 4Q Serek Širôt ᶜÔlat Haššabbât », *Congress Volume, Oxford, 1959 (Supplements to Vetus Testamentum VII)*, Leiden, Brill, 1970. — C.A. NEWSON, *4Q Serek Širôt ᶜÔlat Haššabât (The Qumrân angelic liturgy) : Edition, Translation, and Commentary* (Dis. Harvard University 1981), Ann Arbor University Microfilms International, 1982. — A.S. van der WOUDE, « Fragmente einer Rolle der Lieder für das Sabbatopfer aus Höhle XI von Qumrân (11Q ŠirŠabb) », *Von Kanaan bis Kerala (Alter Orient und Altes Testament Band 222)*, Kevekaer-Neukirchen-Vluyn, Butzon & Bercker-Neukirchener Verlag, 1982.

Qumrân et l'Apocalyptique

J. CARMIGNAC, « Qu'est-ce que l'Apocalyptique ? Son emploi à Qumrân », *Revue de Qumrân X (1979-81), 3-33.*

J.J. COLLINS (éd.), *Apocalypse. The Morphology of a Genre. (Semeia 14)*, Missoula, Scholars Press, 1979.

M. PHILONENKO, « L'apocalyptique qumrânienne », D. HELLHOLM (éd.), *Apocalypticism in the Mediterranean World and the Near East. Proceedings of the International Colloquium on Apocalypticism, Uppsala, August 12-17, 1979*, Tübingen, J.C.B. Mohr, 1983, p. 211-218.

P. SACCHI, « Riflessioni sull'essenza dell'apocalittica : peccato d'origine e libertà dell'uomo », *Henoch, V (1983), 31-61.*

H. STEGEMANN, « Die Bedeutung der Qumranfunde für die Erforschung der Apokalyptik », D. HELLHOLM (éd.), *Apocalypticism in the Mediterranean World and the Near East, o.c. p. 495-530.*

Certains textes n'avaient pas encore été traduits en français et le sont ici pour la première fois : c'est le cas des manuscrits 4Q 400 — 4Q 402 et 4Q 405, inclus dans la thèse de A. NEWSOM (note de l'éditeur).

L'APOCALYPSE LATINE DE PAUL

par

Claude KAPPLER

1. Histoire du texte

La carrière moderne de l'*Apocalypse de Paul* est exactement l'inverse de sa carrière antique et médiévale : aujourd'hui dans l'ombre, elle fut des plus célèbres. A tel point que, lorsque Dante, sur le point d'entamer son voyage en enfer, hésite, il se réfère à deux des plus illustres voyageurs de l'au-delà :

> Mais moi, pourquoi irais-je ? ou qui me le permet ?
> Je ne suis pas Énée, je ne suis pas Paul non plus.
>
> (*Enfer*, II, 31, 32)

Nous n'aurions pas imaginé que l'apôtre Paul pût prendre place aux côtés d'Énée, comme l'un des deux *modèles* de Dante. Il n'eût certainement pas suffi de la mystérieuse évocation, à mots couverts, de Paul lui-même dans la Deuxième Épître aux Corinthiens (2 Co 12, 2-5), pour faire dire à Dante :

> Paul, à son tour, vase d'élection,
> Là-bas s'en est allé pour rapporter confort
> A la foi, cet exorde au chemin du salut.
>
> (*Enfer*, II, 28-30)

Ce disant, Dante définit bien l'une des raisons d'être de textes comme l'*Apocalypse de Paul* : la visite de l'au-delà, la vision des peines et des récompenses, révélées aux hommes du commun après l'avoir été à un élu de Dieu, doivent avoir pour effets d'affermir la foi et d'ouvrir le chemin du salut. La fonction de ces révélations est essentiellement opérative : elle doit déterminer une conduite sainte ou une conversion

Dante tient à préciser qu'Énée alla dans l'enfer *avec son corps sensible* et *encore mortel* (*ibid.*, 14, 15) : seuls l'intéressent, à ce moment, les *vivants* qui ont fait ce voyage. Or, aurait-il pu comparer Paul à Énée, s'il s'était contenté de lire 2 Co 12 où Paul, par deux fois et d'une manière très appuyée, insiste lui-même sur le fait qu'il ne peut se prononcer sur le type d'expérience extatique dont il fut gratifié :

> Je connais un homme dans le Christ qui, voici quatorze ans — était-ce en son corps ? je ne sais ; était-ce hors de son corps ? je ne sais ; Dieu le sait — cet homme-là fut ravi jusqu'au troisième ciel. Et cet homme-là — était-ce en son corps ? était-ce sans son corps ? je ne sais, Dieu le sait —, je sais qu'il fut ravi jusqu'au paradis et qu'il entendit des paroles ineffables, qu'il n'est pas permis à un homme de redire.

Ce qui importe à Dante, c'est que Paul ait été ravi *dans son corps*, comme lui-même va l'être dans un instant. Or cela, l'*Apocalypse de Paul* l'affirme.

D'autre part, Dante n'aurait pas fait allusion à un aspect typique des révélations (cf. *Enfer*, II, 29-30), leur fonction de guide collectif vers le salut, s'il n'y avait eu que de l'*ineffable*, raison pour laquelle Paul est si succinct à propos de son extase.

Il est donc très vraisemblable que Dante se réfère ici à la *Visio Pauli*, dans l'une des nombreuses versions médiévales qui firent la postérité de l'*Apocalypse de Paul*. On a beaucoup écrit sur les sources de Dante et la question est loin d'être close. Quoi qu'il en soit, on peut se demander pourquoi, jusqu'à présent, les chercheurs français ont négligé un texte qui, sans même sa postérité dantesque, avait de quoi attirer l'attention, à la fois par son contenu et par sa célébrité depuis l'Antiquité tardive.

Il est très étonnant qu'aucune traduction française n'ait été faite de l'*Apocalypse de Paul*, depuis que le Moyen Âge cessa d'en donner. Ce texte, qui a bénéficié de traductions modernes en allemand, en anglais, en italien, en russe, a circulé sans trêve d'une langue à l'autre : dès l'époque ancienne, il existe en huit langues, grec, latin, syriaque, copte, slavon, arménien, arabe, éthiopien (l'*Apocalypse de la Vierge* est, en fait, une version éthiopienne de l'*Apocalypse de Paul*). On compte plus de cinquante manuscrits des versions longues et des rédactions en latin, et plus de deux cents manuscrits des diverses traductions et adaptations dans les langues anciennes que nous venons de citer, ce dernier chiffre n'incluant pas les versions syriaques dérivées de celles qui sont actuellement éditées, ni les arméniennes, ni les slavones, ni les arabes..., mais se limitant « aux seules versions qui représentent l'ouvrage original *in extenso* » (Silverstein [2], p. 179-180). Certaines versions, par exemple les textes en arabe, n'ont encore trouvé ni éditeur, ni traducteur.

L'abondance des manuscrits et des diverses versions est telle que l'étude de cette apocalypse met en jeu un dispositif érudit propre à effrayer l'amateur aussi bien que le spécialiste.

La carrière de l'*Apocalypse de Paul* dans les langues vernaculaires du Moyen Âge européen est digne de ses succès antérieurs : il en existe des traductions françaises, provençales, roumaines, anglaises, galloises, allemandes, danoises, bulgares, serbes, toutes anciennes.

Le succès de cette apocalypse alla croissant, en particulier du VIIIᵉ au XIᵉ siècle, période durant laquelle parurent de nombreuses « rédactions » latines qui représentent, par rapport aux

« textes longs » anciens, des abrégés ou des remaniements ; ces textes privilégient la vision des supplices infernaux, évolution qui va se confirmer durant tout le Moyen Âge (les versions médiévales en français, par exemple, ne retiennent quasiment que cela). Son influence sur d'autres « visions » médiévales fut grande : *Vision de Charles le Gros, Purgatoire de saint Patrice, Vision d'Albéric, Vision de Tondale*, pour ne citer que certaines des plus célèbres.

Ce texte n'est pas l'œuvre d'un seul auteur, il est le fruit d'une longue élaboration et d'un agglomérat de traditions qui s'est constitué sur plusieurs siècles.

Les premières versions de l'*Apocalypse de Paul* furent sans doute écrites en grec, vers le milieu du IIIe siècle, et peut-être en Égypte. De ces versions [0], il ne nous reste aucun texte intégral : une reconstitution fut faite par C. Tischendorf au XIXe siècle à partir de deux manuscrits[1]. Il est vraisemblable que, très tôt, le texte grec a circulé sous plusieurs versions qui admettaient des variantes. Dans la première moitié du Ve siècle, fut ajoutée à ce texte une introduction qui établissait le lien entre l'apocalypse de Paul et l'expérience extatique que Paul mentionne en 2 Co 12, 1-5. Ce passage de l'épître fut placé au début du texte, et corroboré par le récit de la découverte du manuscrit dans les fondations d'une maison de Tarse (cette version est désignée par l'expression « texte de Tarse »... quoiqu'il ne soit « de Tarse » que par la fiction littéraire, et sous le sigle T). Ce texte, nous ne le possédons pas non plus. Une traduction latine, L1, en fut faite entre le IVe et le VIe siècle (au plus tard au début du VIe siècle). Cette traduction est représentée par un manuscrit[2] écrit au VIIIe siècle, désigné sous le sigle P.

L'histoire de cette apocalypse est présentée dans un article

---

1. *Apocalypses apocryphae*, voir les *Prolegomena*, p. XIV à XVIII, pour plus de détails.
2. Paris, B.N., Nouv. acq. Lat., 1631.

de R.P. Casey[3], qui note : « L'*Apocalypse de Paul* est, en soi, une véritable petite littérature plutôt qu'un document isolé » (p. 5). Theodor Silverstein est le seul qui, jusqu'à présent, ait consacré à l'*Apocalypse de Paul* une recherche très fouillée[4]. Casey et Silverstein proposent tous deux des raisonnements auxquels le lecteur plus curieux peut se reporter : les questions de dates et de filiations sont traitées en détail, surtout par le second.

Dater précisément chaque version n'est pas possible, dans l'état actuel des recherches. Presque en même temps que les rédactions grecques, ou peu après, il y eut des rédactions syriaques, coptes, arméniennes. L'une des rédactions syriaques est très proche du texte latin P et de ce qui nous reste du texte grec. Une comparaison de trois versions syriaque, copte et latine, sous forme de tableau, fut faite par J.A. Robinson (p. 4 à 9, *op. cit.* dans la bibliographie ci-après) et montre lairement les concordances.

De la traduction latine primitive, L1, d'autres témoins demeurent : l'un d'entre eux, dit « Texte Long » comme P, car il se rattache à l'une des branches les plus anciennes des versions longues, se trouve à la bibliothèque de Saint-Gall en Suisse (St G, codex 317 écrit au IXe siècle).

De L1 dérivent un certain nombre de textes abrégés ou comportant des interpolations, que Silverstein nomme « Rédactions » pour les distinguer des « Textes longs » : plus tardifs, ils privilégient la description des supplices infernaux.

D'une autre traduction latine primitive, L2, dérivent un fragment [F] trouvé à Vienne et deux autres manuscrits, découverts

---

3. R.P. CASEY, *J.T.S.*, vol. 34, 1933.

4. Theodor SILVERSTEIN, *Visio Sancti Pauli*, Londres, 1935, 229 p., désigné ici par *Silv. 1* ; un article publié en 1976, que je désigne par *Silv. 2*, fait état de deux manuscrits découverts récemment et enrichit le stemma proposé en 1935.

plus récemment, l'un à Graz [Gz], l'autre à Zürich [Z][5]. Le schéma que je donne ici est réduit au strict nécessaire : pour plus de précisions on se reportera à *Silv. 2.*

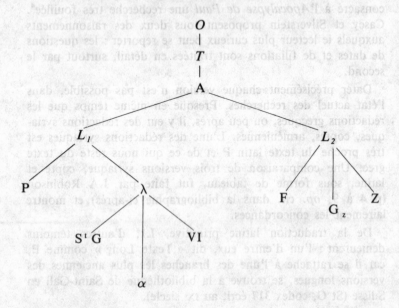

Ces témoins sont les principaux représentants de l'*Apocalypse de Paul* en latin :

Les majuscules en italiques désignent des témoins hypothétiques.

O désigne le texte le plus ancien (milieu du IIIe siècle), en grec ;

T, le texte dit « de Tarse », en grec ;

A, des versions grecques qui vont servir de modèle aux traductions latines, L1 et L2.

_____

Issus de la traduction latine L1 :

P désigne le manuscrit de Paris, « Texte Long » ;

λ désigne le modèle, perdu, de la version du manuscrit de Saint-Gall, St G, et des nombreuses « Rédactions » latines, α, dont l'une, classée sous le numéro VI par Silverstein, se distingue par des traits qui lui sont propres (en particulier des concordances avec certaines visions irlandaises antérieures au Xe siècle).

Issus de la traduction latine L2 :

F désigne le fragment de Vienne.

Gz, le manuscrit de Graz.

Z, le manuscrit de Zürich.

Les « Rédactions », formes abrégées et parfois remaniées, sont nombreuses (quarante-sept manuscrits, selon Silverstein) : ce sont elles qui constituent, dans bien des cas, le chaînon intermédiaire entre les versions latines anciennes et les traductions en langue vernaculaire du Moyen Âge ultérieur. Au total, les versions de l'*Apocalypse de Paul* en latin comptent donc au minimum cinquante-deux manuscrits.

Si je me suis permis de donner un aperçu — qui peut paraître superflu à un lecteur non spécialiste — de l'histoire du texte, c'est que nous avons là un exemple remarquable des questions qui se posent à propos des apocalypses : impossibilité d'identifier un texte premier (il n'y a pas d'accès à une soi-disant « Version originale »), complexité de la transmission, problème des sources et des « modèles » éventuels, fréquence des abréviations, « amendements », remaniements qui forment les conditions de l'*évolution* du texte au cours des siècles, de ses *métamorphoses*. Sans doute serait-il passionnant de faire une étude de l'évolution des goûts et des perspectives (pour éviter ici le mot de « mentalités ») si l'on pouvait déterminer avec le maximum de probabilité une chronologie précise de l'élaboration des diverses versions, ne serait-ce que pour les « textes longs » et les « Rédactions » en latin, et pour les versions françaises et provençales.

Les questions de datation interviennent de manière décisive dans les raisonnements sur les sources. Ainsi, la thèse de Miguel Asín Palacios, *La escatologia musulmana en la Divina Comedia*[6], qui fit tant de bruit parce qu'elle assignait à Dante, pour l'essentiel, des sources musulmanes, se fonde sur un raisonnement chronologique erroné sur certains points, en particulier à propos de l'*Apocalypse de Paul*. Son argument est brièvement résumé et critiqué par Silverstein[7] : l'une de ses affirmations les plus controuvées prétend que « la *Visio Pauli* occidentale (c'est-à-dire les « Rédactions » latines) pénétra dans l'Europe chrétienne à travers des adaptations musulmanes de l'apocalypse dans sa version grecque » (*op. cit.*, p. 18). M. Asín Palacios ne connaissait, pour fonder son raisonnement, qu'une seule des « Rédactions » latines, ce qui est, pour le moins, insuffisant. Il y aurait lieu de reprendre la question de manière systématique avec les outils de travail dont nous disposons aujourd'hui. Mais on peut s'étonner, à propos de « l'outil », que les recherches sur l'*Apocalypse de Paul* ne se soient pas sensiblement enrichies depuis celle de Silverstein et, plus précisément, depuis son livre de 1935.

Il ne s'agit pas de nier les rapports de notre texte ou de la *Divine Comédie* avec l'Orient mais, à vouloir tout considérer en termes de « sources », on s'expose à des mécomptes. Si l'on voulait, on pourrait soutenir, peut-être aussi hâtivement que Asín Palacios, que c'est plutôt l'*Apocalypse de Paul* (dans sa version syriaque, par exemple), et d'autres parmi ses sœurs, qui ont nourri les légendes musulmanes de l'au-delà et celle du *mi'râj*, l'ascension de Mahomet qui, de ciel en ciel, se rendit jusqu'au Trône divin. Le fait que nos apocalypses sont antérieures à ces légendes musulmanes sous leur forme écrite ne suffit pas à fonder l'hypothèse.

---

6. Miguel Asín Palacios, *La escatología musulmana en la Divina Comedia*, Madrid, 1919.
7. Silverstein, *Silv. I,*, p. 10, p. 17, 18.

On peut imaginer que « les légendes musulmanes et les chrétiennes dérivent parallèlement d'une source commune » (*Silv.* 1, p. 19), ou plutôt de l'ensemble complexe qui s'est développé au Proche-Orient.

L'hypothèse des « origines » proche-orientales de l'*Apocalypse de Paul* est sans doute fondée, mais elle serait à replacer dans des temps beaucoup plus anciens, proches de la première version grecque ou même très antérieurs.

L'étude des éléments égyptiens peut se faire à la lumière des travaux de Louise Dudley sur la légende de l'Ame et du Corps.

D'autres perspectives s'ouvrent dans un article de C.H. Kraeling qui suppose, à l'origine de tout, une source syriaque et trouve des parallèles mandéens, zoroastriens. Les « origines » iraniennes ont leurs zélateurs (à partir des travaux de Reitzenstein, en particulier), mais il est plus prudent d'évoquer des « parallèles » iraniens : le plus frappant en est, surtout pour la description des supplices infernaux, le livre d'*Ardâ Virâz*, rédigé au plus tôt à la fin du IVe siècle.

Sans aller dans ces domaines spécialisés, on peut, en tout cas, établir avec vraisemblance que l'*Apocalypse de Paul* s'inspira de l'*Apocalypse de Pierre*, plus ancienne, dont un texte, en grec, fut retrouvé à Akhmim en Haute-Égypte : à propos de cette dernière, Albert Dieterich étudie la part capitale d'un substrat de croyances grecques et celle, peu importante à son avis, des éléments empruntés à l'apocalyptique juive. Nous devons nous limiter ici à ne faire qu'une allusion aux relations que l'*Apocalypse de Paul* entretient avec d'autres textes en citant, par exemple, l'*Apocalypse d'Élie*, l'*Apocalypse de Sophonie*, le *Livre d'Hénoch* (et sans doute, plus précisément, l'*Hénoch* slave), les révélations d'*Esdras*... ; le sujet de ces relations et des parallèles qui peuvent s'établir avec bien d'autres textes, en particulier des textes coptes et arméniens, excède largement le cadre de cette introduction et, n'a bénéficié jusqu'à présent d'aucune étude d'ensemble.

Les deux « états » du texte qui nous renvoient aux versions les plus anciennes, qui représentent aussi deux branches de la tradition manuscrite, se trouvent donc :

— l'un dans le manuscrit de Paris déjà cité, dit « Texte Long ». C'est un texte touffu, riche, très imagé, théâtral. Il rassemble beaucoup d'enseignements et, pour certaines questions, d'enseignements contradictoires. Il représente peut-être l'état le plus ancien du texte. La langue dans laquelle il est écrit est un « *dog latin* », « latin de chien », comme le dit James (qui sait de quoi il parle puisqu'il a non seulement édité, mais aussi traduit le texte !). En réalité ce « dog latin » manifeste un état du texte, très dégradé (à la suite de copies successives, par exemple). Le texte du manuscrit de Saint-Gall qui appartient à la même branche est en meilleur état et apporte une aide précieuse dans la compréhension du Texte Long. Malheureusement, il manque à ce texte de Saint-Gall une grande partie qui constitue la fin du Texte Long de Paris. De plus, le Texte Long est plus proche des versions primitives (voir le stemma). C'est donc, pour cette branche manuscrite, le Texte Long de Paris qu'il faut traduire.

— L'autre dans les manuscrits de Graz et de Zürich (tous deux du XVe siècle), et le fragment de Vienne, cités plus haut. Ces textes sont concis, bien écrits, surtout celui du manuscrit de Graz. C'est de celui-ci que je donnerai un large extrait : il se prête mieux que le Texte Long de Paris à un découpage significatif, du fait de sa concision. La langue dans laquelle il est écrit pose peu de problèmes, ce qui dispense d'adjoindre des notes justificatives. C'est aussi parce qu'il est inédit jusqu'à présent que j'ai préféré le traduire ici. Des traductions du Texte Long sont disponibles en langues étrangères (cf. bibliographie), et la mienne, en français, sera éditée prochainement.

2. Aperçus sur le contenu du texte

Le mal

Le problème fondamental de l'*Apocalypse de Paul* est celui du mal : les hommes sont, du fait de leur liberté, partagés entre des conduites bonnes et des conduites mauvaises. Il faut que la patience de Dieu, avec l'assistance des anges et des saints, les aide à choisir le bien plus souvent que le mal ; et il faut les informer aussi des règles du jeu (le système des rétributions dans l'au-delà) pour que, éclairés, ils aient envie de choisir le bien. D'où l'importance de la révélation accordée aux Élus de Dieu : ceux-ci transmettent aux hommes les connaissances nécessaires et, en même temps, parce qu'ils sont aimés de Dieu, ils peuvent intercéder pour l'humanité.

Cet enseignement est à la fois rudimentaire et nuancé : il est rudimentaire par l'idée que les supplices de l'au-delà sont dissuasifs, par l'entreprise qui vise à susciter la bonne conduite par la peur. Il est nuancé en ceci que le monde n'est pas divisé en deux catégories distinctes : les bons, les mauvais. Il y a toute une gamme de comportements possibles entre les deux extrêmes. Mais l'au-delà, lui, est plus tranché : les « tièdes » et les hésitants sont envoyés en enfer ! Il vaut donc mieux choisir nettement ici-bas, de préférence le bien, si on veut assurer son avenir dans l'au-delà. Il est nuancé aussi sur la question du mal : l'homme est libre de faire son salut ou de se damner. La justice est assurée par la rétribution dans l'au-delà, ce qui garantit à l'univers, pris globalement, sa cohérence, sa bonne organisation. L'au-delà est une solution extrêmement commode au problème philosophique et métaphysique du mal : c'est lui qui élimine le soupçon d'injustice, d'incohérence qui peut peser sur l'organisme du monde. C'est lui aussi qui est l'argument contraignant, l'instrument de pouvoir pour ceux qui veulent gouverner les hommes selon les lois morales et sociales qu'ils jugent les meilleures.

Individu et collectivité

Au premier regard, il pourrait sembler que nous avons affaire ici à une eschatologie individuelle plus qu'à des perspectives de salut collectif. Or, dès le début, le texte conjugue les points de vue : les éléments cosmiques se plaignent auprès de Dieu des vices du genre humain considéré globalement. La réponse de Dieu (patience et justice) s'illustre ensuite dans deux exemples individuels, celui du juste et celui de l'impie au moment de leur mort. Chaque être, quoiqu'il soit unique, passe par la même voie après sa mort : son destin dans l'au-delà dépend de ses actes sur terre, d'où le double aspect à la fois particulier et général de ce qu'il subit alors. Chacun, par ses actes, appartient à telle ou telle cohorte céleste qui reconnaît en lui ses signes. Lors de son agonie, l'âme est aux prises avec ses propres actes qui se dressent devant elle comme des témoins et avec les anges bons ou mauvais qui cherchent à se l'approprier.

La description des divers traitements de l'âme pourrait nous faire penser que cette apocalypse se voue essentiellement aux fins dernières de l'individu. Mais chaque exemple donné est représentatif d'une catégorie d'humanité : c'est donc l'humanité tout entière qui est passée en revue.

Chaque exemple est à situer dans une histoire individuelle mais aussi dans l'histoire collective de l'humanité : à plusieurs reprises sont évoqués le jour de la résurrection générale, le jour du jugement final, le retour du Christ dans sa gloire.

Le corps

Cette apocalypse est marquée par une grande importance accordée au corps :

— les âmes doivent se remémorer leur corps pour le jour où elles devront y revenir (celui de la résurrection) ;

— les âmes sont traitées comme des corps ; embrassées, torturées ;

— Paul se rend au ciel dans son corps ;

— les saints du paradis se réjouissent de le voir dans son corps ;

— les damnés les plus gravement torturés sont ceux qui n'ont pas cru en l'incarnation, en la résurrection, en la métamorphose du pain et du vin eucharistiques : trois points doctrinaux en rapport avec le corps ;

— les supplices infligés sont uniquement physiques ;

— les délices du paradis charment le corps et les sens (les quatre fleuves sont nourriciers, le paradis est plein de fruits) à l'exception du sexe.

Il n'y a rien d'abstrait : tout est concret, corporel. Mais le statut du corps est paradoxal : la surévaluation de son importance s'accompagne d'une censure féroce de tout ce qui contribue au plaisir du corps ici-bas. Tout se passe comme si notre monde était mauvais : il faut s'abstenir ici-bas de tout ce qui est physique (idée que les gnostiques poussent au paroxysme), il faut fuir ce monde physique, il faut se priver et se mortifier pour s'assurer une éternité de bien-être (je n'ose dire de plaisir !) dans l'au-delà.

Serait-ce le propre de l'Occident que d'avoir jeté l'interdit sur le corps pour cette raison même qu'il l'estimait et, peut-être, le surestimait ?

*

* *

Le public auquel s'adresse cette apocalypse est large. Elle n'était pas destinée, en tout cas, à des esprits de haut vol, à des intellectuels raffinés. Il est probable qu'elle eut au moins un public assuré, celui des moines, à qui elle pouvait être servie en lecture de réfectoire, en sermon ou thème d'instruction. (Des indices variés nous en sont donnés). Il n'y a pas de raison de qualifier ce texte de « populaire » : il se présente comme un manuel d'enseignement, composé par des clercs, destiné à des clercs capables de diffuser cet enseignement et à toutes les classes humaines susceptibles d'enregistrer des images « parlantes ».

Les premiers destinataires de cette apocalypse furent sans doute les ecclésiastiques : ce sont eux qui sont traités les premiers en enfer. Le peuple de Dieu est châtié en rang hiérarchique. Pour le reste, l'enseignement par les supplices vise surtout à protéger les familles, le noyau social de base. Contrairement à ce qu'on pourrait imaginer à partir de nos remarques sur le traitement du corps, les fautes sexuelles, ou charnelles en général, n'occupent pas une place prépondérante.

3. Les intentions catéchétiques

L'*Apocalypse de Paul* est une sorte de catéchèse d'où chacun est censé déduire quelle est la meilleure ligne de conduite. Renoncer aux plaisirs de la vie immédiate (telle est aussi l'expression et la prédication de nombre de sourates dans le Coran), c'est se préparer le bonheur pour l'éternité. L'homme est aidé dans le choix du bien par des guides : l'ange gardien, les saints qui intercèdent au ciel, les justes qui, sur terre, font équilibre au mal et, enfin, les prédicateurs... qui transmettent d'utiles enseignements comme ceux de cette apocalypse.

L'objectif d'un texte comme celui-ci n'est pas d'orienter le lecteur ou l'auditeur vers une perspective lointaine, c'est-à-dire la fin du monde, mais vers une décision immédiate, celle

d'adopter une sainte conduite, en vue d'un bien à venir...,
avenir fort proche puisqu'il commence aussitôt après la mort
de l'individu.

La permanence des grands thèmes de cette apocalypse est
une chose étonnante. De la permanence médiévale, nul ne
doute ; mais, sur le plan doctrinal, certains enseignements de
cette apocalypse (et ce ne sont pas toujours les plus cohérents)
se sont transmis sur une durée d'une quinzaine de siècles pour
arriver jusqu'à nous.

L'*Apocalypse de Paul* associe des conceptions qui ne sont
pas toujours concordantes. Par exemple, comment concilier le
Jugement général qui aura lieu à la fin des temps avec le jugement individuel qui intervient aussitôt après la mort de chaque
individu ? Comment concilier la rétribution future avec la
rétribution immédiate qui a tous les caractères du définitif,
d'après ce qu'on voit dans le texte ?

La coexistence de conceptions différentes, pour ne pas dire
divergentes, s'est prolongée jusqu'aux temps modernes. Si,
aujourd'hui, les théologiens n'ont plus l'audace de jadis pour
parler du diable, de l'enfer et du jugement dernier, il n'en
reste pas moins que nombre d'enfants du XXe siècle — au
moins de la première partie du siècle — ont encore reçu au
catéchisme des enseignements qui concordent avec les grandes
lignes de l'*Apocalypse de Paul*.

De nos jours, on n'invoque plus aussi volontiers les supplices de l'au-delà à des fins de dissuasion, mais le credo comporte toujours « le Jour où Il viendra juger les vivants et les
morts ». Si l'on ne prend plus ouvertement parti sur une éven-
tuelle rétribution des âmes au paradis ou en enfer durant le
temps qui s'interpose entre la mort des individus et la clôture
de l'Histoire, ce n'est pas par besoin de logique mais parce
que l'homme, peut-être, a voulu sortir de l'état d'enfance où

tout acte est susceptible de rétribution, récompense ou châtiment.

Sommes-nous effectivement sortis de l'état d'enfance ? Sommes-nous libérés de la peur ? La réponse appartient à chacun d'entre nous, qu'elle soit de bonne ou de mauvaise foi, objective ou illusoire.

Extraits du manuscrit inédit de la bibliothèque universitaire de Graz, n° 856

Visions et révélations de saint Paul apôtre

La sainte parole du Dieu tout-puissant fut adressée à saint Paul apôtre : « O Paul, parle (à mon) peuple et dis (lui) : ''Jusques à quand voulez-vous accomplir péché sur péché et mettre à l'épreuve le Seigneur qui vous créa, qui vous a appelés ses fils ? Vous accomplissez fidèlement les œuvres du diable, ignorant que vous êtes misérables et pauvres. Faites un retour sur vous-mêmes et comprenez que toute créature est soumise au Seigneur excepté le genre humain qui Lui désobéit et pèche souvent à Son égard''. »

Le soleil adore Dieu et, se plaignant au sujet de l'homme, Lui dit : « Seigneur, combien de temps dois-je luire sur les méchants et sur les péchés qu'ils commettent ? Autorise-moi à déployer mes forces devant eux, afin qu'ils sachent que Tu es leur créateur. » Alors, de la part de Dieu, cette réponse lui est donnée : « Je sais ! Mes yeux voient ces choses et mes oreilles les entendent : ma patience les tolère ; j'attends qu'ils se convertissent. Mais s'ils ne s'amendent pas, alors je les jugerai selon leurs œuvres. »

La lune et les étoiles se plaignent en leur langage auprès du Seigneur et disent : « Seigneur ! Tu nous as donné le pouvoir de luire. Jusques à quand nous ordonneras-Tu de luire sur les actes corrompus des hommes mauvais, sur leurs homicides et sur leurs vols ! Laisse-nous exercer sur eux nos forces afin qu'ils reconnaissent que Tu es leur Dieu ! » Et, en réponse, voici la parole divine : « Je connais tout cela. Mais j'attends, pour le cas où ils se convertiraient. Si tel n'est pas le cas, je les rétribuerai selon leurs œuvres. »

La mer, comme elle faisait les mêmes plaintes, entendit les mêmes paroles en guise de réponse divine.

Tout ce qui est feu et tout ce qui est eau, tout accuse les pécheurs, disant : « Seigneur, pourquoi nous as-Tu créés au service des pécheurs ? » Et le Seigneur : « Il est nécessaire que vous soyez à leur service jusqu'à ce que je voie s'ils sont revenus à moi. S'ils ne le sont pas, je les jugerai selon leurs actes. En effet, toutes leurs œuvres, bonnes ou mauvaises, sont annoncées par les anges de Dieu. »

L'Esprit Saint fut avec saint Paul. L'ange du Seigneur dit à Paul : « Suis-moi, et je te conduirai dans un lieu où tu pourras voir où doivent aller les bons et les méchants après la fin de cette vie. » Il le conduisit dans un abîme où il vit beaucoup d'âmes pécheresses. A peine les eut-il aperçues, Paul se cacha derrière le dos de l'ange.

Après quoi, il (l'ange) le conduisit au ciel et lui ordonna de regarder en arrière : il vit là d'innombrables puissances qui le firent trembler, la colère, l'envie, la haine, l'oubli, tous ceux qui sont les premiers parmi les maux. Il vit là de nombreux anges sans miséricorde à qui n'était aucune bonté : leurs faces étaient terribles, pleines de colère, les dents et les cheveux tout noirs, du feu sortant de leurs bouches. Paul interrogea l'ange : « Qui sont ceux-ci ? » Il répondit : « Ce sont ceux qui conduisent les âmes pécheresses aux tourments. »

Alors, il lui ordonna de regarder vers le haut, où il vit d'autres anges, très beaux, ceints de ceintures d'or, tenant des palmes dans leurs mains, vêtus de très beaux vêtements sur lesquels était écrit le nom de Dieu : ceux-ci étaient pleins de grâce et de bonté. Il demanda à l'ange qui ils étaient. L'ange répondit : « Ce sont les anges qui conduisent au repos ceux qui sont vraiment les fidèles de Dieu. »

Alors, Paul dit à l'ange : « Je voudrais voir les âmes des bons ou des méchants au moment où ils quittent ce monde. »

Sur l'heure, il vit un mourant. L'ange répondit à saint Paul : « Celui-ci fut un homme juste. » Saint Paul vit toutes les œuvres de ce juste, celles qu'il se rappelait, comme celles qu'il ne se rappelait pas, se présenter à ses yeux à l'heure où l'âme se séparait du corps. Il y avait là les anges bons et les anges mauvais, mais les mauvais ne trouvèrent rien d'eux-mêmes en cet homme. Bientôt, les anges bons recueillirent l'âme à sa sortie du corps, ils l'embrassèrent et lui dirent : « Salut à toi, sainte âme qui as rempli la volonté de Dieu aussi longtemps que tu as vécu dans le corps. » S'en vint aussi l'ange qui était préposé à la garde de l'âme durant cette vie. Il lui dit : « Salut à toi, sainte âme. Aujourd'hui, je suis joyeux à ton propos, car tu as accompli la volonté de Dieu. Je suis celui qui, chaque jour, présentai à Dieu tes œuvres. »

Sur ces mots, il la conduisit au ciel. Et voici qu'accouraient à sa rencontre des ennemis terrifiants, disant : « Où vas-tu, âme ? Au ciel ? Arrête-toi un instant, que nous examinions si nous pouvons trouver en toi quelque chose de nous ! » Mais après qu'ils n'eurent rien trouvé d'eux-mêmes en elle, ils dirent en pleurant : « O âme, voilà comment tu nous as échappé, en accomplissant les commandements de ton Dieu. » Alors se fit entendre du ciel une voix qui disait : « Emmenez cette âme qui a accompli les commandements de Dieu afin qu'elle connaisse sa propre vérité. »

Comme elle entrait au ciel, tous disaient : « Salut à toi, sainte âme ! Heureuse es-tu de t'être choisi de tels biens ! Nous sommes heureux que tu aies plu à Dieu. » Alors, ils la conduisirent en présence du Seigneur et L'adorèrent avec elle. Puis saint Michel et toute la milice céleste tombèrent aux pieds du Seigneur, lui montrèrent le Seigneur, et lui dirent : « Voici le saint Créateur qui t'a créé à Son image. » Et son ange gardien dit au Seigneur : « Rappelle-toi, je t'en prie, toutes ses œuvres, Seigneur. Car voici l'âme dont je t'ai présenté les œuvres chaque jour. » Le Seigneur lui-même répondit : « De même que cette âme a gardé mes préceptes et n'a contristé personne, de même moi je ne la contristerai pas. De même qu'elle fut miséricordieuse, de même j'aurai pitié d'elle. Qu'elle soit remise à saint Michel, qu'il la conduise au paradis pour qu'elle y demeure jusqu'au jour de la résurrection générale en compagnie de tous les saints. »

Alors, tous les ordres de saints s'exclamaient : « Tu es juste, Seigneur, et juste est ton jugement, car tu rétribues chacun selon ses œuvres. »

Et l'ange dit à saint Paul : « Crois-tu que chacun reçoit le salaire de ses œuvres ? » « Je le crois », dit saint Paul.

Puis l'ange dit : « Regarde maintenant vers la terre et vois une âme méchante quitter le monde, une âme qui a offensé Dieu durant sa vie. »

Et il vit l'âme méchante au moment où elle trépassait : devant ses yeux, toutes ses œuvres lui furent montrées, elle fut conduite devant le jugement de mauvais augure et mieux eût valu pour elle n'avoir pas été créée.

Les bons et les mauvais anges s'en vinrent. Les saints anges ne trouvèrent rien d'eux en elle. Les mauvais, au contraire, lui reprochaient ses péchés, disant : « Ô malheureuse âme ! Malheur au cadavre d'où tu es sortie ! Il te faudra revenir à ton corps dans lequel et avec lequel tu as commis tes crimes, pour que tu te corriges par ta pénitence. »

Alors vint son ange gardien. Il dit : « Ô malheureuse âme, je suis celui qui chaque jour annonçai à Dieu tes mauvaises actions et, si j'en avais eu la permission, j'aurais voulu ne point te voir plus longtemps. Mais le Seigneur m'ordonna de ne pas t'abandonner avant d'avoir vu si tu avais voulu te corriger. Et voilà que tu as laissé passer le temps de la pénitence : pour cette raison, aujourd'hui, tu m'es devenue étrangère. Je dois cependant te conduire jusqu'au juste juge ; je ne t'abandonnerai pas, quoique je te sois étranger à cause de tes crimes. »

Après quoi, un cri se fit entendre au ciel : « Amenez cette malheureuse âme pour que la voie Celui dont elle méprisa les commandements. »

Tandis qu'elle entrait au ciel, des milliers de milliers d'anges criaient : « Malheur à toi, malheureuse âme, pour tous les maux que tu as accomplis dans la chair. Que répondras-tu à Dieu, lorsque tu arriveras à sa vue ? » Son ange gardien répondit : « Je n'obtins rien de bon en cette âme ; c'est pourquoi, frères, lamentez-vous avec moi ! » Mais ceux-ci : « Loin de nous cette âme, dirent-ils, qui n'a rien fait d'autre dans sa vie que des mauvaises actions ! »

Alors, elle fut conduite devant le tribunal du juge et celui-ci lui dit : « Où est le fruit que tu tires des biens que je t'ai concédés ? » Mais elle demeura muette. Et le juge dit : « Juste est mon jugement. Quiconque fait ma volonté, j'aurai pitié de lui. Et celui qui n'est pas miséricordieux, celui-là ne trouvera point miséricorde. Que cette âme soit livrée au prince des ténèbres pour qu'il l'envoie dans les ténèbres du dehors où il y aura des pleurs et des grincements de dents et

qu'elle y demeure jusqu'au dernier jour. » Et l'armée céleste criait :
« Tu es juste, Seigneur, et juste est ton jugement. »

Alors, deux anges mauvais l'emmenèrent. Et la malheureuse
s'exclama : « Aie pitié de moi, ô Dieu, car ce jour est le septième
depuis que j'ai quitté mon corps ? » Dieu lui dit : « Qu'as-tu fait de
bon pour que tu demandes miséricorde ? Parce que tu n'as pas eu de
miséricorde, tu es donnée à ceux qui n'ont pas de miséricorde. Et
parce que tu n'as pas confessé tes péchés dans le monde. » Elle
répondit : « Seigneur, je n'ai jamais péché. » Dieu, en colère devant
une telle indignité, lui dit : « Tu mens ! Tu te crois encore dans le
monde, où chacun cache ses péchés ? Il n'en ira pas de même ici :
une fois que c'est venu devant moi, toutes choses sont manifestes. »

Ayant entendu cela, ne sachant que dire, elle pleura et se tut. Le
Seigneur ordonna au diable d'apporter un mémoire où étaient écrits
ses péchés.

La voix du Seigneur se fit entendre et dit : « Par moi-même et par
ma vertu, je le jure, et par mes anges, si cette âme avait déploré ses
péchés ne serait-ce qu'une seule année avant sa mort, je les oublierais
tous. »

Alors, des milliers d'anges s'écriaient : « Tu es juste, Seigneur, et
juste est ton jugement. »

L'ange dit à Paul : « Tu as vu et entendu ?

— J'ai entendu, dit-il, et j'ai vu. »

Et lui : « Suis-moi, je te conduirai au séjour des justes. »

Il le conduisit au troisième ciel, lui montra la porte d'or et deux
colonnes qui étaient pleines d'écrits. Il dit à Paul : « Heureux es-tu,
Paul, s'il t'est permis d'entrer par cette porte que nul n'a passée s'il
n'est bon et innocent. » Il demanda à l'ange ce qui était écrit sur ces
tables. L'ange lui dit : « Ce sont ceux qui ont servi le Seigneur sur
terre d'un cœur parfait. » Alors saint Paul : « Pour quelle raison
leurs noms ont-ils été écrits au ciel ?

— Pour que ceux qui assistent le Seigneur nuit et jour, dit-il, connaissent leur bonté. »

De là, il le conduisit par la porte et un vieillard s'en vint à sa
rencontre : son visage brillait comme le soleil, il l'embrassa dans la
joie, quoique pleurant. Et Paul : « Pourquoi pleures-tu, Père ?

— Les hommes, dit-il, contristent Dieu fortement. (Je pleure) parce que les promesses de Dieu sont grandes et que peu d'hommes les recevront. »

Paul demanda à l'ange qui était ce vieillard. « C'est Énoch, dit-il, le premier scribe. »

Puis il vit venir vers lui le saint prophète Élie qui lui manifesta grande affection en l'embrassant et lui dit : « Si seulement, Paul, le salaire de tes peines pouvait t'être donné dès maintenant ! Tu l'as mérité en aidant le genre humain. Que d'innombrables biens sont préparés pour ceux qui ont cru grâce à toi ! Mais il en est peu qui ont renoncé à leur propre volonté et beaucoup, au contraire, qui l'ont suivie ! »

L'ange dit à Paul : « Frère, les secrets que tu verrais au ciel, ne va pas les manifester aux hommes inconsidérément. Suis-moi, je te montrerai des choses que tu puisses dire volontiers. »

Il le conduisit dans un autre ciel (le second ciel), qui avait pour fondement une pierre de saphir et où coulait un fleuve d'eau. Paul demanda le nom de cette eau. L'ange répondit : « C'est l'océan qui entoure la terre. »

Puis il le conduisit dans un autre ciel d'où la lumière rayonne sur toute la terre. De là, il aperçut une terre plus belle que l'or : un fleuve de miel et un fleuve de lait la parcouraient ; de très belles palmes poussaient sur la rive et les deux rives étaient pleines de fleurs aux couleurs variées.

Paul demanda si ce lieu était celui que Dieu a préparé pour ses saints. L'ange répondit : « Ce lieu (dont tu parles) est sept fois plus beau. C'est ici que viennent les justes et les élus, dès qu'ils ont été conduits hors de leurs corps. »

Après quoi, il le conduisit dans une très belle cité où la terre était d'or et la lumière plus brillante que la lumière précédente.

Ses habitants aussi étaient plus brillants que l'or. Elle avait pour enceinte douze murs et, dans cette enceinte, douze tours. Il y coulait quatre fleuves.

Paul demanda les noms de ces fleuves, et l'ange lui répondit : « C'est le Physon qui est de miel ; le second est l'Euphrate, qui est de lait ; le troisième, le Gyon, est d'huile ; le quatrième, le Tigre, est de vin. Ceux qui sont justes dans le monde viennent auprès de ces fleuves après leur mort et sont récompensés ici par le Seigneur. »

Devant cette cité, Paul voit les arbres stériles sur lesquels sont perchés des êtres humains qui se mettent à pleurer en voyant l'apôtre sur le point d'entrer : eux n'ont pas le droit d'entrer dans cette cité car ils ont commis le péché d'orgueil au sein même de leur bonne conduite sur terre, et « l'orgueil est la racine de tous les maux ». Mais lorsque le Christ entrera dans cette cité avec tous ses saints, alors ces êtres auront enfin le droit d'entrer eux aussi.

L'ange fait passer à Paul les quatre fleuves successivement : il rencontre des prophètes, les enfants massacrés par Hérode, et de nombreux justes qui chantent et sont dans la joie.

Après quoi, l'ange conduisit Paul au milieu de la cité.

Il y vit de nombreux sièges magnifiquement apprêtés. « Qui, demanda Paul, doit prendre place sur ces sièges ? » L'ange répondit : « Ceux qui, dans ce monde, passaient pour sots et, ayant en eux-mêmes leur bonté, observèrent pour ligne de conduite tout ce qu'ils entendirent de bien. »

De là, il vit un autel élevé et remarquable : un homme s'y tenait, tenant en mains un psaltérion (une harpe), et chantant « Alleluia » de telle sorte que les fondements du temple en étaient sens dessus dessous. Paul demanda à l'ange qui était cet homme qui paraissait plus beau que tous les autres. L'ange répondit : « C'est David qui fut roi et prophète, qui fit beaucoup de miracles sur terre, et cette cité s'appelle la Jérusalem d'en haut *(Iherusalem superna)*. Quand viendra le Christ, saint des saints, avec sa grande gloire et sa puissance, David chantera (le premier) devant lui et tous les autres vieillards feront de même. » Paul dit à l'ange : « Pourquoi est-ce que David chante avant les autres ?

— Parce que, dit l'ange, il habite au septième ciel. »

Paul demanda ce que signifiait « Alleluia ». L'ange dit : « C'est la louange de Dieu et de ses anges. »

Et Paul demanda si c'était un péché pour qui entendait quelqu'un chanter « Alleluia » que de ne pas y joindre sa voix. « C'est un grand péché, dit l'ange. »

Alors l'ange le conduisit à l'endroit où se couche le soleil, sur un grand fleuve. Paul demanda le nom de cette eau. « C'est l'Océan, dit l'ange, qui entoure la terre. » Et Paul vit là un lieu vraiment terrible, dans la région occidentale de cette eau. Là étaient les ténèbres, de grandes tristesses et l'affliction de nombreuses âmes.

Là coulaient de nombreux fleuves de soufre et de poix, et une grande foule s'y trouvait plongée, les uns jusqu'aux genoux, les autres jusqu'au nombril, les autres jusqu'aux lèvres, les autres jusqu'aux cheveux.

Paul demanda quel était le péché de ceux qu'il voyait dans de telles souffrances.

Commence alors la visite de l'enfer, et l'explication des tourments : à chaque péché correspond une peine particulière. Jusqu'à la grande scène finale où le Christ descend au-dessus du puits fermé de sept sceaux qui retient, dans les pires des supplices, les pécheurs damnés pour toujours. A ceux-ci, le Christ accorde un jour et une nuit de repos, chaque dimanche, pour l'éternité.

Aussitôt après, l'ange s'adresse de nouveau à Paul puis le mène au paradis : cette visite est la troisième et dernière de son voyage.

Alors, l'ange s'adressa à Paul et dit : « Voici, je vais maintenant te conduire jusqu'aux délices du paradis pour que te voient ceux qui y habitent et que tu te réjouisses avec eux. » Comme il l'y faisait entrer, Paul dit : « Ceci est le paradis d'où furent chassés les premiers créés (*protoplasti* : les protoplastes), Adam et son épouse Eve. » L'ange le conduisit auprès de l'arbre et dit : « C'est l'arbre dont le fruit, une fois goûté, introduisit la mort dans le monde. »

Puis il vit venir à lui une vierge très belle devant qui des groupes d'anges, joyeux, chantaient en chœur. L'ange dit à Paul : « C'est la sainte mère du Seigneur, par laquelle le salut fut donné au monde. » Elle salua Paul et lui dit : « Salut à toi, Paul. Grâce à Dieu !, j'ai pu te voir avant que tu ne retournes au monde : par toi, le nom du Seigneur est bien glorifié dans le monde. C'est moi qui t'ai accueilli la première, pour que les autres ne t'en accueillent que mieux. »

Paul voit encore un certain nombre de patriarches et de prophètes, puis l'ange le ramène au lieu d'où il l'avait emmené.

Pour donner un exemple du rapport qui existe entre le
manuscrit de Graz et le Texte Long de Paris, lequel est beaucoup plus développé et imagé, je propose l'extrait suivant, à
rapprocher du passage correspondant.

Le passage du manuscrit de Graz est celui-ci :

Après quoi, Paul conduisit l'ange au milieu de la cité. Il (Paul) y
vit de nombreux sièges magnifiquement apprêtés. « Qui, demanda
Paul, doit prendre place sur ces sièges ? » L'ange répondit : « Ceux
qui, dans ce monde, passaient pour sots et, ayant en eux-mêmes leur
bonté, observèrent pour ligne de conduite tout ce qu'ils entendirent de
bien. »

Voici la version du Texte Long de Paris : le rapprochement
permet d'apprécier la différence de goût, de style et, jusqu'à
un certain point, de contenu, entre les deux textes.

§ 29. Puis il me porta au milieu même de cette cité, près des douze
murs. Il y avait en ce lieu un mur plus haut que les autres.
J'interrogeai : « Y a-t-il, dans la cité du Christ, un mur qui ait une
précellence ? » L'ange me répondit : « Le second mur est meilleur que
le premier et, de même, le troisième meilleur que le second, car ils se
surpassent l'un l'autre jusqu'au douzième. » Je dis encore :
« Pourquoi, seigneur, se surpassent-ils en gloire l'un l'autre ?
Explique-le moi. » L'ange me répondit : « Tous ceux qui ont à se
reprocher ne serait-ce qu'une petite détraction, jalousie ou présomp-
tion perdent un peu de leur gloire, même s'ils se trouvent dans la cité
du Christ : regarde derrière toi. »

Je me retournai et vis à chaque porte des trônes d'or où siégeaient
des hommes couronnés de diadèmes d'or et parés de pierres
précieuses : je regardai et vis, à l'intérieur, entre les douze murs, des
trônes disposés selon un ordre différent qui apparaissaient dans une si
grande gloire que nul n'en peut chanter la louange. J'interrogeai
l'ange : « Seigneur, qui siège sur chaque trône ? » L'ange me
répondit : « Ce sont les trônes de ceux qui avaient la bonté et l'intelligence du cœur, qui se firent simples d'esprit pour le Seigneur Dieu,

n'ayant pas la science des Écritures, ne sachant pas beaucoup de psaumes, ne se rappelant qu'un seul des commandements de Dieu, l'ont mis en pratique avec beaucoup de diligence et de zèle devant le Seigneur Dieu. Devant eux, tous les saints sont saisis d'admiration en présence du Seigneur Dieu et se disent les uns aux autres : "Regardez et voyez les simples qui ne savent rien de plus, voyez quelle fut leur récompense, quelle parure et quelle gloire ils reçurent pour leur innocence." »

Il faut ajouter que le Texte Long de Paris n'est pas une amplification du texte de Graz : il appartient à une autre branche manuscrite et on ne sait pas s'il lui est antérieur, postérieur ou contemporain. La constatation sûre, c'est qu'il constitue une amplification par rapport aux deux manuscrits grecs qui nous restent actuellement de cette apocalypse.

APERÇUS BIBLIOGRAPHIQUES

Éditions et traductions

Copte :

Budge E.A. Wallis, *Miscellaneous Coptic Texts in the Dialect of Upper Egypt* (London, British Museum, 1915), texte p. 534-574, traduction p. 1043 *sqq*.

Grec :

Texte : Tischendorf Constantine, *Apocalypses apocryphae*, Leipzig, 1866, p. 34-69.

Traduction : Walker Alexander, in *Ante-Nicene Christian Library*, éd. Roberts et Donaldson, Edinburgh, 1870, XVI, p. 477-492 ; éd. américaine, *Ante-Nicene Fathers*, Buffalo, N.Y., 1886, VIII, p. 575-581.

Latin :

Texte : James M.R., *in* Robinson J.A., *Apocrypha Anecdota* (Texts and Studies, II, 3, 1893), p. 11-42. Rééd. Kraus Reprint Limited, Nendeln/Liechtenstein, 1967.

Traductions du texte latin :

Anglaises : Rutherfurd Andrew, in *The Ante-Nicene Fathers*, IX (Original Supplement to the American Edition, éd. Allan Menzies, N.Y., 1896, p. 151-166). — James M.R., in *The Apocryphal New Testament*, Oxford, 1ʳᵉ éd. 1924, rééd. 1972.

Allemande : DUENSING H., *in* HENNECKE-SCHNEEMELCHER, *Neutesta-mentlische Apokryphen*, II, *Apostolisches Apokalypsen und Verwandtes*, J.C.B. Mohr, Tübingen, 1964, p. 540-567.

Italienne : in *Gli apocrifi del Nuovo Testamento*, a cura di ERBETTA Mario, III, *Lettere e Apocalissi*, Marietti Editori, 1969, p. 359-386.

Traduit du syriaque : RICIOTTI Giuseppe, *L'Apocalisse di Paolo siriaca*, Brescia, 1932. Traduction : tome I, p. 35-81.

*Traduit de l'arménien :*Dom L. LELOIR, *Écrits apocryphes sur les apôtres*, trad. de l'éd. arménienne de Venise. I. Pierre, Paul, André, Jacques, Jean. Corpus christianorum, Series Apocryphorum III, Turnhout, 1986.

Études

AMAT Jacqueline, *Songes et visions. L'au-delà dans la littérature latine tardive*, Paris, 1985.

ASÍN PALACIOS Miguel, *La escatología en la Divina Comedia*, Madrid, 1919.

BRANDES Herman, *Visio Sancti Pauli : Ein Beitrag zur Visions Litteratur mit einem deutschen und zwei lateinischen Texten*, Gesellschaft für deutsche Philologie, Festschrift, V, Halle, 1885.

CASEY Robert, « The Apocalypse of Paul », in *The Journal of Theological Studies*, XXXIV, 1933, p. 1-32.

DIETERICH Albrecht, *Nekyia, Beiträge zur Erklärung der neuentdeckten Petrusapokalypse*, Teubner, Leipzig-Berlin, 1913.

DINZELBACHER Peter, « La *Visio S. Pauli* : circulation et influence d'un apocryphe eschatologique » *in Actes du colloque du centenaire de l'EPHE Ve section, 22-25 sept. 1986,* à paraître.

DUDLEY Louise, « An Early Homily on the "Body and Soul" Theme », in *Journal of English and Germanic Philology*, VIII, 1909, p. 225-253.

— , *The Egyptian Elements in the Legend of the Body and Soul*, Baltimore, 1911.

KRAELING C.H., « The Apocalypse of Paul and the "Iranisches Erlösungsmysterium" », in *Harvard Theological Review*, XXIV, 1931, p. 209-244.

REITZENSTEIN R., *Das iranische Erlösungsmysterium*, Bonn, 1921.

SILVERSTEIN Theodor, « Dante and the Visio Pauli », in *Modern Language Notes*, XLVII, 1932, p. 387-399.

—, *Visio Sancti Pauli. The History of the Apocalypse in Latin together with nine Texts*, London, Christophers, 1985 (Studies and Documents, IV, éd. Lake, 229 pages).

— , « The Vision of St Paul. New Links and Patterns in the Western Tradition », in *Archives d'histoire doctrinale et littéraire du Moyen Age*, 1959, p. 199-248.

—,« The Graz and Zürich Apocalypse of Saint Paul : an Independant Witness to the Greek », in *Medieval Learning and Literature. Essays presented to R.W. Hunt*, Oxford, Clarendon Press, 1976, p. 166-180.

Sur l'*Apocalypse de Paul* en copte, les travaux de Jean-Marc ROSENSTIEHL (CNRS Strasbourg) sont attendus.

Quelques versions françaises médiévales (textes et études)

KASTNER L.E., « Les versions françaises inédites de la descente de saint Paul en enfer », in *Revue des langues romanes*, tome 48, 5e série 8, 1905.

— (suite), in *Revue des langues romanes*, tome 49, 5e série 9, 1906.

MEIDEN Walter, « Versions of the Descente of St. Paul » in *Romance Philology*, t. VIII, 1954, p. 92-95.

MEYER Paul, « La descente de saint Paul en enfer », in *Romania*, XXIV, 1895, p. 357-375.

—,« Notice sur un manuscrit bourguignon » in *Romania*, VI, 1877, p. 1-46.

OWEN D.D.R., « The Vision of St. Paul : the French and Provençal Versions and their sources » in *Romance Philology*, t. XII, 1958, p. 33-51.

SHIELDS Hugh, « Saint Paul aux enfers », in *Romania*, XCII, 1971, p. 87 *sqq*.

Pour un « parallèle » iranien

GIGNOUX Philippe, *Le Livre d'Ardâ Vîrâz*, translittération, transcription et traduction du texte pehlevi. Institut français d'iranologie de Téhéran, Bibliothèque iranienne, n° 30. Éditions Recherche sur les civilisations, cahier n° 14. Paris, 1984.

LE RÉCIT DU *MI'RÂJ* : UNE VERSION ARABE DE L'ASCENSION DU PROPHÈTE, DANS LE *TAFSÎR* DE TABARÎ

par

Étienne RENAUD

Chaque année, le 27ᵉ jour du mois de Rajab, les musulmans célèbrent la fête de l'ascension nocturne du Prophète Mohammed. La fête s'appelle plus précisément *laylat al-isrâ' wa-l-mi'râj* (littéralement : la nuit du voyage nocturne et de l'ascension).

Le *mi'râj* dans le Coran

Cet événement se réfère à un verset coranique qui commence la sourate 17, précisément appelée *sûrat al-isrâ'*.

Gloire à Celui qui a transporté Son serviteur, la nuit,
de la Mosquée Sacrée à la Mosquée très Éloignée autour
de laquelle Nous avons mis Notre bénédiction, afin
de leur faire voir certains de Nos signes (C. 17, 1)[1].

Le reste de la sourate, intitulée également les *fils d'Israël*,

1. Pour le Coran, j'ai utilisé en général la traduction de Blachère.

n'en dit pas plus sur ce mystérieux voyage. Mais les commentateurs se sont plu à en voir la trace dans une expérience également fort mystérieuse relatée dans la sourate *(l'Étoile)* :

> Il se tint en majesté
> alors qu'il était à l'horizon supérieur.
> Puis il s'approcha et demeura suspendu
> et fut à deux arcs ou moins.
> Il révéla alors à son Serviteur ce qu'il révéla.
> Son imagination n'a pas abusé sa vue.
> Quoi, le chicanez-vous sur ce qu'il voit,
> Certes, il l'a vu une autre fois,
> près du jujubier d'al-Montahâ[2],
> près duquel est le jardin d'al-Ma'wâ,
> quand couvrait le jujubier ce qui le couvrait.
> Sa vue ne s'est ni détournée ni fixée ailleurs.
> Certes, il a vu l'un des signes les plus grands de son Seigneur
> (C. 53, 7-18).

Le commentaire de Tabarî

Ce sont les seules allusions coraniques à cette mystérieuse équipée nocturne. En revanche, la *sunna* ou tradition du Prophète regorge de détails, consignés en divers endroits dans les gros livres de *hadîth*. Un commentateur du Coran, Abû Ja'far Mohammed al-Tabarî[3], auteur d'un très volumineux *tafsîr*, a pris soin de regrouper toutes les traditions circulant à son époque sur ce voyage nocturne. Il s'agit donc de récits en arabe ayant déjà cours au IXᵉ siècle de notre ère, soit deux

---

2. *Sidrat al-muntahâ : Muntahâ* devait être au départ un lieu-dit près de La Mekke, de même que *Ma'wâ*. La tradition ultérieure a idéalisé le « jujubier de la limite », comme on le verra dans le récit.

3. Abû Ja'far Mohammed al-Tabarî (839-923 de notre ère) est non seulement auteur d'un commentaire *(Jâmi' al-bayân fî tafsîr al-Qur'ân)*, mais aussi et surtout d'une très importante « Histoire du Monde » *(Târîkh al-rusul wa-l-mulûk)*.

cents ans après la mort du Prophète. Tabarî, qui avait pour son époque une méthode remarquablement scientifique, a pris soin de collectionner toutes ces traditions et de les rapporter fidèlement *in extenso*, avec leurs chaînes de transmetteurs, se contentant de quelques remarques d'ordre méthodique.

Parmi les vingt-six *hadîth-s* ou variantes qui constituent ainsi le volumineux commentaire du verset sur le *mi'râj*, il en est une, celle de Hurayra, qui mérite une attention particulière, non pas certes par la chaîne de transmetteurs qui paraît plutôt douteuse — dans sa probité intellectuelle, Tabarî se permet même de douter de l'attribution de ce *hadîth* au célèbre traditionniste Abû Hurayra[4]—, mais bien par l'ampleur du récit, qui regroupe la plupart des péripéties rapportées par les autres traditions. C'est là un texte qui servira de base à tous les récits de la littérature populaire ultérieure, fort abondante sur ce voyage nocturne plein de merveilleux.

Il nous a donc paru utile de faire une traduction intégrale, aussi fidèle que possible, de ce vénérable[5] texte. Car, si le récit du *mi'râj* a pu inspirer en Occident des œuvres aussi nobles que la *Divine Comédie* (voir les travaux de Miguel Asín Palacios et, plus récemment, ceux d'Enrico Cerulli, cités dans la bibliographie ci-après), il s'est surtout beaucoup diffusé dans la tradition musulmane, où il a pendant des siècles nourri la piété populaire et son besoin de merveilleux. Des récits fort circonstanciés sont consignés dans des petits livres que l'on vend sur

---

4. La chaîne se traduit comme suit : « 'Ali b. Sahl m'a rapporté de Hajjâj, qui le tenait de Abû Ja'far al-Râzî, qui le tenait de Rabî' b. Anas, qui le tenait de Abû al-'Aliya al-Riyâhî, qui le tenait de Abû Hurayra ou d'un autre — Abû Ja'far (il s'agit de notre auteur) ne sait pas — à propos des paroles [...] (suit le verset coranique 17, 1, et le récit). » (*Tafsîr* de Tabarî, volume 8, p. 6, d'une édition sans lieu ni date.)

5. Songeons à l'état de développement de la littérature européenne au IXe siècle !

les trottoirs à la porte des mosquées[6]. La version la plus répandue est celle que l'on attribue à Ibn 'Abbas[7], un des savants les plus en vue de la première génération musulmane. Il y a même des récits qui entendent se mettre au goût du jour et réconcilier le voyage du Prophète dans le cosmos avec les données de la science moderne[8].

L'imagerie populaire, ne pouvant présenter le Prophète, s'est rattrapée sur *Burâq*, sa merveilleuse monture, cavale ailée au visage de femme. Souvent les images la représentent avec une queue de paon, sans doute un symbole d'éternité. Le motif se retrouve dans la peinture sur verre[9]. Les artistes modernes ne font que reprendre une tradition très ancienne de la miniature persane, qui souvent n'hésite pas à représenter le cavalier avec la monture, à condition toutefois, à partir d'une certaine époque, de ne pas présenter les traits de son visage[10].

Au-delà du merveilleux, le récit du *mi⁰râj* comporte évidemment un propos apologétique[11] : Mohammed traverse les sept cieux où sont logés les divers prophètes, selon une hiérarchie qui varie d'un récit à l'autre. Mais dans tous les cas,

6. On trouvera une liste assez complète de ces diverses versions arabes dans : Nazeer al-AZMA : *Some Notes on the Impact of the Story of the* mi⁰râj *on Sûfî Literature*, The Muslim World, vol. LXIII (1973), p. 98, la note n° 24.

7. Sur Ibn 'Abbas, de son nom complet 'Abdallah b. al-'Abbas (619-686), voir l'article à ce nom dans l'*Encyclopédie de l'Islam*, nouvelle édition.

8. Voir à ce sujet le petit opuscule de Hadi al-MUDARRISĪ, *Al-mi⁰râj rihla fi 'umq al-fadâ' wa-l-zamân* (Le *mi⁰râj*, voyage au cœur de l'espace et du temps), Beyrouth, dār al-Sādiq, 1971, 88 p., qui aborde très sérieusement le problème du manque d'oxygène, des rayons cosmiques... et voit en Mohammed l'ancêtre des cosmonautes.

9. Cf. Mohammed MASMUDI, *La Peinture sous verre en Tunisie*, Cérès Production, Tunis, s.d., p. 25 et 35.

10. Voir dans la bibliographie les diverses références aux miniatures persanes, qui permettent de reconstituer de nombreuses scènes du *mi⁰râj*. Ce n'est qu'à partir du XVIᵉ siècle que le Prophète, dans la miniature persane, est représenté voilé.

11. Le *mi⁰râj* est également conçu comme un titre musulman sur Jérusalem, à condition d'identifier *al-masjid al-aqsâ* du Coran (C. 17, 1) avec l'actuelle mosquée du même nom à Jérusalem. Voir sur ce point Maurice BORRMANS, *Jérusalem dans la tradition musulmane*, Islamo-Christiana 7 (1981), p. 3.

Mohammed est le seul à aller au-delà, excitant même au passage la jalousie de Moïse[12]. Dans certaines versions, le Prophète fait la prière rituelle à Jérusalem non pas avec les anges, mais comme *imâm* devant les autres prophètes. Qui plus est, sa prière de louange est tout à fait explicite pour souligner sa préséance, et Abraham se charge d'en tirer les conclusions[13]. Au terme du *mi^crâj*, Mohammed se trouve donc vraiment confirmé comme le Sceau des prophètes[14].

Mais l'usage le plus noble du *mi^crâj* est sans nul doute celui qu'en ont fait les auteurs mystiques. L'ascension de Mohammed à travers les divers cieux, jusqu'au Trône de la Majesté, est perçue comme les étapes successives d'une expérience mystique d'une intensité sans égale, au cours de laquelle le Prophète aurait reçu la révélation de secrets sur la réalité ultime de la création et connu la « proximité » avec son Créateur[15]. Dès lors, de nombreux soufis se sont plu à couler leur expérience dans celle de leur modèle préféré, le Prophète Mohammed : ils le considèrent comme le pionnier du *mi^crâj* mystique vers Celui qui tient en sa main le secret des mondes.

Abû Yazîd al-Bistâmî[16] fut l'un des premiers à utiliser les catégories de l'ascension nocturne de Mohammed pour rendre compte d'un itinéraire visant à dépasser le monde des créatures, et même la propre existence pour s'anéantir en Dieu.

---

12. Lire l'épisode dans le récit de Tabarî, au sixième ciel.

13. Voir la remarque d'Abraham : « En cela, Mohammed nous a surpassés », dans le passage du récit de Tabarî, intitulé « La louange de Mohammed ».

14. L'expression est coranique. Dans la sourate 33 *(al-ahzâb)* au verset 40, Mohammed est qualifié de *khâtim al-nabiyyîn*. Cf. les notes 23 et 29.

15. A ce sujet, la version persane rapportée par Angelo M. PIEMONTESE, « Una versione persiana della storia del mi^crâj », *Oriente Moderno* 60, 1-6 (janvier-juin 1980), p. 225-243, est encore plus développée que la version de Tabarî.

16. Sur Bistâmî (801-874) et « l'Unicité absolue », voir Robert CASPAR, *Cours de mystique musulmane*, Rome, Pontificio Istituto di Studi Arabi e d'Islamistica, 1968, p. 47-61.

Après que Dieu m'eut amené à l'Unicité *(tawhîd)* je pris mon vol et arrivai à mon Seigneur. Je l'appelai à mon secours : « Ô mon Maître, je T'invoque comme celui à qui il ne reste rien d'autre que de T'invoquer. » Lorsque Dieu eut reconnu la sincérité de mes prières et mon désespoir de moi-même, la première réponse qu'il fit à ma prière fut de me faire oublier totalement mon propre moi et de me faire oublier les créatures et les « royaumes »[17]. [Abû Yazîd continue :] alors, je fus délivré de mes inquiétudes et restai sans souci. Je ne cessai de franchir royaume après royaume. En arrivant à eux, je leur disais : « Levez-vous, que je passe. » Je les faisais se lever et passais, poursuivant ma route. Finalement, Dieu m'introduisit auprès de Lui, plus près que ne l'est l'âme du corps. Puis Il me dit : « Abû Yazîd, tous sont nos créatures, excepté toi. » Je répondis : « Donc, je suis Toi. Tu es moi, et je suis Toi[18]. »

Très célèbre est également le récit du voyage spirituel d'Ibn ᶜArabi dans son *Livre du voyage nocturne jusqu'à la demeure des captifs*[19]. Œuvre de jeunesse, composée à Fès en 1198, écrite, comme d'ailleurs presque toute l'œuvre du Shaykh al-Akbar, dans un langage ésotérique, on y trouve déjà l'essentiel de son système spirituel. Ibn 'Arabi précise qu'il s'agit d'un voyage en esprit, non en chair et en os, et qui ne peut être accompli qu'avec l'aide de la grâce divine. Comme le voyage du Prophète, il se compose de deux parties : d'abord, un voyage « horizontal » d'Andalousie — patrie de l'auteur — jusqu'à Jérusalem, représentant six étapes de la connaissance conçues comme une préparation pour l'ascension. Ensuite, l'ascension elle-même où, comme son illustre prédécesseur, Ibn 'Arabi rencontre sept cieux successifs, comme autant de sphères du système céleste, chacune attribuée à l'un des

---

17. C'est-à-dire les mondes célestes créés.
18. Cité par R. CASPAR, *op. cit.*, p. 54, qui donne aussi un jugement sur la portée de ce texte. Une traduction complète en anglais du *Miᶜrâj* de Bistâmî est donnée par Nazeer al-AZMA en appendice de l'article cité à la note 6.
19. En arabe, *Kitab al-isrâ' ilâ maqâm al-asrâ* (il s'agit des « captifs » de l'amour divin). Voir les références dans E.I. II, vol. III, col. 731.

prophètes : la première, la sphère du corps, est attribuée à Adam, père de la race humaine et représentant de Dieu sur la terre ; la seconde sphère est celle de l'esprit où réside 'Isâ (c'est-à-dire Jésus), Parole de Dieu ; Joseph réside dans la sphère de Mercure, la sphère de la beauté et de la sagesse ; la quatrième sphère est dévolue à Idrîs, l'Énoch biblique, c'est celle du soleil et de la lune, sphère de la Puissance ; les deux suivantes sont attribuées respectivement à Aaron et Moïse, qui représentent le Commandement de Dieu et sa Loi divine ; la septième est celle où réside Abraham, le Père de l'islam et des autres religions, et l'ami de Dieu : c'est la sphère de la Providence divine. En fait, tous les prophètes, d'Adam à Mohammed, n'enseignent qu'une seule et même religion[20].

*
* *

Dans la traduction qui va suivre, l'on a tenu à garder toutes les répétitions, qui font manifestement partie du genre oral, utilisé par les conteurs publics. On a signalé entre parenthèses les nombreuses citations coraniques, littérales ou adaptées. Les sous-titres sont du traducteur.

Le récit du *miᶜrâj*

Visite de Gabriel[21]

Gabriel vint trouver le Prophète — que Dieu le bénisse et lui donne la paix. Il était accompagné de Michel. Gabriel dit à Michel :

---

20. Voir une présentation plus détaillée dans l'article de Nazeer al-Azma, déjà cité.

21. Il s'agit bien évidemment de l'Ange Gabriel, *Jibrîl*, très important dans la tradition musulmane où il est le messager de la Révélation, est cité trois fois dans le Coran. Michel *(Mîkâil)* n'est cité qu'une fois.

« Apporte-moi une bassine d'eau de Zemzem[22], pour que je lui purifie le cœur et lui ouvre la poitrine (cf. C. 94, 1). »

Il lui fendit donc l'abdomen et le lava à trois reprises avec de l'eau de Zemzem. Lui ouvrant la poitrine, il en fit disparaître toute trace de rancœur. Puis il la remplit de bonté, de science, de foi, de certitude et de soumission *(islâm)*, et le marqua entre les épaules du sceau de la prophétie[23].

Le départ

Sur ces entrefaites, on apporta une monture[24] et Mohammed monta dessus. Chaque pas de cette monture s'étendait aussi loin que porte le regard. Il voyagea ainsi en compagnie de Gabriel.

Les hommes de bien

Il rencontra des gens qui semaient un jour, et récoltaient le lendemain. Après chaque récolte, le champ redevenait comme la veille. Mohammed demanda à Gabriel :

« Qui sont ces gens ? »

Gabriel répondit :

« Ce sont ceux qui combattent pour la cause de Dieu. Chacune de leurs bonnes œuvres est récompensée sept cents fois. Quelque dépense qu'ils fassent, Dieu la leur revaudra. Il est le meilleur des dispensateurs » (cf. C. 34, 39).

---

22. Zemzem est la source sacrée, dans l'enceinte du *harâm* de La Mekke, que Dieu a fait couler pour désaltérer Agar qui fuyait au désert avec son fils Ismaël.

23. Le sceau de la prophétie *(khâtim al-nubuwwa)* : un des titres les plus importants de Mohammed, signifiant que dans la conception musulmane Mohammed vient clore la chaîne des prophètes.

24. Cette monture célèbre s'appelle *Burâq* dans d'autres traditions. D'une taille « entre l'âne et le mulet », on la représente avec une tête de femme. D'aucuns y verraient irrespectueusement l'origine du mot « bourrique », à travers l'espagnol « *borrico* ».

Les indolents dans la prière

Il rencontra ensuite des gens à qui l'on écrasait la tête avec un rocher. Et à chaque fois la tête redevenait comme elle était auparavant : leur tourment était sans fin.

« Qui sont-ils ?, s'enquit Mohammed.

— Ce sont les gens qui ont trouvé pesante la prière coranique. »

Les égoïstes

Il rencontra ensuite des gens tout rapiécés par-devant et par-derrière, et qui broutaient comme font les chameaux ou les moutons. Ils mangeaient des plantes affreusement amères[25] et les pierres brûlantes de l'enfer.

« Qui sont-ils, ô Gabriel ?

— Ce sont ceux qui ne font pas aumône de leurs richesses, alors que Dieu ne les a lésés en rien. Certes Dieu n'est pas injuste envers ses serviteurs » (C. 3, 182 ; 16, 33...).

Les adultères

Il rencontra ensuite des gens qui avaient devant eux de la bonne viande mijotée dans des chaudrons, et d'autres morceaux crus, infects et répugnants. Et voilà qu'ils se mettaient à manger la viande crue, laissant de côté celle qui était bien cuite.

« Qui sont-ils, ô Gabriel ?

— Ce sont des gens de ta communauté, des hommes qui ont une épouse chaste et légitime, et pourtant ils vont voir une femme de mauvaise vie et passent la nuit avec elle ; et des femmes qui ont un époux chaste et légitime, et se rendent chez un homme de mauvaise vie pour passer la nuit avec lui. »

---

25. Le texte parle de *darî'* et de *zaqqûm*, plantes de l'enfer mentionnées dans le Coran.

Les voleurs de grand chemin

Ensuite il se trouva devant un monceau de bois qui barrait la route, et qui déchirait tous les habits ou objets qui se présentaient.
« Qu'est-ce que c'est, ô Gabriel ? », s'enquit Mohammed.
Gabriel lui répondit :
« C'est comme cela que sont certaines gens de ta communauté, qui tendent des embuscades sur les routes. »
Et il lui récita ce verset : « Ne vous placez pas en embuscade sur toute route, menaçant et détournant de la voie de Dieu [...] » (C. 7, 85).

Les prévaricateurs

Il rencontra ensuite un homme qui avait ramassé une énorme pile de bois. Il était incapable de la porter, et pourtant, il en ajoutait toujours.
« Qui est celui-là ?, demanda Mohammed à Gabriel.
— C'est un homme de ta communauté, auquel les gens confient des dépôts. Il ne peut pas faire face aux échéances, et pourtant il continue à s'engager et à les prendre en charge. »

Les prêcheurs

Il se trouva alors avec des gens à qui on taillait la langue et les lèvres avec des ciseaux de fer. Mais chaque fois elles redevenaient comme auparavant, et ainsi leur tourment était sans fin.
« Qui sont ces gens, ô Gabriel ?, demanda Mohammed.
— Ce sont les prédicateurs de ta communauté, des prêcheurs qui induisent en tentation : ils disent et ne font pas. »

Les dénigreurs

Il aperçut ensuite un petit réduit d'où sortait un puissant taureau. Et voilà que le taureau essayait de rentrer dans son petit réduit, mais sans y parvenir.

« Qui est celui-là, ô Gabriel ?, demanda le Prophète.

— Celui-là, c'est l'homme qui a dit des choses abominables, et puis il les regrette, mais ne peut plus se dédire. »

La voix du paradis

Le Prophète arriva alors dans une vallée ; il sentit une brise fraîche et délicieuse, qui embaumait le musc, et il entendit une voix :

« Ô Gabriel, quelle est cette brise fraîche et délicieuse et ce parfum qui ressemble au musc, et cette voix ?

— C'est la voix du paradis, répondit Gabriel. Elle dit : — Seigneur, donne-moi ce que tu m'as promis. Voilà que j'ai des chambres à profusion avec de la soie, des brocards, des étoffes précieuses, des perles et du corail, de l'argent et de l'or, des coupes et des aiguières, des fruits, des dattes, des grenades, du lait et du vin... Alors donne-moi ce que tu m'as promis. Et Dieu lui répondit : — Je te donne tout musulman et toute musulmane, croyant et croyante, quiconque croit en moi et en ceux que j'ai envoyés, et fait le bien sans me donner d'associés ni prendre des intercesseurs en dehors de moi. Celui qui me craint est en sécurité ; à qui me demande, je donne ; à qui me fait crédit, je donne en retour ; qui s'appuie sur moi, je le protège. Je suis Dieu, hors duquel il n'y a pas d'autre dieu, je ne manque pas à ma parole. "Les croyants connaîtront la prospérité" (C. 23, 1). "Béni soit Dieu, le meilleur des Créateurs" (C. 13, 14). Et la voix du paradis déclare : — Je suis satisfaite. »

La voix de l'enfer

Le Prophète entra alors dans une autre vallée ; il entendit une voix détestable et sentit une odeur pestilentielle.

« Quelle est cette odeur, ô Gabriel ?, demanda-t-il. Et quelle est cette voix ?

— C'est la voix de l'enfer, répondit Gabriel. Elle dit : — Seigneur, donne-moi ce que tu m'as promis. Je dispose de chaînes et de fers à profusion, du feu et de la fournaise, de plantes fétides et de pus, de supplices divers. Je dispose d'un abîme sans fond, mon feu est attisé. Alors donne-moi ce que tu m'as promis. Et Dieu de répondre : — A toi les polythéistes, les impies, les méchants, tous les tyrans qui ne croient pas au jour du Jugement. Et la voix de l'enfer déclare : — Je suis satisfaite. »

Arrivée à Jérusalem

Le Prophète poursuivit son voyage jusqu'à Jérusalem. Il descendit de sa monture, et la lia à un rocher. Puis il entra et pria avec les anges. Lorsque la prière fut achevée, ceux-ci demandèrent :

« Qui est avec toi, Gabriel ?

— C'est Mohammed.

— Quelqu'un est-il venu l'inviter ?

— Oui.

— Bonjour au frère et au calife[26]. Quel frère et quel calife ! A lui la bienvenue. »

La louange des prophètes

Il rencontra alors les âmes des prophètes, et elles louèrent leur Seigneur.

Abraham dit : « Loué soit Dieu qui m'a pris comme ami[27], et m'a donné une communauté dévouée à Dieu, fidèle à suivre mon exemple. Il m'a sauvé du feu qu'il a rendu pour moi frais et inoffensif » (cf. C. 4, 164).

Moïse ensuite loua son Seigneur et dit : « Béni soit Dieu qui m'a adressé la parole, et par ma main a causé la ruine de Pharaon et la délivrance des fils d'Israël. Il a fait de ma communauté un peuple qui se dirige selon la vérité, et pratique la justice » (cf. C. 7, 159).

David à son tour loua son Seigneur en disant : « Loué soit Dieu

26. Il s'agit ici du mot *khalīfa* (C. 2, 30 ; 38, 26) traduit souvent par « vicegérant ».

27. Le Coran (4, 125) reprend là un titre biblique d'Abraham (Jacques 2, 23).

qui m'a donné un royaume immense. "Il m'a enseigné les psaumes" (C. 4, 163). "Il a pour moi assoupli le fer" (cf. C. 34, 10), "il m'a assujetti les montagnes, qui louent le Seigneur, ainsi que les oiseaux" (C. 21, 79). "Il m'a octroyé la sagesse et la clarté du jugement" » (C. 28, 20).

Puis vint le tour de Salomon qui loua son Seigneur en disant : « Dieu soit loué, qui m'a assujetti les vents et les démons (cf. C. 38, 36). Pour moi, ils font ce que je veux : "des sanctuaires, des statues, des chaudrons et des marmites bien ancrées" (C. 34, 13). "Il m'a enseigné la langue des oiseaux, et m'a donné la supériorité en toutes choses" (C. 27, 16). Il a mis à mon service les armées des démons, des hommes et des oiseaux (cf. C. 27, 17). Il m'a préféré à beaucoup de ses serviteurs croyants et m'a attribué un royaume immense, comme à nul autre après moi. Il a fait de mon règne un règne prestigieux, dont je ne connais pas les limites. »

Jésus — sur lui soit la paix — glorifia son Seigneur en disant : « Loué soit Dieu qui a fait de moi sa Parole[28]. Il m'a modelé à la ressemblance d'Adam qu'il a créé de terre, et auquel il a dit : "sois" et il fut. Il m'a enseigné les Écritures, la Sagesse, la Torah et l'Évangile. Il m'a donné de créer en argile une espèce d'oiseau et de souffler dessus, pour en faire, avec la permission de Dieu, un oiseau qui vole. Il m'a donné pouvoir de guérir l'aveugle et le lépreux, et de faire revivre les morts, avec sa permission (cf. C. 3, 49). Il m'a élevé au ciel, m'a purifié et m'a protégé ainsi que ma mère du démon maudit, en sorte que le démon n'avait sur nous aucun pouvoir. »

La louange de Mohammed

Alors Mohammed — que Dieu le bénisse et lui donne la paix — chanta la louange de son Seigneur et dit : « Vous avez tous loué votre Seigneur : je vais faire de même. Béni soit Dieu qui m'a envoyé comme miséricorde pour les Mondes, "messager de bonne nouvelle et avertisseur pour tous les hommes" (C. 34, 28). Il m'a révélé le Coran,

---

28. Jésus est en effet appelé *Kalimat Allah* (C. 4, 171), écho de la doctrine chrétienne du Verbe de Dieu, mais dépouillée de son sens de personne divine. 'Isâ est pur fruit de la parole créatrice de Dieu (C. 3 ; 47...).

où se trouve l'explication de toutes choses (cf. C. 16, 89). Il a fait de ma communauté "la meilleure communauté créée pour les hommes" (C. 3, 110). Il en a fait "la communauté du juste milieu" (C. 2, 143), celle des premiers et celle des derniers. Il m'a ouvert la poitrine et m'a débarrassé de tout ce qui me pèse (cf. C. 94, 1). Il a exalté mon nom. Il a fait de moi celui qui ouvre et celui qui clôt[29]. »

Abraham déclara : « En cela Mohammed nous a surpassés. »

L'épreuve des boissons

On apporta alors au Prophète trois récipients dont l'orifice était couvert. Le premier contenait de l'eau. On l'invita à boire, et il en but une petite gorgée. On lui présenta alors le second récipient, qui contenait du lait. On lui dit d'en boire, et il but à satiété. On lui présenta enfin le troisième récipient qui contenait du vin, et on l'invita à en boire. Mais il déclara : « Je n'en veux pas, je n'ai plus soif. » Gabriel — sur lui soit la bénédiction et la paix — lui dit alors : « Le vin sera interdit à ta communauté. Si tu en avais bu, c'est seulement une petite partie de communauté qui t'aurait suivi. »

L'ascension aux sept cieux

Ensuite ils montèrent au ciel inférieur, et Gabriel frappa à l'une des portes :
« Qui est-ce ?, lui demanda-t-on.
— C'est Gabriel.
— Qui est avec toi ?
— C'est Mohammed.
— Est-ce qu'il a été invité ?
— Oui.
— Bonjour au frère et au calife. Et quel frère et quel calife ? A lui la bienvenue. »

---

29. On retrouve ici le titre de *khâtim al-anbiyâ'* déjà mentionné à la note 14. Beaucoup de ces titres se retrouvent dans « les cent noms » de Mohammed, écho des « cent noms de Dieu ».

Il entra et se trouva en présence d'un homme à l'aspect parfait, sans aucun de ces défauts qui sont le lot de la nature humaine. A sa droite, il y avait une porte, d'où provenait un parfum délicieux et à sa gauche une autre porte, d'où émanait une odeur pestilentielle. Chaque fois qu'il regardait vers la droite il riait et se réjouissait, et chaque fois qu'il regardait vers la gauche, il se mettait à pleurer et à se lamenter. Il demanda à Gabriel : « Qui est ce magnifique vieillard sans aucun défaut et quelles sont ces deux portes ?

— C'est ton père Adam, répondit celui-ci. La porte qui est à sa droite est celle du paradis. Chaque fois qu'il voit quelqu'un de sa descendance entrer par cette porte, il rit et se réjouit. La porte à sa gauche est celle de l'enfer : quand il voit entrer quelqu'un de sa descendance, il pleure et se lamente. »

Le deuxième ciel

Ils montèrent au deuxième ciel, et Gabriel frappa.
« Qui est-ce ?, lui demanda-t-on.
— C'est Gabriel.
— Qui est avec toi ?
— C'est Mohammed.
— Est-ce qu'il a été invité ?
— Oui.
— Bonjour au frère et au calife. Et quel frère et quel calife ? A lui la bienvenue. »

A ces mots, il se trouva en présence de deux jeunes hommes.
« Qui sont ces deux jeunes hommes ?, demanda-t-il à Gabriel.
— Ce sont Jésus, fils de Marie, et son cousin maternel Jean, fils de Zacharie. »

Le troisième ciel

Ils montèrent ensuite au troisième ciel, et Gabriel frappa.
« Qui est-ce ?, lui demanda-t-on.
— C'est Gabriel.

— Qui est avec toi ?

— C'est Mohammed.

— Est-ce qu'il a été invité ?

— Oui.

— Bonjour au frère et au calife. Et quel frère et quel calife ? A lui la bienvenue. »

Il entra et se trouva en présence d'un homme dont la beauté surpassait celle des autres mortels, comme la lune, la nuit où elle est pleine, surpasse en beauté toutes les planètes. « Voici ton frère Joseph »[30], lui dit Gabriel.

Le quatrième ciel

Ils montèrent ensuite au quatrième ciel, et Gabriel frappa.

« Qui est-ce ?, lui demanda-t-on.

— C'est Gabriel.

— Qui est avec toi ?

— C'est Mohammed.

— Est-ce qu'il a été invité ?

— Oui.

— Bonjour au frère et au calife. Et quel frère et quel calife ? A lui la bienvenue. »

Il entra et aperçut un homme.

« Qui est-ce, ô Gabriel ?

— C'est ton frère Idrîs[31] ; Dieu lui a attribué une place très élevée. » (cf. C. 19, 57).

Le cinquième ciel

Ils montèrent ensuite au cinquième ciel, et Gabriel frappa.

« Qui est-ce ?, lui demanda-t-on.

---

30. Joseph, le *Yûsuf* du Coran, à qui est consacrée toute une sourate (12), a une réputation de grande beauté (C. 12, 31).

31. *Idrîs*, nommé deux fois dans le Coran (C. 19, 56 ; 21, 85), est difficile à identifier avec un personnage biblique précis.

— C'est Gabriel.

— Qui est avec toi ?

— C'est Mohammed.

— Est-ce qu'il a été invité ?

— Oui.

— Bonjour au frère et au calife. Et quel frère et quel calife ? A lui la bienvenue. »

Il entra et se trouva en présence d'un homme assis, et qui parlait à des gens autour de lui.

« Qui est-ce ?, s'enquit-il. Et qui sont ces gens qui l'entourent ?

— C'est ton frère Aaron, cher à sa communauté. Autour de lui, ce sont les fils d'Israël. »

Le sixième ciel

Ils montèrent ensuite au sixième ciel, et Gabriel frappa.

« Qui est-ce ?, lui demanda-t-on.

— C'est Gabriel.

— Et qui est avec toi ?

— C'est Mohammed.

— Est-ce qu'il a été invité ?

— Oui.

— Bonjour au frère et au calife. Et quel frère et quel calife ? A lui la bienvenue. »

Il vit un homme assis, et passa à côté de lui. L'homme se mit alors à pleurer.

« Qui est-ce ?, s'enquit-il auprès de Gabriel.

— C'est Moïse...

— Qu'est-ce qu'il a à pleurer ? »

Moïse intervint :

« Les fils d'Israël prétendent que je suis le plus noble des fils d'Adam aux yeux de Dieu. Voilà qu'un homme de la race d'Adam a pris ma place sur la terre, alors que je suis dans l'autre monde. S'il n'y avait que lui, je ne m'inquiéterais pas. Mais chaque prophète a sa communauté avec lui. »

Le septième ciel

Ils montèrent ensuite au septième ciel, et Gabriel frappa.
« Qui est-ce ?, lui demanda-t-on.

— C'est Gabriel.

— Et qui est avec toi ?

— C'est Mohammed.

— Est-ce qu'il a été invité ?

— Oui.

— Bonjour au frère et au calife. Et quel frère et quel calife ? A lui la bienvenue. »

Il entra et se trouva en présence d'un homme grisonnant assis sur un siège à la porte du paradis. Autour de lui étaient assis des gens au visage d'une blancheur immaculée, et d'autres qui avaient le teint assez foncé. Ces derniers se levèrent et allèrent se plonger dans un fleuve pour s'y laver. Ils en ressortirent avec un teint plus clair ; ils se plongèrent dans un autre fleuve pour se laver à nouveau, et là encore leur teint s'éclaircit. Ils se plongèrent dans un troisième fleuve, et cette fois-ci, leur teint devint comme celui de leurs compagnons. Ils vinrent s'asseoir près d'eux.

« Qui est ce vieillard ?, demanda Mohammed à Gabriel. Qui sont ces gens à la peau blanche, et ceux au teint foncé ? Et quels sont ces fleuves dans lesquels ils se sont plongés pour que leur peau devienne blanche ?

— Ce vieil homme, répondit Gabriel, c'est ton père Abraham, le premier qui a grisonné sur cette terre. Ces gens au teint très clair, ce sont ''ceux qui n'ont point revêtu de prévarication leur foi'' (C. 6, 182). Les autres, au teint plus foncé, sont ceux qui ont mêlé une bonne œuvre avec une autre, répréhensible, et ensuite se sont repentis, et Dieu leur a rendu sa faveur. Quant à ces fleuves, le premier est la miséricorde de Dieu, le second, la grâce de Dieu. Dans le troisième, Dieu leur verse une boisson qui les purifie. »

Le jujubier de la limite

Le Prophète arriva enfin jusqu'au jujubier[32] et on lui dit : « Là s'arrêtent tous ceux de ta communauté qui, selon ta *sunna*, se retirent pour une retraite spirituelle. » Et voici que c'était un arbre au pied duquel surgissaient « des fleuves d'une eau sans trace d'impureté, des fleuves de lait dont la saveur ne varie pas, des fleuves de vin au goût délicieux, et des fleuves de miel raffiné » (C. 47, 15). « L'ombre de cet arbre est telle qu'un cavalier met plus de soixante-dix ans à la traverser ; une seule de ses feuilles pourrait faire ombre à toute ta communauté. » L'arbre fut entouré de la lumière du Créateur — qu'il soit exalté — et les anges s'y perchèrent tels des corbeaux.

Dieu l'interpela et lui dit : « Interroge-moi ».

Le Prophète répondit[33] : « Tu as pris Abraham comme ami, et lui as donné un royaume immense. Tu as parlé à Moïse. Tu as donné à David un royaume immense, tu as pour lui assoupli le fer : et lui as assujetti les montagnes. Tu as donné à Salomon un royaume immense, et as mis à son service les djinns, les humains et les démons ; tu lui as soumis les vents, et lui as donné un royaume comme nul autre n'en aura après lui. Tu as enseigné à Jésus la Torah et l'Évangile, tu lui as donné de guérir l'aveugle et le lépreux, et de ressusciter les morts, avec la permission de Dieu ; tu l'as protégé, lui et sa mère, du démon maudit, et le démon n'a eu nulle prise sur eux. »

Dieu assigne à Mohammed la mission prophétique

Dieu dit alors : « Je t'ai pris comme ami et comme bien-aimé ; il est écrit dans la Torah : "bien-aimé de Dieu". Je t'ai envoyé à toute l'humanité, "comme messager de bonne nouvelle et avertisseur"

---

32. Ce jujubier *(sidra)* n'est autre que le *sidrat al-muntahâ* mentionné dans la note 2. Le texte essaie ici de donner une étymologie populaire au terme *muntahâ*, en disant « là s'arrêtent [...] ».

33. Cette réponse de Mohammed reprend presque mot pour mot certains thèmes et certaines expressions déjà rencontrées, avec leur origine coranique, dans le paragraphe sur la louange de Mohammed.

(C. 34, 28) ; je t'ai ouvert la poitrine et je t'ai débarrassé de tout ce qui te pesait (cf. C. 94, 1-2). J'ai exalté ton nom, au point qu'on ne me mentionne pas sans faire mention de toi[34]. J'ai fait de ta communauté la "communauté du juste milieu" (C. 2, 143), celle des premiers et celle des derniers. J'ai prescrit à ta communauté de ne jamais faire de *khutba* sans témoigner que tu es mon serviteur et mon envoyé. J'ai ouvert le cœur de ta communauté à l'accueil de la révélation[35]. J'ai fait de toi le premier prophète dans la hiérarchie des créatures, le dernier par la mission ; le premier qui recevra un jugement en sa faveur. Je t'ai donné les "sept versets doubles"[36], ce que je n'avais fait à personne avant toi. Je t'ai donné la Profusion[37]. Je t'ai octroyé huit portions : l'Islam, l'hégire, le *jihâd*, l'aumône, la prière rituelle, le jeûne de Ramadan, l'ordre de faire le bien, l'interdiction de faire le mal. »

La réponse de Mohammed

Le Prophète — que Dieu le bénisse et lui donne la paix — déclara : « Dieu m'a accordé sa faveur en six choses : Il m'a donné les lettres initiales et finales du Coran ; l'ensemble du *hadîth* ; "Il m'a envoyé à toute l'humanité comme messager de bonne nouvelle et avertisseur" (C. 34, 28) ; Il a jeté au cœur de mes ennemis la crainte à distance d'un mois ; j'ai eu droit à une part de butin comme jamais personne avant moi ; et pour moi la terre entière est un lieu de prière et une mosquée. »

Le marchandage de la prière rituelle

Et le Prophète dit : « Dieu me prescrivit cinquante prières. » Mais lorsqu'il revint vers Moïse, celui-ci lui demanda :

---

34. La *shahâda*, en effet, mentionne toujours Mohammed après Dieu.
35. Il s'agit là d'une traduction conjecturale d'une phrase curieuse et difficile : « *Ja'altu min ummati-ka aqwâman qulûbu-hum anâjîlu-hum.* »
36. « Les versets doubles » *(al-sab' al-mathânî)* est un des noms de la *fâtiha*.
37. « La Profusion » *(al-kawthar)* du nom de la sourate 108 du Coran. Les commentateurs prétendent qu'il s'agit d'un des fleuves du paradis.

« Combien t'a-t-il prescrit ?

— Cinquante prières.

— Retourne chez ton Seigneur, et demande-lui un allègement[38]. Ta communauté est la plus faible qui soit. Moi-même j'ai eu beaucoup de difficultés avec les fils d'Israël. »

Le Prophète — que Dieu le bénisse et lui donne la paix — retourna chez son Seigneur et lui demanda un allègement. Dieu lui concéda dix de moins. Il revint alors vers Moïse qui lui demanda :

« Combien t'a-t-il prescrit ?

— Quarante.

— Retourne chez ton Seigneur, et demande-lui un allègement. Ta communauté est la plus faible qui soit. Moi-même j'ai eu beaucoup de difficultés avec les fils d'Israël. »

Mohammed retourna chez son Seigneur et lui demanda un allègement, et Dieu lui concéda encore dix de moins. Il revint alors vers Moïse qui lui demanda :

« Combien t'a-t-il prescrit ?

— Il m'a prescrit trente prières.

— Retourne chez ton Seigneur, lui répondit Moïse, et demande-lui un allègement. Ta communauté est la plus faible qui soit. Moi-même j'ai eu beaucoup de difficultés avec les fils d'Israël. »

Mohammed retourna chez son Seigneur et lui demanda un allègement. Dieu lui concéda dix de moins. De retour vers Moïse, celui-ci lui demanda :

« Combien t'a-t-il prescrit ?

— Vingt.

— Retourne chez ton Seigneur et demande un allègement. Ta communauté est la plus faible qui soit. Moi-même j'ai eu beaucoup de difficultés avec les fils d'Israël. »

Mohammed retourna chez son Seigneur et lui demanda un allègement. Dieu lui concéda encore dix de moins. Il revint alors vers Moïse qui s'enquit :

« Combien t'a-t-il prescrit ?

— Dix.

— Retourne chez ton Seigneur et demande-lui un allègement. Ta

---

38. Ce marchandage n'est pas sans rappeler celui d'Abraham avec Dieu pour sauver les habitants de Sodome (Gn 18, 22-23).

communauté est la plus faible qui soit. J'ai eu moi-même beaucoup de difficultés avec les fils d'Israël. »

Mohammed, tout honteux, retourna une nouvelle fois vers son Seigneur et lui demanda un allègement. Et Dieu diminua encore de cinq prières. Il revint vers Moïse qui lui dit :

« Combien t'a-t-il prescrit ?

— Cinq, répondit-il.

— Retourne vers ton Seigneur et demande-lui un allègement. Ta communauté est la plus faible qui soit. J'ai eu moi-même beaucoup de difficultés avec les fils d'Israël. »

Mohammed répondit :

« Je suis retourné vers mon Seigneur jusqu'à en avoir honte. Maintenant, je n'y retourne plus. »

A ce moment, il lui fut dit :

« Étant donné que tu as été patient à l'égard de cinq prières, ces cinq prières te donneront le bénéfice de cinquante. Car toute œuvre pie est récompensée dix fois. »

Sur ce, le Prophète — que Dieu le bénisse et lui donne la paix — se déclara pleinement satisfait.

*
* *

Ici s'arrête la tradition de Abû Hurayra. D'autres récits, ultérieurs, parleront également du retour du Prophète à La Mekke et de l'incrédulité de ses contribules. Ils iront jusqu'à décrire les caravanes aperçues par Mohammed sur le chemin du retour et dont l'arrivée subséquente à La Mekke confondra les plus irréductibles.

La tradition de Abû Hurayra n'entre pas dans le détail de ces justifications. Mais par rapport aux autres récits, elle a l'avantage de présenter une description circonstanciée de l'enfer et du paradis.

BIBLIOGRAPHIE SUR LE « ISRÂ' — MI'RÂJ »

Présentations, études

ANDRAE Tor, *Die Person Muhammeds in Lehre und Glauben seiner Gemeinde*, Archives d'études orientales 16, Stockolm, 1918, p. 52-55, p. 68-85.

GUILLAUME A., *The Life of Muhammad*, London, Oxford University Press, 1955, p. 185 *sq.*

HARTMANN R., *Die Himmelreise Muhammeds*, Bibliothek Warburg, Vorträge 1928-1929, Leipzig, 1930, p. 42-65.

SCHRIEKE B., *Die Himmelreise Muhammeds*, Der Islam, VI (1916), p. 1-30.

BEVAN A.A., *Mohammed's Ascension to Heaven*, Beihefte zur ZATW, 27, Gessen, 1914, p. 49-61.

PARET R., « Burâk », in *Encyclopédie de l'Islam* II, deux colonnes.

HOROVITZ J., « Mi'râj », in *Encyclopédie de l'Islam* I, 5 col. 1/2.

—, *Muhammeds Himmelsfahrt*, Der Islam IX (1919), p. 159-183.

—, *Koranische Untersuchungen*, p. 140 : 1/2 p. de références sur « al-masjid al-aqsâ ».

GUILLAUME A., *Where was das Masjid al-aqsâ ?*, al-Andalus XVIII/1953, p. 323-336.

WIDENGREN Geo, *Muhammad, the Apostle of God, and his Ascension*, Uppsala University, 1955, 253 p. (Nombreuses informations et en particulier bibliographie plus complète, notamment p. 96.)

JEFFERY Arthur, *Islam, Muhammed and his Religion*, New York, The Liberal Arts Press, p. 35 *sq.* Trad. de la version de al-BAĠAWĪ *(maṣâbîḥ al-sunna).*

Al-GAYTĪ, Najm al-Dîn : *al-mi'râj.* Le Caire, maṭb. maymaniyya, 1324.

Al-QUŠAYRĪ, *Kitâb al-mi'râj*, Le Caire, 1954. Semble rapporter plusieurs versions.

Pour une liste plus complète d'éditions arabes, voir Nazeer al-AZMA (article cité plus bas, qui contient 19 titres, p. 99-100).

PIEMONTESE Angelo M., « Una versione persiana della storia del mi'râj », in *Oriente Moderno*, LX, I-6, 1980, p. 225-243.

Miniatures

ARNOLD W., *Painting in Islam*, Oxford, 1928, p. 117-122.

ETTINGHAUSEN R., *Persian Ascension Miniatures of the XIVth Century*, Lincei, XII, Convegno Volta, Rome, 1957, p. 360-383.

Mirâdj-nameh, annoté par A. PAVET de COURTEILLE, Vienne, Leroux 1882, XXXI, + 72 + 95.

NIZAMI, Illustration de son manuscrit : British Museum Or.2265.

SEGUY M.R., *Mirâj Nâmeh ou le Voyage miraculeux du Prophète*, Draeger, 1977.

Diffusion de la légende du *mi^crâj* en Occident

ASÍN PALACIOS Miguel, *La escatología musulmana en la Divina Comedia*, Madrid, 1919.

CERULLI E., *Il Libro della Scala e la questione delle fonti arabo-spagnole della Divina Comedia*, Vaticano, 1949 (Studi e testi 150).

—, *Nuove ricerche sul libro della Scala e la conoscenza dell'Islam in Occidente*, Citta del Vaticano, 1972, Studi e testi, 271 p.

—, *Conclusiones historicas sobre el « Libro de la Scala » y el conoscimento del Islam en Occidente*, al-Andalus XXXVII, 1972, p. 77-86 (trad. en espagnol du dernier chapitre du précédent titre).

—, *Dante e l'Islam*, Lincei, Convegno Volta, XII, Rome, 1957, p. 275-294.

Résumé du premier titre de Cerulli dans :

LEVI DELLA VIDA G., *Nuova luce sulle fonti islamiche della Divina Comedia*, al-Andalus XIV-2, 1949, p. 377-407.

Influence du *mi^crâj* sur le soufisme

AFIFI A.E., *The Story of the Prophet Ascent* (mi^crâj) *in Sûfî thought and Literature*, Islamic Quarterly II, 1955, p. 23-27.

Al-AZMA Nazeer, *Some Notes on the Impact of the Story of the* mi^crâj *on sûfî Literature*, Muslim World, vol. LXIII (1973), p. 93-104.

IBN 'ARABÎ, *Kitâb al-isrâ' ilâ maqâm al-asrâ'*, Rasâ'il Ibn 'Arabî (Hyderabad, 1948, reprint Beyrouth, 1968).

CASPAR Robert, *Cours de mystique musulmane*, Rome, PISAI, 1968, p. 53-55, sur le « *mi^crâj* » de Bistamî.

SUR LE *MIʿRÂJ*
DANS LA TRADITION ARABE

Au moment où notre manuscrit était déjà complet et matériellement achevé, il m'a été donné de rencontrer Jamal E. BENCHEIKH, professeur de littérature classique arabe à l'Université de Paris VIII, et Jacqueline CHABBI, maître de conférence d'arabe dans la même université. Il eût été d'un très grand intérêt de pouvoir compter leurs contributions parmi les nôtres. Ce fut impossible en raison des délais d'édition.

Mais on ne peut que recommander au lecteur de se garder attentif à la parution des travaux de Jacqueline Chabbi sur le vocabulaire de l'ascension dans le Coran, dont un avant-goût nous a été donné dans une conférence prononcée à la Société asiatique en 1985, « Réflexions sur quelques faits de mentalité en Arabie occidentale au début du VIIᵉ siècle », et qui poursuit des recherches sur le symbole et le merveilleux dans la littérature de l'ascension ainsi que dans d'autres textes arabes[1].

L'on peut se reporter dès maintenant au beau livre de Jamal E. Bencheikh sur le *Miʿrâj* dans la tradition arabe, édité à l'Imprimerie nationale[2].

Outre le panorama des traditions sur le *miʿrâj* en langue arabe, l'introduction du livre de J.E. Bencheikh offre d'utiles mises en ordre des réflexions que l'on peut tenir sur le *miʿrâj*

---

1. *Étude des représentations et des mentalités en Arabie occidentale au début du VIIᵉ siècle,* thèse de doctorat d'État, en cours d'élaboration.
2. *Le Voyage nocturne et l'ascension de Mahomet*, texte composé présenté et traduit par J.-E. BENCHEIKH.

et de riches perspectives d'analyse, en particulier sur la fonction esthétique du *mi'râj*, sur le rapport entre le merveilleux et le sacré, sur le rôle « iconographique » du *mi'râj* qui, en tant que texte, est image, « commentaire imagé » des versets correspondants du Coran.

Le récit du *mi'râj* n'est pas seulement écrit, il est aussi une pratique orale encore bien vivante de nos jours, l'auteur en témoigne. Le récit du *mi'râj* est célébration : « La fonction esthétique s'inscrit au cœur de la célébration. Mais il n'y a pas passage au profane. L'Élu qui contemple les splendeurs du paradis est engagé dans un rituel d'adoration » *(op. cit.)*. La beauté qui est ainsi célébrée n'est pas un ornement superfétatoire, « le problème n'a pas été d'habiller une vérité, mais de donner de quoi vivre à un désir, puis de s'émerveiller à une foi ».

Le récit qui enlumine la foi n'est pas en concurrence avec cette foi, mais en convergence : « Le merveilleux ne se substitue pas au sacré, il n'infléchit en rien son discours. Il vient exactement à sa rencontre ».

C.K.

LE VOYAGE DE MAHOMET
AU PARADIS ET EN ENFER :
UNE VERSION PERSANE DU *MIʿRÂJ*

par

Angelo M. PIEMONTESE

De multiples traditions qui se sont fixées entre le VIIᵉ et le IXᵉ siècle ont rapporté l'ascension *(miʿrâj)* du prophète fondateur de la religion islamique. Si l'on considère que le dévoilement des secrets de l'au-delà constitue par essence une révélation, il s'agit d'une apocalypse de Mahomet.

Telle fut la tournure impromptue prise par les événements à un moment critique de la prédication de l'apôtre de l'islam dans La Mecque païenne : comment se soustraire à l'étreinte de la déroute, déconcerter les incroyants, unir les croyants, dissimuler l'impasse du désarroi pour recouvrer le chemin du salut dans une situation d'urgence ?

En pareille circonstance, il s'en trouva d'autres pour tenter un voyage providentiel afin de se procurer, en levant les scellés, les moyens de survivre. Ils firent un saut dans le vide afin de témoigner : le péril était inoffensif, l'inconnu connu. Ils franchirent l'abîme de la mort, prouvant qu'elle pouvait être vécue, qu'elle était donc vivable pour tous ceux qui adhéraient à la foi. Ainsi, Zalmoxis, ne rencontrant que des refus alors qu'il répandait chez les Thraces la bonne parole de la survie dans la terre heureuse, disparut provisoirement comme s'il était mort ; puis il vint réapparaître au bout de trois ans et tous crurent en l'immortalité, puisque Zalmoxis avait vaincu la mort personnellement en lui arrachant ses secrets dans une demeure souterraine (Hérodote, IV, 95). C'est peut-être un exemple d'apocalyse à contre-fil, obtenue grâce à une fuite en arrière, par descente plutôt que par remontée.

Alors que les Mekkois et surtout les Quraïchites, maîtres de la ville et de son sanctuaire ancestral, la Ka°ba, se montraient violemment hostiles envers le message coranique et ses adeptes, il se produisit, pour le messager d'Allah, une fuite en avant, une montée, signe de réconfort pour la petite communauté des croyants qui étaient dans la détresse.

L'apocalypse de Mahomet se déroula en l'espace d'une nuit. Chevauchée imaginaire au-delà du mur, enlèvement de l'âme vers la lumière des cieux, vision annihilant la fadeur des symboles ? Voilà des visées mystiques qui ne sauraient que forcer le sens d'une expérience qui se veut exclusive, sinon unique, moins extase que visite de reconnaissance en chair et en os dans l'espace des promesses.

Péripétie dans les contrées des prodiges ? Telle fut, appa-remment, la chance de Buluqiya, jeune homme pré-voyant qui, bien des siècles avant la naissance de l'apôtre d'Allah, s'éleva de montagne en ciel, de ciel en montagne, sous l'effet des trames ourdies par la Reine des Serpents, très savante conteuse de choses apocalyptiques (*Les Mille et Une Nuits*, histoire de Hasib Karim al-Din, nuits 486-532).

De même, il y eut bien des voyages aux îles perdues dont les protagonistes se retirèrent un instant sous les tentes d'une Calypso afin d'y surprendre la dentelle sibylline de la carte des sept merveilles de l'univers pour retrouver les rhumbs de la rose des vents et s'acheminer vers le pays à regagner.

Mais Mahomet, lui, expérimenta de son vivant, bien éveillé, l'aventure du dévoilement apocalyptique : ce voyage nocturne, prometteur de la résurrection, révélateur des réalités des sept cieux, des délices du paradis et des peines de l'enfer, fut la garantie de l'authenticité des projets divins, signe d'avertissement pour les habitants des sept climats ou régions de la sphère terrestre.

L'apocalypse de Mahomet semble lever le rideau sur le canevas d'un mémorandum de survie : c'est un vade-mecum de la résurrection. Elle comporte un témoignage vécu des décors ultimes et primordiaux, c'est-à-dire des architectures et des volontés suprêmes attribuées à la fantaisie créatrice du souverain juge.

Y est esquissé le dessin d'un authentique chemin rituel, la forme concrète d'un parcours destiné à consacrer le rôle du prophète de l'islam désormais prééminent, indiscutable. Il s'agit de représenter les effets de la prédilection divine pour l'apôtre, faveur que n'obtinrent ses devanciers : Mahomet accède au Trône décrétant les destins et clôture ainsi le cycle des inspirés bibliques, ouvre le protocole de l'expiration des délais.

Autant qu'il est permis d'en juger, nous sommes en présence d'un rituel dont la démarche consiste en une sorte d'exposition de tableaux angéliques dans un ensemble de pavillons rutilant de soieries et de pierreries, de couleurs et de parfums. Une contemplation intime, à la fois visuelle et auditive, du cosmos, des choses qu'embrument les voiles d'une chapelle palatine autrement inaccessible et impénétrable.

Au cours de la traversée nocturne, la fonction de guide ou d'évocateur des paysages et de médiateur des passages est assumée par l'esprit à tout faire, volant de l'inconnu au connu sous la forme d'un jeune homme, nonce du Verbe auprès de Marie, avant-courrier, conseiller et secours de tous les exploits prophétiques, le transmetteur de cet ultime Testament qu'est le Coran : Gabriel, l'archange algébriste expert en l'art de dérouler les rouleaux de la chancellerie divine.

Le déplacement instantané dans l'air, de sanctuaire en sanctuaire, se fait sur une monture ailée, aussi rapide que l'éclair, semblable à l'animal singulier que Diderot évoquera à propos du voyage de Mangolu dans la région des hypothèses, pour son chapitre XXIX, « le meilleur peut-être et le moins connu de cette histoire ».

Espèce de centaure, griffon ou sphinx mais dont le visage humain souvent couronné comme celui des archanges, selon l'imagerie des miniatures classiques ou des gravures populaires du monde musulman, évoque celui d'une belle jeune femme, sorte d'ange femelle au radieux sourire de fée. Elle porte le nom arabe d'al-Burâq, « le cheval bai », si l'on s'en tient à une probable étymologie iranienne. C'est la monture destinée aux plus grands prophètes, tels qu'Abraham, l'Ami de Dieu. Avant d'accomplir son devoir à l'égard de Mahomet, cherchant à s'assurer de la dignité du voyageur, al-Burâq rechigne quelque peu. Boucéphale, « tête-de-bœuf », cheval des grands rois du monde, se comporta à sa guise lorsqu'il fut destiné à Alexandre (Quinte Curce, VI, 5-18 ; Aulu Gelle, *Noctes Atticae*, V, 2).

Le troisième auxiliaire de l'apocalypse de Mahomet est une sorte de faîtage splendide, un tremplin aulique qui, reposant sur le rocher terrestre, s'élève vers le ciel. Point de départ de la remontée, c'est justement le *mi^{c}râj* ou « échelle » (dont le sens dérivé devient, par un usage abusif du mot, « ascension »).

Réminiscence de l'estrade du va-et-vient des anges et podium du seigneur d'Abraham, dont l'éclat vivifia la nuit du rêve de Jacob (Gn, 28, 12-13), ou bien reflet du *ma^{c}areg* (échelle) d'un texte apocryphe éthiopien (*Livre des Jubilés*, 27, 21), ce ne sont là qu'analogies partielles que maints savants considèrent comme modèles directs du *mi^{c}râj* de Mahomet. Analogies partielles aussi, les rapprochements qu'on a faits entre le *mi^{c}râj* et la vision dantesque où il est question d'une échelle couleur d'or brillant dans le ciel de Saturne (*Paradis*, XXI, 29-32). Au vrai, l'escalier à trois marches (marbre blanc, pierre rouge, porphyre) que Dante décrit en face de la porte du purgatoire, surmonté par l'Ange de Dieu (*Purgatoire*, IX, 76-77, 94-104), pourrait ressembler davantage à l'échelle aux trois degrés (argent, or et émeraude) menant vers l'Ange de la Mort, que décrit Mahomet.

Sorte de pont-levis, point de jonction/disjonction entre la pierre et le vide, sis dans un sanctuaire cosmique/, le *miʿrâj* paraît assumer la fonction de marche décisive pour l'itinéraire du destin. Gradin du seuil de vie et de non-vie, il peut donner sur une troisième issue, prônée par les prophètes : le pari de la survie, véritable résurrection. Toujours est-il que coupable ou innocent, immortel ou mortel, tout être humain va nécessairement rejoindre son passage extrême à travers l'ordalie d'une condamnation à mort. L'échelle recèle le degré qu'on doit franchir en tout état de cause. Il en est du *miʿrâj* comme de la charpente, si l'on veut, d'un autel du sacrifice. L'une des appellations emblématiques du souverain juge est celle de *dhû'l-maʿârij*, « le maître des échelles » (Coran, 70, 3-4). S'y réalise l'échelonnement de l'immatérialité des êtres ; ceux qui gravissent cette échelle sont les anges, fonctionnaires de l'immortalité, et les âmes, fonctions de la mortalité. Mais, pour sa nuit apocalyptique, l'apôtre de l'Islam franchit sain et sauf le *miʿrâj*, à l'abri des ailes de Gabriel.

Où se trouve cette échelle précieuse ? A Jérusalem — qui, pour les chrétiens, est le point de départ de l'ascension de Jésus — suivant l'interprétation courante et l'identification conventionnelle d'un lieu sacré que les textes désignent par Bayt al-Muqaddas (ou al-Maqdis), ce qui, en arabe, veut dire « temple, sanctuaire » en général, « (temple de) Jérusalem » en particulier, « Maison Sainte » au pied de la lettre, ou « pavillon, tente *(bayt)* sacrée ». Ainsi d'anciens auteurs européens traitant de l'ascension de Mahomet se sont bornés à traduire littéralement « Maison sainte » la leçon d'al-Muqaddas, ce qui, faute de mieux, semble à préférer, ne fût-ce que pour rendre un trait assez énigmatique du récit. On lit par exemple « Casa Santa » chez Fazio degli Uberti (environ 1350-1360), un poète toscan qui fut le chantre d'un voyage terrestre également apocalyptique (*Dittamondo*, livre V, chap. XIII).

Il reste malaisé de soulever un coin du voile d'un temple pareil, flottant comme un pavillon, mobile comme une tente, recoin inexplorable. A ce propos, avec son tour allusif, le premier des textes dit ceci :

> Gloire à celui qui fit voyager *(asrà)* de nuit son serviteur, du temple sacré au temple lointain dont nous bénîmes l'enceinte, pour l'illuminer de nos signes. Vraiment, il est l'Auditeur et le Voyant (Coran, 17, 1).

Le temple sacré étant celui de la Kaᶜba à La Mecque, qu'en est-il du sanctuaire le plus lointain *(al-masjid al-aqsà)* ? L'image évoque une demeure cachée. Qu'est-ce que ce sanctuaire ? Un endroit du ciel où les anges chantent les louanges du Seigneur et Juge éternel ? Le temple de Jérusalem ? Un oratoire près de La Mecque ? Autant de conjectures avancées par les exégètes.

Il importe de remarquer que les nombreux récits se rattachant au passage coranique que l'on vient de mentionner présentent entre eux de notables variantes, sinon des divergences. Il semblerait que la tradition musulmane ait confondu deux voyages du Prophète : l'un, que l'on appelle *isrà*, voyage nocturne du sanctuaire de la Kaᶜba jusqu'à Bayt al-Muqaddas (disons, jusqu'à Jérusalem) ; l'autre, que l'on appelle *miᶜrâj*, ascension des sept étages célestes par l'échelle jusqu'au pied du Trône, où Mahomet fut admis au colloque avec son seigneur. Il nous reste également des traditions qui, sans connaître le voyage nocturne *(isrà)*, font partir l'ascension de La Mecque.

On nous a légué, en quelque sorte, un voyage apocalyptique de Mahomet, se déroulant en deux temps et partant de deux lieux différents : le premier de ces voyages relève d'une approche initiatique, le deuxième relève d'une investiture prophétique et son « axe » est l'échelle.

Croire en l'authenticité de cette révélation, c'est faire acte de foi, montrer une confiance exquise en la parole du Prophète, qui est le récitant de l'apocalypse, et en les promesses du Seigneur qui la lui accorda. Abû Bakr, éminent compagnon et brave conseiller du Prophète, premier successeur de celui-ci en tant que calife de l'islam, y crut sur-le-champ ; il accepta dans sa pureté le compte rendu de Mahomet, qui lui accorda pour cette raison le surnom de siddîq, « le très véridique ».

Quant à la vérité littérale des faits, on ne possède guère de textes à juste titre canoniques, bien qu'il ne manque pas de récits qui font plus ou moins autorité en la matière : ceux qui découlent de la biographie (sîra) du Prophète, ouvrage fondamental d'Ibn Ishâq (Médine, vers 704 - Baghdad 767) édité par Ibn Hišâm (mort en 828 ou 833), et du commentaire du Coran (tafsîr) de Tabarî, célèbre traditionniste et historien d'origine iranienne (mort en 923). Il faut compter, parmi ces textes de la tradition indirecte, un Kitâb ıl-Mi‘râj arabe et son adaptation en castillan que fit rédiger Alphonse X l'Astronome, roi de Castille et de Léon (1252-1284). Ces textes aujourd'hui perdus se sont conservés sous la forme de retraductions en latin (Liber Scalae Machometi) et en français (Livre de l'Eschiele Mahomet), exécutées en 1264 par un notaire, Bonaventure de Sienne. Inutile d'ajouter que cette source-ci se laisse envisager comme le chaînon entre le mi‘râj et la Divine Comédie de Dante.

La légende de Mahomet a toujours circulé en Europe, depuis le haut Moyen Âge jusqu'aux redécouvertes du siècle des Lumières.

Le récit de « L'échelle de Mahomet » que nous présentons ici est tiré de l'un des plus anciens commentaires shi'ites du Coran qui furent rédigés en langue persane, le Rawdh al-jinân wa rawh al-jariân fî tafsîr al-Qur'ân (« La fraîcheur du Paradis et le soulagement de la nuit en l'éclaircissement du Coran »), composé vers 510 de l'Hégire (1116) par Abû'l-Futûh al-Râzî. Il est interdit de commenter un commentaire à moins d'exercer la profession de glossateur. La version de Râzî se rattache au passage du Coran que nous avons cité plus haut. Il suffit de remarquer que, dans sa brièveté, cette version fort cohérente condense tous les traits essentiels de l'histoire de l'échelle, y compris des variantes épineuses. Le caractère shi'ite s'y manifeste beaucoup moins que l'esprit rationaliste. Le texte de Râzî s'attire l'estime en tant que texte exemplaire, quoique tout auteur d'un commentaire coranique se réserve la faculté d'harmoniser à son gré le matériel flottant de la tradition musulmane avec la dictée coactive du Livre révélé.

A l'issue de son itinéraire, Mahomet est désigné comme « l'avertisseur de l'Ère », garde des sceaux de toute prophétie, porte-étendard de la louange du Seigneur al-Rahmân, « le Clément », intercesseur pour la juste communauté auprès du tribunal suprême. Comme Pierre, détenteur des clés de l'enfer et du paradis, Mahomet vient d'être proclamé chef de file de la résurrection. Mais quand, à son retour, il met pied à terre, il se heurte au sarcasme des Mekkois, ces incrédules qui s'attardent sur des détails de la nature des signes (§ 11). Les séquelles de la guerre civile, déclenchée par la prédication de l'islam autour du sanctuaire de la Kaᶜba, demeurent périlleuses. La vie des adeptes avait été menacée, l'apôtre près d'être chassé de La Mecque ou lapidé. L'affaire du voyage instantané nourrit les soupçons à l'égard du Prophète, depuis longtemps harcelé à l'instar d'un menteur, d'un magicien, d'un meneur ensorcelé. De fait, avec le noyau de ses fidèles, Mahomet se trouvait assiégé par son groupe social, étranger chez son peuple, exilé dans sa propre cité.

Alors, en quel pays s'établir ?

Les contraintes de l'espace, la quête d'une issue, l'espérance du réconfort inspirent parfois à de grands exilés tels que Dante et Fazio[1], Ulysse et Énée, le désir de rétablir l'ordre du

---

1. Fazio degli UBERTI : auteur de Il dittamondo.

monde, de retrouver la possibilité d'un itinéraire en traçant la carte de cet itinéraire.

Pour l'apôtre de l'islam, l'événement du *mi{'}râj* prélude au bonheur de recouvrer un territoire. Au bout d'un an, c'est l'Hégire (622), l'émigration à Médine, tête de pont de la conquête de La Mecque pour l'avènement de l'ère nouvelle. Grâce à la traversée de « l'échelle », le cosmos venait d'être reconnu, l'inconnu s'était manifesté.

Plus de risque sur le chemin, plus d'incertitude pour le lointain, plus de doute à propos de l'arbre promis.

L'avant-courrier a tâté le terrain, identifié le paysage. Il a été doté d'une charte de route, les étapes sont prévisibles.

Dorénavant, l'aller sera comme un retour.

Une version persane de l'histoire du *mi{'}râj*, par Abû l-Futûh al-Râzî[2]

Préambule

Il s'agit maintenant d'une longue histoire, à propos de laquelle on a rapporté de nombreuses divergences, de nombreuses interpolations (dont on a beaucoup débattu) et des récits pleins de faiblesses.

Nous, plaise à Dieu, nous rapporterons brièvement ce qui est digne de foi. Les Musulmans, sache-le, ont discuté la question de l'ascension par l'Échelle : les uns, affirmant qu'elle n'a pas eu lieu, la nient ; les autres assurent que le voyage du prophète n'a pas dépassé Jérusalem (la Maison Sainte), puisque le Coran (17, 1), à la lettre, n'en dit pas plus. Ceux-là sont les Mu{'}tazilites. Le Prophète eut une vision en songe, c'est ce que soutient un autre groupe, les Nadjârites. Son corps était à La Mecque ; ce fut son esprit qui fut porté à l'Échelle, voilà ce que disent quelques glossateurs.

Mais le Prophète — voici ce qui est vrai — fut porté au ciel avec

---

2. Cette version fut traduite une première fois du persan par A.M. Piemontese en italien (in *Oriente Moderno*, anno LX, n{os} 1-6, 1980), puis de l'italien en français par Claude Kappler, texte relu par le premier traducteur et vérifié sur le texte persan d'origine.

son âme et avec son corps. Les cieux s'ouvrirent pour lui, le paradis et l'enfer lui furent montrés. Il observa cela *de visu*, comme il en témoigne lui-même : « Le paradis me fut montré, si bien que j'en cueillis les fleurs, l'enfer me fut montré, si bien que je me brûlai les mains » ; cela s'accorde avec ce qu'on rapporte de cette histoire.

Or celle-ci repose sur la tradition de Anas ibn Mālik, Abū Hurayra, ᶜAbdallāh ibn ᶜAbbās, ᶜAᶜisha, Ummu Hānī, Mālik ibn Saᶜsaᶜa, avec des divergences de vocabulaire er des concordances de contenu, et sur quelques *ḥadīth*.

Préparatifs de départ : La Mecque, Gabriel, Purification

« Je me trouvais à La Mecque, entre le sommeil et la veille », ainsi le déclare le Prophète dans quelques *ḥadīth*. Selon une tradition : « J'étais dans la chambre » (il s'agit d'un lieu situé derrière la Kaᶜba) ; « dans la maison d'Ummu Hānī », selon une autre tradition.

« Vint Gabriel qui me dit : "Lève-toi !" Je me levai et sortis. Il me fut commandé de faire les ablutions avec l'eau du Zamzam. Des cuvettes furent apportées (dit une tradition) contenant de l'eau du Kawthar, laquelle fut mêlée à celle du Zamzam ; et l'on m'ordonna de faire les ablutions. » (Les ḥadīths selon lesquels sa poitrine fut ouverte et son cœur lavé démentiraient de plein droit et à juste titre cette version ; les raisons de ne pas la considérer comme valide seront énoncées en temps opportun si Dieu le veut ; on trouve dans Sa parole : « Ne t'ai-je pas ouvert la poitrine ? » [Coran, 44, 1])

La monture, Burāq

« Puis l'on me porta hors de la Mosquée ; à la porte, attendait Burāq. C'était un cheval plus grand qu'un âne et plus petit qu'un chameau. Il avait la queue comme celle d'un chameau ; le tronc du cheval ; la face telle un visage humain ; les pattes antérieures et posté-rieures semblables à celles du chameau ; les sabots de la vache ; son poitrail comme rouge rubis ; son dos comme blanche perle, sur lequel reposait une selle digne du paradis. Il avait aussi deux ailes comme pennage de paon et filait comme l'éclair : un pas, un battement de cils. On me fit avancer devant un tel cheval et on me dit :

— Monte ! Il s'agit vraiment du cheval d'Abraham, l'Ami, celui qu'il chevaucha pour accomplir le pèlerinage à la maison de la Ka°ba. Mais lorsque je m'apprêtai à monter, le cheval secoua la tête.

— Calme ! Calme, Burāq !, fit Gabriel, c'est la meilleure des créatures qui s'apprête à te monter, l'honneur qui t'écherra n'appartiendra à aucun autre quadrupède.

— Oui, Gabriel, répondit-il, mais à une condition : il doit me promettre qu'au lendemain de la résurrection, lorsque beaucoup d'autres parmi mes semblables paraîtront devant lui, il ne chevauchera nul autre que moi, car je ne supporterais d'être séparé de lui. »

Le Prophète scella le pacte. Il continue ainsi : « Je posai la main sur sa croupe ; de honte et de vergogne, la sueur lui vint, il s'abaissa jusqu'à toucher terre de son ventre. »

(Variante)

Dans la narration de Sulaymān ibn Am°as et de °Atāy ibn al-Sāyib (du prince des Croyants et, en partie, de °Abdallāh b. Mas°ūd), le Prophète raconte ceci : « Quand Gabriel s'en vint me porter hors la chambre d'Ummu Hānī, je vis Michel : il tenait à la bride un cheval appelé Burāq, lié à une chaîne d'or, la face semblable à un visage humain, les flancs tels ceux d'un cheval, le poitrail orné de perles serties de corail rouge, le front surmonté d'une houppe de rubis rouge, les oreilles d'émeraude, les yeux luisants et implantés comme ceux de Vénus et de Mars, les ailes de vautour, la queue de vache, le ventre blanc comme l'argent, poitrail et croupe fauves comme l'or rouge. »

En route pour Jérusalem (la Maison Sainte) : les étapes initiatiques

« Gabriel lui essuya la sueur et l'amena devant moi. Je montai en croupe : tantôt il allait au pas, tantôt il courait, tantôt il volait. Gabriel se tenait à ma droite sans jamais s'éloigner de moi. Nous mîmes le cap sur Jérusalem, la Maison Sainte. »

[...]

L'écho du paradis

« Plus loin, j'arrivai à une vallée où je perçus un doux parfum et une voix. — Quel est ce parfum et quelle est cette voix ?, demandai-je à Gabriel.

— C'est le parfum du paradis, c'est la voix de ses trésoriers. Cette voix dit ceci : "Ordonne que s'accomplisse, ô Seigneur, la promesse que tu m'as faite. L'honneur et la gloire se sont tant accrus pour moi et, de même, les soies, les brocards, les satins, les innombrables perles, les coraux, l'or et l'argent ! Je suis comblé de coupes, d'aiguières, d'eau, de lait, de vin, de miel. Commande que l'on me porte ce que tu as promis." Il répondit : — Tout croyant, homme et femme, t'appartient, celui qui croit en moi et en mon Prophète, qui ne me compare nul autre Dieu et qui fait œuvre juste. Quiconque me craint a la foi, quiconque me demande quelque chose, je la lui donne. Qui me fait confiance, je le récompense ; qui se fie en moi, je le rétribue. Parce que je suis le Seigneur hors duquel il n'est nul autre dieu et que je ne fais pas de fausse promesse. "En vérité, les croyants seront prospères" (Coran, 23, 1) : Paradis !
— Très bien, dit le Prophète. "Béni soit Allah, le meilleur des créateurs !" (Coran, 23, 14) »

L'écho de l'enfer

« Plus loin, j'entendis une voix mauvaise qui provenait d'une vallée, et sentis une odeur déplaisante. — Quelle odeur, quelle voix sont-ce là ?, demandai-je à Gabriel.

— Ceci est la puanteur de l'enfer. La voix est celle de ses gardiens qui disent : "Donne-nous, Seigneur, ce que tu nous as promis. Les fers et les chaînes, l'aloès amer et l'eau bouillante, la flamme ardente et l'euphorbe, la boisson fétide et la torture ont passé la mesure, je me sens tomber dans le vide, la chaleur m'est devenue insupportable." Il répond : — Tout polythéiste, tout infidèle, toute sorte de méchant t'appartient. Et tout "violent orgueilleux" (Coran, 11, 59 ; 14, 15) qui ne croit pas au jour du Jugement : Enfer !
— Très bien, dit le Prophète. »

Les trois stations : Médine, le Sinaï, Bethléem

« J'arrivai alors en un autre endroit. Gabriel me dit : — Descends et prie. Je descendis de ma monture et priai. — Sais-tu où tu as prié ?, reprit ensuite Gabriel. — Non, répondis-je. — A Ṭayba (c'est-à-dire Médine).

Ayant quitté cet endroit, par la volonté de Dieu, Gabriel me dit : — Descends et prie. Je descendis et priai. Après quoi, Gabriel me demanda : — Sais-tu où tu as prié ? Je répondis que non. — Sur la montagne du Sinaï, là où le Très-Haut conversa avec Moïse.

Ayant poussé plus loin, j'atteignis un autre lieu. Gabriel me dit de descendre et de prier. Je descendis et priai. Il me demanda si je savais où j'avais prié. Je répondis que non. — A Bethléem, dit-il, la terre de Jésus. »

Jérusalem, la Maison Sainte. La salutation prophétique

« Je partis de là, puis arrivai à la Maison Sainte. J'y vis une cohorte d'anges descendus du ciel qui me saluèrent et me donnèrent la bonne nouvelle, jaillissant par grâce du Dieu très haut :

— Salut à toi, toi le premier et le dernier, ô Rassembleur d'hommes.

— Quel discours tiennent-ils ?, demandai-je à Gabriel. Et lui :

— Ils disent : "Salut à toi, ô toi le premier : c'est-à-dire, tu es la première personne qui, au jour de la résurrection, surgiras de la tombe ; et le dernier : c'est-à-dire, tu es le sceau et le dernier des prophètes, tu es rassembleur en ce sens que c'est à toi qu'appartient de rassembler les hommes pour la résurrection, que ta communauté ressuscitera." »
[...]

Entré dans la mosquée, Mahomet y rencontre les prophètes, Abraham, Moïse, David, Salomon, Jésus, qui rivalisent devant Dieu dans l'action de grâces.

Dans la Mosquée. Les prophètes remercient Dieu. Concours de louanges

« Gabriel, alors, les rassembla tous et les mit en rang avec les anges ; il me prit par la main et me mena devant eux. Ainsi, je les dirigeai dans la prière en en récitant deux phrases *(rak'at)*. Puis les prophètes louèrent le Très-Haut de leur avoir concédé une telle grâce.

Abraham dit : — Louange au Seigneur qui me prit pour son ami cher, me donna un royaume immense, m'attribua une communauté pieuse de telle sorte que l'on me prit pour modèle, qui m'exposa au feu de Nemrod et me sauva.

Puis Moïse loua Dieu, disant : — Gloire au Seigneur qui me parla, qui, par ma main, anéantit Pharaon et son peuple, qui, par moi, sauva les enfants d'Israël, qui fit de ma communauté un peuple propre à montrer le chemin de la vérité et à rendre à Dieu le véritable culte.

Puis David loua Dieu, disant : — Gloire au Seigneur qui m'assigna un royaume grandiose, m'apprit les psaumes, qui m'apprit à modeler, de ma main, le fer, qui me soumit les montagnes afin qu'elles récitent avec moi les litanies, qui me donna la sagesse et le jugement juste.

Puis Salomon loua Dieu, disant : — Grâces soient rendues au Seigneur qui me soumit le vent, qui rangea sous mes ordres les génies afin qu'ils me construisent des sanctuaires et des statues ; ainsi dit-Il : ''Pour lui, ils faisaient ce qu'il voulait, des sanctuaires, des statues, des chaudrons grands comme des abreuvoirs à chameaux et des marmites stables'' (Coran, 34, 12). Il m'enseigna le langage des oiseaux, me fit don de toute vertu et m'accorda un royaume que nul autre après moi n'obtiendra.

Puis Jésus loua Dieu, disant : — Gloire au Seigneur qui m'a fait descendre comme ''Son Verbe'' (Coran, 3, 45), qui m'a façonné à l'image et à la ressemblance d'Adam créé par Lui avec de l'argile, qui m'a appris le Livre, la sagesse, la Thora, l'Évangile ; le mort ressuscita entre mes mains, par mon intercession je guéris les aveugles et les lépreux, Il m'éleva et me purifia ; Il donna un refuge à ma mère et à moi, nous protégeant de Satan le Lapidé.

Puis j'intervins moi-même : — Tous, vous avez élevé votre louange vers Dieu. A mon tour, je le remercierai pour la bonté qu'il m'a témoignée. Gloire au Seigneur qui m'a donné pour mission d'avoir pitié des mortels, qui m'a envoyé à l'humanité entière pour lui porter la bonne nouvelle et pour l'avertir, qui m'a révélé le Coran où il a expliqué toute chose, qui a fait de ma communauté la meilleure de toutes, la communauté médiane, la communauté des premiers et des derniers, qui m'a ouvert la poitrine, m'a soulagé d'un grand poids, qui a élevé mon nom, qui a fait de moi celui qui ouvre et celui qui scelle.

Et Abraham déclara : — En cela, "Il préféra" (Coran, 7, 140) Muḥammad. C'est pourquoi Muḥammad vous surpasse. »

[...]

L'échelle

« Alors, Gabriel me prit par la main et me mena auprès de la pierre sur laquelle reposait la base de l'échelle *(miʿrâj)* ; c'était le Roc de la Maison Sainte. La base de l'Échelle était sur ce roc et sa cime s'unissait au ciel ; je n'avais jamais rien vu d'aussi beau. Un montant *(qāʾima)* était de rubis rouge et l'autre d'émeraude. Les échelons étaient l'un d'argent, l'autre d'or, l'autre d'émeraude incrusté de perles et de rubis. C'est de cette échelle que surgit l'ange de la mort lorsqu'il saisit les âmes ; cela advient au moment où s'écarquillent les yeux du mourant stupéfait : quand lui apparaît l'échelle, il reste ébloui de sa beauté.

Commence alors l'ascension, de ciel en ciel, sur l'aile de Gabriel. Dans le ciel inférieur, Mahomet voit d'abord le coq cosmique, l'ange de feu et de neige, puis l'ange de la mort.

L'ange de la mort et les tables du destin

« Plus loin, j'arrivai en vue d'un ange, assis sur un trône, qui avait rassemblé le monde entier et l'avait placé devant lui. En sa main, il tenait une table de lumière. Il l'observait, regardant à droite et à gauche, et il était triste, affligé, à la manière d'un homme. — Qui est celui-ci ? Jusqu'à présent, je n'ai rencontré aucun ange pour lequel j'aie éprouvé de la crainte en mon cœur, sinon celui-ci, dis-je à Gabriel qui répondit :

— Nous aussi, nous avons tous peur de lui. C'est l'ange de la mort, chargé du rapt des esprits. Son œuvre est la plus pénible parmi toutes celles des anges.

— Mais la mort est-elle la pire des calamités ?

— Non. Ce qui vient après la mort est plus grave et plus terrifiant.

— Celui qui meurt, voit-il cela, par hasard ?

— Oui.

— Je veux m'approcher de lui, le saluer et lui demander quelque chose.

Gabriel me conduisit devant lui et je le saluai. Il demanda à Gabriel avec un signe de tête : — Qui est celui-ci ? Gabriel dit : — C'est Muḥammad, le prophète de la miséricorde, celui qui fut envoyé aux Arabes.

— Bienvenue, prophète de la miséricorde !, fit l'ange qui m'embrassa longuement et m'entretint avec bienveillance, disant :

— Reçois la bonne nouvelle, Muḥammad, je vois dans ta communauté tous les signes favorables.

— Loué soit Dieu, dis-je, le Bienveillant, le Bénéfique ! Qu'est-ce que cette tablette que tu tiens en mains ?

— C'est la tablette où est écrite la dernière heure de chaque homme.

— Le nom de ceux dont tu as ravi les âmes autrefois ?

— Cela figure sur une autre tablette.

— Comment peux-tu, ange de la mort, ravir les âmes des hommes sur la terre tout en restant assis à ta place ?

— Ne vois-tu pas que le monde entier est devant moi, de l'Orient à l'Occident, et que ma main arrive partout ? Le monde, devant moi, est pareil à une table dressée auprès de quelqu'un qui, dès qu'il le désire, allonge la main et prend ce qu'il veut. Quand la dernière heure s'approche d'un homme, j'observe cet homme et je fais signe à mes assistants. Ceux-ci comprennent, du seul fait que je le tiens à l'œil ; à mon regard, ils savent qu'il faut lui ravir l'âme et, promptement, ils la lui arrachent. Quand l'âme lui est remontée dans la gorge, elle est mienne désormais et ne m'échappe plus : j'étends la main et je la saisis. La tâche de capturer l'esprit n'appartient à nul autre que moi. Le rapt des âmes, telle est ma fonction envers les créatures de Dieu. »

Le gardien de l'enfer

« Je pleurai en écoutant son récit. Allant plus loin, je rencontrai un autre ange, hargneux, horrible, difforme, malveillant. A sa vue, je frémis. — Qui est cet ange, demandai-je à Gabriel, qui me fait si peur ? Il répondit : — Tous, nous éprouvons pareille terreur à son égard. C'est l'ange préposé à l'enfer. Depuis que Dieu le créa, il n'a plus souri et, chaque jour qui passe augmente sa rage et sa hargne envers les ennemis de Dieu, envers les rebelles, jusqu'à ce qu'il en tire vengeance. — Conduis-moi auprès de lui, je veux lui demander quelque chose.

Il me mena près de lui. Je le saluai, Gabriel le salua. Il ne leva pas la tête. Alors, Gabriel dit : — O Ange, celui-ci est Muḥammad, le Prophète des Arabes ! Et lui, levant la tête, me salua et m'embrassa. — Depuis combien de temps enflammes-tu l'enfer ?, demandai-je. — Depuis que Dieu créa l'enfer jusqu'à maintenant ; de même, je resterai courbé (penché pour l'enflammer) jusqu'à l'heure de la résurrection. »

Vision de l'enfer

« Je demandai à Gabriel de me montrer un coin de l'enfer. Gabriel dit à l'ange : — Montre un coin de l'enfer à Muḥammad. Celui-ci découvrit un coin de l'enfer. Il s'en éleva un éclair, un feu noir et, avec eux, une fumée trouble, obscure dont s'emplirent les horizons. L'épouvante me prit. C'est un spectacle insensé que je ne saurais décrire. Je m'évanouis et fus près d'expirer. »

Anges polyphoniques

« Passé outre, je vis beaucoup d'anges : seul Dieu connaît leur nombre. Certains d'entre eux avaient plusieurs faces, sur la poitrine et sur le dos ; sur chaque face, il y avait des bouches, dans chaque bouche des langues, et chaque langue chantait les louanges du Dieu très haut, en toute sorte d'idiomes.

Apostille. L'ange de louanges

Dans l'une des traditions, on rapporte que le Prophète dit : « La nuit de mon ascension, je vis un ange qui avait des milliers et des milliers de têtes ; sur chaque tête, des milliers et des milliers de visages ; sur chaque visage, des milliers et des milliers de bouches ; dans chaque bouche, des milliers et des milliers de langues qui chantaient les louanges de Dieu en tout langage, avec des milliers et des milliers de paroles. Vraiment, il n'est personne au ciel et sur terre dont les prières et les dévotions s'égalent aux miennes. Voilà ce qui, un jour, passa par la tête de cet ange. Mais le Dieu très haut dit :

— J'ai un serviteur dont les louanges, les dévotions et les bonnes œuvres surpassent les tiennes.

Celui-là, alors, observa :

— Permets, Seigneur, que j'aille sur la terre et que je le voie.

Dieu le lui permit et il vint. Ce serviteur, c'était moi. Après trois jours et trois nuits, l'ange trouva son homme : celui-ci ne faisait rien de plus que les dévotions canoniques ; après quoi, il prononçait quelques paroles. L'ange dit :

— Je ne vois pas, Seigneur, qu'il fasse tant de dévotions !

Dieu répondit :

— Mais si ! Il ajoute à sa prière des expressions qui sont supérieures à tes louanges. Les voici : "Louange à Dieu ! Louons-Le plus que toute autre chose ne le loue, louons-Le comme Il aime être loué, comme Il en a l'habitude, comme Il excelle en magnanimité par Son apparence, que soit exaltée Sa majesté, grâce à Dieu ! Il n'y a pas d'autre Dieu que Dieu ! Dieu est le plus Grand !" (etc., formules jaculatoires répétées). De telles paroles surpassent les tiennes en glorification, en exaltation. » Mais revenons au fil du récit.

Dans le ciel inférieur, Mahomet voit encore Adam, puis la montée se poursuit. Deuxième ciel : Jésus et Jean. Troisième ciel : Joseph. Quatrième ciel : Idris. Cinquième ciel : Aaron et le peuple d'Israël. Sixième ciel : Moïse.

Sixième ciel. Moïse

« De là, nous allâmes au sixième ciel. Gabriel frappa. Ils ouvrirent la porte et m'accueillirent avec bienveillance. Dans le sixième ciel, je vis un homme assis. Dès qu'il me vit, il pleura. — Qui est celui-ci ?, demandai-je à Gabriel qui répondit : — C'est Moïse, fils de ⁽Imrān. Je demandai : — Pourquoi pleure-t-il ? Il répondit : — Alors que les fils d'Israël ont prétendu que Dieu n'avait pas de serviteur plus cher que lui, tu es venu, après tant d'années, lui succéder et ton rang est ce qu'il est. Il dit en outre : la gloire de chaque prophète réside en sa communauté propre ; la tienne est plus nombreuse et meilleure que la sienne. »

Septième ciel. Abraham

[...]

Septième ciel. La Ka⁽ba céleste

« Abraham tournait le dos à la maison. — Qu'est-ce que cette maison ?, demandai-je à Gabriel qui répondit : — C'est le prototype céleste de la Ka⁽ba *(bayt al-ma⁽mūr)*, où, chaque jour, entrent soixante-dix mille anges ; au jour de la résurrection, les premiers d'entre eux n'auront pas encore eu le temps de défiler à nouveau. »

Le jujubier d'al-Muntahā (le jujubier de la Limite)

« Nous quittâmes ce lieu puis arrivâmes au jujubier d'al-Muntahā *(sidratu'l-muntahā,* Coran, 53, 14). Je vis un arbre couvert de feuilles : chaque feuille était assez grande pour ombrager le monde et les hommes ; il était parfumé ; ses fruits semblables à des prunes étaient grands comme des amphores. En dessous, jaillissaient quatre sources, dont deux en surface et deux sous terre. Les deux sources visibles étaient le Nil et l'Euphrate ; les deux sources cachées allaient vers le paradis. De la racine de l'arbre, jaillissaient quatre ruisseaux, eau, vin, lait, miel. Ainsi dit Sa Parole : "Voici la représentation du Jardin qui a été promis aux Pieux : il s'y trouvera des ruisseaux d'une eau incorruptible" (Coran, 47, 15). Cet arbre est à la frontière du septième ciel, du côté du paradis. Ses branches se trouvent sous le Trône.

Quand j'arrivai au jujubier d'al-Muntahā, dit le Prophète, je m'aperçus que c'était un arbre à jujubes, avec les branches et feuilles propres à cet arbre ; mais, sur lui, reposait une lumière divine que nul ne saurait décrire. Ainsi dit Sa Parole : "Quand couvrait le jujubier ce qui le couvrait" (Coran, 53, 15). Vinrent des anges si nombreux que Dieu seul en connaît le nombre ; tels des sauterelles dorées, ils se posaient sur cet arbre. Il y en avait tant et tant, autour de cet arbre, que Dieu seul connaît leur nombre. »

(Glose) Dans le questionnaire de ᶜAbdallāh ibn Salām, il est dit que le Prophète, interrogé sur le jujubier, déclara : « C'est un arbre du septième ciel qui a des milliers et des milliers de branches ; sur chacune, sont des milliers et des milliers de ramilles, sur chaque ramille, des milliers et des milliers de feuilles ; chaque feuille ombrage des milliers et des milliers de troupes angéliques, chaque troupe se compose de milliers et milliers d'anges. » Et il ajouta : « La place de Gabriel est au milieu de cet arbre. »

« J'arrivai là. Gabriel s'arrêta et me dit : — Va ! Mais j'objectai : — A toi d'y aller, Gabriel. — Non. Aux yeux de Dieu, tu es plus cher que moi ; la place qui me revient ne va pas au-delà. Ainsi dit Sa Parole : "Il n'est parmi vous personne qui n'ait une place marquée" (Coran, 37, 164). »

Les soixante-dix Voiles

Une autre tradition affirme que Gabriel précéda le Prophète qui marchait sur ses traces. « Puis nous arrivâmes à un Voile appelé le Voile du serviteur d'or. Gabriel secoua le voile. — Qui est-ce ?, demanda-t-on. — Gabriel et, avec moi, Muḥammad. L'ange préposé au Voile dit : — Dieu est le plus grand. Il sortit la main du voile et me prit par le bras. Gabriel resta à sa place. Je lui dis : — Tu me laisses ici ? Et lui : — Ceci, Muhammad, est le dernier lieu accessible aux créatures, il n'est personne qui puisse franchir ce voile, nul ange qui ose s'aventurer dans ces parages. Par égard pour toi, il me fut donné l'ordre d'arriver à proximité du voile.

L'ange qui était le gardien du voile d'or me conduisit jusqu'à un autre voile appelé "voile de perle". Il le secoua. — Qui es-tu ?, demanda le gardien. — Je suis le gardien du voile d'or et Muḥammad est avec moi, le Prophète des Arabes. L'ange préposé au voile magnifia Dieu, sortit la main, me prit à l'autre ange et me conduisit à un nouveau voile. Comme l'autre, il secoua le voile ; l'ange préposé à celui-ci demanda : — Qui est-ce ?

— Le gardien du voile de perles et, avec moi, Muḥammad, celui qui fut envoyé aux Arabes. L'ange magnifia Dieu, me prit, me porta jusqu'à un autre voile et me confia au gardien. Ainsi, mené de voile en voile, j'en traversai soixante-dix. La dimension de chaque voile est de cinq cents années de voyage ; d'un voile à l'autre, il y a cinq cents années de route.

Le Trône. Dialogue avec Dieu

« De là, ils firent descendre un coussin vert qui éclipsait en lumière le soleil ; mes yeux en restèrent éblouis. Je fus placé sur le coussin et conduit au Trône. Quand je le vis, tout ce que j'avais vu auparavant m'apparut insignifiant. »

S'engage alors un dialogue avec Dieu dont la partie finale, d'importance capitale pour la communauté muhammadienne, a pour objet le pardon.

[...]

« Tu as dit vrai. Demande, pour qu'il te soit donné.

— "Nous Te demandons pardon, Seigneur ! Vers Toi est le Devenir" (Coran, 2, 285).

— Tu es déjà pardonné, toi et ta communauté. Demande, pour qu'il te soit donné.

— "O Seigneur ! Ne nous reprends point si nous oublions ou fautons !" (Coran, 2, 286)

— J'ai déjà pardonné, à toi et à ta communauté, l'erreur et l'omission. Même s'ils y tombent, j'ai déjà soulagé les croyants de ces deux choses.

— "Ne nous charge point d'un faix accablant, semblable à celui dont Tu chargeas ceux qui furent avant nous" (Coran, 2, 286) [c'est-à-dire les Juifs].

— Cela est accordé, à toi et à ta communauté.

— "Seigneur ! Ne nous charge point de ce que nous n'avons pas la force de porter" (Coran, 2, 286).

— Ainsi ai-je fait, pour toi et ta communauté.

— Acquitte-nous pour notre bassesse. Garde-nous de la censure et de l'imitation ! Toi qui es notre Seigneur, accorde-nous la victoire sur les infidèles !

— Tout cela, je l'ai fait, pour toi et ta communauté. »

La prophétie muhammadienne

« O Seigneur, tu as accordé une grâce à chacun des prophètes qui vinrent avant moi. Tu as pris Abraham pour ami, Tu as parlé à Moïse, à Idris Tu as octroyé une place élevée, Tu as donné un grand royaume à Salomon, à David Tu as offert les Psaumes. Et à moi, Seigneur ?

— Je t'ai choisi pour mon préféré, Muḥammad, de la même façon que j'ai pris Abraham pour ami ; je t'ai parlé, de même que j'ai conversé avec Moïse. Je t'ai donné "la Liminaire" du Livre (Coran, 1) et les sceaux de la "Sourate de la Génisse" (Coran, 2) : cela appartenait aux trésors du trône et je ne l'avais, auparavant, concédé à nulle autre communauté. Je t'ai envoyé à toutes les créatures de la terre, aux noirs et aux blancs, aux génies et aux humains. Avant toi, je n'ai envoyé nul autre messager tel que toi. De la terre et de la mer du monde, j'ai fait une mosquée, grâce à ta pureté. A ta communauté, j'ai permis la rapine et le butin, ce qui, avant toi, n'échut à nul autre. Je t'ai rendu si intrépide que tes ennemis te craignent jusqu'à une distance d'un mois de route. J'ai fait descendre sur toi le Coran, le seigneur des livres. J'ai élevé ton nom de telle sorte que, tout ce que tu apprendras sur les lois de Ma foi, tu le retiennes. Au lieu de la Thora, je t'ai donné la première section du Coran (mathānī), au lieu de l'Évangile, je t'ai donné Y.S. (*Yā'sīn*, la sourate 36) et, au lieu des Psaumes, je t'ai donné H.M. (*hawāmin*, les sourates 40-46). Je t'ai préféré comme excellent entre tous, je t'ai ouvert la poitrine, je t'ai soulagé d'un grand poids, j'ai fait de ta communauté la meilleure de toutes en l'instituant communauté médiane, la première et la dernière. "Prends ce que je te donne et sois parmi les reconnaissants" (Coran, 7, 144).

Il me dit encore des choses qu'il ne me permit pas de vous communiquer et il m'assigna l'obligation, à moi et à ma communauté, de dire cinquante prières par jour. »

Au paradis. Gabriel fait l'éloge du Prophète

« Pour le retour, ils me mirent sur le coussin vert et me firent descendre jusqu'au jujubier. Je voyais Gabriel derrière moi, mais c'était comme si je le voyais avec mes yeux, devant moi.

— Salut à toi, Muḥammad, toi la meilleure des créatures, l'élu de Dieu parmi les prophètes, me dit Gabriel. Ce qu'Il t'a accordé, Il ne l'a concédé à aucun ange de Son entourage, à aucun de Ses envoyés. Tu es arrivé là où ne parviendra nul être du ciel et de la terre. Puisses-tu tirer profit de tant de bonté ! Garde ce qu'Il t'a donné pour t'exalter et remercie Dieu car il aime la reconnaissance. Viens !, ajouta-t-il, que je te conduise au paradis et te montre ce que Dieu t'a octroyé pour accroître ton privilège dans la vie future et augmenter envers toi la piété du monde. »

Les troupes angéliques

« Pendant ce temps, nous descendions, plus légers que le vent et plus rapides que la flèche. Nous arrivâmes au paradis. Par la volonté de Dieu, mon cœur se calma et je repris mes sens. J'interrogeais Gabriel sur les merveilles que j'avais vues dans l'empyrée : mers, feux, lumières... [...]

Le paradis et le Kawthar

« Puis Gabriel me fit visiter le paradis. Il ne resta ange du paradis qu'il ne me montrât et ne m'expliquât. Nous vîmes des pavillons d'or, de perles, de rubis, d'émeraudes. Je vis des arbres d'or rouge, leurs branches de perles blanches, leurs racines d'argent blanc enfouies dans une terre plus splendide que le musc. Je vis tant et tant, je connus tant, que, peut-être, je connais mieux les plantes du paradis, ses arbres, ses palais, ses maisons, que la mosquée où j'entre et dont je sors depuis tant d'années. Je vis aussi au paradis un ruisseau d'eau plus blanche que lait et plus douce que miel ; son sable est de perles et de coraux, son argile du musc le plus splendide.

— Voici, dit Gabriel, le bassin du Kawthar dont le Très-Haut t'a fait présent. Ainsi dit Sa Parole : ''En vérité, Nous t'avons donné l'Abondance'' (Coran, 108, 1). Il y coule du nectar jailli de dessous le Trône qui, de là, se répand dans les palais, les pavillons, les chambres des croyants. Ainsi dit Sa Parole : ''Une source où boiront les serviteurs d'Allah'' (Coran, 76, 6). »

L'arbre de la félicité

« Nous poursuivîmes notre visite du paradis et arrivâmes à un arbre tel qu'il n'en est de plus beau pour sa forme, son aspect et l'entrelacs de ses branches ; il s'y trouve toute couleur que Dieu a créée sauf le noir. J'en respirai le parfum et le trouvai plus agréable que tout autre parfum du paradis. L'arbre portait un fruit grand comme une cruche, il était pourvu de tout fruit que le Très-Haut créa au ciel et sur terre, de toutes les couleurs et d'espèces diverses, de couleurs diverses et de saveurs diverses, de parfums divers et de diverses variétés.

Je restai stupéfait de sa beauté et demandai à Gabriel : — Quel est cet arbre ? Il répondit : — C'est l'arbre de la félicité. *(ṭūbà)* : aux croyants qu'advienne ''fortune et beau lieu de retour !'' (Coran, 13, 29). A la plus grande partie de ta communauté il reviendra de prendre ses délices à l'ombre de sa beauté.

Au paradis je vis ce que nul ne vit, j'entendis ce que nul n'entendit, ce qu'aucun esprit humain n'a pu concevoir. Toute chose est en ordre, à sa place, apprêtée, attendant d'être confiée à celui à qui elle revient. Ce que je vis me fit forte impression et je dis : "Pour pareille récompense, qu'agissent les agissants !" (Coran, 37, 61) »

L'enfer

« Puis nous en sortîmes et l'enfer me fut montré ; j'en vis les jougs et les chaînes, les serpents et les dragons, l'eau bouillante et l'euphorbe amère, la boisson fétide et la fumée noire. »

Cette partie est très brève : le Prophète voit quelques pécheurs dans les supplices. Puis sa descente se poursuit et, quand il parvient au sixième ciel, auprès de Moïse, celui-ci l'engage à retourner auprès de Dieu pour demander une réduction du nombre des prières canoniques. Après plusieurs allers et retours, Mahomet s'arrête au chiffre de cinq. Enfin, c'est le retour.

[...]

Le retour

« Puis je pris le chemin du retour. Gabriel resta auprès de moi jusqu'à ce qu'il m'eût ramené sur ma couche.

Tout cela m'arriva en une nuit, une nuit comme toutes les autres.

Je suis le seigneur de la descendance d'Adam, mais je n'en tire pas vanité. Adam et tous ceux de sa descendance, au jour de la résurrection, seront sous mon étendard, mais je n'en tire pas vanité. Les clés du paradis et de l'enfer sont en ma main, mais je n'en tire pas vanité.

Mon heure est proche, je viens de voir les signes lumineux et les merveilles de Dieu. Tout ce que je veux, tout ce que je désire est d'abriter chez moi la miséricorde divine, en compagnie des Amis bien-aimés du Très-Haut.

Je viens de voir la rétribution des bonnes œuvres, celle que Dieu accorde à ses saints. "Ce qui est auprès d'Allah est meilleur et perdurable" (Coran, 28, 60). »

Une « annexe » assez substantielle indique les signes prophétiques qui accréditèrent le récit de Mahomet. Le texte se termine sur une brève « catéchèse » qui renvoie aux principaux passages du Coran traditionnellement interprétés comme des allusions à son voyage nocturne et à son ascension.

[...]

Catéchèse

Si quelqu'un objecte : — Dieu le Très-Haut a dit : "Il a transporté son serviteur, la nuit, de la Mosquée Sacrée à la Mosquée très Éloignée" (Coran, 17, 1) entendant par là : "Je l'ai porté à la Mosquée très Éloignée, je ne l'ai pas porté au ciel", la réponse est la suivante : — Disons que le début de l'Échelle fut le voyage nocturne à la Mosquée très Éloignée. De là, il fut porté, par l'Échelle, jusqu'au ciel. Si, dans ce cas précis, Il avait dit : "Je l'ai porté au ciel", les gens auraient été encore plus stupéfaits et auraient persisté encore plus dans leurs dénégations. Au contraire, il a dit originellement : "Je l'ai porté à la Mosquée très Éloignée"parce que cela devait rester imprimé dans leurs cœurs.

La tradition de l'Échelle, son voyage au ciel, son arrivée auprès du Trône, Dieu l'a rapporté dans la sourate de l'Étoile ; ainsi dit Sa Parole : "Puis il s'approcha et demeura suspendu, et fut à deux arcs ou moins" (Coran, 53, 8-9).

NOTE BIBLIOGRAPHIQUE

I

La traduction française du récit persan de l'Ascension du Prophète est tirée d'Abû'l-Futûh al-Râzî, *Rawdh al-djinân wa rawh al-djanân fî tafsîr al-Qur'ân* ; cf. édition par Mahdi Elâhi Qomshé'i, Téhéran s.d. (1320-1322/1941-1943), vol. VI, p. 263-282, édition par H.M. Abu'l-Hasan Sha'râni et ᶜA.A. Ghaffâri, Téhéran 1385/1965, vol. VII, p. 167-187.

L'articulation en paragraphes a été introduite par le traducteur, ainsi que la référence aux passages du Coran. Une traduction italienne du même texte, par A.M. PIEMONTESE, a paru dans *Oriente Moderno*, Rome LX (1980), p. 225-243.

Sur Abû'l-Futûh al-Râzî et son œuvre, cf. H. MASSÉ dans *Encyclopédie de l'Islam*, nouv. éd., Leiden-Paris, vol. I (1960), p. 123 ; et C.A. STOREY, *Persidskaya Literatura*, éd. par Io. E. Bregel', Moscou, 1972, vol. I, p. 111-113.

II

Il nous manque un essai exhaustif touchant à l'ensemble des traditions islamiques relatant le voyage nocturne et céleste de Mahomet. Les références essentielles se trouvent signalées par G. WIDENGREN, *Muhammad, The Apostle of God, and his Ascension*, Uppsala-Wiesbaden, 1955 ; M. GAUDEFROY-DEMOMBYNES, *Mahomet*, Paris, 1969, p. 92-97 ; A. GUILLAUME, *The life of Muhammad. A Translation of Ishāq's [Ibn] Sīrat Rasūl Allāh with introduction and notes*, Oxford University Press. Karachi, 1980, p. 181-187 (1ʳᵉ éd. Londres, 1955).

Cf. aussi les articles suivants dans *Encyclopédie de l'Islam* : B. SCHRIEKE, « Isrā », vol. II (1924), p. 589-590 ; J. HOROVITZ, « Miᶜrādj », vol. III (1932), p. 574-577 . R. PARET, « al-Burāk », vol. I (nouv. éd.), p. 1350-1351.

Pour ce qui relève de l'iconographie, cf. R. ETTINGHAUSEN, « Persian Ascension miniatures of the fourteenth century », dans

Oriente e Occidente nel Medioevo, Rome, 1957, p. 360-383 ; Th. W.ARNOLD, *Painting in Islam*, New York, 1965, p. 117-122 (1ʳᵉ éd. Oxford University Press, 1928) ; *Mirâj Nâmeh. Le voyage miraculeux du prophète*, Paris-Bibliothèque nationale, manuscrit supplément turc 190 présenté et commenté par Marie-Rose Séguy, s.l., Draeger, 1977.

Une probable étymologie iranienne du nom de Burâq, la monture prodigieuse des prophètes et de Mahomet, a été exposée par A.M. PIEMONTESE, « Note morfologiche ed etimologiche su al-Burāq », dans *Annali della Facoltà di Lingue e Letteratures Straniere di Ca' Foscari*, XIII, Série Orientale 5 (1974), p. 109-133 ; cf. P. GIGNOUX dans *Pad nām i yazdān*, Paris, 1979, p. 84.

III

La légende de Mahomet en Occident, y compris les adaptations européennes et chrétiennes du récit de l'Ascension du Prophète, est un beau chapitre de la littérature comparée, dont la bibliographie est assez vaste. Il suffit de rappeler ici : M. ASÍN PALACIOS, *La escatología musulmana en la Divina Comedia*, Madrid, 1961 (1ʳᵉ éd. 1921) ; E. CERULLI, *Il Libro della Scala e la questione delle fonti arabo-spagnole della Divina Commedia*, Cité du Vatican, 1949 ; *Nuove ricerche sul Libro della Scala e la conoscenza dell' Islam in Occidente*, Cité du Vatican, 1972 ; P. WUNDERLI, *Études sur le livre de l'Eschièle Mahomet*, Winterthur, 1965 ; *Le Roman de Mahomet de Alexandre du Pont (1258)*, éd. par Y.G. LEPAGE, Paris, 1977 (voir notamment l'introduction, p. 13-53).

Cf. aussi T. FAHD, « La visite de Mahomet aux enfers entre la Descente d'Inanna Ishtar dans le Monde inférieur et l'*Enfer* de Dante », en l'*Apocalyptique*, Paris, 1977, p. 179-216 (Études d'histoire des religions, Centre de recherche d'histoire des religions de l'université des sciences humaines de Strasbourg).

CONTES APOCALYPTIQUES
ET APOCALYPSES PHILOSOPHIQUES
DANS LA BIBLIOTHÈQUE
DE NAG HAMMADI

par

Madeleine SCOPELLO

Une bibliothèque composée de treize codices en papyrus[1] fut découverte en 1945 à Nag Hammadi, en Haute-Égypte. Il s'agit d'un ensemble de cinquante-deux traités qui à l'origine furent très probablement rédigés en grec[2] par des auteurs anonymes de foi gnostique. La Bibliothèque de Nag Hammadi

---

1. Les papyrus de Nag Hammadi sont déposés au musée copte du Caire. Une édition fac-similé de tous les codices a été publiée par le Department of Antiquity of Arab Republic of Egypt and Scientific and Cultural Committee of USA, Leiden, 1974-1979, et permet aux coptologues d'avoir accès aux textes. Une traduction globale des traités de Nag Hammadi a été fournie par les membres du projet de la « Coptic Gnostic Library of the Institute of Antiquity and Christianity », Claremont University, sous la direction de J.M. ROBINSON, *The Nag Hammadi Library in English*, San Francisco, 1977. Une traduction en langue allemande des textes de Nag Hammadi paraît dans la *Theologische Literaturzeitung*, par les soins de l'université Humboldt de Berlin-Est. En langue française, l'équipe franco-canadienne des universités de Strasbourg et de Laval-Québec publie régulièrement depuis 1977 les traités de la Bibliothèque de Nag Hammadi dans la section *Textes* de la « Bibliothèque copte de Nag Hammadi », éditions Peeters, Louvain. Les traités édités par cette équipe sont, à ce jour, au nombre de 18.

2. A ce sujet, voir l'« Introduction » de J.M. ROBINSON, *The Nag Hammadi Library*, p. 2.

(NH) nous a transmis une traduction copte de ces textes où les mots grecs réapparaissent souvent dans des expressions de contenu théologique et philosophique*.

La texture du papyrus et les genres d'écriture utilisés par les scribes nous permettent de dater du IVᵉ siècle de notre ère les traités coptes de la Bibliothèque. Les originaux grecs perdus sont toutefois plus anciens. Ils ont été vraisemblablement rédigés au IIᵉ et au IIIᵉ siècle[3] : les spéculations dont ils font état le prouvent.

Comment expliquer l'existence d'une bibliothèque gnostique en Haute-Égypte au IVᵉ siècle ? Deux solutions sont possibles : cette bibliothèque pouvait appartenir à une communauté gnostique égyptienne, encore riche et florissante au IVᵉ siècle, ou bien elle était conservée dans un monastère copte chrétien. Les moines auraient pu aussi bien s'en servir pour leur érudition que pour procéder à sa critique ou à sa réfutation théologique.

*
* *

La découverte de la Bibliothèque de Nag Hammadi revêt une grande importance pour l'histoire des religions et permet de préciser les contacts du gnosticisme avec les grands courants de pensée de la fin de l'Antiquité : judaïsme, paganisme, christianisme.

L'illustration des doctrines et des pratiques religieuses des

---

* Les crochets [ ] insérés dans les textes cités indiquent la présence d'une lacune dans le texte copte.

3. Pour la datation des manuscrits, voir H.C. PUECH, « Les nouveaux écrits gnostiques », in *Studies in Honor of W.E. Crum, The Bulletin of the Byzantin Institute* 2 (1950), p. 91-154 ; J. DORESSE, *Les Livres secrets des gnostiques d'Égypte*, Paris, 1958 ; du même auteur, « Les reliures des manuscrits coptes de Nag Hammadi », in *Revue d'égyptologie* 13 (1961), p. 43-45 ; M. KRAUSE-P. LABIB, *Gnostische und Hermetische Schriften aus Codex II und Codex VI*, Glückstadt, 1971, « Introduction ».

adeptes du gnosticisme est enfin rendue possible par ces textes ainsi retrouvés, textes qui nous informent parfois aussi sur les coutumes traditionnelles des communautés au sein desquelles ils ont été rédigés.

Auparavant, les seuls témoignages relatifs à la gnose étaient ceux des hérésiologues chrétiens. De tels témoignages, généralement fragmentaires et fréquemment polémiques, n'étaient que rarement susceptibles de fournir une description fidèle de la pensée gnostique qu'ils trahissaient en fait souvent[4].

L'attitude négative des hérésiologues était justifiée par leur exigence de défendre le christianisme officiel contre une doctrine qu'ils considéraient comme hérétique et, de par son rayonnement, dangereuse. A titre d'exemple, on se souviendra des témoignages d'Épiphane, évêque de Salamine, qui dans sa *Boîte à médicaments*[5] nous décrit les gnostiques comme des êtres dépravés, gagnés à des pratiques perverses et à des abominations sacrées[6].

La Bibliothèque est composée de textes hétérogènes : prières magiques, histoires romanesques, récits cosmogoniques et eschatologiques, évangiles, apocalypses. Néanmoins, en dépit de leur diversité, tous ces textes illustrent l'idée maîtresse de la gnose, à savoir la re-connaissance de Soi qui est en même temps connaissance de Dieu. Une telle conception est rendue par l'itinéraire mythique de l'âme : tombée de la demeure

---

4. Les deux principaux témoignages sur les doctrines gnostiques sont l'*Adversus Haereses*, d'IRÉNÉE de Lyon (éd. W. HARVEY, *Sancti Irenaei Libros quinque adversus Haereses*, Cambridge, 1857 ; 2ᵉ édition, 1965 ; traduction française par A. ROUSSEAU, *Irénée. Contre les hérésies*, Paris, 1984), et la *Réfutation*, d'HIPPOLYTE (éd. P. WENDLAND, *Hippolitus Werke. Refutatio omnium haeresium* (*GCS* 26), Leipzig, 1916.

5. ÉPIPHANE de Salamine, *Panarion*, texte grec édité par K. HOLL, *Epiphanius, Ancoratus und Panarion*, I-II (*GCS* 25), Leipzig, 1915-1922, avec traduction.

6. Par exemple les témoignages d'Épiphane sur la contrefaçon du repas sacré par les gnostiques : il devient un repas de menstrues et de sperme. Voir à ce propos, J.E. MÉNARD, « Le repas sacré des gnostiques », in *Revue des sciences religieuses* 55 (1981), p. 43-51.

céleste du Père dans la souillure du monde, elle cherche à retrouver ses origines divines[7].

Plusieurs courants de pensée sont représentés dans la Bibliothèque et font d'elle un exemple de syncrétisme religieux et intellectuel : des textes d'un gnosticisme judaïsant côtoient des traités d'allure hellénistique ; des évangiles marqués par l'empreinte chrétienne suivent des textes et des prières imprégnés d'alchimie et de magie. Quelques traités par contre font état d'idées issues de l'ancienne tradition égyptienne. Enfin, des spéculations philosophiques d'influence platonicienne complètent le panorama d'ensemble de la Bibliothèque.

*
* *

Nous entendons présenter ici quelques traités apocalyptiques de la Bibliothèque de Nag Hammadi. Certains textes portent le mot « apocalypse » dans leur titre, au début ou à la fin du traité[8]. D'autres textes, tout en ayant un genre apocalyptique, ne le déclarent pas en toutes lettres. Toutes ces apocalypses font état de traditions juives et chrétiennes. On les appellera *contes apocalyptiques*.

La Bibliothèque de Nag Hammadi nous a également conservé quelques textes de révélation et de contenu philosophiques. Ces traités ont été conçus dans une ambiance intellectuelle influencée par le moyen et le néoplatonisme. On les appellera *apocalypses philosophiques*.

---

7. Un bel exposé du mythe de l'âme, sous la forme d'un conte romanesque, se trouve dans le traité de l'*Exégèse de l'âme* du Codex II de Nag Hammadi.
8. *Apocalypsis* en grec, *ouonh ebol* en copte.

Les contes apocalyptiques

Les apocalypses que nous rangeons dans cette catégorie appartiennent au genre littéraire du conte, du petit roman, de la prédication. Écrites dans un style destiné à retenir l'attention du lecteur ou de l'auditeur, elles ont généralement pour cadre littéraire l'ascension au ciel d'un être privilégié (un apôtre, un prophète...). Au cours d'un voyage céleste les secrets divins sont dévoilés à l'initié.

Le schéma du voyage au ciel, genre littéraire d'usage courant dans les apocryphes juifs[9], réapparaît dans les textes de NH. Les maîtres de la gnose reprirent maintes fois[10] ce schéma pour illustrer un thème qui leur était cher : la remontée de l'âme vers Dieu par une ascension périlleuse à travers les sphères. De même, l'initié, figure de l'âme élue, ravi durant son sommeil ou en extase, monte au ciel, guidé par une entité divine qui le prend en charge et l'instruit. Les lieux privilégiés qui marquent le début du voyage ne sont pas choisis au hasard : il s'agit souvent d'une montagne ou d'un endroit désertique.

Parmi les textes de NH qui illustrent le mieux le thème du voyage au ciel, il faut citer l'*Apocalypse de Paul*[11] (Ap. Paul).

Ce texte décrit la rencontre que Paul fit, sur une montagne, d'un petit enfant. Cet enfant lui propose de l'accompagner

9. Quelques exemples : *Ascension d'Esaïe* ; I, II, III *Hénoch ; Apocalypse de Baruch ; Apocalypse d'Abraham ; Testament d'Abraham*. Voir à ce sujet, G. WIDENGREN, *Muhammad, The Apostle of God and his Ascension*, Uppsala, 1955 ; J. SCHWARTZ, « Le voyage au ciel dans la littérature apocalyptique », in *L'Apocalyptique. Études d'histoire des religions*, éd. M. PHILONENKO-M. SIMON, Paris, 1977, p. 91-126.

10. Cf. l'*Apocryphe de Jacques* (Nag Hammadi = NH I, 2), le *Dialogue du Sauveur* (NH III, 5), la *Première Apocalypse de Jacques* (NH V, 3), la *Paraphrase de Shem* (NH VII, 1), *Zostrien* (NH VIII, 1), *Marsanes* (NH X, 1), l'*Allogène* (NH XI, 3), l'*Évangile selon Marie* (Berolinensis 8502, 1).

11. Traduction par G. MACRAE et W.R. MURDOCK, in *The Nag Hammadi Library* [...], p. 239-241 ; sur ce texte, voir J.M. ROSENSTIEHL, « Apocalypses : traités prophétiques », in *Histoire et Archéologie, les dossiers, Nag Hammadi, une bibliothèque gnostique aux bords du Nil*, 70 (février 1983), p. 30-33.

durant un voyage au ciel dont le but est d'atteindre la Jérusalem céleste. Puisque Paul « est béni déjà dans le sein de sa mère[12] » il pourra entreprendre ce voyage : voyage qui n'est nullement décidé par Paul mais auquel il a été destiné par la volonté divine :

Paul lui dit : « Quelle route me conduira à Jérusalem ? » L'enfant répondit : « Prononce ton nom et je te montrerai le chemin. » L'enfant savait qui était Paul : « Je sais qui tu es, Paul, tu es celui qui fus déjà béni dans le sein de ta mère, car je suis venu à toi pour te permettre de monter vers Jérusalem, vers les Apôtres, tes compagnons. Tu as été appelé pour cette raison. Je suis l'Esprit qui t'accompagne » (18, 3-22).

L'enfant révèle à Paul le but de ce voyage : l'obtention de la connaissance :

Réveille ton intelligence, Paul, et sache que la montagne de Jéricho est celle où tu te trouves, de façon que tu puisses connaître les choses cachées dans ce qui est visible (19, 10-14).

Sur ces paroles, l'enfant conduit Paul au troisième ciel[13]. Au quatrième ciel, sur ordre de l'enfant, Paul « regarde et contemple son image sur terre » (Ap. Paul 19, 23). Seul donc l'esprit de Paul a entrepris le voyage. Son corps, son image, est resté sur terre. Paul regarde d'abord vers le bas et voit ceux qui sont sur terre. Puis il dirige son regard vers le haut et il a une vision des douze apôtres qui se tiennent à la droite et à la gauche de Dieu dans la création (Ap. Paul 19,21-20,5).

Le voyage de Paul prend par moments l'allure d'une descente aux Enfers. Paul aperçoit en effet, outre l'organisation des armées célestes, celle des armées démoniaques et assiste au

---

12. L'attribut donné à Paul « béni déjà dans le sein de ta mère » (Ap. Paul 18,16-17 et 23,1-4) est probablement tiré de Jr 1, 5 ; cf. Ga 1, 15.
13. Cf. 2 Co 12, 2-4, où Paul était enlevé d'emblée au troisième ciel.

châtiment d'une âme hypocrite. Cette scène de jugement et de punition se déroule au quatrième ciel :

Au quatrième ciel je vis, classés par catégories, des anges ressemblant à des dieux qui amenaient une âme hors de la terre des morts. Ils la placèrent à la porte du quatrième ciel. Les anges la fouettaient. L'âme dit : « Quel péché ai-je commis dans le monde ? » Le douanier qui se tient au quatrième ciel répliqua : « Il ne fallait pas commettre toutes ces actions interdites qui existent dans le monde des morts. » L'âme dit : « Amenez les témoins, qu'ils te montrent dans quel corps j'ai commis des actions interdites ! Veux-tu amener le livre pour que tu puisses le lire ? » Les trois témoins se présentèrent. Le premier dit : « N'étais-je pas dans le corps à la deuxième heure ? [...] je me suis levé contre toi jusqu'à ce que tu tombes dans la colère, la rage et l'envie. » Le deuxième témoin dit : « N'étais-je pas dans le monde ? Je suis entré à la cinquième heure, je te vis, je te désirai. Prends garde, maintenant je t'accuse des délits que tu as commis ! » Le troisième dit : « Ne suis-je pas venu à toi à la douzième heure du jour, au coucher du soleil ? Je t'ai donné la ténèbre pour que tu puisses accomplir tes péchés. » Quand l'âme eut entendu ces choses, elle regarda vers le bas puis vers le haut ; elle fut jetée dans les profondeurs. L'âme lancée vers le bas descend dans un corps qui a été apprêté pour elle (20,6-21,21).

Cette scène mérite quelques mots de commentaire. Le cadre du récit utilisé par l'auteur de l'Ap Paul est typique d'une certaine littérature « infernale », peuplée de douaniers et d'anges vengeurs, qui eut un vaste succès dans les textes gnostiques. Le personnage du douanier, figure d'archonte qui empêche les âmes de remonter au ciel et qui garde farouchement la sphère à laquelle il est préposé, est également décrit dans la *Première Apocalypse de Jacques*[14] et le *Contra Celsum*[15]. Les anges qui

---

14. NH 33, 8.
15. VII, 31, 40. Cf. *Ginza de gauche* III, 70.

flagellent l'âme réapparaissent dans l'*Asclepius*[16], dans le *Livre de Thomas l'Athlète*[17] et dans la *Pistis Sophia*[18].

La scène du jugement de l'âme hypocrite décrite dans l'Ap. Paul trouve des parallèles étroits dans la version copte du *Testament d'Abraham*[19] et dans la *Visio Pauli*[20]. Toutefois, par rapport à ces deux textes, l'auteur de l'Ap. Paul fait preuve d'une interprétation originale des témoins ; ceux-ci ne sont pas les personnes lésées par l'âme coupable comme dans la *Visio Pauli*, mais ce sont des esprits démoniaques qui ont incité l'âme à pécher et lui ont fourni l'occasion favorable pour le faire. Dans sa compréhension psychologisée des témoins, l'auteur de l'Ap. Paul a pu être influencé par les spéculations juives sur le mauvais penchant, le *yetzer*, qui demeure dans l'âme de l'homme[21]. On pourrait même songer, pour l'interprétation de cet épisode de l'Ap. Paul, à un phénomène de possession de l'âme par les démons. La phrase du deuxième témoin « je te vis et je te désirai » est signifiante et rappelle un cas de possession bien connu, celui de Sarah par Asmodée le démon dans le livre de Tobie.

Quel est le châtiment de l'âme ? Elle est jetée dans un corps apprêté pour elle (21, 18-21) ; cette notion de métensomatose[22]

---

16. NH 78, 32.

17. NH 141, 33.

18. Chapitre 376.

19. Chapitre 10. Éd. M. DELCOR, *Le Testament d'Abraham*, Leiden, 1973.

20. Éd. T. SILVERSTEIN, *Visio Sancti Pauli*, Londres, 1935. Voir dans ce même volume la contribution de C. Kappler.

21. Sur le *yetzer*, voir l'« Instruction qumranienne des Deux Esprits », *in* A. DUPONT SOMMER, *Les Écrits esséniens découverts près de la mer Morte*[3], Paris, 1968, p. 93-98. On se souviendra également du *Testament de Ruben* II, 2, 3, où l'on attribue à sept esprits les causes des péchés des hommes : éd. A.M. DENIS-M. DE YONGE, *Testamenta XII Patriarcharum (Pseudepigrapha Veteris Testamenti Graece)*, Leiden, 1964 ; traduction *in* R.H. CHARLES, *Apocrypha and Pseudepigrapha of the Old Testament in English*, Oxford, 1913, p. 296-297.

22. Voir, sur la réincarnation des âmes, le *Corpus Hermeticum*, fr. XXIII, 25, 34, 39, 40 *ex Stobaeo (Koré Kosmou)* ; à Nag Hammadi, l'*Écrit sans titre*, NH II, 5, 114, 22 ; l'*Exégèse de l'âme*, NH II, 6, 127 ; *Marsanes*, NH X, 1, 41, 18.

est d'ailleurs confirmée à la page 19 de l'Ap. Paul : « Toute la race des démons qui révèle les corps à l'âme-semence. » Les démons sont les responsables de la nouvelle incarnation de l'âme indigne. Le Tartare, le lieu infernal du châtiment, ne se situe donc pas sous terre ou dans la partie sublunaire des cieux, comme dans bien des spéculations d'époque hellénistique, mais sur terre, une terre que l'auteur de l'*Apocalypse de Paul* n'hésite pas à définir comme « terre des morts » ou « monde des morts » (20, 19-20)[23].

Paul continue son ascension de ciel en ciel. Au cinquième ciel, il voit un grand ange avec une épée de fer[24], puis d'autres anges, des fouets aux mains, qui rivalisent[25] entre eux pour conduire les âmes au jugement. Au sixième ciel, Paul aperçoit une lumière qui se déverse de la sphère supérieure sur le lieu où il se trouve. Il dit alors au douanier :

Ouvre-nous, à moi et à l'esprit qui me précède. Il m'ouvrit.

Ainsi, Paul parvient au septième ciel. Voici ce qui se présente à ses yeux :

Au septième ciel je vis un vieil homme [...] lumière, [...] de blanc vêtu. Son trône brillait sept fois plus que le soleil. Le vieil homme me dit : « Où vas-tu, Paul, béni déjà dans le sein de ta mère ? » Je regardai l'esprit, il me fit signe et me dit : « Réponds-lui ! » Je répliquai au vieil homme : « Je retourne là d'où je suis venu. » L'homme dit : « D'où viens-tu ? » Je répondis alors : « Je vais descendre au monde des morts pour rendre captive la captivité qui fut rendue cap-

---

23. Pour la position géographique des Enfers, cf. F. CUMONT, *Lux Perpetua*, Paris, 1949, p. 196 *sqq.*
24. Cf. Apocalypse de Jean 19,15.
25. Pour les anges qui rivalisent entre eux (*erizein* en *Apocalypse de Paul* 22,7-8), cf. *Apocalypse d'Abraham*, chapitre 18 ; *Midrash Tanhuma sur Genèse* II, 4. L'*Apocalypse de Paul* se fait ici l'écho de spéculations sur la Merkabah qu'on retrouve dans la littérature des Hekhaloth et plus tard dans la Kabbale.

tive au moment de la captivité de Babylone. » Le vieil homme dit :
« Comment pourras-tu m'échapper ? Regarde les principautés et les
autorités ! » L'esprit me parla : « Donne-lui le signe que tu possèdes
et il t'ouvrira. » Je lui donnai le signe ; il tourna son visage vers le
bas, vers sa création et vers ses autorités.

On notera que le vieil homme pose trois questions à Paul :
« Où vas-tu, d'où viens-tu, comment vas-tu m'échapper ? »
Paul répond d'abord qu'il retourne au lieu d'où il est venu. La
deuxième réponse est complexe : Paul se pose en libérateur de
la captivité *(aikmalosia aikmalotizein)*. De plus, Paul se présente comme le Sauveur qui descend au monde des morts pour
les délivrer de la captivité du péché[26]. Ce thème rapproche
l'Ap. Paul de deux textes intertestamentaires, le *Testament de
Dan* 5, 8 et 11, 13 (la venue d'un Messie lévitique mettra fin à
la captivité de Béliar, délivrera les âmes des Saints et les amè-
nera à la Jérusalem céleste) et le *Testament de Zébulon* 9, 6-8
(la captivité de Béliar et l'esprit de l'erreur)[27].

A la troisième question, Paul ne répond pas mais il donne
au vieil homme, sur le conseil de l'esprit psychopompe, un
signe *(semeion)* tel que le gardien du septième ciel lui ouvre
l'accès à l'Ogdoade. Signes, mots de passe, *sfrageis*, sont des
éléments typiques de la littérature de la remontée de l'âme à
travers les obstacles des sphères[28].

---

26. Sur la descente du Sauveur aux Enfers, voir J. KROLL, *Gott und Hölle,
der Mythos von Descensus-Kempfe*, reprinting, Darmstadt, 1963.

27. Cf. le *Midrash de Melchisedek*, retrouvé à Qumrân, édité par A.S. van
der WOUDE, « Melchisedek als himmlische Erlösergestalt in den neugefun-
denen eschatologischen Midrashim aus Q-Hölhe XI », in *Oudtestamentische
Studiën* (XIV), Leiden, 1965, et l'*Apocryphon* copte de Jérémie, éd.
K.H. KUHN, « A Coptic Jeremiah Apocryphon », in *Le Muséon* LXXXIII
(1970), p. 95-135 ; p. 291-350. Pour une description du *descensus ad Inferos*,
cf. le *Concept de notre Grande Puissance* (NH VI, 4, 4, 41).

28. Cf. *Ascension d'Esaïe*, chapitre 26 ; *Contra Celsum* VI, 31 ; *Orphi-
corum Fragmenta*, éd. O. KERN, Berlin, 1922 ; sur *semeion*, voir A.J. FESTU-
GIÈRE, *La Révélation d'Hermès Trismégiste*, I, *L'Astrologie et les sciences
occultes*, Paris, 1944, p. 257, note 2. Sur les mots de passe, cf. G. SCHOLEM,
Les Grands Courants de la mystique juive, Paris, 1968, chapitre II. Comparer
l'*Apocalypse de Paul* à la *Visio Pauli*, chapitre 15 (version copte), où l'âme est
renforcée par le signe du Dieu vivant.

Dans ce jeu de questions et réponses on entrevoit le noyau de toute gnose, c'est-à-dire la prise de conscience de ses propres origines qui est en même temps prise de conscience de sa destinée : « au lieu d'où je suis venu je vais retourner », dit Paul au douanier céleste. Les trois questions du vieil homme et les réponses de Paul rappellent la triple formule, devenue classique, de l'*Extrait 78 de Théodote*[29] qui résume parfaitement l'itinéraire spirituel du gnostique : « D'où suis-je venu ? où suis-je ? où vais-je ? » Car, selon les paroles d'H.C. Puech[30],

la gnose est censée fournir la réponse commune à cette triple question, en dévoilant à l'individu son passé, son présent et son avenir, en même temps qu'elle lui révèle sa nature véritable, son être authentique, lui fait connaître ou reconnaître qui il est, ce qu'il est en soi et n'a jamais cessé d'être en dépit de la suite d'aventures qui l'a conduit ici-bas et constitue son histoire et sa destinée apparente.

Le vieil homme a une valeur précise dans l'économie du texte : il symbolise la puissance du démiurge, maître de l'*Heimarménè* et du destin, qui se dresse devant le gnostique pour l'empêcher de rejoindre le lieu de ses origines. Le vieil homme est aussi le juge des âmes, tout comme dans l'*Asclepius* copte, où un grand *daimon* surveille et juge les âmes, placé entre ciel et terre[31]. L'*Ap. Paul* s'est inspirée de Daniel 7, 9 pour la description du vieil homme. Sur ce thème, le *Testament*

---

29. CLÉMENT d'ALEXANDRIE, *Extraits de Théodote*, éd. F.M.M. SAGNARD, *Sources chrétiennes*, 23, Paris, 1948, p. 203.

30. H.C. PUECH, *En quête de la gnose*, I, *La Gnose et le Temps*, Paris, 1978, p. 191.

31. *Asclepius* 76, 22 *sqq* : « Il y a un grand *daimon*. Le grand Dieu lui a donné la fonction de surveillant *(episkopos)* et de juge *(dikastes)* des âmes des hommes. Dieu l'a placé au milieu de l'air, entre la terre et le ciel. Quand l'âme sort du corps, il faut qu'elle rencontre ce *daimon*. Immédiatement, il l'entoure et l'examine selon le caractère qu'elle a développé durant son existence. »

d'Abraham et le *I Hénoch*[32] doivent être comparés à l'Ap. Paul.

De cette esquisse sur l'Ap. Paul on peut tirer quelques conclusions qui sont en partie valables pour la compréhension des autres contes apocalyptiques de la Bibliothèque de Nag Hammadi.

Le texte de cette apocalypse a été probablement rédigé au IIe siècle par un auteur gnostique qui avait une certaine familiarité avec la littérature du judaïsme intertestamentaire. Les parallèles que nous avons proposés — il y en a d'autres — permettent de l'affirmer avec aisance.

Ces thèmes d'origine juive qui s'insèrent dans le cadre d'un voyage céleste ont reçu dans l'Ap. Paul une interprétation gnosticisée. Comme dans d'autres textes de la gnose, l'imagerie qui servait dans les pseudépigraphes à décrire les périls de l'exploration d'un univers dangereux, parce que divin et secret, se charge ici d'un accent bien plus tragique. C'est la lutte de l'âme contre les puissances cosmiques, qui la gardent prisonnière dans l'engrenage de l'*Heimarmènè*, qu'illustre la remontée de Paul à travers les sphères. Paul est le symbole du gnostique et en même temps du Sauveur, un *Salvator salvandus* qui veut regagner le lieu d'où il est venu, après avoir réveillé son intelligence, pour avoir accès aux secrets divins.

*
* *

Deux apocalypses attribuées à Jacques, frère du Seigneur, ont également été conservées dans le codex V de NH. On

---

32. Recension longue, chapitre 6 : un homme resplendissant comme le soleil juge les âmes. Dans la version copte du même texte, le juge à cheveux blancs est identifié à Hénoch, le scribe de justice. Pour l'attribut « sept fois plus que le soleil », cf. *Esaïe* 30, 26 ; *Hymne* L, colonne VII, 24 de Qumrân.

s'arrêtera ici sur la première. Cette apocalypse[33] traite deux sujets différents mais étroitement liés : la passion et la mort du Seigneur, l'ascension de l'âme au ciel après son aventure terrestre. Si voyage au ciel il y a, il ne concerne pas Jacques pendant sa vie — comme ce fut le cas de Paul — mais son âme après la mort. Ce texte mérite son titre d'apocalypse car il rapporte les révélations et les enseignements secrets que Jésus transmet à Jacques. Souvenons-nous en effet de la signification du mot *apokalupsis, apokaluptein* en grec : révélation, révéler. C'est là l'élément commun qu'on retrouve dans ces écrits où des dévoilements concernant soit le monde céleste, soit les enfers, soit la fin des temps sont communiqués à quelques élus :

Le Seigneur me parla : « Prends conscience de la réalité de ma rédemption ; je t'ai donné un signe de ces choses, Jacques, mon frère, car je ne t'ai pas appelé mon frère sans raison, bien que tu ne sois pas mon frère selon la chair. Je ne suis pas ignorant à ton sujet, ainsi, du moment que je t'ai donné un signe, sache et tends l'oreille » (Ap. Jacques 24, 10-19).

Suit une série d'enseignements que Jésus confie à son disciple. Le premier porte sur le Dieu Caché, décrit selon les canons de la théologie négative[34]. Le deuxième consiste en une série de réponses aux questions de Jacques sur les douze Hébdomades et les soixante-douze cieux[35]. Le Seigneur prévient Jacques que sa compréhension sera parfaite quand il rejettera

33. Traduction par W.R. SCHOEDEL, in *The Nag Hammadi Library*, p. 242-248 ; A. BOHLIG-P. LABIB, *Koptisch-gnostische Apocalypsen aus Codex V von Nag Hammadi im Koptischen Museum zu Alt-Kairo*, Halle-Wittenberg, 1963.

34. Sur ce sujet, A.J. FESTUGIÈRE, *La Révélation d'Hermès Trismégiste*, IV, *Le Dieu Inconnu et la Gnose*, Paris, 1954.

35. Cf. W.R. SCHOEDEL, « Scripture and the Seventy-two Heavens of the First Apocalypse of James », in *Novum Testamentum* 12 (1970), p. 118-129 ; N. SÉD, « Les douze hébdomades, le char de Sabaoth et les soixante-douze langues », in *Novum Testamentum* 21 (1979), p. 156-184.

« le poids de la chair et la pensée aveugle » (Ap. Jacques 27, 1-11) ; alors seulement il rejoindra Celui qui est. A ce moment-là, il ne sera plus Jacques, mais le « Un qui est ». Mais comment rejoindre Celui qui est ? La route sera dangereuse, peuplée de puissances mauvaises :

> Rabbi, de quelle manière pourrais-je rejoindre Celui qui est, du moment que tous ces pouvoirs et leurs légions sont armés contre moi ? Il me répondit : « Ces pouvoirs ne sont pas armés contre toi mais contre un autre. C'est contre moi qu'ils sont armés (...) mon cœur est faible devant leur rage » (27,14-28,4).

Jacques est effrayé et doute de son attitude devant les archontes du mal :

> Que feront-ils ? que serai-je capable de dire pour leur échapper ? Le Seigneur dit : « Jacques, je comprends ta façon de penser et ta peur. Ne pense qu'à ta rédemption (...) je te révélerai ta rédemption. »

Cette révélation sera complète après la lutte de Jésus contre les Puissances et sa résurrection :

> Le Seigneur dit : « Jacques, après ces événements je te révélerai toute chose, non seulement pour ton salut mais aussi pour le salut des non-croyants pour que la foi naisse en eux. Car une multitude rejoindra la foi et ils augmenteront en [...] jusqu'à [...]. Après cela, j'apparaîtrai en guise de blâme devant les archontes ; je leur révélerai également qu'Il ne peut être saisi. S'ils le saisissent, Il les vaincra un à un ; maintenant je m'en vais. Souviens-toi de mes paroles. » Jacques répondit : « Seigneur, je me dépêcherai, suivant ton conseil. » Le Seigneur me dit adieu et accomplit ce qui devait l'être (29,4-30,13).

Après la crucifixion du Seigneur, Jacques montre son désespoir, ayant été témoin des souffrances du Christ. Mais en réalité le Christ n'a pas souffert : c'est lui-même qui le révèle à Jacques, lui apparaissant sur le mont Gaugelan :

Le Seigneur lui apparut. Jacques alors interrompit sa prière et l'étreignit. Il l'embrassa en disant : « Rabbi, je t'ai retrouvé ! je connais les souffrances que tu as endurées, j'en ai été beaucoup frappé. Tu connais ma compassion (...) ces gens doivent être jugés pour ce qu'ils ont fait, leurs actions ont été épouvantables. »

Le Seigneur dit : « Jacques, ne t'occupe pas de ces gens ni de moi. Je suis celui qui était avec moi-même. Je n'ai aucunement souffert ni n'étais-je désespéré. Ces gens ne m'ont fait aucun mal. Ils existaient toutefois comme un genre d'archontes, il était inéluctable qu'ils me détruisent » (31,1-26).

Le noyau de cette révélation consiste dans le fait que Jésus n'a aucunement souffert sur la croix. La position docétiste de l'auteur de l'Ap. Jacques est claire : le Christ n'a souffert qu'en apparence, car le Fils de Dieu n'a pas une nature charnelle mais totalement divine : les affres du corps ne peuvent aucunement le concerner. Sur ce sujet l'Ap. Jacques rejoint l'*Apocalypse de Pierre* du codex VII de NH où le Christ se moque et rit des archontes qui le persécutent[36].

---

36. *Apocalypse de Pierre* 81,31-82,14 : traduction par R.A. BULLARD, *The Nag Hammadi Library*, p. 339-345 :
(Le Sauveur parle à Pierre)
« Viens donc, suivant l'accomplissement de la volonté du Père Incorruptible. Car ceux qui leur amènent le jugement viendront et ils les couvriront de honte. Quant à moi, ils ne peuvent me toucher. Toi, Pierre, tu resteras au milieu de ces gens. Ne sois pas peureux à cause de ta couardise. » Après qu'il eut dit ces choses, je le vis faisant semblant d'être capturé par eux et je dis : « Que vois-je, Seigneur, est-ce toi qu'ils ont capturé et est-ce toi qui me tiens ? ou alors qui est-ce celui qui est heureux et qui rit sur le bois (de la croix) ? est-ce un autre dont ils frappent les pieds et les mains ? » Le Sauveur me dit : « Celui que tu vois sur le bois, heureux et riant, c'est le Christ Vivant. Mais celui dont ils percent les pieds et les mains de clous est la partie charnelle (du Christ Vivant) c'est-à-dire l'être substitutif recouvert de honte, celui qui vint à l'être en l'apparence du Christ. Regarde donc vers lui et vers moi (80,24-81,25) (...) sache-le, ils (les archontes) ne savent pas ce qu'ils disent. Car, au lieu de mon serviteur, ils ont couvert de honte le fils de leur gloire. » Je vis alors

Le Christ n'a souffert qu'en apparence et il s'est moqué des pouvoirs cosmiques : ainsi en va-t-il de l'âme qui dans son ascension au ciel lutte contre les archontes et leur échappe par la ruse de ses paroles. Jacques personnifie l'âme dans son ascension à travers les sphères. L'enseignement de Jésus consiste à suggérer à son disciple les bonnes réponses pour tromper les archontes :

Quand on te capturera et tu pâtiras des souffrances, une multitude s'armera contre toi pour te saisir. Trois personnages te saisiront : ce sont les collecteurs d'impôts qui siègent là-bas. Non seulement ils demandent l'impôt mais ils ravissent les âmes et les enlèvent. Quand tu arriveras au lieu de leur pouvoir, l'un parmi eux qui a fonction de garde te demandera : « Qui es-tu ? d'où viens-tu ? » Tu lui répondras : « Je suis un fils, je viens du Père. » Il te dira : « Quel genre de fils es-tu, à quel père appartiens-tu ? » Tu lui répondras : « Je viens du Père Préexistant, je suis un fils dans le Préexistant » (33, 2-24). Lorsqu'il te dira : « où vas-tu ? », tu lui répondras : « Je vais au lieu d'où je suis venu, là-bas je vais retourner. » Si tu parles ainsi tu échapperas à leurs assauts (34, 17-21)[37].

Les révélations que Jacques a reçues durant ses conversations avec le Seigneur doivent être gardées secrètes ; tout au plus pourra-t-il les communiquer à ceux qui seront dignes de les recevoir. Ceci est un thème commun à tout écrit apocalyptique qui se veut nécessairement ésotérique. Ces révélations

---

quelqu'un lui ressemblant qui se rapprochait de nous, le même qui riait sur la croix. Il fut rempli d'un esprit saint : il est le Sauveur. Il y eut une grande et ineffable lumière autour d'eux, et une multitude d'anges ineffables et invisibles les bénit » (81,31-82,14).

Par ailleurs, nombreux sont les textes de NH teintés de docétisme ; ce fut une des raisons pour lesquelles les écrits gnostiques furent rejetés par le christianisme officiel, qui privilégiait au même degré les deux natures, humaine et divine, du Sauveur. Cf. La deuxième *Apocalypse de Jacques* (NH V, 4), l'*Interprétation de la gnose* (XI, 1), le *Témoignage de Vérité* (IX, 3), la *Lettre de Pierre à Philippe* (VIII, 2), par contre, le traité de *Melchisedek* fait état d'une polémique antidocétiste.

37. Noter les points communs de ce passage avec l'Ap. Paul 23, 1-29.

tu dois les cacher, en toi-même et tu dois garder le silence. Tu les révéleras toutefois à Addaï. Après ton départ, la guerre se déclarera sur cette terre : pleure alors pour celui qui habite Jérusalem, mais laisse Addaï apprendre ces enseignements par cœur. Après dix ans laisse Addaï mettre ces choses par écrit. Après cela [...] ils doivent les communiquer à eux [...] il a le [...] il est appelé Lévi (36,14-37,6).

Une tradition allant de Jacques à Addaï se dessine dans ce texte. La mention d'Addaï, fondateur présumé de la chrétienté syriaque, contribue à placer l'Ap. Jacques dans un milieu judéo-chrétien de Syrie.

La plupart des textes de genre apocalyptique insistent sur la transmission secrète, et réservée à quelques élus, des révélations. Toute une imagerie faite de mystère et de silence, de lieux solitaires, de mise par écrit des enseignements reçus se retrouve dans ces apocalypses, qu'elles soient d'origine juive, chrétienne ou païenne.

Un bel exemple d'une apocalypse hermétique[38] est celui de *L'Ogdoade et l'Ennéade*. Dans cet écrit une place considérable est consacrée aux modalités de la transmission de la révélation : l'écriture, le lieu où le livre doit être entreposé, les formules imprécatoires destinées à le protéger :

(paroles de Trismégiste) ô mon enfant, ce livre, il convient de l'écrire sur des stèles turquoises en caractères hiéroglyphiques. Car c'est l'Intellect lui-même qui est devenu leur gardien. C'est pourquoi j'ordonne que ce discours soit gravé sur de la pierre et que tu le mettes à l'intérieur de mon sanctuaire, sous la garde de huit gardiens et de neuf (gardiens) du soleil. Les gardiens mâles, à droite, sont à visage de grenouilles et les femelles, à gauche, sont à visage de chats. Place en outre une pierre de lait en dessous des tables turquoises, qui soit de forme quadrangulaire, et écris le Nom sur la table de pierre couleur saphyr en caractères hiéroglyphiques... Ô mon père, toutes les paroles que tu dis, je les accomplirai avec zèle.

---

38. Éd. J.P. Mahé, *Hermès en Haute-Égypte. Les textes hermétiques de Nag Hammadi et leurs parallèles grecs et latins*, tome I, « Bibliothèque copte de Nag Hammadi », section *Textes*, Québec, 1978.

Écris donc une formule imprécatoire sur le livre, afin que le Nom ne soit pas détourné à des fins mauvaises par ceux qui liront le livre et qu'ils ne luttent pas contre les œuvres de la destinée (61,27-62,28).

*
* *

Les textes que nous venons d'étudier ne sont pas les seuls, dans la Bibliothèque de Nag Hammadi, à mériter l'appellation de « contes apocalyptiques ».

Mentionnons pour mémoire la *Deuxième Apocalypse de Jacques*[39], prolongement idéal de la *Première*, car elle rapporte les révélations de Jésus ressuscité. Jacques devient le guide céleste du gnostique, l'illuminateur des élus.

L'Apocalypse d'Adam[40] est une sorte de testament spirituel qu'Adam transmet à son fils Seth. Les révélations d'Adam concernent la fin des temps. Seule la race élue de Seth, son fils, sera sauvée.

Le *Concept de la Grande Puissance*[41], même s'il ne porte pas le titre d'apocalypse, l'est de plein droit : la description du Sauveur descendant dans l'Hadès, victorieux sur les archontes du mal, et la venue de l'Antichrist ont un goût apocalyptique. La section que l'écrit consacre aux signes de la fin va dans le même sens : quand les temps se raccourciront et les eaux se tariront, quand le soleil se couchera en plein jour, alors l'éon s'approchera de sa dissolution.

---

39. Éd. C.W. HEDRICK-D.M. PARROT, in *The Nag Hammadi Library*, p. 249-255.
40. Éd. G.W. MACRAE, in *The Nag Hammadi Library*, p. 256-264.
41. Éd. F.E. WILLIAMS, F. WISSE et D. PARROT, in *The Nag Hammadi Library*, p. 284-289.

Les apocalypses philosophiques

Les textes que nous avons choisi d'appeler « apocalypses philosophiques » sont porteurs d'un message de révélation et de salut sous des formes totalement intellectuelles.

Le côté spectaculaire, haut en couleur, riche en actions des « contes apocalyptiques » disparaît de ces textes pour faire place à une réflexion abstraite et à une action qui ne se déroule que sur le plan intellectuel.

Si les contes apocalyptiques étaient imprégnés de traditions juives et chrétiennes, les apocalypses philosophiques, quant à elles, sont influencées par les mouvements de pensée de la fin du paganisme, essentiellement par le moyen et le néoplatonisme.

Issus de milieux gnostiques proches du judaïsme et du christianisme, les contes apocalyptiques visaient un public qu'ils étaient susceptibles de séduire par la nouveauté du message gnostique. Ce message était revêtu d'éléments culturels empruntés aux deux grandes religions du livre. Les personnages d'Adam, du Christ et des Apôtres jouaient un rôle déterminant dans ces écrits.

Les apocalypses philosophiques visent tout un autre milieu : le milieu restreint des écoles et des académies alexandrines où l'on réélaborait constamment les théories platoniciennes.

Dans les contes apocalyptiques la révélation était transmise par Jésus à un apôtre privilégié (Jésus-Paul ; Jésus-Jacques) ou par un personnage biblique à son fils (Adam-Seth). Dans les apocalypses philosophiques, la transmission de la révélation n'a plus de références précises avec un fondateur de religion (ex. : Jésus) ou avec une race (Adam-Seth-la race séthienne). Elle se charge par contre de l'héritage de la tradition philosophique grecque où le maître transmet à son disciple un enseignement réservé à quelques élus. Le maître est en même temps père spirituel de son élève.

Les personnages mis en scène dans les apocalypses philosophiques n'ont pas une valeur historique mais seulement mythique. A titre d'exemple, citons l'*Allogène*[42]. Ce texte fait état de trois personnages dans le jeu de transmission de la révélation : une Gloire, peut-être un ange, Youel, qui communique la révélation ; un élu, Allogène, qui reçoit la révélation ; un fils, Messos, qui met par écrit les enseignements que son père spirituel a reçus. Le fils assure la continuité de la révélation car il se charge de la transmettre aux générations futures qui en seront dignes.

Ces apocalypses philosophiques ne sont pas seulement des traités inspirés par le platonisme tardif. Ce sont tout d'abord des textes gnostiques. Gnostique est le message de salut qu'ils transmettent ; gnostique est le but de la connaissance du Moi et de Dieu qu'ils ne cessent de prêcher.

L'originalité de ces textes réside dans la rencontre entre doctrine philosophique grecque et doctrine gnostique. Les deux sagesses s'enchevêtrent dans ces traités et donnent lieu à un nouveau système de pensée qui combine habilement les théories du platonisme tardif avec les personnages mythiques du panthéon gnostique.

*
* *

L'*Allogène* du codex XI de Nag Hammadi est un exemple d'apocalypse philosophique. Du genre littéraire apocalyptique il garde le schéma du voyage au ciel. Toutefois ce voyage qui révélera à l'élu, Allogène, l'organisation des sphères célestes, n'est en dernière analyse qu'un voyage à l'intérieur de soi-même. Les sphères qu'Allogène va apercevoir au cours de ses visions ne sont en réalité que les différents niveaux de l'intel-

---

42. Nag Hammadi XI, 3 ; traduction de M. SCOPELLO, à paraître dans la « Bibliothèque copte de Nag Hammadi », section *Textes*, Louvain, 1987.

lect que l'homme doit gravir par échelons successifs afin de parvenir à la connaissance de soi-même et, en même temps, de la divinité.

Dans ce voyage, Allogène a un guide. Il s'agit d'une Gloire, une entité divine revêtue d'attributs féminins. Son nom est Youel.

Le voyage au ciel est soigneusement préparé. Avant de l'entreprendre, Allogène reçoit de Youel une série d'enseignements fondamentaux. Ces révélations portent sur le Triple Puissant[43], manifestation du Dieu Inconnu, sur l'Être Caché, sur l'éon de Barbélo[44] et sur l'Esprit Invisible. Les habitants du monde céleste sont décrits dans un langage philosophique emprunté aux courants platoniciens.

La description du Triple Puissant est faite selon les canons de la théologie négative et trouve mainte comparaison dans les écrits du moyen platonisme. Il en va de même pour la description de l'Un.

Quant au Triple Puissant, l'esprit invisible, écoute ! Il existe en étant une monade invisible, incompréhensible à eux tous. Il les possède tous en lui-même, car ils existent tous à cause de lui. Il est parfait et plus grand que parfait et il est bienheureux. Il est une monade en tout temps et il existe en eux tous étant ineffable et ne pouvant être nommé (...) lui qui, si quelqu'un vient à le comprendre il ne désire plus connaître autre chose qui est au-delà de lui [...] car c'est lui la source (...) à partir de laquelle (...) et il est antérieur à toute béatitude, puisqu'il pourvoit à toute puissance, et il est une substance sans substance, un dieu au-dessus duquel il n'y a pas de divinité. Il est celui dont la majesté dépasse la grandeur et la beauté (47, 7-38).

43. Le personnage du Triple Puissant est commun à quelques traités de Nag Hammadi : *Allogène, Zostrien, Les Trois Stèles de Seth*. On ne peut manquer de rappeler le Trismégiste, le trois fois grand des écrits hermétiques.

44. Barbélo est un éon féminin, souvent identifié par les gnostiques à la Sagesse. Dans les mythes de la gnose, Barbélo se charge d'attributs opposés, étant vierge et prostituée, connaissance et ignorance.

(Sur l'Un)

C'est la monade qui existe comme quelque chose de l'Être et une source et une matière sans matière et un nombre sans nombre et une forme sans forme et une apparence sans apparence et un corps sans corps et une substance sans substance (48,19-27).

Allogène fait le compte rendu du premier lot de révélations à son fils Messos. Il souligne la difficulté de la doctrine et le privilège qu'il a eu d'écouter les paroles de Youel.

Le nom d'Allogène est significatif et justifie le choix dont il a été l'objet, car *Allogenes* signifie étranger. Étranger au monde, étranger aux méfaits de la création, Allogène est le symbole du gnostique qui garde sa liberté face aux archontes du mal, et s'échappe vers les régions de l'intellect pour atteindre la divinité enfouie au plus profond de lui-même.

Écoutons le récit des souvenirs qu'Allogène fait à son fils :

Moi, quand j'eus entendu cela, mon fils [lacune de 5 lignes] donne le pouvoir à ceux qui sont capables de connaître cela par une révélation qui est plus grande. Mais moi j'eus pouvoir, bien que revêtu de chair. J'ai entendu ces propos de toi ainsi que ce qui concerne la doctrine qui est en eux. Du fait que la pensée qui est en moi a distingué ce qui est supérieur à la mesure et qui est inconnaissable, pour cette raison j'ai peur que ma doctrine ne soit un peu au-delà de ce qui convient. Et alors à nouveau, mon fils Messos, celle qui appartient à toutes les Gloires, Youel, me parla. Elle me fit une révélation et me dit : il n'est pas coutume que chacun puisse entendre ces propos excepté les grandes puissances seules, ô Allogène. Tu as été revêtu par le Père d'une grande puissance, le Père du Tout qui est éternel, avant que tu ne viennes en ce lieu, afin que les choses qui sont difficiles à distinguer, tu puisses les distinguer et les choses qui sont inconnaissables pour la plupart, tu puisses les connaître et que tu t'évades en sécurité en remontant vers celui qui est tien, celui qui fut le premier à sauver et qui n'a pas besoin d'être sauvé (49,38-50,36).

Après une révélation sur l'éon de Barbélo, image du Caché,

particulièrement troublante et difficile à saisir, Allogène revient à lui-même :

Je m'enfuis et je fus grandement troublé. Et je retournai à moi-même, ayant contemplé la lumière autour de moi et le Bien qui était en moi. Je fus divinisé et de nouveau celle qui appartient à toutes les Gloires, Youel, me toucha et me donna puissance (52, 8-15).

Ayant gravi un autre échelon dans le chemin de la connaissance, Youel confie à Allogène un enseignement encore plus secret :

Puisque ton instruction est devenue parfaite, et que tu as connu le Bien qui est en toi, écoute, au sujet du Triple Puissant, les propos que tu garderas dans un grand secret, et un grand mystère, car on ne les dit à personne sinon à ceux qui en sont dignes, ceux qui ont en eux le pouvoir d'entendre. Et il ne convient pas de parler à une génération qui est privée d'instruction du Tout qui est plus élevé que parfait (52, 16-28).

Cette révélation porte sur le Triple Puissant. Par une prière que Youel adresse à l'Un, Allogène a droit à une série de visions. La prière de Youel consiste en la récitation de noms magiques :

Tu es grand Armedon, tu es parfait Epiphaneu, selon l'activité qui est tienne, la deuxième puissance et le savoir dont émane la béatitude Autoer, Beritheu Erigenaor Orimenie Aramen Alphlegès, Eleliopheu Lalameu Ietheu Noetheu, toi qui es grand, celui qui te connaît connaît le Tout, tu es Un, tu es Un, celui qui est bon, Aphredon, tu es l'éon des éons, l'Être éternel. Alors elle pria l'Un-Tout en disant ceci : Lalameu Noetheu Senaon Asineu [.]riphanie Mellephaneu Elemaoni Smoun Optaon, c'est toi celui qui est, l'éon des éons, toi l'inengendré qui est plus élevé que les inengendrés, Iatomene, c'est pour toi seul que furent engendrés tous les non enfantés (54, 11-37).

Ces litanies incantatoires, insérées dans un texte spéculatif, montrent que l'auteur de l'*Allogène* est débiteur de traditions autres que celle de la philosophie grecque. L'origine de ces litanies est à chercher en effet dans les spéculations angélologiques et mystiques du judaïsme tardif. Ce type de spéculation fut l'un des éléments qui déclenchèrent la polémique de Plotin contre les gnostiques. La clarté du penseur du néoplatonisme répugnait peut-être à accepter des textes issus d'auteurs gnostiques qui, outre la réutilisation de la pensée philosophique de l'époque, inséraient dans leurs traités des réminiscences bibliques et des *nomina barbara* tirés de la littérature juive et magique.

Les révélations qui suivent la prière de Youel portent sur les Parfaits et les Tout-parfaits du Plérôme, le Triple mâle : ces enseignements permettent à Allogène de mieux voir en lui-même :

> Si tu cherches dans une recherche parfaite, alors tu connaîtras le Bien qui est en toi, alors tu connaîtras toi-même, celui qui existe avec le Dieu qui préexiste réellement. Après cent ans tu auras une révélation de cela par lui [...] et Semen et [...] les luminaires de l'éon de Barbélo. Et tu connaîtras ce qu'il te convient et tu sauras que le premier que [...] race. Si alors tu reçois une pensée de l'Un, tandis que tu es comblé par la parole, [...] alors tu deviendras divin et sois parfait [...] (56, 15-36).

Youel, le guide céleste, quitte Allogène pour lui accorder une pause de réflexion :

> Or, après qu'elle eut dit cela, celle qui appartient à toutes les Gloires, Youel, se sépara de moi et me quitta. Mais je ne fus pas découragé par les paroles que j'avais entendues ; je me préparai à la lumière de ces paroles et je passais cent ans à délibérer en moi-même. Pour ma part, je me réjouissais beaucoup d'être dans une grande lumière et un chemin bénit ; les choses que j'avais été digne de voir et

aussi d'entendre sont celles que seules les grandes puissances peuvent voir et entendre (57, 24-39).

Après cent ans, Allogène a une vision de l'Auto-engendré divin, de l'intellect parfait et du Tout qui transcende le parfait. C'est à ce moment que commence son récit du voyage au ciel :

Quand la lumière éternelle m'eut dépouillé du vêtement qui me couvrait et quand je fus élevé dans un lieu saint dont aucune ressemblance ne peut être révélée dans le monde, alors par une grande béatitude, je vis, tous ceux dont j'avais entendu parler et je les priai tous et je me dressais au-dessus de ma connaissance et me tournai vers la connaissance des Totalités, l'éon de Barbélo. Je vis des puissances saintes grâce aux luminaires de Barbélo, la vierge mâle. Ils disaient que je serais capable d'expérimenter ce qui advient dans le monde (58,26-59,9).

Pendant son ascension, Allogène reçoit des luminaires le conseil de ne pas se disperser dans les étendues de la connaissance et de ne pas concevoir le désir de devenir éternel : il pourrait en effet se perdre dans la non-activité de l'Inconnu.

Le Dieu Inconnu, de fait,
ne cherche pas à le connaître, car cela est impossible.
Mais si par une lumineuse pensée tu le connaissais, ne le connais pas (60, 8-12).

Remontant progressivement vers les niveaux de la vie et de l'existence, Allogène est envahi par un repos silencieux. Le repos le dispose à la dernière révélation, la plus complète, du Dieu Inconnu :

Je fus envahi par une révélation, par la révélation primordiale de l'Inconnu. Alors que je ne le connaissais pas, je le connus. Je reçus de lui le pouvoir de recevoir une force éternelle. Je reconnus celui qui existe en moi et le Triple Puissant et la révélation de celui qui est illimité en lui. Par une révélation primordiale du premier inconnu à eux tous, je vis le Dieu qui transcende le parfait, avec le Triple Puissant qui existe en eux tous ; je cherchais le Dieu ineffable et inconnu celui que, lorsqu'on le connaît entièrement, on ne le connaît pas, le médiateur du Triple Puissant qui est immobile, silencieux et inconnu (60,37-61,22).

Voici ce que les luminaires, qui ont remplacé Youel dans cette dernière partie du texte, disent à Allogène :

cesse donc de disperser ta non-activité par la recherche des réalités incompréhensibles. Écoute plutôt ce qui le concerne, dans la mesure du possible, grâce à une révélation.

Voici, il est comme il est ou parce qu'il est ; il sera actif ou connaissant ; il vit sans intellect, sans vie, sans existence, sans la non-existence, dans l'incompréhensibilité (61, 25-39).

Étranger à tout désir, à toute diminution, à toute participation aux réalités intellectuelles issues de lui, l'Être Suprême ne peut être décrit que par la voie de la négation et de la transcendance :

Il n'est ni une divinité ni une béatitude ni une perfection ; il est plutôt quelque chose d'inconnaissable, il ne possède rien. Mais il est différent, transcendant la béatitude, la divinité et la perfection ; en effet il n'est pas parfait, mais il est quelque chose de transcendant. Il n'est ni illimité ni limité par un autre, mais il est quelque chose de transcendant. Il n'est ni grand ni petit ; il n'est pas un nombre ; il n'est pas non plus une créature ; il n'est pas quelque chose qui existe, que l'on puisse connaître ; mais il est quelque chose de transcendant qu'on ne peut connaître. Il est révélation première et connaissance de lui-même (62,28-63,16) (...) Il a une béatitude et une perfection et un silence qui sont différents du bienheureux, de la perfection et de la quiétude ; mais il est quelque chose qui ne peut être connu, qui se tient au repos (63,33-64,1).

La connaissance totale du Dieu Inconnu est impossible, bien plus elle est une impiété :

Si quelqu'un vient à dire à son sujet qu'il est quelque connaissance, n'encourt-il pas un jugement pour avoir péché contre lui car il n'a pas connu Dieu ? (64, 19-23)

Pour cette raison, Allogène doit limiter sa soif de connaissance et se contenter de ce qu'il a appris :

(paroles des luminaires) au sujet de ces choses, tu as entendu un exposé solide. Garde-toi de chercher davantage mais va-t-en. Nous ne savons pas si l'Inconnu a des anges ou des dieux et si celui qui est au repos possède quelque chose en lui-même, sauf le repos, c'est-à-dire lui-même, de sorte qu'il n'est pas diminué. Il ne te convient pas de perdre davantage de temps pour chercher (67, 21-35).

L'exposé de révélation que l'ange messager a dévoilé à Allogène se clôt sur des conseils pratiques : écriture et transmission du message, réservée à ceux qui en seront dignes. L'auteur du traité reprend ici des éléments typiques des apocalypses : le livre, la montagne, le gardien :

Écris les choses que je t'ai dites et que je te rappellerai pour ceux qui seront dignes après toi. Tu laisseras ce livre sur une montagne et tu appelleras le gardien : viens, ô terrible !
Après qu'il eut dit ces choses, il se sépara de moi. Je fus en conséquence rempli de joie. J'écrivis alors ce livre qui était apprêté pour moi, ô mon fils Messos, afin de te dévoiler ce qui avait été proclamé devant moi. Alors, tout d'abord, je reçus ces choses dans un grand silence et je me tins debout selon mes possibilités, me préparant. Voilà ce qui m'a été dévoilé, ô mon fils (68, 16-35).

*
* *

Le traité de *Zostrien* du codex VIII de Nag Hammadi[45] constitue un autre exemple d'apocalypse philosophique. Le trait spécifique de cet écrit est de transcrire des concepts fondamentaux de la philosophie du platonisme tardif en termes de personnages de la doctrine gnostique.

L'auteur décrit, dans ce long traité (132 pages de papyrus), les révélations que l'initié Zostrien reçoit lors de son ascension au ciel. Le nom de Zostrien, tout comme celui de l'Allogène, est symbolique. Il rappelle le nom de Zoroastre, fondateur du zoroastrisme persan, nom qui est d'ailleurs conservé dans le cryptogramme final du traité :« Zostrianos. Paroles de vérité de Zostrianos. Dieu de Vérité. Paroles de Zoroastre ».

Au début du traité, Zostrien décrit son trouble, provoqué par son désir de connaissance. En effet, les questions qu'il se pose sur le monde céleste ne cessent de le tourmenter :

Comment ceux qui existent peuvent venir d'un esprit invisible et de l'Auto-engendré Indivis ? Comment l'Indivis devient-t-il unique tout en ayant trois formes, Existence, Forme, Béatitude ?... Comment l'Existence qui n'existe pas apparut comme un pouvoir qui existe ? Je réfléchissais sur ces sujets pour les comprendre. Je les présentais chaque jour au Dieu de mes Pères, selon la coutume de ma race. Je récitais la prière de mes pères, car mes ancêtres qui ont cherché ont trouvé. Je n'arrêtais pas de chercher une place de repos digne de mon esprit, car je n'étais pas encore lié au monde de la perception. Quand j'étais profondément troublé et malheureux — le découragement m'avait envahi —, je voulus faire quelque chose et me livrer aux bêtes du désert en vue d'une mort violente (2,20-3,28)[46].

L'Ange de la Connaissance du Tout Éternel entre en scène et il encourage Zostrien à entreprendre son ascension au ciel :

Viens et passe au-delà de tous ces gens, tu reviendras chez eux pour

---

45. Traduction de J.H. SIEBER, *The Nag Hammadi Library*, p. 368-393.

46. Ce passage est fortement judaïsant : voir M. SCOPELLO, « The Apocalypse of Zostrianos and the Book of the Secrets of Enoch », in *Vigiliae Christianae*, 34 (1980), p. 376-385.

prêcher à une génération qui est vivante, pour sauver ceux qui en sont dignes, pour encourager les élus (4, 13-18).

Zostrien monte alors au ciel :

Je montai très rapidement, et dans une grande joie, avec lui (l'ange) jusqu'à un grand nuage de lumière. Je jetai mon corps sur la terre qui est surveillée par les Gloires. Je fus délivré du monde, ses treize éons et les anges. Ils ne nous virent pas mais leur archonte fut troublé à notre passage (4, 22-31).

Zostrien passe d'éon en éon ; chaque fois, il est baptisé au nom des êtres qui président à la sphère en question. Il séjourne dans l'éon de la Transmigration, puis de la Repentance ; il est accueilli par des anges qui écrivent son nom dans le livre de gloire. Pendant son ascension, Zostrien devient de plus en plus parfait, il se divinise de la même façon qu'Allogène dans son voyage ultramondain. Les questions que Zostrien pose reçoivent des réponses qu'il peut désormais comprendre. Il est renseigné sur les habitants des sphères ; ces entités rappellent celles de l'Allogène : la Triple Puissance, le Dieu Caché, le Premier Manifesté, la vierge Barbélo. Après son voyage, Zostrien revient sur terre :

Je descendis vers les images des éons, puis j'avançai vers l'atmosphère. J'écrivis trois tablettes et je les laissai à ceux qui viennent après moi, pour qu'ils en prennent connaissance. Je descendis au monde perceptible et j'y édifiai mon temple. (...) je prêchai la vérité (...) ne vous baptisez pas dans la mort, ne fréquentez pas vos inférieurs mais vos supérieurs. Éloignez-vous de la folie et du lien de la féminité, choisissez pour vous le salut de la masculinité. Vous n'étiez pas venus pour souffrir mais pour vous libérer de la chaîne (...) ne vous égarez pas, l'éon de l'éon des vivants est grand mais la peine est également grande. Liens et chaînes vous entourent. Prenez vite conscience de vous-mêmes avant que la destruction n'arrive. Regardez vers la lumière, fuyez la ténèbre. Ne vous laissez pas amener à la destruction (129,28-132,6).

*
* *

Le traité de l'*Allogène* se limitait à décrire les mondes célestes et à faire un compte rendu des révélations que l'initié avait reçues. Aucune référence au monde terrestre, aucune vue négative sur lui n'apparaissait dans le texte. Immergé dans un univers conceptuel, Allogène n'était nullement concerné par la sphère inférieure.

Par contre, l'auteur de *Zostrien*, surtout dans la partie finale de l'écrit, n'oublie pas de faire un réquisitoire sévère sur le monde d'en bas. Ce monde, il faut le fuir, détruire les liens qu'on a avec lui, rejeter la femme et la génération qui resserrent les chaînes du destin. Une couleur fortement gnostique se dégage des dernières lignes du traité et elle éloigne son auteur des spéculations plus sereines des philosophes grecs.

Tout en ayant repris leurs théories, l'auteur de *Zostrien* n'oublie pas ses attaches judéo-chrétiennes qui, rendues plus sévères par la fréquentation de la pensée de la gnose, l'amènent à prendre ses distances du monde des hommes.

C'est dans le traité de *Zostrien* que la notion d'*Apocalypse* s'épanouit à sa juste valeur : apocalypse comme révélation mais apocalypse aussi comme fin des temps actualisée, moment privilégié où l'homme se sépare d'un univers imparfait qui ne lui est pas propre, pour pénétrer dans une dimension autre, divine, secrète, parfaite.

Le souhait du gnostique de quitter ce monde, la proclamation constante d'être étranger à lui, la revendication d'appartenir à un univers dont le nôtre n'est qu'une contrefaçon malhabile, sont tous des éléments que les auteurs apocalyptiques, par le biais de la mythologie ou du discours philosophique, ont soulignés et ont voulu transmettre, comme la partie la plus authentique de leur réflexion existentielle.

APOCALYPSES ET VOYAGES
EXTRA-TERRESTRES
DANS L'IRAN MAZDÉEN

par

Philippe GIGNOUX

En définissant les termes d'apocalyptique et d'eschatologie, M. Goguel avait surtout insisté sur leur relation très étroite, sans pouvoir vraiment préciser leur différence réciproque[1]. Il faut dire qu'il examinait ces mots d'un point de vue judéochrétien.

Dans le monde iranien, tout en maintenant la parenté des termes, il me semble adéquat de définir l'eschatologie comme un ensemble de doctrines qui sont au centre de la religion mazdéenne, en relation avec la genèse du monde et son histoire, formant ainsi partie d'une mythologie ou d'une cosmogonie qui peut remonter à Zoroastre, et a en tout cas marqué profondément toute la pensée et l'éthique mazdéennes. Aussi pourrait-on réserver le terme d'apocalypse à un domaine plus restreint, celui des prédictions faites après leur réalisation, d'événements historiques qui préfigurent les catastrophes de la fin des temps. En ce sens, l'apocalypse a une certaine « prise » sur l'histoire, même s'il s'agit d'une révélation prophétique,

---

1. M. GOGUEL, « Eschatologie et apocalyptique dans le christianisme primitif », dans *Revue de l'histoire des religions*, t. 106 (1932), p. 381-382.

tandis que l'eschatologie pourrait dépendre plus foncièrement du mythe.

La distinction que je propose s'applique à l'Iran, non sans doute à d'autres cultures. Les grandes fresques eschatologiques sur la fin du monde, sur le paradis et l'enfer, sont trop bien connues pour être à nouveau exposées ici[2]. Par contre, les textes apocalyptiques, au sens où je l'ai défini, sont moins connus et peu accessibles au grand public. A ces derniers, on a attribué jusqu'ici une origine très ancienne, à tel point que l'apocalyptique iranienne a été considérée, de Benveniste à Widengren[3], comme l'inspiratrice des apocalypses juive et chrétienne, et non l'inverse. Cette thèse est étayée essentiellement sur la traduction pehlevie du *Bahman Yašt*, dont l'original avestique, malheureusement perdu, n'a sans doute jamais existé. En outre, les *Oracles d'Hystaspe*, tenus pour iraniens, et datés du Iᵉʳ ou IIᵉ siècle avant J.-C., ont servi de relais pour la démonstration.

Or ces deux sources ne sont pas aussi anciennes qu'on le prétend. En ce qui concerne les *Oracles*, dont on ne connaît le contenu que par l'intermédiaire de Lactance, D. Flusser a récemment démontré[4], de manière convaincante, que c'est l'œuvre d'un pseudépigraphe juif, écrite avant la destruction du second Temple. Il concède toutefois que l'ouvrage peut être

---

2. Cf. N. SÖDERBLOM, *La Vie future d'après le Mazdéisme*, Paris, 1901 ; F. KÖNIG, *Zarathustras Jenseitsvorstellungen und das alte Testament*, Wien, 1964 ; Ph. GIGNOUX, « L'enfer et le paradis d'après les sources pehlevies », dans *Journal asiatique*, t. 256 (1968), p. 219-245 ; *id., Le livre d'Ardā Vīrāz*, Éd. Recherche sur les civilisations, A.D.P.F., Paris, 1984.

3. E. BENVENISTE, « Une apocalypse pehlevie : le Žāmāsp-Nāmak », dans *Revue de l'histoire des religions*, t. 106 (1932), p. 337-380 : cet essai de retrouver la métrique du texte a pour conséquence de mutiler parfois certains passages, il demeure arbitraire et même gênant pour l'historien des religions. G. WIDENGREN, *Iranische Geisteswelt von den Anfängen bis zum Islam*, Baden-Baden, 1961 ; *id., Die Religionen Irans*, Stuttgart, 1965, trad. française, Paris, 1968.

4. « Hystaspes and John of Patmos », dans *Irano-Judaica*, Studies relating to Jewish Contacts with Persian Culture throughout the Ages, éd. par Shaul SHAKED, Jérusalem, 1982, p. 12-75.

fondé sur une source zoroastrienne, tout en affirmant que
« seul le contenu juif d'Hystaspe est clair, le substrat perse est
impossible à reconstruire[5] ». Que reste-t-il alors d'iranien, en
dehors du nom d'Hystaspe ?

Parmi les auteurs anciens, certains comme Ammien Mar-
cellin ont encore embrouillé la tradition, en identifiant cet Hystaspe avec le père de Darius, interprétation qui a été à juste
titre rejetée. Le nom de Zoroastre ou de son protecteur *Viš-
tāspa* a sans doute servi de « couverture » notoire pour de
nombreux ouvrages, et le « Livre de Zoroastre » n'a pas non
plus été retrouvé, car l'on sait que Porphyre avait été chargé
par Plotin de réfuter les Apocalypses de Zoroastre, de Zostrien, d'Allogène et de Messos : or, seuls, les écrits des trois
derniers ont été retrouvés à Nag Hammadi !

Quant au Bahman Yašt avestique, son existence n'est nullement assurée. Sans doute manque-t-il un Hymne à Vohu
Manah, la « Bonne Pensée », l'une des principales Entités (les
« Immortels Bienfaisants » *amesha spenta*), mais pourquoi
aurait-il été apocalyptique, puisque cette dernière n'a pas un
grand rôle à jouer à la fin du monde et que, de plus, aucun
Yašt ancien n'a été consacré à ces Entités ? De plus, la traduction pehlevie de ce soi-disant Yašt perdu n'a rien qui l'apparente, ni dans la forme ni même dans le fond, aux autres
Yašts. Il ne diffère pas non plus des autres textes tardifs, du
genre apocalyptique, que l'on lira plus loin. Ainsi en l'absence
de tout texte avestique, qui n'a aucune chance d'être retrouvé,
rien ne garantit l'antiquité des traditions mazdéennes en ce
domaine[6].

Dans un domaine assez différent, les voyages dans l'au-delà
réalisés par le grand Mage Kirdīr au IIIe siècle et par Ardā
Vīrāz ont un caractère authentiquement iranien, et pourraient

---

5. *O.c.*, p. 66.
6. Cf. maintenant mon art., « Sur l'inexistence d'un Bahman Yasht
avestique », *Journal of Asian and African Studies,* 32, Tokyo, 1986, p. 53-64.

témoigner des traces d'une idéologie chamaniste qui a dû pénétrer en Iran et s'y maintenir à haute époque, comme elle a été vivace dans les cultures du nord de l'Eurasie et s'est conservée tardivement parmi les peuples d'Asie centrale, chez les Turcs et au Tibet notamment[7].

1. L'apocalypse

Analysons tout d'abord les deux textes qui prétendent reproduire des traditions remontant au *Sūdgār nask*, partie perdue de l'Avesta sassanide. Le premier est un très court résumé de celle-ci, que nous livre le *Dēnkard* IX :

Au sujet de la manifestation à Zoroastre des quatre sortes de temps, qui sont dans le « Livre de Zoroastre » : le premier est en or, celui durant lequel Ohrmazd manifesta la religion à Zoroastre ; le second, en argent, celui durant lequel Vištāsp reçut la religion de Zoroastre ; le troisième en acier, ce temps durant lequel naquit l'instaurateur de la justice, Ādurbād fils de Māraspand ; le quatrième est en fer mêlé [de terre], le temps durant lequel l'excessif développement de la souveraineté de l'Hérétique et des autres méchants [entraînera] la destruction de la Religion et de la Royauté, l'affaiblissement de toute espèce de bien et de bonheur et la disparition de la bonne nature *(xēm)* et de la sagesse des contrées de l'Iran. Dans la même période, il faut compter avec les nombreuses violences et blessures du monde au désir de vivre des Bons, qui doivent se produire[8].

Au premier regard, la distinction des quatre temps dans ce texte semble bien spécieuse : la manifestation de la Religion à Zoroastre et son acceptation par son protecteur Vištāsp ne

---

7. Cf. G.M. BONGARD-LEVIN et E.A. GRANTOVSKIJ, *De la Scythie à l'Inde. Énigmes de l'histoire des anciens Aryens*, traduit par Ph. GIGNOUX, Paris, 1981 ; cf. aussi GIGNOUX, « Sur quelques contacts entre l'Iran et le Tibet », *Mélanges G. Tucci* (à paraître à Rome).

8. Éd. Madan, p. 792.

peuvent constituer réellement deux périodes, en un sens apocalyptique, mais reflètent seulement une vue traditionnelle de la
théologie mazdéenne tardive. La troisième période est simplement illustrée par la mention d'un *Mōbad*, fameux pour son
ordalie par le métal fondu qu'il se fit verser sur la poitrine,
rapportée souvent dans la littérature pehlevie, et qui aurait
vécu sous le roi Šābuhr II, au IVᵉ siècle de notre ère. Quant au
quatrième temps, c'est celui de la conquête arabe et de
l'arrivée de l'Islam en Iran, entraînant la fin de l'alliance —
illusoire certes, comme je l'ai montré ailleurs[9] — entre la Religion et la Royauté, thème d'époque postsassanide souvent
illustré dans la littérature arabo-persane des Xᵉ et XIᵉ siècles.
Rien de très original donc dans tout cela, ni en tout cas
d'ancien ! Car les quatre temps font penser aux quatre âges
d'Hésiode, comme l'avait remarqué J. Duchesne-Guillemin[10].
Quant aux quatre métaux, ce sont ceux de Daniel 2, 31, où il
est dit que la statue de la vision est faite en or, en argent, en
bronze et en fer et argile mêlés. L'emprunt paraît évident,
puisque dans tous les textes pehlevis, le rédacteur ou le copiste
n'ont jamais su indiquer ce qui était mélangé au fer, sans
doute par suite d'une erreur reproduite par les copistes[11].

Si nous passons maintenant à la traduction pehlevie du
pseudo-Bahman Yašt, la distinction par quatre n'est plus seulement temporelle mais aussi spatiale : c'est celle des quatre
royaumes, qui a son origine en Daniel 2, 37-40. Voici le début
du Bahman Yašt pehlevi :

---

9. Ph. GIGNOUX, « Church-State Relations in the Sasanian Period », in
Monarchies and Socio-Religious Traditions in the Ancient Near East (Papers
read at the 31st International Congress of Human Sciences in Asia and North
Africa), éd. par H.I.H. Prince Takahito Mikasa, Wiesbaden, 1984, p. 72-80.

10. *La Religion de l'Iran ancien*, Paris, 1962, p. 342.

11. J'ai montré, dans l'article cité en note 6, comment le mot *xāk* « terre »
a pu disparaître par suite de sa ressemblance graphique avec la postposition
abar. Sur le mélange de fer et de terre, cf. l'article de J. DUCHESNE-GUIL-
LEMIN, « Apocalypse juive et apocalypse iranienne », mentionné dans mes
notes complémentaires.

Ainsi qu'il est révélé par le Sūdgār, Zoroastre demanda à Ohrmazd l'immortalité. Alors Ohrmazd montra à Zoroastre la sagesse omnisciente. Et grâce à elle, il vit un tronc d'arbre sur lequel il y avait quatre branches : une en or, une en argent, une en acier et une en fer mêlé de [terre]. Alors il considéra qu'il avait vu cela en songe. Quand il se réveilla, Zoroastre dit : « Ô Souverain des êtres spirituels et matériels, montrez que j'ai vu un tronc d'arbre sur lequel il y avait quatre branches. » Ohrmazd dit à Zoroastre le Spitamide : « Le tronc d'arbre que tu as vu, [c'est le monde que moi, Ohrmazd, j'ai créé][12]. Les quatre branches sont les quatre temps qui viendront. Celle en or, c'est quand nous nous entretiendrons moi et toi, et que le roi Vištāsp acceptera la Religion et brisera les formes des démons... Celle en argent, c'est le règne d'Ardašīr le roi-kavi[13], et celle en acier, le règne de Xusrô fils de Kavād, à l'âme immortelle ; et celle en fer mêlé [de terre], c'est la mauvaise souveraineté des démons aux cheveux défaits, de la race de la Colère *(Xešm)* quand ton dixième siècle finira[14]. »

La référence aux quatre empires du monde, relevée par G. Widengren, et attestée en Daniel 2, ne paraît pas suffisante pour désigner un emprunt quelconque. Mais ce ne peut être non plus une donnée originale iranienne, car cette quadripartition, utilisée dans l'apocalyptique, est une distinction très générale, que connaissent la plupart des cultures de l'Antiquité : en effet, la représentation que l'on se fait du monde est tout naturellement celle de quatre empires, parce qu'il y a toujours quatre points cardinaux, ou quatre directions selon lesquelles on se situe par rapport à ses voisins. A l'époque sassanide, le monde était encore conçu comme partagé entre quatre royaumes : Rome, Aksum, la Chine et l'Iran.

D'autre part, le schéma des quatre empires du Bahman Yašt est fantaisiste, presque enfantin : il comprend le royaume, mais

---

12. Les passages mis entre crochets sont reconstruits par analogie avec d'autres contextes, car le texte est souvent lacunaire.

13. Les kavis sont des rois-prêtres opposés à Zoroastre, mais le terme est devenu positif en désignant les anciens rois légendaires de l'Iran.

14. *Zand-î Vohûman Yasn and two Pahlavi Fragments*, par B.T. ANKLESARIA, Bombay, 1957, p. 2-4.

combien légendaire, du roi Vištāsp, qui n'est pourtant pas le premier roi selon la cosmogonie ancienne de l'Iran, puis sont énumérés les règnes d'Artaxerxès II (?) l'achéménide, et de l'un des derniers grands rois sassanides, Xusrō Anōšīrvān ; enfin le dernier règne est celui des Démons qui prendront possession de l'Iran. Tout cela ne s'accorde même pas avec le passage du Dēnkard cité plus haut. L'image de l'arbre aux quatre branches n'est pas un indice d'antiquité, mais seulement une variante par rapport à la statue de Daniel. Le style de ces textes apocalyptiques pehlevis est d'ailleurs si plat et si peu poétique — et c'est pourquoi j'y vois la marque d'une rédaction par les théologiens mazdéens tardifs — qu'on est bien loin de ce souffle puissant que l'on sent passer à travers toute l'apocalypse judéo-chrétienne.

Widengren veut sauver l'antiquité de l'apocalypse iranienne en pensant à des remaniements continuels, de sorte qu'à l'époque sassanide « vivait le dernier ouvrier de l'ouvrage[15] ». Mais, comme l'a bien défini Duchesne-Guillemin, l'apocalypse est « la prédiction, censée faite autrefois, d'événements qui se réalisèrent ensuite[16] ». C'est dire que la mention de rois sassanides tardifs n'est pas explicable par des remaniements successifs, mais c'est plutôt un moyen de déterminer un *terminus ante quem* du texte. Il est difficile d'admettre que l'on ait pu remettre au goût du jour, ou ré-actualiser indéfiniment un genre littéraire comme celui de l'apocalyptique : celle-ci se rapporte bel et bien à une époque donnée, et les événements qui apparaissent en filigrane sont souvent discernables, comme on le verra plus loin. Mais examinons maintenant la suite du Bahman Yašt.

Le chapitre III de ce livre présente une autre tradition, qui, à la considérer de près, n'est que l'élargissement de la première : là, en effet, l'arbre a sept branches, symbolisant sept métaux,

---

15. G. Widengren, *Iranische Geisteswelt*, p. 182.
16. J. Duchesne-Guillemin, *La Religion de l'Iran ancien*, p. 343.

conformément au nombre des planètes. Après les deux premiers (or, argent) et avant les deux autres, on a simplement intercalé le cuivre, le bronze et l'étain pour avoir une succession d'empires plus fournie. Le texte décrit ainsi ces empires :

La branche en or, c'est le règne du roi Vištāsp, quand toi et moi nous nous entretiendrons de la Religion et que le roi Vištāsp acceptera la Religion et brisera les formes des démons, et les démons iront se cacher au loin, invisibles, et Ahriman et les rejetons des démons retourneront aux ténèbres de l'enfer, et la pureté de l'eau, du feu, des plantes, et de Spandarmad la terre deviendra manifeste.

Celle en argent, c'est le règne d'Ardašīr le kavi[17], qui est appelé Vahman fils de Spanddād, qui séparera les démons des hommes, ornera le monde entier et propagera la Religion.

Celle en cuivre, c'est le règne d'Ardašīr, instaurateur et organisateur du monde, et celui du roi Šābuhr quand il ornera le monde que moi, Ohrmazd, j'ai créé, propagera le salut jusqu'aux limites du monde, et la bonté sera manifeste, et Ādurbād — qu'il soit victorieux[18] ! — organisateur de la vraie Religion, par le cuivre de l'ordalie [défendit] cette religion contre les hérétiques et la ramena à la vérité.

Celle en bronze, c'est le règne de Vālaxš (?), roi des Arsacides, qui supprimera du monde les idoles de l'hérésie et d'entre les infidèles le méchant et malfaisant Alexandre[19] (?) périra et sortira du monde, détruit et invisible.

Celle en étain, c'est le règne du roi Vahrām Gōr quand il manifestera [sa] vision de l'esprit du bonheur[20], et Ahriman avec les sorciers se précipitera à nouveau dans les ténèbres de l'enfer.

Celle en acier, c'est le règne du roi Xusrō fils de Kavād, quand le

---

17. Il s'agit sans doute d'un roi achéménide, de l'un des Artaxerxès.

18. Le mot écrit pylwcbᵓt n'est pas le patronyme attendu *(Māraspand)* ; aussi je l'interprète comme une interjection : pērōz bād, et les formules de ce type seront si communes dans la littérature islamique qu'on peut considérer cette expression comme un indice de rédaction tardive.

19. Certes, le texte ne comporte pas le nom d'Alexandre, mais une suite de mots assez incompréhensibles : ᵓknd gl Y klsyᵓkyh. Mais la référence au « maudit Alexandre » est fréquente dans les textes pehlevis.

20. C'est sans doute une allusion à la vie de plaisir dont on a taxé ce roi, grand amoureux de la chasse.

maudit Mazdak fils de Bāmdād, ennemi de la Religion, se tiendra avec les hérétiques et (les) écartera de cette Religion[21].

La description du dernier empire est malheureusement, comme en bien d'autres passages, lacunaire, mais il est possible d'en retrouver le contenu dans le chapitre IV, 4 du Bahman Yašt (ainsi que dans le *Ǧāmāsp-nāmag*, cf. plus loin) ;

De la direction du Xorāsān, ceux qui sont de la plus vile race se précipiteront dans l'Ērānšahr ; ils auront des bannières dressées, porteront des armures noires, et auront les cheveux défaits sur le dos [...].

La série des sept empires, à l'exception du dernier, ne mérite pas un long commentaire : on y constate surtout le désordre parmi les monarchies iraniennes successives, puisqu'un roi Arsacide, peut-être Vologèse, est nommé après les Sassanides Ardašīr et Šābuhr ! Le dernier empire est apparemment celui des conquérants arabes : ils portent des étendards, coutume attestée chez les Sassanides seulement par les sources arabo-persanes, à la bataille de Qādisiya, où le *drafš ī kaviyān*, le « drapeau des Kavis », qui était beaucoup plus qu'un simple étendard, tomba aux mains des Arabes ; mais l'iconographie sassanide ne nous en a pas conservé le souvenir. Ces ennemis portent des armures noires, et l'on sait que le noir est la couleur du Prophète[22] ; enfin ils ont les cheveux défaits, et l'iconographie nous montre que cette mode désordonnée n'était pas en usage chez les Sassanides*. Ce passage fort intéressant doit être complété par la réflexion de commentateurs mazdéens, bien connus par ailleurs dans les textes pehlevis, et qui apparaît dans le même livre du Bahman Yašt, chapitre VI, 3 :

---

21. Éd. Anklesaria, p. 12 *sqq*.
22. Cf. J. CALMARD, « ᶜALAM and ᶜALĀMAT, banner », à paraître dans *Encyclopaedia Iranica*, éd. par E. YARSHATER.
* Plus précisément, il s'agit des 'Abbasides d'Abu Moslem, venant de l'Est.

Māhvindād a dit que ce seront des Byzantins/Romains, et Rōsn a dit qu'ils auraient des casques rouges, des armures rouges et des bannières rouges.

Or le rouge, comme le noir, est une couleur « apocalyptique », en relation avec les mouvements religieux mahdistes, le culte des martyrs, et c'est même la couleur de la bannière de Hosseyn[22]. Et ceux qui tenaient des bannières rouges étaient les adeptes de Bābak promoteur d'un mouvement mazdakite au IXᵉ siècle.

Dans le Jāmāsp-nāmag, dont E. Benveniste, dans une œuvre de jeunesse, avait tenté de reconstruire la métrique[23], les Arabes sont clairement nommés, et leurs destructions décrites :

Le roi Vištāsp demanda : « Cette religion pure, pendant combien d'années se propagera-t-elle, et ensuite quels temps et périodes arriveront ? » Jāmāsp le vice-roi lui répondit : « Cette religion se propagera durant mille ans, puis les hommes de cette époque seront tous des violateurs de contrats, commettant la vengeance, envieux et menteurs, et c'est pourquoi ils livreront l'Ērānšahr aux Arabes. Les Arabes deviendront plus forts et chaque jour s'empareront d'une province... Dans cette illégalité de l'Ērānšahr, les gouverneurs auront une lourde responsabilité ; ils feront le compte de l'or et de l'argent et emmagasineront aussi beaucoup de trésors et de biens, et tout sera détruit et invisible. Et beaucoup de trésors et de biens royaux parviendront aux mains des ennemis et sous leur souveraineté, et la mort prématurée (?) sera fréquente. Et tout l'Ērānšahr parviendra aux mains des ennemis, et le non-Iran sera mêlé à l'Iran[24], de sorte que l'iranité ne se distinguera plus de la non-iranité, et les Iraniens redeviendront non-Iraniens.

---

23. Cf. note 3.

24. Cette distinction entre les territoires « iraniens » et « non iraniens » de l'empire est attestée, pour la première fois, dans la grande inscription de Šābuhr Iᵉʳ : cf. P. GIGNOUX, « La liste des provinces de l'Ērān dans les inscriptions de Šābuhr et de Kirdīr », dans *Acta Antiqua Academiae Scientiarum Hungaricae*, 19, 1971, p. 83-94. De même, la notion de *Ērānšahr*, « empire iranien », est spécifiquement sassanide et n'existe pas antérieurement.

Et durant cette mauvaise époque, les puissants tiendront le pauvre pour fortuné, mais le pauvre ne sera pas lui-même fortuné ; et les Nobles et les Grands[25] auront une vie insipide et leur mort leur paraîtra aussi bonne qu'à un père et une mère la vision de leurs enfants, et à une mère une fille pourvue de dot. Et la fille qui naîtra d'elle, elle la vendra à prix [d'argent][26]. Et le fils frappera son père et sa mère, et durant sa vie il se séparera de l'autorité familiale. Et le frère cadet frappera son aîné[27] et lui volera ses biens, et au sujet des biens il dira mensonge et faussetés[28] [...]. »

Toutes ces prédictions ne font que relater les événements survenus lors de la conquête arabe, avec un accent de vérité très significatif : conquête progressive, perte de l'identité « iranienne » — notion qui n'a existé dans l'Iran ancien qu'à partir des Sassanides —, pillage des biens, tribut à payer, ne sont pas des événements spectaculaires, « apocalyptiques », mais la réalité vécue par les Mazdéens lors de la conquête. Le cadre de ce récit est aussi assez clairement emprunté à Daniel, 2, 26 s, puisque intervient ici aussi un interprète du songe en la personne du ministre Jāmāsp.

Dans la suite du texte, est annoncée l'extinction des feux de l'Ērānšahr, puis il est dit qu'un « homme insignifiant et obscur s'élèvera dans le pays du Xorāsān, très puissant il s'en ira avec

---

25. Les *āzādān* et *vuzurgān* sont deux des quatre classes de la haute société iranienne à l'époque sassanide.

26. Ceci est peut-être une allusion aux très lourdes taxes perçues par l'islam sur les non-musulmans, qui étaient obligés pour survivre soit de se convertir, soit de vendre leurs enfants, comme l'atteste ce passage de la *Chronique de Jean, évêque de Nikiou*, Notice et extraits, par H. ZOTENBERG, dans *Journal asiatique*, 1879, p. 262 : « Il est impossible de raconter la situation lamentable des habitants de cette ville (= Alexandrie) qui arrivèrent à offrir leurs enfants en échange des sommes énormes qu'ils avaient à payer chaque mois... car Dieu les avait abandonnés et avait livré les chrétiens entre les mains de leurs ennemis. »

27. Cf. Évangile de Marc 13, 12.

28. Plutôt qu'à l'édition de Benveniste, je préfère renvoyer à G. MESSINA, *Libro apocalittico persiano Ayātkār i Žāmāspīk* ; Roma, 1939, chap. XVI, p. 66 *sqq*.

beaucoup d'hommes et de chevaux et des lances pointues, et s'appropriera des provinces par la domination et la souveraineté [...] ». De nouveau, « toute la souveraineté des Iraniens passera aux non-Iraniens », puis « ce roi victorieux prendra sur le pays de Rome beaucoup de provinces et de villes, et il emportera d'un coup beaucoup de richesses du pays de Rome ».

Plus loin, au paragraphe 84 du même traité[29], on prédit qu'un roi viendra du *Midi*, et qu'avec son armée il fera couler beaucoup de sang et s'enfuira finalement vers Zābol.

Il est difficile de ne pas voir dans ces deux rois du Xorāsān et du Midi les deux rois du Nord et du Sud de la grande vision de Daniel, 11, et de plus, derrière ce roi du Xorāsān, se cache très probablement un personnage historique. L'on peut penser avec quelque vraisemblance à *Māzyār*, gouverneur du Tabaristān, qui fut hostile à la pénétration de l'islam et se révolta entre 823 et 840, à une époque où l'apocalypse iranienne a pu être rédigée par écrit. Le père de ce rebelle était précisément *ispahbed* du Xorāsān, qui n'était alors qu'un district de l'Elburz oriental. Māzyār porta le titre de son père et dut gouverner la même région[30].

Selon la dernière partie du Jāmāsp-nāmag, le dieu Mithra doit envoyer un nouveau roi, qui est présenté comme le restaurateur de la Religion. Certes, il aura à combattre auparavant contre les Turcs, les Arabes et les Byzantins, comme il est dit dans ce passage intéressant :

Avec la force des dieux, le *xvarrah* de l'Ērān, et des kavis, la reli-

---

29. Selon la numérotation de Benveniste, *o.c.*, p. 363.
30. Cf. M. REKAYA, « Māzyār : résistance ou intégration d'une province iranienne au monde musulman au milieu du IXe siècle après J.-C. », dans *Studia Iranica* 2, 1973, p. 143-192.

gion des Mazdéens, le *xvarrah* du *Pādiš-xvārgāh*, Mihr, Srōš et Rašn[31], et les eaux et les feux, ils combattront très violemment[32].

Puis ce roi portera l'étendard jusqu'au Fārs, « là où les feux et les eaux ont été établis », puis il accomplira la liturgie mazdéenne (le *yašt*) avec les libations à l'eau et au feu. Ainsi, « le temps des loups passera et le temps des moutons arrivera », variante du verset d'Isaïe, 11,6 : « Le loup habite avec l'agneau. »

La restauration de la religion fait partie de toutes les apocalypses, mais elle s'imposait particulièrement après la conquête arabe, avec le déclin du mazdéisme et sa progressive disparition aux IXᵉ et Xᵉ siècles. Mais derrière ce roi-sauveur, on peut retrouver la figure de Māzyār, qui était mazdéen et dont la révolte s'inscrivait dans un projet plus vaste pour renverser la domination arabe et restaurer l'empire sassanide et le mazdéisme[33]. De plus, Māzyār avait, parmi ses titres, celui de roi du Pādiš-xvārgār, c'est-à-dire du Tabaristān, d'où vient justement le troisième roi du Jāmāsp-nāmag. Mais s'agit-il vraiment d'un troisième roi qui viendrait d'une troisième direction, comme le pense Benveniste[34] ? Il semble qu'une certaine confusion, recherchée peut-être, règne dans notre texte, et que seuls deux rois seraient mis en scène : celui du Midi, représentant les Arabes envahisseurs, et celui du Nord — Xorāsān et Tabaristān ne formant qu'une seule région — comme restaurateur de la religion, symbolisé par Māzyār, dont la mission échoua, et c'est pourquoi, tout à la fin du livre, où l'eschatologie prend le dessus sur l'apocalyptique, est prédite l'arrivée d'un sauveur, « mythique » celui-là, qui est Ušēdar, fils de

---

31. Ce sont les trois dieux juges des âmes individuelles, qui auront donc aussi ce rôle à la fin des temps.

32. MESSINA, *o.c.*, p. 73 ; BENVENISTE, *o.c.*, p. 364.

33. Cf. M. REKAYA, *o.c.*, p. 143.

34. *O.c.*, p. 375.

Zoroastre, l'un des trois sauveurs de la fin des temps[35]. Il n'est pas étonnant d'ailleurs que le Xorāsān, berceau « islamique » de la culture classique persane dès le Xe siècle, soit apparu aux yeux des théologiens mazdéens comme le pôle rival du Fārs, bastion déchu de la culture sassanide.

2. Les voyages dans l'au-delà

Si l'apocalypse iranienne ancienne apparaît ainsi comme largement empruntée et de rédaction très tardive, il n'en est pas de même des représentations mazdéennes sur l'au-delà, qui semblent beaucoup plus originales. Deux types de voyages dans l'au-delà sont connus, qui ne peuvent s'analyser ni comme de simples rêves, ni comme résultant de la divination ou de la mantique, comme le voudrait M. Boyce[36]. Au premier type appartient le voyage que doit accomplir toute âme après la mort, tel qu'il est rapporté dans le *Hadōxt Nask* avestique, qui n'a rien d'un Yǎst comme l'avait bien remarqué Darmesteter[37], et qui a été aussi décrit dans de nombreux textes pehlevis. L'âme, détachée du corps, après être restée trois jours auprès du corps inanimé, commence un voyage périlleux et angoissant vers le pont *Cinvad*, le pont « séparateur » d'où elle tombera en enfer, s'il s'agit d'un méchant, ou qu'elle traversera aisément — parce qu'il s'élargira grandement, alors qu'il était étroit comme le tranchant d'un rasoir pour le méchant ! — s'il s'agit d'un juste. Avant d'y arriver, l'âme fait la rencontre de sa *Daēna*, de sa « conscience morale », représentation de ses

---

35. Bien longtemps avant d'écrire cet article, j'avais estimé la faiblesse des thèses de S.K. EDDY, *The King is dead*, Studies in the Near Eastern Resistance to Hellenism, 334-31 B.C., Lincoln, 1961, car si l'on accepte que l'apocalypse iranienne est largement empruntée et de rédaction très tardive, on ne pourra plus soutenir, avec Eddy, que cette littérature apocalyptique ou légendaire (Sémiramis, roman d'Alexandre) atteste la résistance religieuse à l'hellénisme.

36. *A History of Zoroastrianism* I, p. 184, note 17.

37. DARMESTETER, *Le Zend-Avesta*, II, p. 646.

bonnes ou mauvaises actions sous la forme d'une très belle jeune fille de quinze ans (pour le juste) ou d'une très vilaine femme (pour le méchant).

Cette conception, propre à l'Iran, semble très ancienne, parce qu'elle correspond à une anthropologie particulière, mettant en jeu une multiplicité d'âmes qui portent chacune un nom différent : il y en a au moins trois ou quatre, celle qui anime le corps *(gyān)*, celle qui continue de vivre après la mort *(ruvān)*, celle qui pré-existe à tout être humain *(fravaši)* et à laquelle s'unira la *ruvān*, enfin cette personnification de la bonne ou mauvaise conscience *(daēna)* qui est comme un double de la *ruvān*[38]. Or de tout cela, nous avons déjà l'attestation dans l'Avesta, y compris dans la partie la plus ancienne, les Gâthâs. C'est bien en effet à cette conception que fait allusion le verset 11 du Yasna 46 :

Leur propre âme *(ruvān)* et leur propre *daēna* (= des méchants) les feront frémir quand ils atteindront le pont Cinvad[39] [...].

Le second type de voyage est celui que réalise non plus l'âme d'un mort, mais celle d'un vivant, et que j'ai qualifié dans des travaux antérieurs[40] de « chamanique », faute d'un terme meilleur et plus adéquat, voyage qui n'a certes pas pour objectif de rechercher une âme égarée, de guérir un malade en s'en prenant à des esprits maléfiques — comme le fait un chamane sibérien —, mais qui avait pour but de vérifier si les

---

38. Pour un plus long développement de ces notions, cf. mon art., « "Corps osseux et âme osseuse" : essai sur le chamanisme dans l'Iran ancien », dans *Journal asiatique*, t. 267, 1979, p. 54-67.

39. Même idée dans le Yasna 51, 13. La traduction de S. INSLER, *The Gāthās of Zarathustra* [Acta Iranica 8], Leiden, 1975, p. 83, rendant *daēna* par « conception » est tout à fait inacceptable. L'association de l'âme et de son double est on ne peut plus claire.

40. Dans mon art. cité, note 38, ainsi que dans « Les voyages chamaniques dans le monde iranien », dans *Monumentum G. Morgenstierne* I [Acta Iranica 21], Leiden, 1981, p. 244-265.

conceptions sur l'au-delà, celles qui ont été exposées ci-dessus, étaient ou non véridiques : du moins telle est l'explication que donnent de ces voyages les théologiens mazdéens, qui ont peut-être aussi voulu de cette façon en effacer le caractère archaïque, parce que relevant d'une idéologie chamanique. Pourtant ces voyages présentent bel et bien plusieurs traits de cette idéologie-là. D'abord, le dédoublement des âmes, car comment expliquer qu'un vivant, dont l'âme voyage dans l'au-delà, demeure encore vivant, quoique en état de mort apparente, s'il ne possède pas plusieurs âmes ? Ensuite, l'usage d'un narcotique ou d'un hallucinogène est bien le prélude plus ou moins nécessaire[41] à une transe, à une vision extatique, à un voyage extra-terrestre particulièrement, et ne peut être considéré comme un ajout tardif, « pour faire ancien », dans la littérature pehlevie : ce serait ridicule de le prétendre. Mais l'absorption de la jusquiame est trop bien attestée, à plusieurs reprises, d'abord dans l'histoire mythique de la création : avant le meurtre du Bovin primordial par Ahriman, Ohrmazd donna de la jusquiame à cet animal, pour que, drogué, sa souffrance fût moins douloureuse.

Dans le récit du voyage de Vištāsp, le protecteur de Zoroastre, Ohrmazd fait boire à celui-ci, par l'intermédiaire d'Ardvahišt, un mélange de *mang* (jusquiame) et de vin, et

l'ayant bu, il s'évanouit sur-le-champ. On amena son âme au Garōdmān (le paradis supérieur) [...] Dès qu'il fut sorti de sa torpeur, il cria[42] [...].

Il y a là trois caractéristiques du voyage chamanique : mort apparente (évanouissement), voyage au paradis, et retour à la conscience sur terre. Si ce voyage-là a évidemment un caractère

---

41. D'après Mme R. HAMAYON, *L'Ethnographie*, n.s., nos 74-75, 1977, p. 171-172, le rôle de l'hallucinogène est mineur.
42. Cf. mon article, « Les voyages chamaniques [...] », *o.c.*, p. 245-246.

légendaire, il n'en est peut-être pas de même dans le cas de celui d'Ardā Vīrāz, et sûrement pas dans celui du mage Kirdīr.

Le voyage du premier pourrait avoir une vague historicité, dans la mesure où le rédacteur semble avoir voulu placer l'événement à une époque de troubles à l'intérieur de la communauté mazdéenne et en évoquant même le surnom du personnage. La popularité du livre d'Ardā Vīrāz, récit du voyage d'un juste dans l'au-delà, ne plaide guère en faveur d'une fiction absolue, mais serait plutôt l'indice d'une expérience vécue. Lisons d'abord les circonstances de ce voyage :

> [...] Les prêtres de la religion remplirent trois coupes d'or de vin et de jusquiame de Vištāsp[43] et présentèrent à Vīrāz une coupe pour la Bonne Pensée, une seconde coupe pour la Bonne Parole et une troisième pour la Bonne Action[44]. Et il but ce vin et cette jusquiame et, conscient, conclut le *vāz*[45], et s'étendit sur la couverture. Les prêtres de la religion et les sept sœurs[46], pendant sept jours et sept nuits, récitèrent les formules religieuses et l'Avesta... et chantèrent les Gâthâs dans le temple du Feu qui brûle toujours et produit des senteurs, et dans l'obscurité ils montèrent la garde [...]. Et l'âme de Vīrāz s'en alla hors du corps vers le « Pic de la Loi[47] » et le pont Cinvad. Et le septième jour elle revint et pénétra dans le corps. Vīrāz se leva comme on se lève d'un sommeil agréable, pensant comme en rêve et heureux. Et lorsque les sœurs avec les prêtres de la religion et les mazdéens virent Vīrāz, ils furent joyeux et heureux[48].

---

43. Sans doute appelée ainsi en raison du voyage de Vistāsp dont il a été question ci-dessus.

44. Ces trois coupes, purement symboliques, ne sont là que pour illustrer la sainteté de Vīrāz qui a observé mieux que quiconque la « règle d'or » sous ses trois aspects.

45. Prière de conclusion d'une action rituelle, notamment à la fin d'un repas.

46. Le début du chap. II raconte que ces sept sœurs étaient toutes femmes de Vīrāz, une autre manière d'illustrer la sainteté de Vīrāz, accomplissant ainsi le mariage consanguin considéré comme la plus haute des bonnes actions.

47. Montagne mythique située au centre de la terre, où se trouve le pont Cinvad.

48. Ces passages sont tirés des chapitres II et III : je me permets de renvoyer le lecteur à la nouvelle traduction de ce texte que j'ai publiée aux éditions A.D.P.F., Paris, 1984, sous le titre *Le Livre d'Ardā Vīrāz*, translittération, transcription et traduction du texte pehlevi.

Puis, après force congratulations réciproques, « les prêtres de la religion ordonnèrent qu'on apportât un antidote agréable, de la nourriture bien cuite et sentant bon, des meis, de l'eau fraîche et du vin ». Et après avoir prié et mangé, Vīrāz ordonna : « Faites venir un scribe sage et avisé ! [...] Et tout ce que dit Vīrāz fut écrit exactement, clairement et en détail. »

Au chapitre IV du livre commence le récit du voyage, la vision des âmes qui se tiennent au chevet du corps pendant trois jours, puis rencontrent leur *daēna*, mais il faut remarquer que Vīrāz ne rencontre pas sa propre *daēna*, puisqu'il n'est pas mort pour de bon, mais qu'il est accompagné par deux dieux, *Srōš* et *Ādur* (le feu). Ensuite il traverse le pont Cinvad et gravit les différents degrés du paradis, puis descend dans les degrés correspondants de l'enfer, en passant par le lieu « intermédiaire », où vont les âmes de ceux dont les péchés et les bonnes actions s'équivalent strictement. Mais plus on avance dans le livre, et plus le catalogue des péchés suivi des châtiments correspondants devient fastidieux. Il semble que le dernier des rédacteurs ait voulu trop bien faire[49].

Beaucoup plus intéressant me paraît être le voyage ou la vision de Kirdīr, car ce dernier est un personnage important du IIIe siècle, dont on connaît la vie et les œuvres, à savoir l'organisation et le développement du mazdéisme, grâce à quatre inscriptions qu'il a fait graver sur la roche. Et sur deux sites du Fārs, il a raconté une expérience religieuse qui a bien des ressemblances avec un voyage chamanique. Le texte est malheureusement assez lacunaire : après une longue introduction dans laquelle le Mage déclare qu'il avait demandé aux dieux de lui montrer le paradis et l'enfer, et où il affirme aussi sa croyance

---

49. Il semble en effet qu'il y ait eu des remaniements très tardifs, comme j'ai essayé de le montrer dans mes « Notes sur la rédaction de l'Ardāy Virāz Nāmag », dans *ZDMG*, Supplementa I, 1969, p. 998-1004.

en la véracité de l'eschatologie mazdéenne, notamment de l'existence de la *daēna*, il raconte ce qui suit :

[...] Maintenant une femme est venue apparaissant du côté de l'Est, et je n'avais pas vu de femme plus belle que celle-là, et ce chemin par où venait cette femme était lumineux, et maintenant, s'avançant, cette femme et cette homme qui a même forme que Kirdīr ont posé tête contre tête, eux ensemble se prirent par les deux mains, et par ce chemin lumineux, cet homme de même forme que Kirdīr et cette femme marchèrent en direction des dieux, et ce chemin était très lumineux [...] apparaît l'orfèvre, et sur un trône en or, il y avait un festin et une balance se trouvait devant lui. Celui qui a même forme que Kirdīr la prit, et maintenant cette femme et cet homme qui a même forme que Kirdīr et ce commandant se tenaient là.

[...] Et ils marchaient sans cesse, en direction de l'est, et par ce chemin lumineux, l'homme de même forme que Kirdīr et cette femme et ce commandant marchaient [...] Et sur un trône en or, il y avait un festin, et il était comme le *Xvarrah* et plus beau que ceux qui avaient été vus au début[50] [...].

Le texte, très altéré, hélas, décrit ensuite la vision de l'enfer, « rempli de hiboux et autres vermines », puis il est question du pont Cinvad qui s'élargit au point qu'« il est manifestement plus grand en largeur qu'en longueur ». La visite du paradis semble se poursuivre, et il est fait allusion à une sorte de repas paradisiaque, car le double de Kirdīr partage du pain et de la viande. Le texte, de plus en plus lacunaire, s'achève par une nouvelle justification du voyage.

Il est clair que les thèmes de cette vision coïncident parfaitement avec les traditions les plus anciennes sur le voyage de

---

50. Pour le texte plus complet, dont j'ai extrait ici l'essentiel, cf. mon art. du *Monumentum G. Morgenstierne*, cité note 40, ainsi qu'un art. dans les *Mélanges Duchesne-Guillemin* [Acta Iranica 23], intitulé « Der Grossmagier Kirdīr und seine Reise in das Jenseits », p. 191-206.

Il faut maintenant consulter une nouvelle reconstruction du texte du voyage, due à Prods O. SKJAERVØ, « Kirdir's Vision » : Translation and Analysis, *Archaeologische Mitteilungen aus Iran*, Bd. 16, 1983, p. 269-306.

l'âme après la mort, telles qu'elles sont définies plus haut et illustrées aussi par le récit d'Ardā Vīrāz. De plus, il y a plusieurs âmes en scène dans le récit de Kirdīr. On peut y distinguer en effet la *ruvān*, qui est certes absente du récit même du voyage puisque le mage ne s'y trouve pas dans un état de mort réelle ; la *daēna* et le double de Kirdīr, voyageant dans l'au-delà et désigné sous l'expression « cet homme de même forme que Kirdīr ». Le mage oppose aussi le « corps osseux » à « l'âme osseuse » *(astvand ruvān)*, sans doute pour marquer l'importance des os, partie la plus vitale de l'homme, où réside l'âme[51] : or l'importance des ossements est aussi une caractéristique bien connue de l'idéologie chamanique.

Ainsi apparaît-il indéniable qu'un texte bien daté (fin du IIIᵉ siècle) a conservé des traditions qui s'apparentent à l'idéologie chamanique et remontent en tout cas à une période très ancienne du mazdéisme. Mais, par ailleurs, il faut se défaire d'un irano-centrisme, de mode jusqu'à présent, bien exagéré, dans le domaine de l'histoire des idées, comme on l'a vu pour l'apocalypse : la période sassanide est marquée par un foisonnement d'idées nées du judéo-christianisme, du manichéisme, de la gnose, voire du bouddhisme. Or le mazdéisme, qui n'avait pas encore de *littérature écrite* — ce qui n'est pas un argument pour reculer dans un passé lointain ce qui a été conservé dans des textes du Xᵉ siècle ! —, a dû largement emprunter au classicisme grec aussi bien qu'aux doctrines gnostiques, via les textes abondants de la littérature syriaque qui ont fleuri en Iran durant cette même période. On montrera ailleurs[52] comment la doctrine du macrocosme-microcosme a été réellement empruntée par les mazdéens à partir de la littérature gnostique et syriaque.

---

51. Cf. « Corps osseux et âme osseuse [...] », *JA*, 1979, cité note 38.
52. J'ai l'intention d'écrire une petite monographie sur ce thème, pour montrer l'importance des sources syriaques, avec la collaboration de M. Tardieu qui m'a convaincu quant à l'origine grecque et gnostique de ces conceptions.

NOTES COMPLÉMENTAIRES

I

L'édition scientifique, aujourd'hui, devient un peu partout si lente que j'avais achevé mon article lorsque je me suis aperçu que l'apocalypse iranienne, de nouveau très à la mode, avait suscité récemment un grand nombre de travaux, et même de colloques.

La longue étude de G. Widengren, qui fait partie d'un très gros volume de près de 900 pages consacré à « l'apocalyptique dans le monde méditerranéen et le Proche-Orient », thème d'un congrès tenu à Uppsala en 1979 (et publié en 1983[*]), ne peut être commentée ici dans le détail, mais, en gros, elle fait siennes les thèses de la « Religionsgeschichtliche Schule », en cherchant à montrer le fil continu, de l'Avesta aux Sassanides, d'une apocalypse purement iranienne qui ne devrait rien aux autres cultures voisines, ce problème des influences n'étant d'ailleurs qu'à peine étudié, si ce n'est dans une comparaison avec les *Oracles d'Hystaspe*. L'auteur emploie comme principal argument, la dépendance constante des textes pehlevis par rapport à un texte avestique perdu que révéleraient des particularités de la syntaxe, étrangères au moyen-perse.

Tout autre, dans son objectif et ses résultats, est le premier fascicule d'une série d'études que se propose de publier I.P. Culianu, et qui s'intitule *Psychanodia I*, A Survey of the Evidence concerning the Ascension of the Soul and its Relevance, Leiden, 1983, version anglaise profondément modifiée d'une thèse soutenue en Sorbonne en 1980 sur les « Expériences de l'extase et symboles de l'ascension, de l'Hellénisme à l'Islam » (publiée chez Payot, Paris, 1984). Cette première publication, qui sera suivie de deux autres fournissant textes (latins et grecs) et commentaires relatifs au voyage de l'âme, est essentiellement une approche méthodologique et un état de la question. L'auteur rejette nettement les théories de la « Religionsgeschichtliche Schule » (chap. XII, p. 16-24), qu'il qualifie de « *historical*

---

[*] *Apocalypticism in the Mediterranean World and the Near East*, Proceedings of the International Colloquium on Apocalypticism (Uppsala, 1979), éd. par David HELLHOLM, Tübingen, 1983.

Fallacy », tandis que la thèse des origines grecques lui paraît, à juste titre, beaucoup mieux démontrée. L'intérêt de ce livre est aussi de prendre en compte les voyages de l'âme — non, certes, n'importe quelle ascension ou descente de l'âme — comme partie intégrante de l'apocalyptique, comme je l'ai fait moi-même dans mon article sans que le lien entre ses deux parties apparaissent assez clairement, peut-être.

Dans ce même domaine, viennent de paraître les actes d'un colloque tenu à Rome en 1981, sur « l'Ascension d'Isaïe », et publiés en 1983 sous le titre : *Isaia, il diletto e la chiesa* (Visione ed esegesi profetica cristiano-primitiva nell' Ascensione di Isaia), qui réunit des interventions intéressantes, entre autres, de Bianchi, Culianu, Gnoli et Pesce.

Il me faut signaler encore deux autres études : l'une de J. Duchesne-Guillemin, intitulée « Apocalypse juive et apocalypse iranienne », est encore une contribution à un colloque qui se tint à Rome en 1979, et publiée dans *La soteriologia dei culti orientali nell'impero romano* (Leiden, 1982), p. 753-761, où l'auteur, par des voies assez semblables aux miennes, arrive aux mêmes conclusions, c'est-à-dire à mettre fortement en doute la prétendue originalité de l'apocalypse iranienne — ce dont je ne puis que me réjouir et me féliciter, puisque venant de la part d'un historien des religions aussi renommé.

L'autre étude, due à Mary Boyce, « On the antiquity of Zoroastrian apocalyptic » (*BSOAS* 47, 1984, p. 57-75), est au contraire un plaidoyer en faveur de l'ancienneté des spéculations iraniennes, mais assez contestable, dans la mesure où l'auteur amalgame à l'apocalyptique des données épiques, légendaires, souvent tardives (le Šāhnāme), qu'il n'est pas possible, à mon avis, de faire intervenir valablement dans le débat.

Ce trop rapide examen des travaux récents en matière d'apocalyptique pourra néanmoins montrer l'immense intérêt que l'on porte à nouveau à ce domaine, dont j'espère pouvoir m'occuper encore dans l'avenir.

II

Il serait impardonnable d'omettre de citer, quant à l'interprétation de l'apocalyptique iranienne, l'important article de K. Czeglédy, paru il y a près de trente ans déjà[1]. Celui-ci, à juste titre, écrivait que « *the apocalyptic and eschatological portions of the* Zand ī Vahman Yasn, *the* Žāmāsp nāmak *and the* Bundahišn *are closely related, but, in all probability, they also have relations — closer than we hitherto supposed — with later Sasanian history*[2] ». Et à la fin de son article : « *Astrology had an outstanding influence on Zoroastrian thought during the late Sasasian and early Arab periods*[3] ».

L'auteur a identifié le héros apocalyptique des textes pehlevis avec Bahrām Čōbīn, avec de très sérieux arguments. Madame A. Destrée a plus tard[4] estimé, en reconnaissant le bien-fondé de la reconstruction de K. Czeglédy, que le thème du roi de *Patašxvargar*, qui sera finalement victorieux sur les forces du mal et restaurera la religion mazdéenne, ne peut se rapporter à Bahrām Čōbīn dont le sort tragique est d'avoir été vaincu. Ce roi évoquerait la fuite de Yazdgird III vers l'est et la sombre période de la conquête arabe. Je suis persuadé que beaucoup plus que la période d'usurpation du pouvoir par Bahrām — car il y eut bien d'autres usurpateurs et périodes troublées à la fin de la monarchie sassanide — la mainmise de l'Islam sur l'Iran pouvait inspirer au premier chef les amateurs de prédictions apocalyptiques. Mais cela laisse la place aussi à la proposition que j'ai faite de voir en *Māzyār* le restaurateur attendu de la religion mazdéenne, car c'est un trait général de l'apocalyptique que l'attente d'un défenseur et restaurateur d'une religion menacée, ce que nous n'avons nullement avec Bahrām Čōbīn. Il peut aussi paraître à mon avis étonnant que, contrairement à l'apocalyptique judéo-chrétienne en général, la *vaticinatio ex eventu* — qui est *au centre de l'apocalyptique*, comme l'a bien vu Czeglédy — soit fondée sur un ennemi de l'intérieur, et non sur celui d'un empire extérieur.

En bref, comme de nombreux auteurs l'ont compris, il y a différents niveaux, ou différentes couches de traditions qui constituent l'apocalypse iranienne, de création tardive : je pense que, seul, le

---

1. « Bahrām Čōbīn and the Persian apocalyptic Literature », *Acta Orientalia Hungarica*, t. 8/1, 1958, p. 21-43.
2. *Op. cit.*, p. 33.
3. *Op. cit.*, p. 43.
4. « Quelques réflexions sur le héros des récits apocalyptiques persans et sur le mythe de la ville de cuivre », *La Persia nel Medioevo*, Roma, 1971, p. 639-652.

cataclysme que représenta l'effondrement de l'empire sassanide a pu pousser des théologiens mazdéens à s'exercer à ce genre littéraire, bien illustré dans les premiers siècles de l'Hégire par le thème du Mahdi, le mythe de la « ville de cuivre[5] », culminant peut-être, comme je l'ai dit, à l'époque pleine d'espoir de la tentative de Māzyār, mais récupérant aussi tous les éléments historiques et légendaires de la geste de Bahrām Čōbīn, comme l'a fort justement montré K. Czeglédy.

Dans un livre qui vient juste de paraître[6], Claude Lévi-Strauss affirme que « la forme originale [d'un mythe] (à supposer que la notion ait un sens) est et demeure insaisissable, tout mythe, si loin qu'on remonte, n'étant jamais connu que pour avoir été entendu et répété ». L'apocalyptique ne semble pas pouvoir se définir de la même façon, si je me réfère à une recherche de Millard[7]. Mais dans la mesure où l'apocalypse iranienne se nourrit aussi du mythe, il est difficile d'en retracer la genèse : c'est, me semble-t-il, la forme caractéristique qu'elle a prise en Iran, à condition, encore une fois, de bien faire la distinction entre apocalypse et eschatologie[8].

---

5. Que ce soit le nom d'une vraie ville, vers 750 (cf. Czeglédy, *op. cit.*, p. 29), me semble indiquer une origine tardive du thème.

6. *La Potière jalouse*, Plon, Paris, 1985, p. 249.

7. Cf. Alan MILLARD, « La prophétie et l'Écriture, Israël, Aram, Assyrie », *RHR* 202, 1985, p. 125-145.

8. Celle-ci est déjà évoquée en 1932 par Maurice Goguel dans la *RHR*, t. 106, p. 381 : « Les termes d'eschatologie et d'apocalyptique sont souvent si étroitement associés qu'ils paraissent synonymes. Il est cependant nécessaire de distinguer entre eux. » Il semble que certains iranistes ne s'en soient guère soucié.

IV

LES ROUTES TERRESTRES
DES MESSAGERS
DE L'APOCALYPSE

Javier TEIXIDOR,

« L'apôtre marchand d'âmes
dans la première littérature syriaque.
Voies commerciales et voies de l'Évangile
au Proche-Orient »

INTRODUCTION

Il est bon, pour un lecteur qui vient de suivre longuement les voyageurs du ciel, de revenir aux routes terrestres. Le périple qui lui a été proposé dans les nuages apocalyptiques est redevable, sinon de son existence même, du moins d'un bon nombre de motifs, au périple bien matériel des caravanes : marchands, chameaux, douaniers et marchandises sillonnent les voies commerciales parfaitement repérées qui relient, par terre et par mer, le Proche à l'Extrême-Orient et, ce faisant, tracent les voies occultes de la Bonne Nouvelle. La diffusion de cette « annonce aux peuples de la terre » ne fut possible que grâce à l'extraordinaire brassage d'idées, de doctrines, que provoquait l'intensité des échanges commerciaux et, par là, des rencontres humaines. Ainsi, des poèmes qui peuvent s'interpréter comme des fleurons du mysticisme gnostique, tel le *Chant de la Perle*, ne nous relatent l'itinéraire de l'Âme qu'à travers celui d'un marchand et, si nous n'étions — comme nous le sommes — excessivement influencés par des manières de voir qui nous portent *a priori* vers des interprétations symboliques, peut-être serions-nous plus instruits des objectifs propres aux hommes que furent les apôtres, souvent déguisés en marchands, et aux hommes qui écrivirent leur aventure. C'est à l'examen de ces objectifs concrets que nous convie Javier Teixidor, sans pour autant négliger la poésie des textes syriaques qu'il étudie à la lumière d'inscriptions des trois premiers siècles de notre ère trouvées à Palmyre, centre capital du commerce caravanier au Proche-Orient.

La circulation des motifs littéraires et religieux, l'une des premières constatations que nous avions faites à propos des textes apocalyptiques, apparaît en filigrane à travers le spectacle qui nous est donné : les contacts, les échanges qui s'opèrent entre des hommes de divers milieux, de divers pays s'organisent dans un espace géographique précis, dans des circonstances historiques qui déterminent à la fois la répartition de cet espace et l'usage qui peut en être fait.

Ce dont il s'agit ici, c'est d'une expérience vécue *hic et nunc*. Un parti pris de réalisme qui va nous mener à des perspectives tout à fait inattendues.

On nous présente des commerçants efficaces. Or, qu'est-ce que l'efficacité pour l'apôtre-marchand ? Elle est à l'inverse de ce que peut imaginer le bon sens commercial. La « marchandise » que transporte l'apôtre est la subversion même du monde qui lui assure le succès commercial. C'est une denrée qui, si elle est manipulée efficacement, doit faire exploser le système social et religieux du monde qui a assuré sa circulation, sa réception, sa diffusion à partir des centres privilégiés.

Sous l'habit du marchand, l'apôtre cherche à instaurer un *hic et nunc* tout à fait inédit : *ici* n'est que le masque fragile d'un ailleurs, et *maintenant* n'attend plus qu'une explosion imminente pour dévoiler un avenir déjà présent.

C.K.

L'APÔTRE MARCHAND D'ÂMES DANS LA PREMIÈRE LITTÉRATURE SYRIAQUE
Voies commerciales et voies de l'Évangile au Proche-Orient

par

Javier TEIXIDOR

Les provinces de l'Empire romain groupées autour de la Méditerranée connurent un grand essor économique au IIe siècle, les provinces orientales en particulier réussirent à s'assurer par le commerce avec l'Arabie, l'Inde et l'Asie centrale une vie confortable et bourgeoise. Au Proche-Orient, commerçants syriens, phéniciens, arabes et alexandrins multiplièrent les échanges avec l'Est en tirant de gros bénéfices des denrées alimentaires et de produits tels que les étoffes, les parfums, les épices, les bijoux et la céramique, la marchandise étant transportée par des caravanes organisées dans les moindres détails, protégée le long des routes par des postes de surveillance romains ou parthes. Dans un monde marqué par une intense activité commerciale, il n'est pas surprenant que le marchand ait été le porteur des nouvelles apprises au cours de ses voyages et c'est en effet par des marchands que la Bonne Nouvelle arriva de Jérusalem à Édesse, au nord de la Syrie. La région d'Édesse, le centre culturel des gens de langue syriaque, était, au tournant de l'ère, un lieu de rencontre des caravanes qui, suivant la route de la soie, allaient en Inde et en Chine ou arrivaient d'Arabie en passant par la Palestine. On n'oubliera pas d'ailleurs que décrivant le jour de la Pentecôte, le premier jour de l'Église naissante, l'auteur des Actes des Apôtres s'est plu à montrer Jérusalem peuplée de gens venus « de toutes les nations qui sont sous le ciel : Parthes, Mèdes et Élamites, habitants de Mésopotamie, de Judée et de Cappadoce, du Pont et d'Asie, de Phrygie et de Pamphylie, d'Égypte et de cette partie de la Libye qui est proche de Cyrène, Romains, Juifs et prosélytes, Crétois et Arabes » (Ac 2, 5-11). L'auteur sacré ne pouvait mieux mettre en scène l'annonce de l'Évangile. C'est seulement dans ce contexte d'échanges commerciaux que, initialement, une nouvelle religion pouvait se propager, et ce fut aussi à ce milieu-là qu'elle allait emprunter son vocabulaire d'autant plus que, souvent, le missionnaire se déguisait en marchand-apôtre. Les routes parcourues par ces hommes sont à peine décrites dans les textes anciens, en revanche les inscriptions honorifiques des trois premiers siècles de notre ère trouvées à Palmyre, centre capital du commerce caravanier, nous donnent de précieux renseignements sur la vie commerciale du Proche-Orient au moment où le christianisme s'y diffusa. Ces textes encadrent les activités de la société aisée à laquelle un apôtre comme Thomas prêcha la fin de l'ordre établi et le commencement sur terre de la vie eschatologique.

Il me paraît important de décrire ici le milieu commercial dans lequel s'exerça l'activité des apôtres chrétiens en Orient, un aspect d'habitude négligé par les historiens du christianisme primitif.

Voies commerciales du Proche-Orient ancien

Le commerce des Syriens avec l'Asie et l'Inde était florissant à la fin de la domination séleucide en Syrie et, au moment où Rome s'empara du Proche-Orient, les marchands palmyréniens s'étaient installés dans les villes clés de ce commerce. En 17 ou 18, Germanicus, qui se trouvait en Orient, chargea un financier palmyrénien qui possédait une agence commerciale à Spasinou Charax, le grand port de la Mésène à l'embouchure du Shatt el-Arab, de s'occuper des intérêts romains dans cette région, puis lui confia une mission semblable auprès du roi d'Émèse en Syrie du Nord. Une inscription du mois d'août 19 mentionne les commerçants grecs et palmyréniens de Séleucie-sur-le-Tigre ; une autre, de novembre 24, exprime la reconnaissance des commerçants palmyréniens de Babylone à l'égard d'un certain Malikû ; une troisième, de la deuxième partie du Ier siècle, fait état des commerçants palmyréniens habitant Spasinou Charax[1]. En 63, la politique habile de Corbulon qui mit fin aux conflits entre Romains et Parthes[2] ne put que consolider le commerce international des Palmyréniens. Le compromis obtenu par Corbulon dura cinquante ans, jusqu'à la guerre parthe des années 113-117 menée par Trajan. Sa victoire permit à Rome l'annexion de l'Arménie, la conquête de la Mésopotamie et la création de la province d'Assyrie comprenant la plaine alluviale du Tigre et de l'Euphrate, avec l'établissement du *limes* sur le Tigre ; la Mésène se rallia à l'empereur et fut inclue dans le réseau commercial de l'Empire. La possession de Vologésias, l'emporium de Ctésiphon fondé probablement par Vologèse I (51-80), aurait donné une ampleur

1. Importance de Séleucie : W.W. TARN, *The Greeks in Bactria and India* (Cambridge, 1951²), p. 60-65 et 362. Germanicus en Orient : H. SEYRIG, « Remarques sur la civilisation de Palmyre », *Syria* 21 (1940), p. 335-336, et J. STARCKY, *Palmyre* (Paris, A. Maisonneuve, 1952), p. 32. Commerçants palmyréniens : J. CANTINEAU, *Inventaire des inscriptions de Palmyre*, vol. IX (1933), n°s 6 et 11, et *Inscriptions palmyréniennes* (1930), n° 34 (= J.T. MILIK, *Dédicaces faites par des dieux* [Paris, P. Geuthner, 1972], p. 20). Commerce palmyrénien en général : J. TEIXIDOR, « Le tarif de Palmyre : un commentaire de la version palmyrénienne », *Aula orientalis* 1 (1983), p. 235-252. La Mésène : H. SEYRIG, « Rapport de Palmyre avec la Mésène, la Susiane et les Indes », *Syria* 22 (1941), p. 252-263, et S.A. NODELMAN, « A Preliminary History of Characene », *Berytus* 13 (1960), p. 83-121.

2. TACITE, *Annales* 15.28-31.

extraordinaire à la conquête romaine, mais la révolte des territoires conquis au Nord fit échouer la politique de Trajan[3]. Le
rêve du vieil empereur devant la mer à Spasinou Charax : « Je
serais sans doute allé jusqu'à l'Inde si j'étais encore jeune »,
au moment où un bateau faisait voile vers l'Inde[4], ne fut pas
partagé par Hadrien : il abandonna aux Parthes la Mésopotamie et la province d'Assyrie et se contenta de retenir la
Palmyrène ; le *limes* fut placé sur l'Euphrate. Cependant le
commerce de Palmyre avec la Mésopotamie, la Mésène et
même le golfe Persique continua de manière ininterrompue
jusqu'à la moitié du IIIe siècle. D'après l'« Hymne de la
perle », célèbre composition poétique, écrite en syriaque et
insérée dans les *Actes de Thomas* au IIIe siècle[5], le jeune héros
du poème, pour aller de l'Orient en Égypte, passa par la
Mésène qu'il décrit comme « le rendez-vous des marchands de
l'Orient ». C'est de la Mésène que les marchands se rendaient
en Inde, l'Indo-Scythie de Ptolémée (7.1.55). Les commerçants
allaient dans les villes du delta de l'Indus, au sud de l'actuelle
Karachi, peut-être à Patala, ville bien connue des historiens et
des géographes anciens, là où l'Indus se jette dans l'océan,
comme dit Pline, « après avoir accompagné le soleil vers
l'ouest[6] ».

Le commerce palmyrénien dut arriver jusqu'à Barygaza dans

---

3. A. MARICQ, « La province d'Assyrie créée par Trajan. A propos de la
guerre parthique de Trajan », *Syria* 36 (1959), p. 254-263, et « Vologésias,
l'emporium de Ctésiphon », *ibid.*, p. 264-276 ; F. MILLAR, *The Roman Empire
and its Neighbours* (Londres, Duckworth, 1981[2]), p. 117.

4. DION CASSIUS, 68.29.1.

5. Voir l'excellente étude de P.-H. POIRIER, *L'Hymne de la perle des Actes
de Thomas. Introduction, texte, traduction, commentaire* (Louvain-la-Neuve,
1981).

6. *Histoire naturelle* 6.72 : *quodam solis comitatu in occasum uersus oceano
infunditur.* J'utilise l'édition de J. ANDRÉ et J. FILLIOZAT, « Les Belles
Lettres » (Paris, 1980). Même après la conquête de cette partie de l'Inde par
les Sakas et la fin de la puissance grecque, Barygaza a dû rester une ville
grecque et les marchands grecs ont dû continuer leur activité, voir TARN, *loc.
cit.*, p. 320-321 et STRABON, 15.1.4 ; 15.1.73.

le golfe de Cambay, point de rencontre des commerçants venus de la Mésène et de ceux venus d'Alexandrie par une route commerciale qui est bien décrite par Pline et par l'auteur du *Périple de la mer Érythrée*[7]. Avant Pline, Strabon, qui alla en Égypte vers 25 avant J.-C., avait déjà mentionné le commerce avec l'Inde :

> Récemment les Romains firent aussi une expédition armée en Arabie Heureuse, sous la conduite de mon ami Aelius Gallus, et les marchands d'Alexandrie envoient désormais des flottes par le Nil et le golfe Arabique jusqu'à l'Inde. Aussi connaissons-nous beaucoup mieux ces régions que nos prédécesseurs. Ainsi, alors que Gallus était préfet d'Égypte, nous montâmes avec lui jusqu'à Syène et les frontières de l'Éthiopie et apprîmes par enquête que 120 navires partaient également de Myos Hormos pour l'Inde alors qu'auparavant, sous les Ptolémées, très peu de gens osaient naviguer pour importer de la marchandise indienne (2.118).

Comme l'a fait observer J. Schwartz[8], l'éloge de la politique commerciale du régime en Égypte se confond ici avec celui de son ami, car le commerce avec l'Inde ne commença probablement pas à l'époque d'Auguste : seule la découverte de la mousson par Hippalos amena directement les navires occidentaux vers la péninsule indienne.

D'après Pline, les commerçants suivaient le Nil jusqu'à Coptos d'où ils se rendaient « à dos de chameau » à Bérénicé,

---

7. La date du Périple est toujours controversée ; il peut dater du Iᵉʳ siècle : voir l'édition de H. FRISK, *Le Périple de la mer Érythrée* (Göteborg, 1927) ; W.H. SCHOFF, *The Periplus of the Erythraean Sea* (Londres, Longmans, 1912), donne une traduction du texte avec un commentaire d'une grande richesse de détails ; voir aussi J. PIRENNE, *Le Royaume sud-arabe de Qatabân et sa datation d'après l'archéologie et les sources classiques jusqu'au Périple de la mer Érythrée*, bibliothèque du *Muséon*, vol. 48 (Louvain, 1961), p. 167-193 et M. RODINSON, « Le Périple de la mer Érythrée », École pratique des hautes études, IVᵉ section, *Annuaire 1974-1975*, p. 210-238.

8. « L'Empire romain, l'Égypte et le commerce oriental », *Annales. Économies, sociétés, civilisations* 15 (1960), p. 18-44 ; voir p. 23.

le port sur la mer Rouge, pour s'embarquer vers l'Inde ; et il précise :

La navigation commence au début de l'été avant le lever du Chien ou immédiatement après, et on arrive vers le trentième jour à Océlis, en Arabie, ou à Cané, dans une région productrice d'encens. Il y a encore un troisième port, appelé Muza, qui n'est pas une escale pour l'Inde, et où abordent seulement ceux qui font commerce d'encens et de parfums d'Arabie.

Selon Pline, la traversée de la mer Érythrée d'Océlis jusqu'à Muziris, c'est-à-dire le port de Kodungalur sur la côte sud-ouest de l'Inde, durait quarante jours grâce au « vent hippale[9] ».

L'auteur du *Périple* décrit avec plus de détails le voyage le long de la côte sud de l'Arabie et à deux reprises il fait allusion au monde hétérogène qu'on y trouvait ; de Muza il dit que c'est un marché côtier protégé par la loi *(emporion estin nomimon)*, « rempli d'Arabes, armateurs et marins, tout entier animé par les affaires commerciales ; ces gens participent, en effet, au trafic de la côte d'en face (d'Afrique) et de Barygaza au moyen de leurs propres embarcations ». A propos de l'île de Soqotra (Dioskoridès), le *Périple* nous apprend que « les habitants, peu nombreux, habitent un seul côté de l'île, le côté nord, où elle regarde la terre ferme ; ce sont des étrangers et des métis d'Arabes, d'Indiens et dans une certaine mesure de Grecs naviguant pour le commerce[10] ». Les Palmyréniens n'y devaient pas être absents, car une inscription sud-arabique du IIIᵉ siècle trouvée à Aûwad, près de Shabwa, l'ancienne capitale du Hadramaout au Yémen du Sud, atteste la présence de deux Palmyréniens à une cérémonie officielle célébrée par le roi

---

9. *Histoire naturelle* 6.102-104 ; trad. J. ANDRÉ et J. FILLIOZAT, p. 55 et commentaire, p. 137.

10. FRISK, §§ 21 et 30, p. 7, 9-10 ; trad. PIRENNE, p. 168-169 et 171-172.

Il'add à laquelle assistèrent également d'autres représentants de Chaldée, de l'Inde et de Himyar[11].

La création de Vologésias par les Arsacides au Ier siècle avait dû faciliter le commerce de la Syrie avec le golfe Persique et de là avec l'Inde. Les convois quittant Palmyre pour l'Inde étaient obligés d'utiliser des chameaux jusqu'à Vologésias ; des *keleks* pour naviguer sur le Tigre jusqu'à Spasinou Charax et enfin des bateaux qui les transportaient en Inde ; d'autres convois, partis d'Édesse, allaient jusqu'à Nisibe d'où ils gagnaient Mossoul sur le Tigre et ils descendaient le fleuve jusqu'à Mésène. C'étaient les routes parcourues aussi par les missionnaires. Les *Actes de Thomas*, un livre apocryphe de la communauté chrétienne syriaque du IIIe siècle, relatent le voyage de l'apôtre en Inde à bord du bateau de Habban, un riche marchand au service du roi Gudnaphar[12]. Les *Actes* font partir Thomas de Jérusalem, mais pour aller en Inde par bateau il devait partir de la Mésène. La tradition recueillie par ce document situe l'apostolat de Thomas au nord de l'Inde puisque Gudnaphar y était roi, dans la première partie du Ier siècle, d'un territoire soumis à l'autorité parthe[13]. Il n'est donc pas surprenant que les auteurs anciens qui acceptent cette tradition, comme Eusèbe de Césarée dans son *Histoire ecclésiastique* (3.1), l'auteur anonyme des *Reconnaissances* clémentines

11. Voir A. JAMME, *The Al-'Uqlah Texts* (Washington, The Catholic University of America, 1963), p. 44, et les commentaires de J. RYCKMANS dans *BiOr* 21 (1964), p. 277-282, et de W.W. MÜLLER, *ibid.*, p. 379-380. Il y avait aussi des marchands palmyréniens à Coptos, voir SCHWARTZ, *loc. cit.*, p. 31-32, et H. SEYRIG, « Le prétendu founduq palmyrénien du Coptos », *Syria* 49 (1972), p. 120-125.

12. A.F.J. KLIJN, *The Acts of Thomas* (Leiden, 1962), et l'étude de POIRIER, *loc. cit.*, p. 267-283 ; G. BORNKAMM, « The Acts of Thomas », dans E. HENNECKE et W. SCHNEEMELCHER, *New Testament Apocrypha*, trad. anglaise de R. McL. WILSON, vol. II (Philadelphie, The Westminster Press, 1964), p. 442-531.

13. Cf. SCHOFF, *The Periplus*, p. 167 et 185 ; BORNKAMM, *loc. cit.*, p. 427, mais voir A. DIHLE, « Neues zur Thomas-Tradition », *Jahrbuch für Antike und Christentum* 6 (1963), p. 54-70 ; p. 58.

(9.29.2) ou Socrate, l'historien de l'Église (1.19), présentent Thomas comme l'apôtre des Parthes ; l'Inde des *Actes* est « l'Inde du Nord-Ouest, limitrophe du pays parthe et kūshan et incluant le bassin de l'Indus[14] ». L'église d'Édesse dut s'accorder de bonne heure le titre de fondatrice des communautés chrétiennes de cette région parce qu'une tradition, qui remonte au IVᵉ siècle, veut que les reliques de l'apôtre, peu après son martyre, aient été transportées à Édesse par un marchand venant de l'Inde ; l'itinéraire suivi par les reliques peut être imaginé d'après celui parcouru au Iᵉʳ siècle par Apollonios de Tyane : à son retour de l'Inde, Philostrate (3.58) lui fait remonter le Tigre, puis gagner Nisibe et finalement Antioche suivant une route qui était le dernier tronçon de la route de la soie.

Au commencement du VIᵉ siècle, Cosmas Indicopleustès trouva des chrétiens en Inde aussi bien que dans l'île de Soqotra, mais on ne sait pas quand le christianisme y arriva[15]. Eusèbe fournit sur cette présence un renseignement précieux en écrivant que Panthène, philosophe stoïcien d'origine sicilienne, converti au christianisme, alla en Inde pour prêcher l'Évangile avant de devenir en 180 le recteur de la prestigieuse école d'Alexandrie (*HE* 5.10.3.). En Inde, nous dit Eusèbe, Panthène trouva des chrétiens à qui l'apôtre Bartholomée avait laissé l'Évangile de Matthieu en araméen. Il n'est pas facile de

---

14. P.-H. POIRIER, *op. cit.*, p. 271.
15. *Topographie chrétienne 3.65* : « A Taprobane, île de l'Inde intérieure, là où se trouve la mer Indienne, il y a une église de chrétiens, un clergé et des fidèles ; j'ignore s'il en existe plus loin. Pareillement, dans la contrée qu'on nomme Malé, où pousse le poivre, et au lieu appelé Kalliana, il y a même un évêque ordonné en Perse. Pareillement, dans l'île nommée Dioskoridès (Soqotra), située dans la même mer Indienne et dont les habitants, des colons établis par les Ptolémées, successeurs d'Alexandre de Macédoine, parlent grec, il y a des clercs ordonnés en Perse et envoyés dans ces régions et une multitude de chrétiens ; cette île, je l'ai côtoyée, mais je n'y ai pas fait escale ; cependant, je me suis entretenu avec des naturels du pays parlant grec, venus d'Éthiopie » ; traduction de W. WOLSKA-CONUS, *Sources chrétiennes*, vol. 141 (Paris, 1968), p. 502-504.

combiner cette tradition avec celle de Thomas en Inde, mais il est important de signaler que ces deux traditions apostoliques recoupent, d'une part, la route commerciale de la Mésopotamie jusqu'au delta de l'Indus telle qu'elle apparaît dans les textes palmyréniens, et, d'autre part, la route qui, d'après Pline et l'auteur du *Périple*, rattachait Alexandrie par la mer Rouge, la côte sud-arabique et l'île de Soqotra, à l'Inde du Sud-Ouest, et c'est probablement cette partie de l'Inde qu'évangélisa Bartholomée.

Les comptoirs orientaux, centre d'irradiation apostolique

La caravane, qui partait de Palmyre pour y retourner après un voyage de plusieurs mois avec une marchandise que les commerçants de la ville vendaient ensuite à l'Occident, était le résultat d'une organisation complexe. Le trafic caravanier ne pouvait subsister sans l'aide d'un personnel voué à l'élevage de bêtes de somme dans des zones où la population était restée nomade, et c'est sans doute dans ce milieu que les magnats du commerce caravanier trouvaient des milices capables d'assurer aux convois la traversée du désert. La préparation d'un convoi était financée par des individus dont la fonction sociale ne pouvait se confondre avec celle de simples marchands chargés de mener les affaires à terme. On pense à la distinction que, à propos des Juifs d'Alexandrie, fait Philon entre « les capitalistes » *(poristai)* et « les marchands » *(nauklêroi* et *emporoi)*[16]. Marcus Ulpius Yarhai fut sans doute le plus célèbre des « capitalistes » de Palmyre dans la première moitié du IIe siècle. Mais des financiers comme lui étaient en rapport avec d'autres financiers habitant les villes auxquelles se rendaient les caravanes. Une inscription grecque fort importante

---

16. V.A. TCHERIKOVER et A. FUKS, *Corpus papyrorum judaicorum*, vol. I (Harvard University Press, 1957), p. 48-50.

trouvée à Umm al 'Amâd, à 22 km de Palmyre, mentionne Soados fils de Bôliades dont la puissance économique et politique à Vologésias dut être considérable pendant la première moitié du IIe siècle[17]. Son pouvoir ne dérivait certainement pas de la *boulè* de Palmyre dont l'autorité était fictive à cause de la présence dans la ville d'une autorité romaine. Vologésias, d'autre part, faisait partie du territoire contrôlé par les Parthes mais cela n'empêcha pas Soados d'y fonder un temple dédié au culte des empereurs ; un autre Palmyrénien habitant Vologésias, Aqqaïh fils de Noaraï, construisit dans les premières années du IIe siècle un complexe culturel en honneur du feu sacré dont étaient fiers tous les Palmyréniens résidant dans la ville parthe[18]. Une certaine connivence, résultat d'intérêts commerciaux communs, liait donc Romains et Parthes qui profitaient largement du trafic caravanier. Les missionnaires des diverses religions bénéficièrent aussi de cette entente tacite et de la tolérance qui en découlait. La *Doctrine d'Addaï*, un document chrétien tardif (Ve siècle), écrit en syriaque, mais qui rassemble des traditions anciennes d'Édesse, porte un témoignage éloquent sur la liberté dont jouissaient les commerçants de l'époque ; selon la *Doctrine*, les « Orientaux » (du territoire perse) pouvaient aller à Édesse, placée sous le contrôle romain, pour écouter l'apôtre Addaï, « parce qu'ils se déguisaient en marchands[19] ».

---

17. Pour Marcus Ulpius Yarhai, voir J. STARCKY, *Inventaire des inscriptions de Palmyre*, vol. X (1949), *passim* ; pour Soados, R. MOUTERDE et A. POIDEBARD, *Syria* 12 (1931), p. 105-115 ; J.T. MILIK, *Dédicaces faites par des dieux*, p. 13-14 ; A. POIDEBARD, *La Trace de Rome dans le désert de Syrie* (Paris, 1934), p. 106-107 ; C. DUNANT, *Le Sanctuaire de Baalshamin à Palmyre*, III : *Les inscriptions*, Institut suisse de Rome (Neuchâtel, P. Attinger, 1971), n° 45, p. 56-59, et J. TEIXIDOR, *The Pantheon of Palmyra*, Études préliminaires aux religions orientales dans l'Empire romain, vol. 79 (Leiden, 1979), p. 36-39.

18. J. CANTINEAU, *Inventaire* IX, n° 15, et J. STARCKY, « Allath, Athèna et la déesse syrienne », *Mythologie gréco-romaine, mythologies périphériques*, Colloques internationaux du C.N.R.S., n° 593 (Paris, 1981), p. 123.

19. Voir l'édition de G. PHILLIPS, *The Doctrine of Addaï, the Apostle* (Londres, 1876), p. *lz* ; trad., p. 35.

Les commerçants étaient accueillis au bout de leur voyage par des compatriotes qu'habitudes et intérêts communs poussaient à former des communautés à part dans les centres commerciaux du Proche-Orient ; phénomène bien connu. Dans l'Égypte ptolémaïque, le terme *politeuma* désignait une communauté de nationaux : Juifs, Lyciens, Iduméens, etc.[20] : dans le bassin méditerranéen, le terme courant pour décrire les différentes communautés d'armateurs et de marchands habitant Athènes, Délos, la Sicile ou l'Italie était *to koinon*. On imagine facilement ces étrangers de Sidon, de Tyr, de Béryte, de Syrie ou de la Palestine groupés autour des temples de leurs dieux nationaux, mais rien n'autorise à penser que ces entrepôts d'outre-mer, dont le succès commercial relevait d'une entente étroite avec leurs métropoles, aient pu avoir une autonomie politique quelconque[21]. En outre, des liens religieux unissaient les comptoirs phéniciens ou syriens de la Méditerranée à des villes comme Tyr, Sidon ou Damas. Les Palmyréniens habitant les comptoirs de la Mésopotamie ou de la Mésène eurent pourtant à l'égard de Palmyre une attitude religieuse différente, car leur mode de vie resta lié à la famille ou, mieux, à la tribu. Le commerce n'était pas à Palmyre une entreprise étatique mais tribale, et la forte personnalité d'un individu pouvait y jouer un rôle décisif. Si les dieux des Phéniciens étaient des divinités urbaines, ceux vénérés par les Palmyréniens restaient des divinités tribales. La vieille tradition sémite qui donna naissance aux cultes bien connus du « dieu d'Abraham », du « dieu d'Isaac » ou du « dieu de Jacob » persista intacte parmi les Palmyréniens de la diaspora, pour qui les dieux étaient les dieux des ancêtres. C'était dans ce milieu sémite, plus propice que le grec ne pouvait l'être, que le christianisme allait se répandre. Ce fut, en effet, à la commu-

---

20. V.A. TCHERIKOVER et A. FUKS, *loc. cit.*, p. 5-6.

21. J. TEIXIDOR, « L'assemblée législative en Phénicie d'après les inscriptions », *Syria* 57 (1980), p. 453-464.

nauté juive d'Édesse que l'apôtre Judas Thomas, d'après la *Doctrine d'Addaï*, envoya Addaï prêcher l'Évangile, et Tobie fils de Tobie, Juif prééminent d'Édesse, originaire de Palestine, l'introduisit auprès du roi avec la même aisance que celle de ses coreligionnaires se rendant à la cour pour vendre la soie arrivée de Chine[22]. Lors de l'arrivée de Thomas en Inde ce fut une jeune juive, joueuse de flûte, qui accepta, la première, la Bonne Nouvelle apportée par l'apôtre. Mais si l'on comptait sur les liens ethniques pour jeter les fondements des futures communautés chrétiennes, ce n'était pas pour attacher celle-ci à l'église de Jérusalem : l'apôtre prêchait sa propre version de l'Évangile, de même que le commerçant palmyrénien dans un lointain comptoir aidait les siens « en n'épargnant pas vie et biens pour eux », mais à titre privé[23]. L'activité commerciale dans la Mésène fut intense et le prestige dont jouirent les Palmyréniens leur valut occasionnellement des postes dans l'administration parthe. En 131, les commerçants de Spasinou Charax élevèrent une statue dans l'agora de Palmyre à Yarhai fils de Nébozabad, un Palmyrénien qui avait été satrape d'un district au nom du roi Méhérédate ; un autre personnage, de l'ancienne famille des Aabei, eut la fonction d'archonte des Méséniens[24].

L'apôtre, ferment de destruction dans la société qui l'accueille

L'ascendant du marchand dans un centre commercial de l'importance de Spasinou Charax est amplement illustré par un

---

22. Voir J.B. SEGAL, *Edessa,* « *The Blessed City* » (Oxford, 1970), p. 67-69 ; J. TEIXIDOR, *The Pagan God* (Princeton University Press, 1977), p. 147-148 ; J. NEUSNER, *A History of the Jews in Babylonia. The Parthian Period* (Leiden, 1965), p. 88-93.

23. J. STARCKY, *Inventaire* X, n°s 44 et 114.

24. J. STARCKY, *Inventaire* X, n°s 38 et 112 ; H. SEYRIG, *Syria* 22 (1941), p. 254 ; D. SCHLUMBERGER, *Syria* 38 (1961), p. 259 ; S.A. NODELMAN, *Berytus* 13 (1960), p. 112.

fait historique. En expliquant comment la famille royale d'Adiabène se convertit au judaïsme, Josèphe raconte qu'un marchand juif nommé Ananias qui avait accès au palais d'Abinerglos, le roi de la Mésène dans la première partie du Ier siècle, réussit à convertir à la religion juive les femmes de la cour et que ce fut à cette époque-là qu'Izates, le futur roi de l'Adiabène, placé par son père sous la protection d'Abinerglos, eut l'occasion de connaître et d'embrasser lui aussi le judaïsme[25]. L'histoire de Josèphe sur l'activité des Juifs à Spasinou Charax fut utilisée quelques décades plus tard par l'auteur de la *Doctrine d'Addaï* pour expliquer que l'apôtre Addaï, introduit par un marchand juif dans la cour du roi Abgar, prêcha le christianisme à Édesse. Dans ce milieu commercial florissant, la littérature de l'Édesse paléochrétienne allait décrire Thomas arrivant en Inde en compagnie d'un marchand, et présenter le jeune héros de l'« Hymne de la perle » quittant la maison de son père en Orient pour devenir un marchand. Quelle que soit l'interprétation théologique qu'on donne à cette composition chrétienne, il est certain que son auteur utilise dans un but pédagogique des notions familières aux gens de l'époque : les périls que comportaient les longs voyages, la solitude du voyageur dans une ville étrangère, le besoin de se rapprocher de ceux de sa race, la difficulté d'acheter ou de garder la marchandise et même de préserver son identité :

> Je passai les frontières de Maïsan,
> le rendez-vous des marchands de l'Orient,
> j'atteignis le pays de Babylone
> et j'entrai dans les murs de Sarboug.
> Je descendis en Égypte...
> Je me dirigeai tout droit vers le serpent,

---

25. *Antiquités juives* 20.17-91 ; J. NEUSNER, *loc. cit.*, p. 58-60, 88-93.

Je m'installai aux alentours de sa demeure
(attendant) qu'il s'assoupît et s'endormît
et que je lui prenne la perle.
Et parce que j'étais seul, que j'étais solitaire,
pour mes compagnons d'auberge, je devins un étranger.
Je vis là un fils de ma race,
un noble, fils d'Orientaux,
un beau jeune (homme) gracieux,
oint.
Il vint vers moi et s'attacha à moi.
Et j'en fis mon intime,
un compagnon avec qui je partageai ma marchandise.
Je le mis en garde contre les Égyptiens
et contre le contact des impurs.
Et je pris un vêtement comme le leur,
de peur qu'ils ne me reprochent d'être venu de dehors
pour prendre la perle,
et (qu') ils (n')éveillent le serpent contre moi.
Mais d'une manière ou d'une autre,
ils perçurent que je n'étais pas un fils de leur pays.
Alors ils se lièrent avec moi par leurs ruses
et même me firent goûter leur nourriture.
J'oubliai que j'étais fils des rois
et je servis leur roi.
J'oubliai aussi la perle
pour laquelle mes parents m'avaient envoyé.
Et, sous le poids de leurs nourritures,
je m'endormis d'un profond sommeil (trad. Poirier, p. 344).

Le rôle apostolique assigné par les textes syriaques au marchand, ou à son associé — ce que reflète d'ailleurs la tradition
évangélique d'une prédication à deux —, n'est qu'un aspect de
l'imagerie religieuse de l'époque, née du nouvel esprit bour-
geois. L'auteur de la Deuxième Épître de Pierre 2, 3 décrit les
faux phophètes comme des gens qui, « par cupidité, au moyen
de paroles trompeuses », font commerce (emporeusontai) de
leurs disciples, et quand saint Paul dans la Deuxième Épître

aux Corinthiens 2, 17 écrit que les vrais apôtres « ne trafiquent *(kapêleuontes)* pas la parole de Dieu », il utilise un verbe dont le sens péjoratif était bien attesté dans la littérature contemporaine. Une telle terminologie n'est pas surprenante puisque les paraboles de Matthieu 13, 44-46 assimilent déjà la possession du royaume des cieux aux différents achats que pouvait faire un marchand perspicace et résolu. Dans le langage imagé des textes, syriaques aussi bien que mandéens et manichéens, non seulement l'apôtre est comparé à un marchand, mais l'âme elle-même est décrite comme un marchand portant à bord de son bateau une marchandise qui sera examinée, pesée et taxée par les publicains de l'au-delà. Dans cette littérature, d'ailleurs, abondent pour décrire la vie de l'homme sur terre les images du bateau, du pilote, de la traversée de la mer, de la marchandise, des taxes et, bien entendu, de la douane qui attend à la fin du voyage[26]. Pour une religion comme le christianisme qui conçoit l'histoire de manière linéaire où toute répétition est exclue car on marche vers un stade définitif, la vie humaine n'est qu'un chemin, et cette métaphore revient dans les *Actes de Thomas*, dans les homélies d'Aphraate (IIIe-IVe siècle) et surtout dans les hymnes de saint Éphrem (IVe siècle), pour qui « le chemin » plus qu'une image de la vie est la vie elle-même : « le chemin va du paradis (perdu) au paradis (regagné) » ; « de l'Arbre à la Croix, du Bois au Bois, de Sion à l'Église et de l'Église au Royaume » ; et pour le voyageur qui fait son chemin, les prophètes deviennent « les milliaires » et les apôtres, « les auberges » où se restaurer[27].

Le titre d'apôtre, *apostolos*, signifie « envoyé au loin », et le voyage de l'apôtre est en effet un des éléments principaux de

---

26. Voir les textes publiés et commentés par G. WIDENGREN, *Mesopotamian Elements in Manichaeism. Studies in Manichaean, Mandaean, and Syrian-Gnostic Religion* (Uppsala, 1946), p. 82-95.

27. R. MURRAY, *Symbols of Church and Kingdom. A Study in Early Syriac Tradition* (Cambridge University Press, 1975), p. 246-253.

tous les *Actes apocryphes* des apôtres[28]. La notion d'apôtre
envoyé en mission aux peuples de la terre n'appartient pourtant pas au milieu judéo-chrétien de Jérusalem mais à celui
plus hellénisé et cosmopolite de la Syrie et de la Cilicie, dont
Antioche était le centre culturel. A la base de cet esprit missionnaire de l'Église syrienne, il y avait une théologie gnostique
qui croyait à la présence sur terre d'une *Gnosis* qui rachetait
l'homme, d'une Vérité opérante : la consommation des temps
était déjà arrivée et l'apôtre ne faisait qu'annoncer la Bonne
Nouvelle. Les *Actes de Thomas* montrent clairement cet aspect
hétérodoxe d'une certaine théologie de langue syriaque. Le
nom de *Thomas* signifie en araméen « jumeau » : dans la tradition de l'Église syriaque, l'apôtre est connu comme *Judas
Thomas*, en grec *Thomas Didymos*, et il se comporte certainement dans ses *Actes* comme le jumeau du Christ ; cela
explique que tantôt il reste silencieux pour laisser parler le
Christ, tantôt il avoue connaître les mystères que le Christ lui
a confiés. Grâce à la découverte en 1945 de la Bibliothèque
gnostique copte de Nag Hammadi, nous avons maintenant une
bonne collection des « paroles secrètes » attribuées à Thomas
par l'Église primitive ; ces textes recoupent maints passages des
Actes de Thomas[29]. L'apôtre sait que la fin des temps est
arrivée secrètement et il se hâte de condamner tout rapport
sexuel, même dans la vie conjugale, et d'annoncer la fin de
l'ordre établi. L'auteur syriaque des *Odes de Salomon* lui

---

28. Pour les dernières études sur les *Actes* apocryphes, voir F. MORARD,
« Souffrance et martyre dans les Actes apocryphes des Apôtres », et
Y. TISSOT, « Encratisme et Actes apocryphes », dans F. BOVON et *alii, Les
Actes apocryphes des Apôtres. Christianisme et monde païen*, Publications de
la faculté de théologie de l'université de Genève, vol. 4 (Genève 1981), p. 95-
108 et 109-119.

29. Voir H.C. PUECH, « Gnostic Gospels and Related Documents », dans
E. HENNECKE et W. SCHNEEMELCHER, *New Testament Apocrypha*, trad.
anglaise de McL. WILSON, vol. I (Philadelphie, The Westminster Press, 1963),
p. 282-287 ; POIRIER, *loc. cit.*, p. 267-269 (avec bibliographie).

donne raison dans le chant d'action de grâces à Dieu qu'il attribue au Christ :

> Immortels étaient ta route et ton visage,
> Tu as mené ta création au cataclysme,
> afin que l'univers fût anéanti, puis renouvelé
> et que ton rocher soutienne l'univers.
> Sur lui tu as édifié ton royaume,
> et il est devenu le séjour des saints[30].

Il ne reste qu'à se lamenter avec l'auteur de l'Apocalypse canonique sur la chute de Babylone, métropole enviée du commerce des nations :

> Les trafiquants de la terre pleurent et se désolent sur elle ; les cargaisons de leurs navires, nul désormais ne les achète ! Cargaisons d'or et d'argent, de pierreries et de perles, de lin et de pourpre, de soie et d'écarlate ; et les bois de thuya, et les objets d'ivoire, et les objets de bois précieux, de bronze, de fer ou de marbre ; le cinnamome, l'amome et les parfums, la myrrhe et l'encens, le vin et l'huile, la farine et le blé, les bestiaux et les moutons, les chevaux et les voitures, les esclaves et la marchandise humaine. Et les fruits mûrs que convoitait ton âme, s'en sont allés loin de toi ; et tout le luxe et la splendeur, c'est à jamais fini pour toi sans retour ! Capitaines et gens qui font le cabotage, matelots et tous ceux qui vivent de la mer se tenaient à distance... ils s'écriaient, pleurant et gémissant : Hélas, hélas ! Immense cité, dont la vie luxueuse enrichissait tous les patrons de navires, car une heure a suffi pour consommer sa ruine ! (Ap 18,11-19).

---

30. Dernières études des *Odes* : J.H. Charlesworth, *The Odes of Solomon* (Oxford, 1973) ; M. Lattke, *Die Oden Salomos in ihrer Bedeutung für Neues Testament und Gnosis*, vol. I et II, Orbis Biblicus et orientalis 25 : 1 et 2 (Göttingen, 1979), et M. Petit, art. « Odes de Salomon », dans *Dictionnaire de spiritualité*, fasc. LXXIV-LXXV (1982), col. 602-608. J'utilise la traduction française d'A. Hamman, *Naissance des lettres chrétiennes* (Éditions de Paris, 1957), p. 48.

Là où il va, l'apôtre veut convertir sa vie en une marchandise qui n'est pas à acheter mais un exemple à imiter : en s'associant ceux qui le suivent, il remplit sa mission ; en condamnant la vie conjugale, il annonce publiquement la fin de la société et le commencement sur la terre de la vie eschatologique, une vie pour laquelle le Marchand Sauveur a déjà payé les taxes *(Actes de Thomas)*. L'apôtre donc finit par détruire ce monde dont il s'était servi pour diffuser librement son message partout où le menaient les routes commerciales. Mais les rois de la terre réagissent avant que le cataclysme ne se répande, et tuent l'apôtre qui en est l'augure funeste : lui qui avait été un marchand comme tant de voyageurs devient à la fin un martyr.

V

PROLONGEMENTS
MÉDIÉVAUX
DES APOCALYPSES

Herman BRAET,
« Les visions de l'invisible
(VIe-XIIIe siècle) »

Franco CARDINI,
« Note sur la tradition apocalyptique
dans l'Italie médiévale (XIIe-XVe siècle) »

V

PROLONGEMENTS MÉDIÉVAUX DES APOCALYPSES

Herman BRAET,
« Les visions de l'invisible (VIe-XIIIe siècle) »

Franco CARDINI,
« Note sur la tradition apocalyptique dans l'Italie médiévale (XIIe-XVe siècle) »

INTRODUCTION

Dès le haut Moyen Âge, une révélation, un voyage dans l'au-delà ne suffisent plus à faire une apocalypse. L'*Apocalypse de Paul*, par exemple, qui était bien intitulée ainsi à la fin de l'Antiquité, devient, au Moyen Âge, *Vision de Paul*. Le passage des apocalypses paléo-chrétiennes aux visions du haut Moyen Âge se fait insensiblement, selon des modes qui restent encore à étudier : le « bagage » de motifs qu'avaient rassemblé les apocalypses de l'Antiquité tardive reçoit de nouveaux cadres, et de nouveaux éléments s'y ajoutent. Herman Braet nous donne une idée du rôle que joua Grégoire le Grand dans cette évolution : les visions de l'au-delà se trouvent, désormais, étroitement liées aux récits hagiographiques. Il n'est pas impossible de voir dans ce phénomène un exemple de « récupération » : l'orthodoxie reprend un ensemble de motifs utiles à sa prédication en lui arrachant l'étiquette d'*apocalypse* qui en faisait des apocryphes. Une seule apocalypse est intégrée dans le canon, celle de Jean ; les hésitations de l'Antiquité tardive sur les œuvres considérées comme inspirées ne sont plus de saison : pour le Moyen Âge, l'apocalypse est unique, elle est liée aux événements de l'histoire et à la fin des temps. Ce rapport entre le texte et l'événement est typique d'une vaste catégorie d'apocalypses qui remontent au judaïsme ancien et qui a été peu évoquée dans notre livre : les apocalypses de l'Antiquité tardive qui ont été notre plate-forme de recherche ne privilégiaient pas cet aspect. En revanche, on ne peut évoquer les textes apocalyptiques du Moyen Âge sans parler de leur relation avec l'histoire, avec les événements dont ils sont contemporains et avec ceux qu'ils sont censés annoncer.

Voilà pourquoi les deux contributions qui vont suivre offrent deux perspectives : l'une plus littéraire, l'autre plus événementielle.

L'évolution des visions vers un réalisme marqué, vers un usage pragmatique, qui est manifeste dans la contribution de Herman Braet, est encore plus nette dans celle de Franco Cardini. Cela tient en partie au fait que la première étudie une évolution de plusieurs siècles à travers des textes, tandis que la seconde examine la jonction entre les textes et les événements.

Dès l'époque carolingienne, s'ébauche une tendance qui ira s'affirmant : certaines visions sont chargées d'un rôle politique afin de servir des intérêts dynastiques. Les visions reçoivent un ancrage de plus en plus ferme dans le réel par le rapport qu'elles établissent avec des personnages connus, par la caricature qu'elles font de divers acteurs sociaux. C'est toute une société qui se voit ainsi représentée comme en un miroir, jugée, louée en certains de ses représentants facilement reconnaissables, stigmatisée en d'autres. Les voies de la *Divine Comédie* sont tracées.

A partir du XIIᵉ siècle, les voyages dans l'au-delà se multiplient, tendent à se détacher de l'hagiographie et à devenir un genre autonome.

Lorsqu'une vision en latin passe en langue vernaculaire, ce passage s'accompagne souvent d'importants changements : nouveaux supplices, développement des horreurs.

C'est d'ailleurs une caractéristique du Moyen Âge que d'avoir amputé les anciennes apocalypses de leur partie féerique : les supplices de l'enfer prennent le pas sur les délices du paradis, leur description semble devenir une fin en soi.

Les supplices sont de plus en plus réalistes, et les âmes de plus en plus traitées comme des corps : frites à la poêle, rôties à la broche, etc. !

Aux XIIe et XIIIe siècles, le diable devient un personnage très précisément décrit : l'imagination foisonne à son sujet et lui constitue un luxuriant répertoire d'attributs. Le monstrueux entre brillamment en jeu dans ces descriptions.

A la fin du XIIe siècle, quand les versions en langues vernaculaires commencent à se multiplier, le héros du voyage dans l'au-delà tend à devenir un héros romanesque, comme chez Marie de France où il est « li chevaliers Jhesucrist ». Au XIIIe siècle s'introduit dans les lettres vernaculaires un genre nouveau : le voyage allégorique qui « illustrera non plus les fins dernières de l'homme, mais les réalités morales qui le gouvernent » (Herman Braet).

Nous ne sommes plus très loin de Dante. Et le Moyen Âge n'est pas fini ! L'exposé de Herman Braet, délibérément bref, n'a d'autre but que de marquer les grandes étapes de l'évolution qui mène les apocalypses de l'Antiquité tardive aux visions médiévales, cela à travers les textes *littéraires*. Il y aurait d'autres domaines à explorer, mais ce pourrait être l'objet d'un second volume. Pour l'heure, ces indications donnent déjà matière à réflexion et l'on peut se reporter aussi au livre de Peter Dinzelbacher, *Vision und Visionliteratur im Mittelalter*, Stuttgart, 1981.

L'apocalypse qui entre dans l'histoire, au Moyen Âge, est l'apocalypse canonique de Jean. Elle y entre avec un langage « à la fois célèbre, terrible, pittoresque et obscur » (Franco Cardini). Il suffit d'une étincelle pour « propager l'incendie du symbolisme apocalyptique en le reliant à une grande passion de foule ». Cette étincelle s'allumera souvent, dans l'Europe médiévale. L'apocalypse en terre italienne, l'apocalypse en pays rhénan, en Europe centrale..., le choix des territoires et des périodes ne manque pas : il ne pouvait être question, ici, de balayer ce champ. C'est le théâtre de l'apocalyptique italienne qui a été choisi pour rassembler quelques réflexions ; de grandes figures comme Joachim de Fiore, saint François d'Assise ont d'ailleurs marqué toute l'Europe.

C'est, selon Franco Cardini, avec ces deux personnalités que naissent sur le sol italien les racines de l'apocalyptique : or, il faut constater aussitôt, contrairement aux idées reçues, que cette « naissance » ne surgit pas en période de crise mais pendant « l'une des périodes les plus prospères, les plus sereines et, à sa manière, les plus sûres de toute l'histoire de l'Italie médiévale ». L'*Expositio in Apocalypsim* de Joachim de Flore est née d'un « tourment exégétique » : celui-ci, toutefois, n'est pas une nouveauté en Occident et le succès de Joachim s'explique par une conjoncture politico-religieuse. Le désir de retourner à une pureté absolue, contre la corruption des pouvoirs en place, est une constante qui peut s'associer diversement avec la conjoncture et donner lieu à des manifestations très diverses. Franco Cardini montre à quel point l'interaction entre les idées et les actions est subtile, combien il faut se garder des théories hâtives :

Les sentiments collectifs de type apocalyptique [...] naissent d'une série de sollicitations de type mystique et exégétique.

Pourtant, il reste vrai que, de la littérature pseudo-joachimite à l'expérience des franciscains dits « spirituels » et d'autres, l'apocalypse se nourrit de ferments politiques immédiats, le prophétisme est fait, souvent, de prophéties-slogans, de prophéties *post eventum*, en somme de prophétie politique.

La réalité politique n'est pas une condition *sine qua non* du désir de mutation collective, mais elle n'est pas non plus un support trouvé au hasard.

En matière apocalyptique, il ne faut pas de distinction trop tranchée : tout se mêle. Par exemple, on ne peut confiner la « réaction » à tel ou tel milieu ou classe sociale :

Il n'est pas possible de distinguer des niveaux citadins ou ruraux, dominants ou subalternes, ni de lire sérieusement les attentes apocalyptiques comme phénomènes de classe.

Même si certains mouvements semblent autoriser une analyse par catégories, toute généralisation négligerait la diversité foncière des phénomènes. « Souvent, des instances religieuses orthodoxes coexistent avec une propagande contestataire et même hérétique » : les deux se trouvent mêlés dans les mêmes milieux et parfois dans les mêmes personnes.

L'idée fondamentale de Franco Cardini (qui vaut aussi pour d'autres domaines que l'apocalyptique médiévale) est que la réaction apocalyptique, qu'elle survienne dans une période de prospérité ou dans une période de crise très grave comme le XIVe siècle, est liée à « un bagage de culture éthico-polémique diffuse qui doit être examiné là où il se présente, *cas par cas*, pour identifier les facteurs spécifiques, et non point attribué globalement à tel ou tel texte, à tel ou tel groupe d'agitateurs ».

Il reste que si l'on veut identifier dans ces attentes médiévales des traits essentiels, on en découvre d'analogues à ceux des époques antérieures : « besoin d'un contact direct, immédiat, non hiérarchique, libre en somme avec Dieu » (Franco Cardini), ardent désir de voir se renouveler la Création et la société humaine. La continuité de ces attentes s'associe à une grande variété d'action et d'expression qui oblige à faire l'économie des théories fracassantes ; ces dernières, plus elles satisfont par leurs options simplificatrices, plus elles sont à considérer avec prudence.

C.K.

LES VISIONS DE L'INVISIBLE
(VIe-XIIIe SIÈCLE)

par

Herman BRAET

Ce sont les apocalypses paléochrétiennes qui ont légué au haut Moyen Âge les traits essentiels de sa représentation de l'au-delà. Mais cette dette est rarement reconnue : les autorités dont on se réclame plus volontiers sont Grégoire le Grand et Bède le Vénérable.

Le quatrième livre des *Dialogues* réunit de nombreux « exemples » de transports dans le monde d'outre-tombe et de retours à la vie de personnages que l'on avait cru morts. Le propos, ici, n'est pas encore de fournir une description, mais seulement de confirmer la foi en une vie future (« *ut hii qui suspicantur, discant cum carne animam non finiri* ») ; néanmoins, pour sommaires et fonctionnelles qu'elles soient, les anecdotes de Grégoire se trouvent à l'origine d'une vogue visionnaire qui a duré plusieurs siècles. Par rapport à la tradition chrétienne, on y relève en outre quelques apports, introduisant, par exemple, en Occident l'image célèbre du pont de l'épreuve : pour atteindre la rive où demeurent les bienheureux, les âmes doivent emprunter un passage particulièrement glissant, qui en fera tomber beaucoup dans le fleuve de la perdition.

La célèbre *Historia ecclesiastica* de Bède enrichit la connaissance de l'au-delà au moyen de deux relations détaillées. Enlevé au ciel, le saint irlandais Fursi (Furseus)[1] a contemplé la vallée infernale où quatre grands feux représentent les quatre vices ; le centre du récit est formé par un débat « psychomachique » entre les anges et les démons qui se disputent l'âme du visiteur. L'expérience du moine Drithelme[2] est la première à prendre la forme d'un voyage à travers les différentes régions eschatologiques. Un guide à l'aspect éblouissant fait voir une vallée où le froid lutte avec la chaleur, ainsi que le puits de la géhenne, où les damnés apparaissent comme des cendres brûlantes. Entourés d'un haut mur, les limbes sont présentés comme une plaine fleurie où déambulent, comme chez Grégoire, des personnes habillées de blanc ; un autre lieu, plus beau encore, peut être entrevu seulement.

Signalons également parmi les premières relations celle du voyage de Baronce (fin VIIIᵉ siècle). Arrachée aux démons par saint Raphaël, l'âme du visionnaire s'est arrêtée aux quatre portes du Paradis, où attendent des moines de son ancien monastère, puis elle a visité les superbes demeures réservées aux élus ; avant de rejoindre le corps, elle a survolé rapidement l'Enfer, peuplé d'avares et de voleurs. Ce texte, qui se donne comme un récit autobiographique, se distingue également par le fait qu'il a mené une existence autonome : avant le XIIᵉ siècle, la plupart des visions illustrent le propos didactique ou moral d'un plus vaste ensemble.

*
* *

Le voyage dans l'au-delà devient rapidement un topos de l'hagiographie, où il permet de souligner la destinée exception-

---

1. BÈDE, *Historia ecclesiastica gentis Anglorum,* III, 19.
2. *Ibidem,* V, 12.

nelle d'un personnage. C'est le cas dans la *vita* que saint Rambert consacre, au IXᵉ siècle, à son ancien maître : après être demeuré pendant trois jours en un lieu obscur et étouffant, saint Anschaire se serait vu conduire par saint Pierre et saint Jean-Baptiste aux brillantes clartés du Paradis. Quant à Albéric de Settefrati, c'est à l'âge de neuf ans qu'il tomba dans un état de léthargie qui dura neuf jours ; rédigé au début du XIIᵉ siècle par Guidon de Mont Cassin, son immense panorama de l'au-delà est une véritable synthèse des traditions visionnaires, renfermant presque tous les motifs possibles[3].

Accompagné de saint Pierre et de deux anges, Albéric a vu les âmes des adultères prises dans la glace à des profondeurs variant suivant la gravité de leur faute ; ailleurs, une échelle de métal incandescent et un bassin d'huile et de poix bouillantes attendaient les luxurieux, cependant que les infanticides et les tyrans étaient précipités dans les flammes. Près de la bouche du Tartare se tenait un ver de taille immense qui, aspirant les âmes comme des mouches, les recrachait sous forme d'étincelles. Un lac de métal en fusion, rassemblant les sacrilèges, voisinait avec le gouffre destiné aux simoniaques ; un pont étroit au-dessus d'une rivière de feu faisait trébucher les âmes promises au Purgatoire ; d'autres expiaient leurs fautes dans un champ couvert de ronces où les pourchassait, en les flagellant, un diable enfourchant un dragon.

Non loin de là, une plaine parfumée et fleurie attendait les pécheurs qui s'étaient purifiés. Albéric a visité aussi, brièvement, les sept cieux, apercevant, parmi les habitants du septième, saint Benoît ainsi que tout un chœur de moines bénédictins. Il a contemplé enfin un lieu entouré de hauts murs, sans pouvoir révéler ce qu'il y a vu.

La relation du moine d'Eynsham (fin XIIᵉ siècle) a connu une grande faveur ; plus sommaire que la précédente, elle n'en

---

3. ALBÉRIC DE SETTEFRATI du Mont-Cassin : texte publié par Dom Mauro INGUANEZ in *Miscellanea Cassinese,* XI, 1932, p. 83-103.

montre pas moins une certaine originalité. En un état d'extase, le visionnaire parcourt aux côtés de saint Nicolas une plaine marécageuse, correspondant à un premier lieu purgatoire ; dans le second, les âmes, après avoir été plongées dans un lac aux exhalaisons fétides, sont jetées au feu, puis exposées au froid. En un autre endroit, rempli de vapeurs de soufre et de poix brûlante, des reptiles et des démons tourmentent les damnés, qui racontent chacun leur histoire. Pour finir, voici le séjour odoriférant des bienheureux, se divisant en trois régions, dont la dernière est défendue par une enceinte de cristal.

A la révélation des secrets du futur, la vision médiévale mêle volontiers des renvois admonitoires aux réalités présentes : au sens prospectif et parénétique de la description s'ajoute un effet de miroir. C'est ainsi que de nombreux auteurs répartissent les pécheurs par catégories, subissant des peines collectives ; parfois, on vise des états de la société, en réservant des supplices spécifiques aux représentants de la noblesse ou aux membres du clergé. L'incidence de la réalité contemporaine devient plus nette encore dans les scènes de tortures individualisées de personnages historiques, parfois vivants à l'époque : le voyageur reconnaît dans les zones pénales tel grand de ce monde, décrit ses souffrances et rappelle les péchés qu'il a commis.

Formulant de façon impressionnante les avertissements que l'on voulait adresser aux puissants, ces visions « politiques » sont surtout répandues en terre romane, à l'époque carolingienne : parmi les plus connues figure celle où Wettin voit avec étonnement en Purgatoire, au milieu de ceux qui se sont rendus coupables de luxure, l'empereur Charlemagne. Hincmar de Reims, dans une lettre immédiatement postérieure à la mort de Charles le Chauve, parle de l'expérience d'un certain Bernold : après avoir aperçu, au Purgatoire, Ebbon de Reims en compagnie de quarante autres dignitaires, il aurait découvert, en un lieu obscur, Charles lui-même, couché dans la fange et rongé par les vers. L'empereur aurait exprimé le regret d'avoir négligé, de son vivant, les bons conseils de l'évêque Hincmar...

Ce sont des intérêts dynastiques qui ont dû inspirer la fameuse vision de Charles le Gros[4]. Après avoir assisté, en Enfer, aux tourments de l'entourage de son père, il se voit montrer par ce dernier le supplice qui l'attend lui-même s'il ne vient à résipiscence : au Paradis, son oncle Lothaire lui enjoint de transmettre la couronne à Louis III. Moyen de persuasion ou de dissuasion assez grossier, ce genre de textes fait de l'au-delà le théâtre des ambitions et des luttes de l'ici-bas ; « en les parcourant, écrit judicieusement P. Saintyves, on a l'impression de ne jamais quitter la terre ».

*
* *

Les voyages en des contrées surnaturelles se multiplient au XIIᵉ siècle. C'est également à cette époque que, cessant de s'intégrer à une collection hagiographique ou historique, les textes se développent considérablement : la visite de l'au-delà accède au statut de genre autonome. C'est du XIIᵉ siècle, enfin, que datent les premiers efforts qui vont consacrer sa popularité en langue vulgaire ; pour mieux illustrer cette dernière floraison, les traditions figurent ici à leur point d'émergence dans le domaine des lettres vernaculaires.

Le *Voyage de saint Brendan*[5] occupe une place un peu parti-

4. Traduite par R. LATOUCHE in *Textes d'histoire médiévale du Vᵉ au VIᵉ siècles*, Paris, 1951, p. 144 sqq.

5. Voir la bibliographie de diverses versions en latin et en français dans C. WAHLUND, *Die altfranzösische Prosaübersetzung von Brendans Meerfahrt, nach der Pariser Hdschr. Nat. Bibl. fr. 1553 von neuen mit Einleitung, lat. und altfranz. Parallel-Texten, Anmerkungen und Glossar hgg*, Upsala, 1900.

Un texte français figure aussi dans *Les Voyages merveilleux de saint Brandan à la recherche du Paradis terrestre, légende en vers du XIIᵉ siècle* publiée avec une introduction par Francisque Michel, Paris, 1898.

culière, puisqu'il ne s'agit pas à proprement parler d'une vision. Il lui manque la transition initiale du monde des mortels vers celui des « merveilles » ; quant à la peinture de celui-ci, elle contient, par rapport à la vision chrétienne, de nombreux éléments allogènes de provenance classique et, surtout, celtique. La quête de Brendan et de ses compagnons, partis en barque à la recherche de la *terra promissionis*, est en réalité la forme christianisée de l'ancienne *imram* irlandaise, avec laquelle le récit conserve de nombreuses affinités thématiques : le Paradis terrestre est situé dans les îles lointaines que l'on ne peut atteindre qu'au gré d'une navigation providentielle, émaillée d'aventures fantastiques et de descriptions d'animaux fabuleux. Célèbre pendant plus de six siècles, le texte latin (datant d'environ 950) a été traduit dans la plupart des langues occidentales : l'expédition de l'abbé irlandais est devenue rapidement une partie intégrante du folklore européen.

La première version en langue vulgaire, le poème anglo-normand composé par Benoît (c. 1106), accuse un changement important : l'Odyssée latine s'est transformée en pérégrination. Ce dessein édifiant apparaît surtout dans le développement des passages concernant le séjour de la damnation : les horreurs, décrites avec complaisance, s'augmentent de plusieurs nouveaux supplices. L'Enfer apparaît aux voyageurs comme une terre enfumée, plongée dans le brouillard et traversée de vallées ténébreuses, résonant de cris et de plaintes ; une forge y est établie, où officie le diable lui-même. Assis sur un rocher battu par les flots, Judas raconte les châtiments extrêmes qui lui sont infligés, six jours par semaine, dans deux régions infernales : l'une pleine de flammes, l'autre glaciale et puante. Il supplie Brendan de lui obtenir un court répit, ce que fait celui-ci. La terre promise paraît à l'horizon au cours de la septième année, sous la forme d'une île entourée de nuées ; un mur d'une blancheur parfaite, parsemée de gemmes, annonce le jardin de l'Éden ; il y règne un printemps éternel, les fruits et les fleurs se cueillent en abondance.

C'est sans doute l'*Apocalypse de saint Paul* qui a contribué
le plus à accréditer le thème du voyage eschatologique. Non
seulement parce qu'elle est la plus ancienne ; se gravant dans
la mémoire, son découpage en tableaux bien délimités et ses
images impressionnantes ont exercé une influence sur quantité
d'œuvres médiévales, tant religieuses que profanes. L'impact
de la tradition paulinienne se vérifie aisément à la lecture des
catabases postérieures à son archétype ; on peut le constater
par celles qui sont présentées ici. Les différentes versions françaises, à commencer par celle d'Adam de Ros (fin XIIᵉ siècle),
attestent la vigueur d'une tradition qui continue à évoluer. Un
choix est opéré parmi les épisodes, des châtiments sont déve-
loppés, les fautes correspondantes permutées. On modifie la
topographie ; réglée par de simples sutures temporelles (« lors,
puis... »), l'ordonnance des scènes et des lieux peut varier à
l'infini. La concision avec laquelle beaucoup de poètes traitent
en revanche la dernière étape pourrait s'expliquer de diverses
façons : elle peut se justifier par le topos de l'ineffable, ou
encore invoquer l'interdiction faite par l'Apôtre lui-même, de
révéler de tels secrets au profane. Reste que la perspective du
châtiment paraît stimuler davantage l'imagination de nos rema-
nieurs que celle de la récompense : la plupart montrent un
intérêt presque morbide pour les tourments et les souffrances.

Considérée comme le pendant irlandais de la *Vision de saint
Paul*, à laquelle elle emprunte d'ailleurs beaucoup, la légende
du *Purgatoire de saint Patrice*[6] se donne comme le récit d'une
descente réelle ; le protagoniste fait d'ailleurs physiquement
l'expérience du monde d'outre-tombe. Car c'est afin de se
purifier de ses fautes que le chevalier Owein se fait enfermer
dans la fameuse caverne de Saint-Patrice par où il accède aux
régions souterraines. Après s'être délivré d'une première

---

6. *Pürgatorium Sancti Patricii* dans Ed. MALL, *Zur Geschichte der Legende
vom Purgatorium des heiligen Patricius* in *Romanische Forschungen*, éd. K.
VOLLMÖLLER, VI, 1891, p. 139-197. Il existe encore plusieurs autres éditions
des versions latine et française.

épreuve, celle du brasier où il se trouve aussitôt précipité par les démons, le chevalier parcourt des plaines effroyables, où d'innombrables malheureux sont cloués au sol, pendant que des mauvais esprits les tourmentent. Il voit ensuite des âmes suspendues à des chaînes ardentes ou à des crochets qui leur transpercent les membres ; d'autres sont assises dans des poêles à frire ou encore embrochées et puis grillées. Owein reconnaît plusieurs de ses anciens compagnons. Sur ce, des démons le jettent sur la traditionnelle roue ignée, devenue une véritable machine infernale, tournant si vite qu'elle paraît un cercle de feu. Suivant le conseil qu'on lui avait donné, il s'en délivre en invoquant le nom du Rédempteur. Le miracle se reproduit au cours de chacune des épreuves : par exemple, lorsque le pénitent se retrouve dans une fosse pleine de soufre brûlant et de métaux en fusion, ou encore dans une eau fétide et glacée, dont il sera le seul à pouvoir sortir, les diables repoussant les autres victimes au moyen de crochets de fer. Arrivé au bord d'un puits qui vomit des flammes et des âmes transformées en étincelles, Owein croit avoir vu l'Enfer ; mais bientôt il parvient à une ultime station, sous la forme d'un fleuve immense où se baignent des démons. Le pont très élevé, qui l'enjambe, est fort étroit ; mais au nom de Jésus, le passage se fait plus sûr et plus large à mesure que l'on avance. Voici enfin la muraille merveilleuse où s'ouvre une porte en métal précieux ; un parfum ineffable en sort. Une procession solennelle accueille le voyageur d'outre-monde, auquel on fait visiter les délices indicibles du Paradis terrestre. Admis à contempler la porte du Ciel, Owein participe, pour finir, à une nourriture mystérieuse, descendue sous la forme d'une flamme.

Avant de connaître le retentissement que lui ont donné la *Légende dorée* et Vincent de Beauvais, ce conte a été popularisé par les poètes français. A l'exemple de Marie de France, dont le travail est postérieur de quelques années seulement à l'original latin (H. de Saltrey, c. 1188), la plupart d'entre eux suivent la source d'assez près, mais tendent à abréger les parties liminaires et les homélies. La peinture, ici, intéresse donc surtout par elle-même. On remarquera qu'il n'y a aucune référence, dans la description des supplices, au principe du talion ; Owein ne reçoit d'ailleurs aucune explication au sujet de la répartition des pécheurs. Le personnage, lui, tend à devenir, dans la version française, un héros romanesque affrontant diverses « aventures » ; à travers ses victoires répétées sur les démons, il prend, chez Marie, l'allure d'un combattant — « li chevaliers Jhesucrist » — faisant « novele et forte chevalerie ».

La dernière des grandes visions, issue elle aussi de la très riche tradition irlandaise, est celle de Tondale *(Visio Tnugdali)*[7]. Composée en 1149, elle sera seulement traduite pour la première fois au XIIIe siècle, avant d'être recueillie, elle aussi, par Vincent de Beauvais. Plus attentif à ses plaisirs qu'à ses devoirs, le jeune Tondale tombe soudain gravement malade et reste pendant trois jours en un état de mort apparente. A peine séparée du corps, son âme est menacée par les démons ; son ange gardien survient et l'invite à le suivre. La première étape est une vallée remplie de charbon brûlant et fermée d'un couvercle de fer : les âmes des homicides y sont frites jusqu'à ce qu'elles tombent dans la braise. On retrouve ensuite la région mi-brûlante, mi-glaciale ; des diables armés de fourches font passer d'un côté à l'autre les traîtres et les hypocrites. Au-dessus d'une autre vallée, d'où émane une odeur de chair brûlée, une planche est jetée, longue et très étroite : le psycho-pompe explique que c'est l'épreuve destinée aux orgueilleux. Tondale lui-même doit partager un certain nombre de peines. C'est ainsi qu'il passe dans le corps du monstre Achéron, dont la gueule immense, où neuf mille personnes pourraient prendre place, contient deux géants qui actionnent les mâchoires ; dans

7. *Visio Tnugdali*, éd. par Albrecht WAGNER, Erlangen, 1882. *Vision de Tondalus, Récit mystique du XIIe siècle*, éd. par Octave DELEPIERRE, Société des bibliophiles belges, Mons, Hoyois, 1837.

le ventre demeurent toutes sortes de créatures, acharnées à torturer les âmes des avares.

Le voyageur parvient à un second pont, long de deux lieues, fort étroit et parsemé de clous ; en dessous s'étend un lac, agité de houle et peuplé de monstres gros comme des taureaux. Ce châtiment, destiné aux voleurs, lui est également infligé ; il traîne péniblement après lui une vache dérobée autrefois lorsque, au milieu, le passage lui est barré par un autre pécheur, chargé d'un sac de blé. Tondale découvre ensuite une maison ronde comme un four, vomissant des flammes par ses mille fenêtres ; des démons munis de divers instruments s'y occupent à écorcher, à décoller et à découper les âmes des luxurieux. Sur un lac gelé se tient un oiseau pourvu d'un bec de fer, qui absorbe les âmes des moines coupables du péché de luxure, puis les rejette ; elles se trouvent alors grosses de serpents qui tentent de sortir en leur lacérant atrocement le corps. Enfin, dans la vallée des forges du démon Vulcain, l'âme du visiteur est travaillée comme du métal, avant de se voir montrer l'Enfer : c'est l'inévitable fosse profonde d'où jaillissent des flammes et des volutes de fumée où démons et damnés montent et descendent comme des flammèches. On nous fait également le portrait des diables : noirs comme du charbon, les yeux comparables à des lampes, les dents très blanches, la queue semblable à celle des scorpions, ils ont des griffes de fer et des ailes de vautour.

Tondale contemple ce qui, même pour les damnés, demeure un mystère : l'ennemi des hommes lui-même, dont l'apparence humaine est démentie par ses mille mains énormes, à vingt doigts chacune, par ses ongles de fer, longs comme des lances, par son bec et par sa queue, immense et munie d'aiguillons. Attaché sur un gril sous lequel les démons activent le feu, l'être affreux est victime et bourreau à la fois : dans ses tourments, il saisit des âmes et les presse comme des raisins ; son souffle les disperse, puis les aspire pour les absorber. Avec horreur, le visiteur reconnaît là, en compagnie de personnages importants, plusieurs de ses anciens compagnons.

Parcourant une série de séjours intermédiaires, le voyant se trouve enfin parmi les bienheureux ; il franchit cinq enceintes de plus en plus sublimes, correspondant aux vertus de ceux qui y sont récompensés. Les gens mariés, habillés de blanc, vivent dans des murailles d'argent ; les martyrs et les chastes, portant couronne et vêtement de soie, demeurent dans des murs d'or. Les moines et les moniales résident sous des tentes précieuses, où des instruments de musique résonnent tout seuls ; sous un arbre merveilleux se tiennent les défenseurs et les fondateurs de l'Église. C'est enfin, derrière un mur plus élevé que les précédents, bâti de gemmes et cimenté d'or, le séjour des félicités ineffables, peuplé des neuf hiérarchies, des Vierges, des Prophètes et des Apôtres. De là, Tondale voit le Ciel, la Terre et l'Enfer : son âme « sait et connaît tout ».

Curieusement, une des versions françaises renchérit sur cette description pourtant déjà exhaustive, fournissant des détails supplémentaires au sujet des catégories de pécheurs, amplifiant l'horreur de certaines scènes, usant quelquefois d'images expressives empruntées à la vie quotidienne (par exemple, des âmes sont frites « comme le lard en la poêle »). Interstice par quoi fait irruption l'imaginaire, le portrait de plus en plus fantastique de Lucifer tend à dénoncer l'irréalité de la peinture tout entière.

*
* *

Dans les lettres vernaculaires, la fortune du conte visionnaire se prolonge notamment par la création, au XIIIᵉ siècle, d'un genre nouveau : le voyage allégorique. Déjà présente en creux dans la tradition, l'allégorie illustrera non plus les fins dernières de l'homme, mais les réalités morales qui le gouvernent :

aux différentes stations, le voyageur d'outre-tombe rencontre les personnifications des vices et des vertus. Si le cadre reste le même, le dessein est donc différent : il s'agit, cette fois, de révéler la face cachée des choses représentées. La « vérité » que les figures allégoriques recouvrent est exposée herméneutiquement à travers la fiction d'un songe, dénoncée elle-même comme « fable » ou comme « mençonge ».

La thématique eschatologique l'emportera de nouveau, surtout au XIVᵉ siècle, chez des poètes comme Jehan de La Motte, auteur d'une *Voie d'infer et de paradis*, et, bien entendu, chez un Guillaume de Digulleville, dont le *Pèlerinage de l'âme*[8] semble parfois fort proche de la *Divine Comédie*.

*
* *

En parcourant les textes présentés ici et ailleurs, on est inévitablement frappé par leur caractère répétitif. Les scènes initiales évoquent le plus souvent la mort apparente du visionnaire, l'apparition de son guide surnaturel et la psychomachie des anges et des démons. La visite des trois régions eschatologiques se fait toujours dans le même ordre — encore qu'il ne soit pas toujours aisé de distinguer l'Enfer du Purgatoire.

Jusqu'au XIIIᵉ siècle, les lieux pénaux font généralement l'objet d'une description plus détaillée que celle du Paradis, qui se limite dans l'ensemble à l'évocation du pré fleuri et parfumé ainsi que de la cité céleste, entourée de murs précieux, où se promènent en chantant des personnages vêtus de blanc. Le monde de l'expiation et de la rétribution comprend, en revanche, des plaines obscures, des vallées, des puits ou des gouffres profonds, des lacs et des rivières, des ponts périlleux.

---

8. GUILLAUME DE DIGULEVILLE, *Le Pèlerinage de vie humaine,* éd. J. Stürzinger, Londres, 1893.

L'appareil des supplices a comme ressources principales l'eau, le feu, la glace et le fer, qui se prêtent à de nombreux usages : le métal incandescent, la fournaise, la rivière ardente, la roue ignée, le lieu glacial et chaud, l'immersion. Il convient d'ajouter au tableau les nombreux mauvais esprits, monstres et reptiles. Comme pour le Paradis, des impressions auditives et olfactives viennent compléter l'évocation : rappelons les concerts de pleurs et de gémissements, l'odeur fétide des profondeurs abyssales, la puanteur que dégagent la poix et le soufre brûlants.

C'est très tôt, semble-t-il, que ces traits se sont fixés en une véritable topique de l'au-delà : même si elles ont tendance à évoluer et à s'enrichir, la plupart des descriptions ne font qu'élaborer et combiner des éléments qui se trouvaient déjà — fût-ce en germe — dans les textes les plus anciens. Dans ces conditions, il n'est guère étonnant que certains érudits s'interrogent sur le caractère historique de telle ou telle révélation, dont le témoignage peut leur paraître forgé ou apocryphe. Si même le récit a pu résulter d'une expérience authentique, sa mise en œuvre fera inévitablement appel à des modèles comportant les traits inhérents au genre. Toute écriture médiévale est topique et traditionnelle : elle se souvient et se nourrit d'elle-même, faisant ventre de structures, d'images et de représentations qui charrient leur propre histoire. On ne saurait trop insister, dès lors, sur sa littérarité.

Ceci ne signifie nullement que les auteurs plus récents n'ont rien apporté, au contraire. Se contentant de moins en moins des données de l'ancienne apocalyptique, ils renchérissent en accumulant les détails picturaux — non sans faire accéder quelquefois la peinture à une existence autonome, indépendante du message spirituel. Le plus souvent, l'on grossit ou l'on déforme des éléments naturels : c'est le cas du paysage infernal, ou encore des proportions excessives, des membres proliférants et des traits bestiaux caractérisant ceux qui le hantent. Afin de faire percevoir l'altérité de l'au-delà, l'écriture visionnaire évoque, en somme, l'inconnu à partir du connu : elle compose l'irréel avec du réel. A travers les analogies qu'elle nous propose, le monde extra-terrestre apparaît comme le monde terrestre inversé : l'au-delà est ressaisi comme un univers parallèle. Que si les visions médiévales ont une valeur de document, c'est, peut-être, en tant que *textes* portant témoignage d'un certain imaginaire.

BIBLIOGRAPHIE SOMMAIRE

Francis BAR, *Les Routes de l'Autre Monde. Descentes aux Enfers et Voyages dans l'Au-delà*, Paris, 1946.

Ernest J. BECKER, *A Contribution to the Comparative Study of the Medieval Visions of Heaven and Hell*, with Special Reference to the Middle-English Versions, Baltimore, 1899.

Claude CAROZZI, « La Géographie de l'Au-delà et sa signification pendant le haut Moyen Âge », dans *Popoli e paesi nella Cultura altomedievale*, « Settimane di studio del Centro italiano di studi sull'alto medioevo, XXIX », Spolète, 1983.

Peter DINZELBACHER, *Vision und Visionsliteratur im Mittelalter*, « Monographien zur Geschichte des Mittelalters, 23 », Stuttgart, 1981.

Eberhard DÜNNINGER, *Politische und geistliche Elemente im mittelalterlichen Jenseitsvisionen bis zum Ende des 13.* Jahrhunderts, thèse, Wurzbourg, 1962.

Uda EBEL, « Die literarischen Formen der Jenseits — und Endzeitsvisionen », dans H.R. JAUSS (éd.), *La Littérature didactique, allégorique et satirique*, vol. VI, 1-2 du Grundriss der romanischen Literaturen des Mittelalters, Heidelberg, 1968 et 1970.

Jacques Le GOFF, *La Naissance du Purgatoire*, Paris, 1981.

D.D.R. OWEN, *The Vision of Hell. Infernal Journeys in Medieval French Literature*, Édimbourg et Londres, 1970.

Howard Rollin PATCH, *The Other Word according to descriptions in Medieval literature*, Cambridge Mass., 1950.

Élisabeth PETERS, *Quellen und Charakter der Paradiesvorstellungen in der deutschen Dichtung vom 9. bis 12. Jahrhundert*, « Germanistische Abhandlungen, 48 », Breslau, 1915.

August RUEGG, *Die Jenseitsvorstellungen vor Dante und die übrigen literarischen Voraussetzungen der « Divina Commedia ». Ein quellenkritischer Kommentar*, Einsiedeln et Cologne, vol. I, 1945.

Arnold B. van OS, *Religious Visions. The Development of the eschatological elements in mediaeval English religious literature*, Amsterdam, 1932.

NOTE SUR LA TRADITION APOCALYPTIQUE DANS L'ITALIE MÉDIÉVALE (XIIe-XVe SIÈCLE)*

par

Franco CARDINI

Prophétisme, pensée eschatologique, dimension apocalyptique, mouvements millénaristes..., tout cela traverse l'histoire de l'Italie médiévale, recoupant de diverses manières la mystique, l'ecclésiologie, la politique, l'histoire des mouvements hérétiques, l'astrologie, la magie : en ce sens, le cadre italien est différent mais non éloigné de celui des autres pays européens.

Toutefois, dans l'histoire de l'Europe, il y a eu un moment — et même un long moment, qui a duré quelques décennies entre les XIIe et XIIIe siècles — pendant lequel l'Italie est devenue la terre d'élection des *prophètes*, et de l'attente de l'apocalypse : c'est dans ce moment décisif de quelques décennies que la péninsule a vu surgir les deux personnages qui, de manière différente et pour des raisons diverses, ont sans doute été les deux plus grands protagonistes de l'apocalyptique médiévale, Joachim de Fiore et François d'Assise.

Le joachimisme italien, qui a été trop vite identifié par cer-

* Contribution traduite de l'italien par Claude KAPPLER.

tains savants avec quelques franges du franciscanisme spirituel, a, au contraire, plusieurs visages et plusieurs aspects. Mystique jusqu'à l'excès, il réussit à englober des hommes et des mouvements très différents, jusqu'à se présenter, dans un certain sens, comme présupposé à une politique « laïque » (que l'on pense aux milieux d'où est issue la politique de l'empereur Louis de Bavière, ou à l'activité et à la pensée de Cola de Rienzo) ; ésotérique et livresque, il sait aussi se faire populaire, il sait descendre dans la rue, animer et enthousiasmer les foules. Sans Joachim, on ne comprend aucunement Pietro da Morrone, ce pape Célestin V qui est resté durant tout le XIVᵉ siècle le grand regret, le rêve impossible du monde chrétien, à l'époque où la Curie pontificale était implantée à Avignon ; sans Joachim, on ne comprend pas non plus les invectives de Pétrarque, ni l'apostolat de Savonarole.

Si l'on veut vraiment comprendre tout cela, il faut se rappeler qu'il y a beaucoup d'Italies et que, en particulier, il existe une faille profonde entre un Nord latin puis latino-germanique, étroitement lié à l'Europe, et un Sud grec puis byzantin et tout bonnement musulman (même s'il fut conquis au XIᵉ siècle par les Normands), regardant depuis des siècles vers l'Orient, vers les Balkans et l'Asie Mineure.

Dans ce monde, composite « depuis toujours », circulaient, peut-être depuis le haut Moyen Âge, les écrits dits « sibyllins », opuscules prophétiques d'origine juive et proto-chrétienne, dont le plus connu demeura, pendant tout le Moyen Âge, celui de la prétendue Sibylle de Tivoli, la *Tiburtina*, qui remonte au milieu du IVᵉ siècle et reflète la polémique entre empereurs d'Orient et empereurs d'Occident, mais aussi et surtout celle entre catholiques et ariens. L'empereur Constantin qui, selon la *Tiburtina*, « restaura » le monde chrétien, apparaît comme le modèle de « l'Empereur des Derniers Temps », dont s'inspirera tout le Moyen Âge pour sa littérature apocalyptique dont les manifestations sont, en réalité, autant d'exemples de propagande politique. Ainsi, il reste évident que l'attente de l'apocalypse se situe à la fin de l'histoire mais, cependant, toujours *dans* l'histoire et que, pour cette raison, elle alimente des espérances et des peurs caractérisées par une nette propension politique[1].

C'est bien au début du XIᵉ siècle que, entre les terreurs de l'an mille (célèbres, bien sûr, mais moins qu'on ne tend à le penser aujourd'hui) et le début des croisades, cette attente de l'Apocalypse se fit spasmodique un peu dans toute l'Europe[2]. Pourtant, elle toucha relativement peu l'Italie, et seules quelques chroniques d'Italie du Sud, d'ailleurs d'authenticité douteuse, mentionnent des événements merveilleux, prodigieux, à la suite desquels des pèlerins se seraient mis en route pour Jérusalem. En réalité, l'Italie ne connut pas de vraie « croisade » populaire, à la fin du XIᵉ siècle, à l'exception, peut-être, de l'expédition milanaise conduite par l'archevêque Anselme dans laquelle on peut voir l'ultime lueur du mouvement de la Pataria. Dans l'esprit des Italiens, la première croisade fut l'affaire de princes guerriers qui traversèrent la péninsule en 1096 se dirigeant vers les ports des Pouilles ; et, aussi, une affaire de marchands, de marins, de pirates des villes maritimes, Gênes, Pise, puis Venise. Il y eut des pillages et des vols de reliques (désignés par l'euphémisme de *translations*), auxquels il serait injuste de dénier une authentique tension religieuse : mais — là est le critère — celle-ci n'était ou ne semblait liée à aucun renouveau eschatologique, à aucune attente de nouvelles Jérusalem descendant du ciel. Il s'agissait plutôt, en Italie, d'une « chasse » à la sacralité de la Jérusalem terrestre et des Lieux saints, par le biais de la course aux reli-

---

1. Cf. Norman COHN, *Les Fanatiques de l'Apocalypse*, Paris, 1962, rééd., Paris, Payot, 1983. *I fanatici dell'Apocalisse*, trad. italienne, nouv. éd., Milano, 1976, p. 37, 83 ; pour les prophéties relatives à l'« Empereur des Derniers Temps », cf. F. KAMPERS, *Die deutsche Kaiseridee in Prophetie und Sage*, München 1896.

2. N. COHN, *I fanatici*, cit., p. 66.

ques et de la reproduction de la chapelle du Saint-Sépulcre et du Calvaire à l'intérieur des églises.

A ce point, une exception apparente, qu'on pourrait aussi interpréter comme une contradiction, marque la tradition apocalyptique italienne. D'ordinaire, les explosions apocalyptico-millénaristes s'accompagnent de quelque grande crise collective, politique, sociale ou économique : elles sont le symptôme d'une inquiétude, d'un malaise, d'une crise d'identité, du désir de se confier à un sauveur ou d'identifier un « ennemi métaphysique » qu'il faut expulser ou persécuter, ou bien de tout cela ensemble. Mais, en Italie, à première vue, on dirait qu'il n'en va pas ainsi. Si nous acceptons de considérer que les « racines » de l'Apocalypse sur le sol italien naissent avec Joachim de Fiore et François d'Assise, nous nous trouvons devant l'une des périodes les plus prospères, les plus sereines et, somme toute, les plus sûres de toute l'histoire de l'Italie médiévale. Certes, les difficultés et les guerres ne manquaient pas ! Mais l'Italie de ce temps était à la conquête des marchés méditerranéens (et, selon certains économistes, ce fut alors l'apogée du développement économique), l'Italie du Centre et du Nord était assez pacifiée après le traité de Constance, 1183, entre Frédéric Ier et les Communes, la papauté était dirigée par la main ferme et l'intelligence lucide d'Innocent III, tandis que le royaume du Sud s'apprêtait à passer du gouvernement des Normands à celui des Suèves.

Mais c'est peut-être justement dans cette paix, cette prospérité que l'on trouve la clé pour comprendre vraiment le sens de l'attente de l'Apocalypse. L'Église issue de la réforme du XIe siècle s'était révélée bientôt plus attachée que la précédente aux choses terrestres : si la vieille Église féodale, sous l'hégémonie des laïcs, se limitait à jouir des biens terrestres, la nouvelle, née de l'action de Grégoire VII et d'Alexandre III, faisait à la fois plus et pire, car elle prétendait régenter les choses de ce monde. Depuis des décennies, les cathares répandaient aussi en Italie les germes de la révolte contre cet état de chose : et il a été assez démontré, à notre avis, que le catharisme n'est pas un mouvement religieux populaire chrétien, mais qu'il est tout bonnement non chrétien en ce qu'il représente une religion nouvelle de type dualiste qui, en plein Moyen Âge chrétien, a défié l'Église ; néanmoins, il se fondait largement sur l'apostolat populaire et sur la contestation des vices des ecclésiastiques pour éloigner d'eux le peuple chrétien. Une véritable dimension apocalyptique anime la propagande et colore l'imaginaire des cathares. Ils nomment l'Église « Prostituée » et « Bête »[3], termes et images empruntés à l'Apocalypse de Jean mais aussi répandus dans les milieux populaires, même si, à cette époque, la connaissance des Écritures était limitée. La mythologie cathare, telle qu'elle fut importée en Italie depuis la péninsule balkanique à travers des textes d'origine bogomile comme l'*Interrogatio Johannis*, est assez loin du christianisme quoiqu'elle utilise des symboles et un langage d'origine chrétienne : les deux pôles entre lesquels elle évolue sont ceux de la Genèse et de l'Apocalypse, ce qui n'est pas un hasard.

Nous n'entendons pas dire par là que l'attente de l'Apocalypse soit, ni en Italie ni ailleurs, un résultat de l'hérésie cathare : le rapport serait plutôt inverse, c'est-à-dire que le catharisme dut son succès populaire au fait qu'il se servait d'un langage apocalyptique connu de tous, celui du texte de l'évangéliste Jean, aussi célèbre, terrible et pittoresque que difficile à comprendre. Pourtant, après l'extermination des cathares, il fallut une nouvelle étincelle pour propager l'incendie du symbolisme apocalyptique en le reliant à une grande passion de foule. Celle-ci s'alluma avec le joachimisme.

Avec le joachimisme, certes, mais sans doute pas avec l'abbé Joachim. Celui-ci resta un exégète raide et difficile, trop obscur et figé sur les hauteurs. C'était un exégète, non un *pro-*

---

3. Cf. G. VOLPE, *Movimenti religiosi e sette eretecali nella società medievale italiana*, Firenze, 1961, p. 74.

phète, même si une tradition, appuyée ensuite par Dante lui-même, l'a célébré comme un prophète. Malgré ses origines et sa fidélité à la Calabre, une région profondément influencée par la culture grecque et la spiritualité byzantine, Joachim et son système trinitaire (l'avènement des âges successifs du Père, du Fils et du Saint-Esprit) ne s'expliquent qu'à l'intérieur d'une pensée monastique rigidement occidentale, plutôt bénédictino-cistercienne, fondée sur la méditation théologico-historique d'Augustin. La méditation de Joachim, telle qu'elle apparaît surtout dans l'*Expositio in Apocalypsim*, est toute opposée à l'apocalyptisme immédiat et vulgaire, et tend à concentrer sa recherche sur la figure de l'Antéchrist. Celui-ci n'est pas un seul personnage mais plusieurs : il y a sept Antéchrist, autant que d'âges dans le Nouveau Testament, autant que de persécutions souffertes par l'Église, selon l'image des persécutions subies par le peuple d'Israël dans l'Ancien Testament. Hérode, Néron, Constance, Chosroès, Henri IV, Saladin ont été les Antéchrist du passé. A son époque, Joachim attend le septième et le pire des Antéchrist. Mais, d'autre part, l'abbé calabrais se sent contemporain du passage de la cinquième à la sixième ère du Nouveau Testament, celle qui correspond à l'attente de l'Ange du sixième sceau de l'Apocalypse, celui qui annoncera les temps nouveaux et l'aurore du troisième âge du monde, celui de l'Esprit Saint. A côté de l'Ange du sixième sceau, se trouvera un Pape Angélique[4] pour annoncer ce temps nouveau.

Le tourment exégétique de l'Apocalypse n'est certes pas une nouveauté dans le monde spirituel chrétien, et le travail de Joachim, malgré toute son originalité, ne suffirait pas à expliquer la renommée dont il fut entouré. Ce fut plutôt la conjoncture religieuse et politique qui amorça le processus dont la maturation fut redevable à Joachim — ou aux écrits qui lui

---

4. Cf. Stanislao DA CAMPAGNOLA, *L'Angelo del Sesto Sigillo e l'« Alter Christus »*, Roma, 1971, p. 11-40.

furent attribués —, symbole, désormais, d'une nouvelle espérance, initiateur, d'autant plus redoutable qu'involontaire, d'une nouvelle et encore plus dangereuse hérésie.

L'attente apocalyptique est liée aussi à une complexe exégèse mathématique. Les années comptent et sont rigoureusement numérotées. Ainsi, Jésus a vécu trente-trois ans et les apôtres étaient douze comme les mois : voici donc que le 12 et le 33 acquièrent une valeur exégétique et cosmique ; et, au XIIIᵉ siècle, on attend, dans l'espoir et la peur, l'an 1233, année du Christ et des apôtres. L'astrologie, désormais très en faveur à la cour suève de Palerme et à celle des seigneurs du nord de l'Italie, fournit à la prophétie son support scientifique et s'allie souvent avec elle. Avec le XIIIᵉ siècle, s'ouvre l'ère des pronostics, qui accompagnera pour trois siècles l'histoire du continent, jusqu'au début du XVIᵉ siècle et à l'époque de Luther.

On ne connaît pas bien, malgré les nombreuses études qui leur ont été consacrées[5], les filières par lesquelles la très riche production de Joachim de Fiore s'enrichit d'écrits pseudo-joachimites à contenu prophétique de plus en plus explicite. On ne peut parler pour cela de responsabilité exclusivement franciscaine (les franciscains n'étaient pas satisfaits du processus de transformation de l'ordre en clergé et du fait qu'il s'éloignait de la règle de vie souhaitée par François). Toutefois, c'est sans aucun doute la grande popularité atteinte par les disciples du Povero d'Assise depuis 1226, année de sa mort, qui explique le climat de tension mystique compliqué d'un croissant engagement politique (la lutte contre Frédéric II et un gibelinisme toujours plus teinté d'hérésie) : tel est le climat qui se respire dans toute l'Italie et qui serait impensable en dehors de la

---

5. Il existe sur ce sujet une bibliographie absolument infinie. Nous limitons nos indications bibliographiques à M. REEVES, *The Influence of Prophecy in the Later Middle Ages*, Oxford, 1969, et à R. MANSELLI, F. SIMONI, E. PÁSZTOR, A. VOLPATO, G. TOGNETTI, *Ricerche sull'influenza della profezia nel basso medioevo*, Roma, 1973.

dense vie sociale et économique qui se développe dans les communes de Lombardie et de Toscane.

1233, avons-nous dit. Cette année-là, naît un mouvement pénitentiel, appelé l'« Alleluia », qui se propage dans l'Italie centrale. Nous ne savons pas avec certitude s'il doit quelque chose au joachimisme : il est probable que non. Ce sont des années difficiles qui voient l'Église et ses prédicateurs d'ordres mendiants engagés contre des hérétiques qui trouvent un appui politique en Frédéric II : celui-ci, pour sa part, s'il a de bons alliés dans l'Italie des communes où il s'agit de combattre les guelfes et la papauté, pourchasse sans pitié tout ferment hétérodoxe qui apparaît sur les terres dont il a le contrôle sûr et direct. Frédéric, protecteur de ce frère Élie, en qui les « Spirituels », c'est-à-dire les franciscains qui réclament la stricte observance du message de François, voient le traître du Povero d'Assise (mais que François semble avoir aimé et estimé), est, de son côté, porteur de multiples contradictions. Il semble apprécier le message de François et une Église absolument pauvre ne lui déplairait pas, car elle faciliterait ses desseins politiques : d'autre part, il persécute les « Spirituels » qui lui rendent la monnaie de sa pièce en le qualifiant d'Antéchrist, il se pose comme *dominus mundi*, « Empereur des Derniers Temps ». Temps qui semblent proches, désormais, car, à la fin des années trente, les Tartares se ruent sur l'Europe et menacent de la conquérir[6].

Tel est le cadre historique où s'élaborent les apocryphes joachimites et dans lequel la mémoire liée à l'exégète Joachim de Fiore se transforme en vénération pour le prophète Joachim.

Comme l'a bien montré M. Reeves, vers les années quarante du XIIIe siècle, se constitue le commentaire *Super Hieremiam prophetam* qu'on peut voir à la source du succès des apocry-

---

6. Cf. D. Bigalli, *I Tartari e l'Apocalisse*, Firenze, 1971 : un essai fondamental.

phes pseudo-joachimites[7]. Ce texte prépare le développement futur du joachimisme vis-à-vis d'une hiérarchie ecclésiastique, à la fois vénérée et objet de reproche, menacée de se voir remplacée par une nouvelle Église, plus pure et convaincue que la purification lui est exclusivement dévolue. Pendant ce temps, un autre texte d'influence joachimite, le *Super Isaiam prophetam*, condamnait à son tour l'empereur Frédéric et confirmait son lien avec l'Antéchrist[8]. Mais l'influence des milieux et des écrits joachimites sur le monde franciscain devait s'exercer déjà depuis un certain temps dans l'Italie méridionale et être bien consolidée en 1243-1244 quand le chroniqueur franciscain Salimbene nous parle d'un dépôt de livres confié par les moines « *florensi* » (c'est-à-dire de l'ordre fondé par Joachim) aux franciscains de Pise[9].

Mais la conjonction définitive et explicite entre franciscanisme « spirituel » et joachimisme eut lieu en 1254, quand un jeune franciscain qui s'était trouvé, quelques années plus tôt, aux côtés du célèbre ministre général « spirituel » Jean de Parme, et qui portait le nom de Gerardo da Borgo San Donnino, publia un *Introductorius in Evangelium aeternum* où il résumait et commentait trois grandes œuvres de l'abbé Joachim : la *Concordia Novi et Veteri Testamenti,* l'*Expositio in Apocalypsim* et le *Psalterium decem chordarum*. Une commission réunie en hâte à Anagni, dont faisait partie un cardinal d'origine dominicaine, Hugo de Saint-Cher, procéda l'année suivante à la condamnation des thèses exposées par le franciscain et aussi, quoique moins durement, à celle des thèses proprement joachimites : cette commission fut sans doute

7. Cf. F. Simoni, « Il Super Hieremiam e il gioachimismo francescano », *in* Manselli-Simoni-Pásztor-Volpato-Tognetti, *op. cit.*, p. 12-46 ; Stanislao da Campagnola, *Dai « viri spirituales » di Gioacchino da Fiore ai « fratres spirituales » di Francesco d'Assisi,* Picenum seraphicum, XI, 1974, p. 24-52.

8. Cf. M. de Lubac, *La posterità spirituale di Gioacchino da Fiore, I — Dagli Spirituali a Schelling,* trad. italienne, Milano, 1981, p. 98.

9. Stanislao da Campagnola, *op. cit.*, p. 134.

impressionnée par les retentissantes prises de positions d'un maître laïc de l'université de Paris, Guillaume de Saint-Amour, qui avait violemment attaqué Gerardo.

L'*Introductorius* nous est parvenu à travers une tradition très douteuse et lacunaire[10] : deux sources, issues de camps opposés, nous en parlent amplement mais tendancieusement, la *Chronique* de Salimbene, écrite vers 1285, et l'*Historia septem tribulationum ordinis minorum*, rédigée entre 1321 et 1325 par Angelo Clareno, c'est-à-dire ce Pietro da Fossombrone qui, après avoir été longtemps l'un des personnages les plus en vue de l'aile franciscaine « spirituelle », passa à la congrégation des ermites Célestins fondée par Célestin V, et contribua à établir un pont entre Joachim, François et Célestin. Ce pont, pour tendancieux qu'il fût, aurait pu être pendant longtemps l'axe porteur du christianisme non hétérodoxe, mais aussi non conformiste, du XIVᵉ siècle.

Gerardo da Borgo San Donnino avait annoncé que 1260 serait l'année de la révélation des mystères divins[11]. Et en effet, en 1260, se diffusa, depuis Pérouse, grâce à l'initiative de Raniero Fasani, un mouvement dit des « Flagellants » ou des « Disciplinés », caractérisé par un parti pris nettement pénitentiel, que Salimbene de Parme relie aux prophéties de Joachim de Fiore[12]. Les troupes de flagellants se rendaient d'un endroit à l'autre, d'une ville à l'autre, soulevant partout l'enthousiasme et mettant dans un sérieux embarras les partisans du gibelinisme. Le mouvement se propagea à Bologne, Modène, Reggio, Tortone, Gênes, dans le Frioul et même hors d'Italie. En même temps, à Parme, un certain Gherardo Sega-

---

10. B. Töpfer, *Eine Handschrift des Evangelium aeternum des Gerardino von Borgo San Donnino*, Zeitschrift für Geschichtwissenschaft, VIII, 1960, p. 156-163.

11. Cf. R. Manselli, « Il 1260, anno gioachimita ? », in AA.VV., *Il movimento dei disciplinati nel settimo centenario del suo inizio*, Perugia, 1962, p. 99-108.

12. Cf. R. Morghen, « Ranieri Fasani e il movimento dei Disciplinati del 1260 », in AA.VV., *op. cit.*, p. 29-42.

lelli fondait — c'est toujours Salimbene qui le raconte — un mouvement dit des « Apostoliques »[13]. Segalelli était mû par le désir d'imiter François d'Assise, imitation qui, selon Salimbene, avait des aspects grotesques. Il demanda à être admis chez les franciscains de Parme, mais ceux-ci le repoussèrent. Alors, il vendit tout ce qu'il avait, le distribua aux pauvres et, vêtu seulement d'une misérable tunique, il se mit à prêcher, exhortant à vivre selon le modèle littéral de l'Évangile. Il ne semble pas qu'il ait exprimé une véritable doctrine et les « Apostoliques » ne furent jamais dotés d'une hiérarchie propre. Mais ils formulaient un jugement très dur contre la papauté, qu'ils estimaient corrompue, et contre l'Église à qui ils refusaient d'obéir et qu'ils réprouvaient parce qu'elle ne voulait pas reconnaître leur état comme parfait. Ils se présentaient comme la véritable Église spirituelle.

Les « Apostoliques » faisaient leurs des motifs qui circulaient depuis deux siècles dans les mouvements religieux populaires et paupéristes, et qui n'étaient pas étrangers au patrimoine vaudois et franciscain. Il est difficile de dire si, dans tout cela, il pouvait y avoir des échos proprement joachimites et des éléments apocalyptiques, mais il reste que la région de Parme s'affirme comme une aire imprégnée de ferments de ce type : Borgo San Donnino, patrie de Gerardo, n'est pas loin de Parme, patrie de Segalelli.

Sur un point au moins, les « Apostoliques » se révélaient proches des idées joachimites sur l'« Âge de l'Esprit Saint » : le besoin et le désir d'un contact direct, immédiat, non hiérarchique, libre en somme, avec Dieu. C'était une expérience spirituelle neuve, vivement en quête de liberté intérieure, qui les différenciait nettement de leurs contemporains, les « Flagellants », à caractère purement pénitentiel, dont la voca-

---

13. Cf. C. VIOLANTE, « Eresie nelle città e nel contado in Italia dall'XI al XIII secolo », in IDEM, Studi sulla Cristianità medioevale, Milano, 1972, p. 370-371.

tion était de prêcher la paix dans les cités communales déchirées par les luttes entre factions[14].

En 1286, le pape Honorius IV ordonna aux « Apostoliques » d'entrer dans l'un des ordres mendiants : mais il était trop tard. Le mécanisme de la persécution se déclencha alors, et les papiers des inquisiteurs révèlent que — contrairement à ce qui a été dit souvent — le mouvement des « Apostoliques » n'était pas, à l'origine, préprolétaire et paysan. Au contraire, il comptait des sympathisants dans les classes moyennes et même dans l'aristocratie des villes. Il était répandu un peu partout dans l'Italie du Centre et du Nord, tant dans les villes que dans les campagnes, et si l'Église voulait le déraciner, elle ne pouvait le faire que par la force.

Vers 1290, adhéra aux « Apostoliques » un personnage obscur, né dans les environs de Novare, Dolcino[15]. Il eut presque certainement des rapports directs avec Segalelli et, quand ce dernier fut brûlé, en 1300, il se trouvait à Bologne : il se peut qu'il soit allé à Parme pour assister au bûcher du maître. Par la suite, nous voyons Dolcino devenir le chef incontesté des « Apostoliques », si jamais ce mot de chef eut un sens dans cette secte : peut-être, selon l'acception wéberienne, la secte ne pouvait-elle avoir qu'un chef « charismatique » dans la mesure même où elle était individualiste et égalitaire.

Guidés par Dolcino, les « Apostoliques » créèrent un noyau de résistance armée et, en même temps, un embryon de ce qui était pour eux la société idéale, en Valsesia, dans les montagnes des Alpes : désormais, des paysans et des montagnards s'étaient joints à eux, même si le mouvement continuait à recevoir de l'aide des cités communales. Mais la résistance en Valsesia ne semble pas avoir les caractères de révolte sociale, ni avoir un quelconque rapport avec les populations locales : les

---

14. *Ibid.*, p. 375.
15. Cf. *Fra Dolcino*, a cura di R. Orioli, Milano, 1984.

« *dolciniani* » restent des *déracinés*, des marginaux. Pour les abattre définitivement, une croisade fut organisée par les évêques de Novare et de Vercelli : Dolcino fut capturé en 1307 et presque aussitôt brûlé.

Dante émet un jugement très dur sur Dolcino, le considérant comme un hérésiarque, un fauteur de schisme. Sans doute, Dolcino avait une eschatologie simplifiée, adaptée à un mouvement militant : bientôt devait arriver un Pape Saint (le « Pape Angélique » de Joachim, que, à la fin du siècle, beaucoup avaient voulu reconnaître en Célestin V), puis un empereur qui devait châtier les faux prélats de la Curie romaine (ici, l'idée de l'« Empereur des Derniers Temps » se joint à une confuse volonté de s'allier aux seigneurs gibelins de l'Italie du Nord), enfin, devait arriver l'heure de l'Antéchrist et de la lutte finale où seuls les adhérents au mouvement « Apostolique » seraient sauvés.

La dure répression du mouvement de Dolcino ne fut pas un cas isolé. A l'issue de la tempête cathare, l'Église avait mis au point une série d'instruments de répression (nous pensons surtout à l'Inquisition[16]), qui complétaient la contre-propagande populaire menée par les prédicateurs. Même le mouvement des « Spirituels » franciscain fut attaqué avec une extrême rigueur : deux des plus grands représentants de ce courant, avec Angelo Clareno, furent persécutés durement : le Provençal Pietro di Giovanni Olivi et le Piémontais Ubertino da Casale[17]. Un climat brûlant, désormais, presque tragique (ce ne serait pas un jeu de mots que de le nommer « apocalyptique ») entoure les dernières aventures des « Spirituels » franciscains,

16. Sur tout cela, encore une fois, la bibliographie italienne est trop vaste : toutefois, on ne peut manquer de citer, parmi les titres les plus récents, les recherches de R. ORIOLI, *L'eresia a Bologna fra XIII e XIV secolo*, vol. 2, Roma, 1975.

17. Pour cela aussi, limitons-nous à l'important ouvrage de Raoul MANSELLI, *La « Lectura super Apocalypsim » di Pietro di Giovanni Olivi*, Roma, 1955.

ravivées par l'extraordinaire influence qu'eut en Italie un texte comme la *Lectura in Apocalypsim*, « le dernier effort, le plus intense, de l'eschatologie médiévale pour se présenter comme force vive et opérante dans l'Église et dans l'histoire[18] ». Avec ce texte, du reste, il faut aussi rappeler l'écrit de Clareno dont nous avons déjà parlé, l'*Arbor vitae crucifixae Jesus* où, avec des intonations qui rappellent plus Joachim ou les textes pseudo-joachimites qu'Olivi lui-même, le parallèle entre le Christ et François, lequel est conçu comme un *alter Christus*, est mené jusqu'à ses conséquences les plus extrêmes[19]. Il est connu que Dante lui-même, malgré ses protestations d'impartialité (don qui ne fut pas son fort, il faut le reconnaître), partagea beaucoup des critiques des « Spirituels » envers l'Église romaine et adhéra substantiellement à la vision de François comme *alter Christus* ; par le « gibelinisme » des positions politiques qu'il tint dans la dernière partie de sa vie tourmentée, lié surtout à l'expérience de l'empereur Henri VII, il semble s'approcher de l'eschatologie de « l'Empereur des Derniers Temps »[20].

Nous pensons donc que, somme toute, il est erroné de considérer que les idées et les sentiments collectifs de type apocalyptico-eschatologique s'allument au contact de réalités contingentes de type politique : ils leur sont, en soï, étrangers et naissent d'une série de sollicitations mystiques et exégétiques. Si ce genre de choses a pu être vrai, jusqu'à un certain point, pour Joachim de Fiore, il reste que, de la littérature pseudo-joachimite à l'expérience des « Spirituels » franciscains et au-delà, l'Apocalypse se nourrit de ferments et de références politiques immédiates, le prophétisme est fait, souvent, de prophé-

---

18. *Ibid.*, p. 236.
19. Pour une vision, considérée aujourd'hui avec perplexité, sur l'écriture et l'outillage imaginaire-symbolique de Ubertino envisagé en liaison avec le joachimisme, voir F. CALLAEY, *Étude sur Ubertino de Casale*, Louvain, 1911.
20. Pour cela, voir B. NARDI, *Dante e la cultura medievale*, Roma-Bari, 1983, surtout p. 317-322.

ties-slogans, de prophéties *post eventum*, en somme, de prophétie politique. Bien plus, l'eschatologie médiévale (et dire
ceci n'enlève rien à sa valeur, ni à sa signification religieuse et
spirituelle) est peut-être l'un des premiers et des plus clairs
exemples de soulèvement des masses au nom d'une perspective
de mutation collective. La réalité politique n'est pas un support de hasard mais bel et bien part intégrante des rêves de
renouveau liés à l'eschatologie.

Il est vrai, d'autre part, que la contingence revêt une très
grande importance dans la diffusion des divers mouvements
apocalyptiques et millénaristes : ceux-ci sont liés à une sensibilité chrétienne populaire qui reste toujours dans l'orthodoxie et
qui se manifeste dans un sens surtout pénitentiel (ainsi le
« pèlerinage » organisé en 1335 par Venturino da Bergamo,
dominicain, ou la « Dévotion des Blancs » en 1399), ou liés à
une rébellion tenace qui se radicalise au siècle de la papauté
avignonnaise et donne lieu au dernier rigorisme franciscain ou
parafranciscain, le mouvement des « *fraticelli* », ou encore à
des expériences plus radicales comme le « mouvement du Libre
Esprit[21] ».

Nous n'entendons nullement instaurer par là des distinctions
rigides. Une dévotion religieuse orthodoxe est souvent associée
à des thèmes de propagande qui pouvaient être contestataires
envers l'Église et même hérétiques : ce mélange peut se trouver
à l'intérieur d'un même milieu et qui plus est à l'intérieur
d'une même personne : le XIVᵉ siècle, siècle de crise socio-éco-
nomique (de la Peste noire à la violente dépression démogra-
phique, aux révoltes dans les villes et les campagnes), est aussi
un siècle de crise spirituelle pour qui les condamnations de la
mondanité des ecclésiastiques, de l'excessive richesse et de
l'immoralité de la Curie pontificale appartiennent à un bagage
de culture éthico-polémique diffuse qui doit être examiné cas

---

21. Sur tout cela, AA.VV., *L'attesa dell'età nuova nella spiritualità della
fine del Medioevo*, Todi, 1962.

par cas, pour identifier les facteurs spécifiques, et non point attribué globalement à l'influence de tel ou tel texte, ou de tel ou tel groupe d'agitateurs.

Par exemple, sur le plan politique, nous voyons les plus extrêmes partisans d'une Église pauvre et spirituelle, les « *fraticelli* », donner leur appui à un empereur dont la figure morale est loin d'être exemplaire, Louis de Bavière : celui-ci, en même temps, se voit dépositaire des espoirs que met en lui un théoricien de la politique, Marsile de Padoue, auquel remontent les débuts d'une conception « laïque » de l'Empire, désormais en dehors des visées universelles et sacrées traditionnellement liées à la couronne romaine-germanique. D'autre part, une figure politique complexe comme Cola di Rienzo, qui désire restaurer l'antique grandeur et l'antique liberté de Rome, nourrit en même temps une dévotion spéciale pour la mémoire du « Pape Angélique », Célestin V (Pétrarque partage en grande partie ces conceptions), et a mêlé des éléments mystico-apocalyptiques à sa propagande politique[22].

Au temps de la papauté d'Avignon et plus encore durant les années suivantes, années de schisme qui voient la chrétienté divisée en deux obédiences pontificales, on peut dire que la contestation de la mondanité de l'Église et l'attente d'un renouvellement qui coïncide de plus en plus avec l'attente de la fin du monde devient non plus l'exception mais la règle. Dans une chrétienté parcourue de prédicateurs, agitée de prodiges et de visions, il devient difficile de parler avec assurance d'« idées » orthodoxes ou hétérodoxes : il vaut mieux parler « d'attitudes » d'ordre hérétique ou non, parce que, au-delà des théories, se manifeste la volonté pratique d'échapper à la discipline ecclésiale qui désigne les hérétiques. Catherine de Sienne ou Bernardino, de Sienne lui aussi, ne sont pas moins durs que bien des hérétiques dans leur critique de l'« Église

---

22. Sur Cola da Rienzo, cf. E. DUPRÉ THESEIDER, « L'attesa escatologica durante il periodo avignonese », *in* AA.VV., *op. cit.*, p. 98-105.

visible », ne sont pas moins libres qu'eux dans leur « prophétisme » : cependant, ils ont la ferme volonté de rester fidèles à l'Église et au pontife qui fait d'eux non seulement des orthodoxes, mais des paladins de l'orthodoxie.

Controverses entre membres de la même faction, liens ambigus et aux limites du risque entre membres de factions opposées sont donc toujours possibles. L'attente de l'apocalypse, en Italie et ailleurs, reçoit une contribution substantielle des visions de sainte Brigitte de Suède, à la suite de quoi le monde chrétien se peuple de visionnaires : Catherine de Sienne s'élève promptement contre ceux qui attendent sans cesse l'Antéchrist et, en général, contre « l'appétit des révélations »[23]. L'attente continuelle de l'Antéchrist, les rumeurs selon lesquelles il était déjà né ou avait été signalé avec certitude[24] pouvaient provoquer de dures réactions et être ridiculisées par des hommes doués d'un bon sens robuste et peut-être même un peu vulgaire associé à une profonde religiosité : tel est le cas du romancier et pieux écrivain florentin Franco Sacchetti qui, malgré quelques à-peu-près, nous donne une vive évocation du climat de son temps ; il se lamente dans l'une de ses compositions poétiques, en disant que le monde est plein de faux prophètes, d'astrologues, de nécromants, mettant tout dans le même panier car, dans la réalité, toutes les attentes et toutes les visions semblaient se mêler et se confondre[25]. Ainsi, dans l'attente de l'Apocalypse et de l'âge nouveau, se mêlaient les niveaux, les milieux, les classes. Il ne semble pas possible, par exemple, de distinguer des niveaux « citadins » ou « ruraux » « dominants » ou « subalternes », ni de lire sérieusement les attentes apocalyptiques comme phénomènes de classes. Au XIVᵉ siècle, et surtout après la grande crise, les tensions apocalyptico-millénaristes, les

---

23. Cf. Rusconi, *L'attesa* [...], *op. cit.*, p. 30.
24. *Ibid.*, p. 134 *sqq.*
25. Franco Sacchetti, *Il Libro delle Rime*, éd. A. Chiari, Bari, 1936, p. 251.

ferments hérétiques, les croyances magico-folkloriques semblent s'additionner et se fondre en mille variantes désordonnées. Elles se manifestent dans les classes les plus humbles des villes mais aussi des campagnes, et tout autant chez certains représentants des classes dirigeantes ; à Florence, à Milan, dans les grands centres manufacturiers, mais aussi dans les régions montagneuses du Piémont[26] et de l'Apennin d'Ombrie et des Marches.

Il est objectivement difficile de donner à ces croyances et à ces inquiétudes de précises connotations sociopolitiques et socioculturelles, mais cela n'empêche pas de se rendre compte que celles-ci, dans leur complexité, étaient jugées dangereuses par l'*establishment*, par les pouvoirs constitués. A Florence, l'émeute des « *ciompi* » (les ouvriers subalternes de la manufacture de laine), en 1378, ne s'était pas déroulée à l'enseigne de l'Apocalypse : mais, sans aucun doute, des sympathies pour les « *fraticelli* » circulaient dans le « menu peuple », les petits artisans et les classes préprolétaires ; les insignes qu'ils choisirent pour leurs associations corporatives semblent rappeler un symbolisme apocalyptique : anges armés d'une épée, bras qui sortent du ciel, armés, eux aussi, d'une épée. En 1378, dans le journal d'un homme du peuple florentin du quartier d'outre-Arno, nous trouvons la vulgarisation du *Vade mecum in tribulatione* de Giovanni de Roccatagliata[27] ; la même année, année si instable pour les institutions florentines, le chancelier florentin Coluccio Salutati écrit une lettre à son homologue bolognais Giuliano Zonarini, obsédé par prophéties et pronostics, tout en déclarant qu'il n'ajoute pas foi aux prédictions astrologiques ; des années plus tard, écrivant toujours à Zonarini, il reviendra sur un argument du même ordre pour s'en prendre à ceux qui parlent de l'avènement de l'Antéchrist : les

---

26. Cf. le beau livre de G.G. MERLO, *Eretici e inquisitori nella società piemontese del Trecento*, Torino, 1977.

27. *Diario di Anonimo fiorentino dall'anno 1358 al 1389,* a cura di A. GHERARDI, Firenze, 1876, p. 389-390.

deux choses semblent strictement liées, du moment que les horoscopes religieux et la science des conjonctions astrales travaillent à découvrir dans les cieux les signes de l'avènement du terrible ennemi[28].

Du reste, il n'était pas nécessaire que l'Antéchrist fût aux portes pour que sa présence se manifestât dans la chrétienté. A Florence, toujours, Giovanni delle Celle, originaire de Vallombrosa, conseiller spirituel de tout un milieu de pieux membres de l'oligarchie, s'opposait à la pénétration des « fraticelli », qu'il jugeait suppôts de l'Antéchrist[29]. Mais en 1374, année d'une autre grande épidémie, écrivant à Guido del Palagio qui lui avait demandé son avis sur les prophéties relatives à la fin du monde, il répondait que Dieu n'en a pas révélé la date ; toutefois, il montre un pieux respect pour Joachim de Fiore, à qui il semble attribuer sans réticence le don de prophétie, et considère avec attention l'opuscule *Vaticinia de summis pontificibus*, dont il ignore l'origine : celui-ci provient du milieu des « fraticelli »[30] !

L'attente de l'Antéchrist parcourt encore toute la première moitié du XVe siècle : des factions ennemies s'en font une arme pour la question de l'obéissance au Pape. Ou bien, elle devient un instrument polémique : Bernardino de Sienne, Manfredi de Vercelli, Andrea Biglia, Vincenzo Ferrer se lancent des exégèses opposées et se renvoient mutuellement l'accusation d'être les avant-coureurs ou les disciples de l'Antéchrist[31].

Mais c'est vers le milieu du siècle, alors que Constantinople tombe aux mains des Turcs ottomans — coïncidence significative —, que l'Apocalypse et l'Antéchrist trouvent leur nouveau lien avec la réalité historique immédiate. C'est dans le sultan ottoman qu'on reconnaît maintenant les traits du terrible ennemi et, en Italie, cette croyance répandue, alimentée par

---

28. RUSCONI, *L'attesa* [...], *op. cit.*, p. 94-95.
29. *Ibid.*, p. 65.
30. *Ibid.*, p. 57.
31. *Ibid.*, p. 234-247.

une quantité de pronostics et par des prédicateurs itinérants de provenance souvent incertaine[32], se joindra à l'astrologie humaniste et à la recherche fébrile de signes célestes. Après la « comète » de 1472[33], Francesco da Meleto consultera fiévreusement les sages juifs[34], tandis que Lorenzo Bonincontri dans son poème *De rebus coelestis*, rédigé entre 1472 et 1475, s'interrogera avec inquiétude sur la conjonction de Jupiter et de Saturne[35].

A Otrante, en 1480, un *raid* turc s'empare de la cité côtière des Pouilles, la mettant au pillage et martyrisant quelques habitants, ce qui souleva de nouvelles peurs, et aussi de nouveaux enthousiasmes, de nouvelles propositions de croisade[36]. A ce moment-là, réponses astrologiques et mouvements d'enthousiasme religieux populaires plus ou moins spontanés s'associaient ou, au moins, convergeaient pour mobiliser les consciences. En décembre de la même année 1480, paraissait la *Glose* de Giovanni « Annio » de Viterbe, où l'inquiétant humaniste dominicain — dont le nom séculier était Giovanni Nanni — voulait insérer ses pronostics sur l'inévitable chute à venir de l'Empire turc. Il faut rappeler que le titre complet de l'opuscule est *Glosa in Apocalypsim*, et qu'il est plus connu sous celui de *De futuris christianorum triumphis in Saracenos*[37]. Tandis que l'on attendait des événements nouveaux et immédiats, le ciel chrétien venait en aide au ciel astral : en 1482 et 1484, par exemple, deux grands épisodes miraculeux, à

---

32. Cf. A. VOLPATO, « La predicazione penitenziale-apocalittica nell'attività di due predicatori del 1473 », *in* MANSELLI-SIMONI-PÁSZTOR-VOLPATO-TOGNETTI, *op. cit.*, p. 113-128.

33. *Ibid.*, p. 124.

34. Cf. G. TOGNETTI, « Note sul profetismo nel Rinascimento e la letteratura relativa », *in* MANSELLI-SIMONI-PÁSZTOR-VOLPATO-TOGNETTI, *op. cit.*, p. 142.

35. Cf. B. SOLDATI, *La poesia astrologica nel Quattrocento*, Firenze, 1906, p. 160-62.

36. Cf. C. VASOLI, *I miti e gli ástri*, Napoli, 1977, p. 46.

37. *Ibid.*, p. 19.

Bibbona in Maremma et à Prato, près de Florence, vinrent enthousiasmer le peuple chrétien et lui insuffler une nouvelle force, et le rendirent certain que quelque chose d'extraordinaire était sur le point d'arriver[38].

Vint enfin la grande année, *magnus annus*, 1484. Elle était attendue depuis longtemps comme l'année des grandes mutations, selon une longue tradition astrologique[39] : à Florence, l'humaniste Cristoforo Landino prévoyait pour cette année le « retour » d'un personnage énigmatique et allégorique mentionné par Dante comme le « Veltro » (le Lévrier), un personnage aux traits eschatologiques très proches de l'« Empereur des Derniers Temps »[40]. C'est en 1484 également qu'a lieu la mystérieuse chevauchée du prophète hermétique Giovanni « Mercurio » da Correggio qui, par les rues de Rome, invite à une pénitence générale et annonce une prochaine *renovatio*[41].

C'est dans le climat apocalyptique renouvelé par ces événements et ces sollicitations que Girolamo Savonarole entreprend sa carrière de prophète apocalyptique[42], durant laquelle ne manquera pas la vision de l'épée de Dieu sortant des nuées, prête à frapper, selon un symbolisme que, à Florence, les « *ciompi* » avaient fait leur et avaient intégré dans leur système héraldique plutôt simpliste. On a beaucoup parlé du caractère proprement politique du prophétisme de Savonarole et sur les aspects « idéologiques » de quelques prophéties diffusées pour servir telle ou telle cause : il suffit de penser au caractère francophile de la fameuse « prophétie » de Telesforo da Cosenza. Cette charge prophétique — que Savonarole partage avec d'autres célèbres prédicateurs de son temps — est un élément

---

38. Cf. D. WEINSTEIN, *Savonarola e Firenze*, trad. italienne, Bologna, 1970, p. 96.

39. *Ibid.*, p. 98.

40. *Ibid.*, p. 99.

41. Cf. K. OHLY, « Johannes ''Mercurius'' Corrigiensis », in *Beiträge zur Inkunabelkunde*, hrsg. C. Wehmer, n.F., II, Leipzig, 1938, p. 133-141.

42. D. WEINSTEIN, *op. cit.*, p. 89, 102.

de son ascension vers l'état de « dictateur » spirituel (et pas seulement de spirituel tout court) jusqu'en 1498 ; et c'est aussi un élément de sa chute, tant il est vrai que les foules haïssent toujours ce qu'elles ont trop aimé dès que la fortune semble s'en retirer ; et, peut-être est-il vrai, comme le disait Machiavel, que telle est la fin des prophètes désarmés. Mais l'Apocalypse de Savonarole n'était pas seulement le Jugement et les Derniers Temps : elle était aussi — ce qu'elle fut toujours, d'ailleurs — le début de l'âge du « ciel nouveau et de la nouvelle terre », le temps de la sortie de l'histoire dans lequel la Jérusalem céleste devait venir en ce monde. Comme l'ont bien souligné plus tard ses fidèles disciples, comme Giovanni Nesi, c'était cette Jérusalem que le dominicain ferrarais voulait instaurer à Florence, au moyen de ses réformes constitutionnelles : le règne de la justice, la Nouvelle Jérusalem.

Illusions, certes, tout à fait tragiques. L'Apocalypse est la Mère de toutes les utopies modernes, y compris les plus abjectes, les plus sanglantes.

En 1492, l'année où meurt Laurent le Magnifique à Florence alors que Savonarole tonne déjà depuis sa chaire, l'année où les Maures sont chassés de Grenade, le *Pronosticon de eversione Europae* (qui est souvent daté de quelques années plus tard) était déjà écrit peut-être. En 1492, toujours, un marin, génois ou catalan, sur la foi de calculs nautiques erronés, à la tête d'une flottille presque ridicule, la tête pleine de mauvaises lectures géographiques, d'absurdes projets de croisade-revanche, découvrait dans la réalité l'apocalyptique « ciel nouveau et nouvelle terre ».

L'Apocalypse suit pas à pas le Moyen Âge chrétien, ouvre l'âge moderne, poursuit son chemin jusqu'à nous. Faut-il s'étonner si, malgré toutes les « laïcisations », nous en sommes encore terrifiés, encore fascinés ?

VI
APOCALYPSE, MAINTENANT

Jacques VERNANT,
« L'apocalypse et le nucléaire »

INTRODUCTION

La dernière contribution de ce volume a été demandée à un polémologue, spécialiste des questions contemporaines, par l'un des contributeurs précédents qui, relisant notre « sommaire », et méditant sur le sens contemporain du mot « apocalypse », a eu une réaction... de bonne santé. Pour que ce livre ne soit pas « *une frivolité académique* », il a jugé nécessaire de prendre en compte ce que nous vivons aujourd'hui.

C'est une réaction estimable que celle de l'historien qui, jetant sur sa tâche un œil critique, craint d'être vain, craint d'offenser une morale de l'urgence, et de laisser dans l'ombre la préoccupation humaine fondamentale : vivre.

Parler du présent n'est pas nécessairement ce qui nous rendra plus présents au monde, mais c'est au moins une manifestation de bonne volonté à l'égard de soi-même et à l'égard de ceux qui, non spécialistes des époques anciennes, se sont engagés dans la lecture de ce livre.

L'apocalypse, à notre époque, peut susciter une avalanche de discours tout aussi vains que peuvent paraître vains ceux des historiens du passé. C'est pourquoi la présence de cette ultime contribution n'est qu'un *signe*. Signe de ce qui, dans toutes les pages qu'on vient de lire, est toujours actuel, et signe de ce qui est aujourd'hui l'aboutissement d'un processus entamé de longue date. Signe, aussi, de ce que le sujet traité nous appelle à plus d'humanité et que la position « savante » n'est pas dissociable de la vie.

Car, avec l'apocalypse, c'est de vivre, de survivre, ou même de revivre qu'il s'agit. C'est le rapport de l'homme avec le monde, et plus particulièrement avec la nature, qui est en cause : la contribution de Jacques Vernant le rappelle aussitôt.

L'homme d'Occident est engagé depuis fort longtemps dans un débat *sur*, et parfois *contre* la nature. Son rapport avec elle oscille sans cesse entre l'amour et la guerre. Connaître la nature et l'exploiter, c'est parfois la « blesser » et provoquer sa vengeance. Telle est l'idée de certains mouvements contemporains comme ceux des « apocalyptiques néoruraux » qui, aux yeux d'une partie de la société, apparaissent comme des colonies d'arboricoles primitifs : fugitifs déçus, inquiets, ce sont des « purs », des idéalistes qui font leur « retour à la terre » dans l'idée que l'homme, bientôt, ne pourra plus violer impunément la nature. Des sociologues se sont intéressés à ces bons sauvages et aux idées qui sous-tendent leur expérience néoapocalyptique : le fléau qu'ils voient à l'origine de la catastrophe qui se prépare est « l'orgueil humain, l'anthropocentrisme conquérant qui fonde l'illusion prométhéenne de la prise illimitée de l'homme sur la nature* ». La catastrophe est la conséquence « d'une œuvre de malheur, qui est de la responsabilité des hommes ».

La nature, poussée à bout, répond à ces agressions en renvoyant à l'homme l'image du monde fou où il prétend assurer sa propre émancipation. Aussi la catastrophe, au-delà du désordre apparent qu'elle introduit dans le monde, constitue-t-elle le moment paradoxal d'une remise de ce monde sur ses pieds, un ré-ordonnancement des rapports entre l'homme et la nature, un retour à l'ordre*.

Il aurait été intéressant d'introduire ici une étude plus

---

* Danièle LÉGER, « Apocalyptique écologique et ''retour'' de la religion », in *Arch. sc. soc. des rel.*, 53/1, janvier-mars 1982, p. 49-67.

étoffée sur ces communautés, mais comme il existe des travaux récents et facilement disponibles (en particulier, ceux de Danièle Léger et Bertrand Hervieu), mieux vaut y renvoyer le lecteur.

Une contribution de polémologue nous a paru indispensable dans la mesure où, aujourd'hui, presque chaque homme de la planète accorde à *apocalypse* un sens bien précis, celui de guerre nucléaire. Pour la première fois dans son histoire, l'homme n'a plus besoin de compter sur le feu de Dieu pour détruire la création, il peut s'en remettre à lui-même. Or, si l'on pouvait parier sur la clémence de Dieu, il semble plus hasardeux de parier sur la sagesse de l'homme.

Toutefois, cette humanité qui se trouve soudain responsable de sa propre survie se sent impuissante : la quasi-totalité des individus se voit à la merci de quelques autres qui ont le pouvoir de déclencher le cataclysme en appuyant « sur le bouton ». Cette situation paradoxale de responsabilité et d'impuissance est un tourment auquel on ne sait comment échapper. Le paradoxe, jusqu'à présent, n'est pas résolu : il est part intégrante de notre « condition » apocalyptique !

L'apocalypse, maintenant, a sa double fonction de mythe et de réalité : mythe, car pourrait-on vivre si on croyait vraiment à l'imminence d'une destruction complète de la création et de l'humanité ? Réalité, car cette destruction est possible.

Il s'agit donc, dit Jacques Vernant, de tout autre chose que de la grande peur de l'an mille : si mythe il y a, il est enraciné dans les faits. Il exprime l'instinct de conservation de la société internationale.

Ne regardons pas « l'an mille » du haut de notre « puissance nucléaire » : les hommes du passé qui ont attendu les temps de la fin ont vécu une réalité, non un mythe. Ce n'étaient pas nos « aborigènes » ! Mais il faut reconnaître qu'ils avaient droit, encore, au sourire du mythe, car ils avaient loisir d'imaginer un *après* : une terre nouvelle et des cieux nouveaux. Pour nous, le mythe s'étrangle dans le *maintenant* d'une réalité que personne ne souhaite.

C. K

L'APOCALYPSE ET LE NUCLÉAIRE

par

Jacques VERNANT

On peut avancer que la réflexion sur la civilisation occidentale conduisait à la distinction entre deux « essences » irréductibles l'une à l'autre. L'opposition entre le naturel d'une part,
l'artificiel ou le fabriqué d'autre part, résultait sans doute de
la perception différente pour l'homme de ce qui lui est *donné*
dans son milieu naturel et de ce qu'il *produit*. Encore est-il
que dans la plupart des mythes d'origine, la *nature* est fabri-
quée par un artisan divin. Après tout, cette distinction n'est
qu'une autre version de l'opposition, mise en valeur par Lévi-
Strauss entre la nature (le cru) et la culture (le cuit). Sans
doute, la production par l'« artifex » suppose-t-elle toujours
une utilisation, à toutes fins utiles, de la nature : l'eau pour
irriguer une terre et pour y faire germer des semences sélectionnées ou le feu pour faire fondre le métal et le forger. Mais
la nature apparaissait, apparaît encore, comme un ensemble de
substances et de lois que l'on ne peut transformer ou trans-
gresser qu'en obéissant à d'autres lois tout aussi naturelles et
contraignantes, qui agissent en profondeur. En bref, la nature
était perçue comme un donné qui, bien que différent selon les
niveaux de l'analyse, s'imposait tel quel et qu'il n'était possible
de modifier qu'en pénétrant ses secrets et en les mettant en
œuvre. L'alchimiste s'efforce de commander à la nature pour

la transformer, mais c'est en découvrant les règles auxquelles elle obéit. Or la question peut se poser aujourd'hui de savoir si au point où en est parvenue la recherche scientifique, la différence essentielle entre ce qui est naturel, et ce qui est fabriqué, n'est pas en voie d'élimination. Les découvertes en matière génétique et les expérimentations qui en découlent ont permis des développements qui ont pour effet de réduire à l'extrême la distance entre ce qui tient à la nature et ce que l'homme peut fabriquer[1]. Inutile de souligner que cette distance serait encore réduite si l'homme pouvait produire ce qui, pour un esprit religieux, résulte le plus évidemment de la création, la vie.

Une deuxième distinction, qui pour partie recouvre la première, apparaît également à la réflexion sur la culture occidentale : la distinction, essentielle à toute théologie, entre ce qui appartient à Dieu et ce qui appartient en propre à l'homme. Cette distinction recoupe la distinction précédente en ce que, pour le croyant, la nature est une création divine ou pour le moins reflète la puissance du Créateur. A ce titre, l'homme fait bien entendu partie de la nature. Il en est même, si l'on peut dire, le pilier dans la mesure où tout en faisant partie des êtres créés il participe — et lui seul dans la création — de la nature divine. C'est d'ailleurs cette participation qui lui donne la capacité d'utiliser la nature pour la modifier en fabriquant des outils, en produisant des œuvres d'art, et plus encore en choisissant la voie juste et en agissant comme il plaît à Dieu.

Mais de même que, d'un point de vue théologique et judéochrétien, il existe une distance infranchissable entre ce qui est créé par Dieu et ce qui est produit par l'homme, entre le naturel et le fabriqué, il existe une différence essentielle entre

---

1. Le thème fantastique du « Golem » dans la tradition juive d'Europe centrale témoigne de la hantise d'une « percée » permettant à la production humaine de rattraper la création divine. Mais le « golem » reste un « monstre ». Il ne fait pas partie de la nature.

le pouvoir qui appartient à Dieu et le pouvoir que l'homme est susceptible d'acquérir. A l'arbre du savoir, l'homme n'a pu cueillir le fruit qui lui aurait donné la vie éternelle, ni ce qui en est l'équivalent, le pouvoir de créer la vie en dehors des lois de la reproduction naturelle. La création de la vie est l'affaire de Dieu ; la production, l'art, l'affaire de l'homme. Encore faut-il que l'« hubris » de l'homme ne l'incite pas à vouloir imiter Dieu.

Et ce que Dieu a créé, Lui seul est habilité à le détruire. Dans la pensée chrétienne, le précepte : « Tu ne tueras point », ressortit à la morale individuelle, mais trouve sa justification dans le respect de l'œuvre de Dieu. D'où vient également l'opposition de l'Église à l'avortement.

*

* *

Si la création est l'affaire de Dieu, sa contrepartie, la destruction totale de l'humanité, est également son affaire. Tel est bien le sens de l'Apocalypse.

Mais la violence étatique existe. Les guerres sont aussi le pain quotidien de l'homme.

Les théologiens, les Églises, les philosophes ont ainsi spéculé sur les règles qu'il convenait d'appliquer à cette forme de l'activité humaine, à cette « production-destruction » qui, du moment qu'elle existe, doit être « moralisée ». La réflexion a porté sur le « *jus ad bellum* » et sur le « *jus in bello* ». Elle s'est efforcée de distinguer les guerres « justes » de celles qui ne le sont pas, et de fixer un code de bonne conduite dans le déroulement des hostilités.

Or les données du problème que posait la guerre aux théologiens ont été totalement modifiées par l'existence et la prolifération des armes nucléaires. Cette mutation a été perçue bien avant que les conséquences en soient sensibles aux opinions publiques.

En effet, ce n'est pas seulement aux stratèges que l'apparition de l'arme nucléaire pose des problèmes entièrement nouveaux. Sans doute, les Églises chrétiennes se sont toujours préoccupées des effets que pouvaient avoir les sauts qualitatifs intervenus dans le pouvoir destructeur des armes à la disposition des belligérants :

En 1139, le second concile œcuménique du Latran, dans son Canon XXIXe, a lancé l'anathème « contre cette arme mortelle et exécrable à Dieu » qu'était l'arbalète, prohibant strictement son usage « contre les Chrétiens et les Catholiques »[2].

Ce qui implique que son usage était autorisé contre les infidèles. Mais il en va différemment de l'arme nucléaire. En effet, « ce que l'Évangile annonce sur le mode prophétique peut être saisi aujourd'hui dans toute son actualité[3] ». En bref, « le déluge est le fait de Dieu — le déluge atomique serait le fait de l'homme » *(ibid.).* Pour le théologien, Dieu créateur de toute vie et de toute chose est aussi seul en droit de les détruire en totalité. Les évêques américains constatent, en conclusion de leur lettre pastorale :

Nous sommes la première génération depuis la Genèse qui ait virtuellement le pouvoir de détruire la création de Dieu[4].

L'Apocalypse de saint Jean met en scène à travers la vision du prophète l'exécution des décrets du Tout-Puissant. Les hommes, en effet, sont libres de s'entretuer, de suivre les faux

---

2. Cf. Mansi Amplissima, Coll. Concill., t. XXI, col. 533 d, cité dans Pierre ANTOINE, « Signification spirituelle de l'événement atomique », *Études*, mai 1964, p. 579 *sqq.*

3. Pierre ANTOINE, *op. cit.*, p. 589.

4. « Les évêques américains disent non à la guerre nucléaire », *Pax Christi*, Les Éditions ouvrières, Bruxelles, 1983, p. 165.

prophètes, d'adorer « la Bête » et de faire subir aux justes le martyre ; en fin de compte, le jugement sera rendu. Dans la vision apocalyptique de Jean, l'ouverture des sept sceaux, la sonnerie des sept trompettes, le fait de répandre les sept coupes, déchaînent sur la terre la colère de Dieu ; mais c'est Dieu qui ordonne la succession d'épreuves par lesquelles est anéantie physiquement l'humanité. Jean entend l'autel dire :

« Oui, Seigneur — Dieu maître de tout —, tes châtiments sont vrais et justes. » Et le quatrième (ange) répandit sa coupe sur le soleil ; alors il lui fut donné de brûler les hommes par le feu (Ap 16, 7-8).

Si le châtiment est terrible et définitif (au moins en ce qui concerne l'humanité matérielle), il est *juste* en effet, car après l'ouverture du sixième sceau quand « les astres du ciel s'abattirent sur la terre », les serviteurs et les fidèles sont marqués au front pour être ensuite reconnus et sauvés. Le sont d'abord les fils d'Israël, ceux des douze tribus — noblesse oblige — puis la foule innombrable des martyrs du christianisme. Dans la vision, la guerre d'extermination que le Tout-Puissant mène ainsi contre l'humanité pervertie, Sodome, Babylone, la Bête, la prostituée (c'est-à-dire la Rome du Iᵉʳ siècle de notre ère — n'est-ce pas à certains égards le langage de Khomeini ?), est donc une *guerre juste* puisque les innocents sont identifiés à l'avance et marqués au front pour le salut. Rien ne s'oppose désormais à ce que soit déchaînée la colère de Dieu.

La grande cité se scinda en trois parties, et les cités des nations croulèrent et Babylone la Grande (c'est-à-dire Rome) Dieu s'en souvint pour lui donner la coupe où bouillonne le vin de sa colère. Alors toute île prit la fuite et les montagnes disparurent et des grêlons énormes, près de 80 livres, s'abattirent sur les hommes (Ap. 16,19).

Dieu apparaît ainsi comme le destructeur d'une civilisation

corrompue par la nouvelle Babylone qui ne rend pas à Dieu ce qui lui est dû.

Une fois ce monde balayé, « la première terre et le premier ciel ayant disparu dans la mer », la Jérusalem nouvelle descendra d'un nouveau ciel (Ap 21,1). La destruction — purification voulue par Dieu — a donc un « sens » comme tout ce qui émane de lui. Elle est rite de passage et jugement ; pour les élus, une sorte de nouveau baptême. Dieu en est l'initiateur. L'épreuve est juste puisque les Justes sont sauvés et l'humanité rachetée une fois pour toutes. Or à l'approche du IIᵉ millénaire, l'humanité se trouve dans une situation totalement nouvelle. La fin du monde, au moins du monde industrialisé et du monde chrétien[5], est à la portée de l'homme, et de telle façon que la distinction des justes et des autres n'est plus possible.

En 1982, l'Union soviétique et les États-Unis disposent à eux seuls, selon les évaluations, de 40 000 à 53 000 armes nucléaires. Le total mondial, en y incluant les armes dont disposent la Chine, la France et le Royaume-Uni, est évalué, selon les estimations, entre 44 000 et 59 500 armes nucléaires[6]. A la fin de 1982, la puissance totale, en mégatonnes, des seules armes stratégiques dont disposent les États-Unis et l'Union soviétique, est estimée à 10 150 mégatonnes, soit 3 500 environ pour les États-Unis et 6 650 pour l'Union soviétique. Selon *Last Aid*[7], la puissance totale des armes stratégiques serait de l'ordre de 15 000 mégatonnes. Une mégatonne est l'équivalent d'un million de tonnes de TNT et représente une puissance soixante-dix fois plus grande que celle de la bombe qui a

---

5. Dans l'hypothèse d'un conflit nucléaire, c'est le monde occidental qui reste le domaine à la fois de la civilisation industrielle et de la culture judéo-chrétienne qui serait, plus que tout autre, ravagé.

6. Cf. *Annuaire de poche du SIPRI*, 1983, « Course aux armements ou contrôle des armements », p. 37.

7. Publié par International Physicians for the Prevention of Nuclear War, Freeman and Cᵒ, Oxford (Angleterre), 1983, p. 8.

détruit Hiroshima ; 15 000 mégatonnes représentent donc une capacité totale de destruction de 1 million cinquante mille fois supérieure à celle de la bombe d'Hiroshima. Ceci pour les seules armes stratégiques et sans qu'il existe de parade sérieusement envisageable en l'état actuel des choses. Selon une même source, le total des armes dont dispose l'ensemble des puissances nucléaires, en y incluant la Chine, la France et le Royaume-Uni, serait de l'ordre de 20 000 mégatonnes et équivaudrait à 5 tonnes d'explosifs par habitant de notre planète (femmes et enfants compris). Selon un scénario possible[8], une guerre nucléaire totale dans les années 80 ferait au moins deux cent millions de morts et soixante millions de blessés gravement atteints par fractures, brûlures ou radiations. Ces effets pourraient intervenir dans un laps de temps très court et il est exclu que les services médicaux existants puissent fonctionner dans une telle situation.

Quant aux dépenses militaires à l'échelle mondiale, elles s'accélèrent, passant d'un taux de croissance annuel de 2,2 % pour la période 1974-1978 à un taux de 3,8 % pour la période de 1978 à 1982[9]. En ce qui concerne l'U.R.S.S., la croissance des dépenses militaires a été au cours de cette période à peu près constante et relativement lente. Selon les estimations américaines, le volume des dépenses militaires des États-Unis a augmenté pour les années 1980, 1981 et 1982 respectivement de 3,7 %, 7 % et 10 %. Selon toute vraisemblance,

une attaque, même limitée, qui paraît militairement plausible contre les États-Unis provoquerait des pertes humaines et des dommages économiques qui n'ont pas de précédent dans l'histoire de ce pays ; un échange nucléaire sur une grande échelle serait une calamité sans précédent dans l'histoire de l'humanité[10].

---

8. *Ibid.*, p. 9.
9. Cf. *Annuaire du SIPRI*, 1983, p. 131.
10. « Les effets d'une guerre nucléaire », Office of Technology Assessment, US Congress, 1979, cité dans *Last Aid*, p. 111.

Personne ne peut savoir comment estimer la probabilité que la civilisation industrielle puisse disparaître dans les zones attaquées[11].

La situation qui s'est progressivement réalisée depuis 1945 est, faut-il le souligner, paradoxale. Pour la première fois dans l'histoire de l'humanité, l'homme possède le pouvoir de provoquer un suicide collectif ou un génocide à l'échelle humaine. Mais d'autre part, la possession de cette arme par les deux grands rivaux les a contraints jusqu'à présent, peut-on penser, et continue de les contraindre à ne pas s'engager dans une confrontation militaire. Cette situation impose des limites aux spéculations des stratèges et interpelle les théologiens. Quoique l'on ait pu écrire sur la nécessité qui s'imposerait aux gouvernements et à leurs conseillers de « penser l'impensable », l'existence de l'atome oblige en fait les stratèges à s'abstenir de prévisions, dès lors qu'on envisage l'emploi des armes nucléaires. Comme l'écrit l'un des analystes les plus sérieux de la pensée stratégique contemporaine[12], en conclusion d'un ouvrage récent :

La menace (nucléaire qui fonde la dissuasion) est crédible parce qu'il est clair que s'il y avait une rupture totale des relations Est-Ouest en Europe et que le conflit s'engageait, il y aurait une grande confusion, et les plans établis en temps de paix seraient bientôt démentis par les événements, personne ne se trouvant en mesure de promettre la victoire. Ceux qui ont la responsabilité de déchaîner le feu nucléaire se satisfont de ce principe que « s'ils avaient à le faire, ils auraient tout perdu ». Il est remarquable que jusqu'à ce jour cela leur ait réussi. « C'est magnifique, mais ce n'est pas de la stratégie » (en français dans le texte, paraphrasant le propos du général Bosquet à la prise de Sébastopol, pendant la guerre de Crimée : « C'est magnifique, mais ce n'est pas la guerre »).

---

11. *Op. cit.*, p. 113.
12. Lorenz FREEDMAN, « The evolution of Nuclear Strategy », *IISS, Studies on International Security*, Mac Millan Press, Londres, 1981, p. 400.

*
* *

Que les Églises aient pris conscience des implications doctrinales de l'apparition des armes nucléaires et qu'elles se soient efforcées de répondre aux questions qu'elle suscite n'a donc pas de quoi surprendre. Le contraire eût justifié l'étonnement. C'est en 1943, bien avant l'explosion des premières bombes atomiques américaines, en août 1945, sur Hiroshima et Nagasaki, que le Vatican signalait le danger que pouvait constituer le « progrès » atomique :

Il importerait surtout, déclarait Pie XII, le 21 février 1943, devant l'Académie pontificale des sciences, qu'on ne laissât pas s'effectuer de progrès (dans la fusion de l'atome d'uranium) sous forme d'explosion... sinon il pourrait en résulter au lieu même de l'explosion, même pour notre planète tout entière, une dangereuse catastrophe[13].

Le lendemain des bombardements d'Hiroshima et de Nagasaki, le Bulletin de presse du Vatican écrivait :

La bombe atomique a provoqué une profonde impression au Vatican, non pas tellement en raison de l'usage qui a été déjà fait de cet instrument de mort mais à cause de l'ombre sinistre que cette découverte jette sur l'avenir de l'humanité. Cet incroyable instrument de destruction constitue une tentation, sinon pour les contemporains encore sous l'impression d'horreurs trop récentes, du moins pour la postérité qui n'a jamais tiré profit de l'histoire[14].

Dans ce texte, le Vatican s'abstient de condamner l'emploi qui vient d'être fait de l'arme atomique, mais il dénonce le risque qu'elle fait courir à l'humanité. Cette dénonciation demeurera une constante dans les prises de position du Vatican

---

13. Cf. « L'atome pour ou contre l'homme », *Pax Christi*, 1958, p. 173.
14. *Ibid.*, p. 146.

avec toutefois quelques nuances. Le 12 septembre 1954, Pie XII précise la position de l'Église en la matière : il n'admet la guerre ABC (atomique, biologique et chimique) que « dans le cas où elle doit être jugée indispensable pour se défendre », encore faut-il

que ses effets restent bornés aux exigences strictes de la défense... Comme toutefois la mise en œuvre de ces moyens entraîne une extension telle du mal qu'il échappe entièrement au contrôle de l'homme, son utilisation doit être rejetée comme immorale. Ici, il ne s'agirait plus de défense contre l'injustice et la sauvegarde nécessaire de possessions légitimes mais de l'annihilation pure et simple de toute vie humaine à l'intérieur du rayon d'action. Cela n'est permis à aucun titre[15].

Cette déclaration justifie en quelque sorte l'emploi des moyens nucléaires à la condition qu'ils soient utilisés dans une guerre juste (défensive) et que leurs effets soient proportionnés aux moyens utilisés par l'agresseur. Est-ce à dire que le Saint-Siège ait été à l'époque hostile (d'un point de vue moral et chrétien) à la stratégie de riposte massive *(massive retaliation)*, qui est alors la doctrine officielle de l'OTAN ? Était-il déjà, à l'époque, favorable à une stratégie de riposte graduée *(Flexible Response)*, contrôlée, et autant que possible limitée, qui sera ultérieurement adoptée par l'alliance Atlantique ?

Il convient en tout cas de replacer cette prise de position — comme toutes les déclarations de ce genre — dans le contexte international de cette période. En 1954, la supériorité américaine en armes nucléaires est incontestable ; mais la guerre de Corée vient de démontrer que sur le terrain, dans un affrontement « classique », les États-Unis et leurs alliés pouvaient être mis en échec. En janvier 1954, J.F. Dulles, secrétaire d'État, avait annoncé que les États-Unis avaient décidé :

15. *Ibid.*, p. 191.

en cas d'attaque, où que ce soit, de riposter instantanément par des moyens et en des endroits de notre propre choix[16].

Washington entendait ainsi renforcer la dissuasion en se réservant la faculté de riposter sur les objectifs choisis par les États-Unis, et avec les armes de leur choix, y compris les armes nucléaires, en cas d'attaque où que ce soit. L'U.R.S.S. ne disposant pas encore d'armes atomiques opérationnelles, cette stratégie américaine avait un sens, au moins dans une perspective de dissuasion, et cela explique la mise en garde très mesurée du Saint-Siège.

La position du Vatican a été réaffirmée et précisée dans les déclarations de Jean XXIII, Paul VI et Jean-Paul II. Notons qu'entre 1954 et les années 80, la situation stratégique a changé et, avec elle, le sens de la dissuasion par la possession des moyens nucléaires. Dans les années 50 et 60, la dissuasion pouvait être interprétée comme le moyen d'empêcher par la menace d'une riposte nucléaire une attaque menée avec des forces classiques. Mais dès lors que les deux adversaires éventuels sont dotés, à peu de chose près, des mêmes moyens nucléaires, qu'ils peuvent s'entre-détruire et détruire avec eux une bonne partie de l'humanité, les données stratégiques ont changé, et avec elles le problème posé à l'Église. Il ne peut plus seulement s'agir d'accepter l'emploi mesuré et contrôlé des armes nucléaires dans une guerre « juste ». Le problème se pose dorénavant dans les termes où Pie XII l'avait perçu en 1943 : la parité réalisée entre les capacités nucléaires des deux superpuissances rend plus contestable la thèse que l'une d'elles peut légitimement utiliser les armes nucléaires dans un but défensif et en en limitant les effets, puisque l'autre est en mesure de riposter du tac au tac. L'emploi dans un but défensif et en contrôlant les effets étant désormais moins justifiable, compte tenu des risques d'escalade vers la catastrophe

---

16. Lorenz FREEDMAN, *op. cit.*, p. 85 *sqq.*

nucléaire, l'Église est conduite à adapter sa doctrine. Elle le fait non plus à partir de la distinction entre guerre juste et injuste ou d'effets contrôlés et d'effets incontrôlables, mais à partir de la distinction entre la *possession* des armes — qui fonde la dissuasion — et l'*emploi* qui ne peut plus être, comme en 1954, justifié sous certaines conditions. C'est la dissuasion par la possession des armes qui est considérée comme admissible sous un certain nombre de réserves. Ainsi Jean-Paul II, dans son message à l'Unesco, en juin 1980 :

On nous dit que l'arme nucléaire est une force de dissuasion qui a permis d'éviter des guerres majeures. C'est probablement vrai mais nous pouvons nous demander cependant s'il en sera toujours ainsi.

Et dans sa déclaration, en juin 1982, à la deuxième session spéciale des Nations unies sur le Désarmement :

Dans les conditions actuelles, la dissuasion fondée sur l'équilibre, certainement pas comme une fin en soi, mais comme une étape vers un désarmement progressif, peut encore être jugée comme moralement acceptable. Néanmoins, en vue d'assurer la paix, il est indispensable de ne pas se satisfaire de ce minimum, toujours grevé d'un réel danger d'explosion qui pourrait conduire à l'holocauste ultime de l'humanité[17].

Plus récemment (23 août 1982), Jean-Paul II déclarait devant une assemblée de scientifiques :

La logique de la dissuasion ne peut pas être considérée comme un but final ou un moyen approprié et sûr de sauvegarder la paix internationale. Ce ne peut être qu'un pis-aller qui s'est avéré provisoirement utile.

---

17. *Documentation catholique*, 1er juillet 1982, n° 1833, p. 664.

Dans un message dominical du 13 décembre 1981, il avait dit :

J'ai en fait la profonde conviction qu'étant donné les effets d'une guerre nucléaire qui peuvent être scientifiquement prévus comme certains, le seul choix qui est humainement et moralement valable est la réduction des armements nucléaires, en attendant leur élimination complète dans le futur, faite simultanément par toutes les parties au moyen d'accords explicites et avec l'engagement d'accepter des contrôles efficaces[18].

La prolifération verticale, accumulation des armes nucléaires dans les armements des deux Grands, et la parité approximative des forces dont ils disposent ont ainsi conduit le Vatican à préciser sa position. Il en a été de même des Églises catholiques au niveau national. En témoignent par exemple les récentes déclarations des évêques américains et des évêques français. Pour les évêques américains, la situation de parité stratégique entre les superpuissances est telle que la perspective de pouvoir limiter un conflit, dès lors qu'il aurait débordé sur le nucléaire, est illusoire.

Le danger de l'escalade est si considérable, écrivent-ils, que c'est un risque moral injustifiable de commencer une guerre nucléaire sous n'importe quelle forme. Nous considérons qu'aucun objectif de rationalité politique ne justifie la responsabilité morale de commencer une guerre nucléaire[19].

Est par conséquent « moralement injustifiable le recours aux armes nucléaires pour parer à une attaque faite avec des armes conventionnelles[20] ». Les évêques américains vont plus loin, condamnant « la politique des déclarations qui laisse croire que

18. *Osservatore Romano*, 15 décembre 1981, p. 3.
19. « Les évêques américains disent non à la guerre nucléaire », *Pax Christi*, Les Éditions ouvrières, Paris, 1983, p. 84.
20. *Ibid.*, p. 85.

la guerre nucléaire reste soumise à des limites rationnelles et morales précises[21] ».

Toutefois,

la *dissuasion* d'une attaque nucléaire, tout spécialement sur le théâtre européen, peut requérir pour un certain temps des armes nucléaires, même si la possession de ces armes et leur déploiement doivent être soumis à de rigides restrictions[22].

La possession et le déploiement des armes nucléaires ne sont donc justifiables que pour dissuader d'une attaque nucléaire adverse. Ils constituent des pis-aller provisoires qui doivent donner le temps de parvenir à des accords de désarmement.

Les évêques américains se sont penchés sur les problèmes que pose l'arme nucléaire d'un point de vue théologique et moral mais en utilisant très largement une argumentation technique et stratégique. Les évêques français dans un document beaucoup plus condensé se sont astreints à n'aborder que les problèmes théologiques et moraux. Comme le Saint-Siège et comme les évêques américains, la Conférence épiscopale française axe son message sur la distinction entre la dissuasion et l'emploi. « La guerre nucléaire, constatent-ils, serait le suicide de l'humanité[23]. » Toutefois, le texte français se distingue du texte américain sur deux points. En premier lieu, l'un des dangers que comporte, selon les évêques français, la situation géopolitique actuelle est le risque de chantage. Ce risque provient de ce que la capacité de dissuasion et de défense de la France — et de l'Europe occidentale prise isolément — vis-à-vis de l'Union soviétique, désignée comme l'adversaire éventuel, est la capacité du faible en face du fort. Telle n'est pas la situation des États-Unis à l'égard de l'Union soviétique. En d'autres termes, la possession et le déploiement d'armes nucléaires de la

---

21. *Op. cit.*, p. 99.
22. *Op. cit.*, p. 85.
23. Cf. *Documentation catholique*, 4 décembre 1983, n° 46.

parl de la France devraient être interprétés moralement en tenant compte de la limitation des moyens de défense dont elle peut disposer et du chantage qui peut être exercé contre elle.

En second lieu, la lettre pastorale des évêques français contrairement à la lettre des évêques américains fait référence au danger particulier qui résulte de l'idéologie d'une des deux superpuissances :

Le matérialisme, reconnaissent les évêques, qu'il soit théorique comme à l'Est, ou pratique comme à l'Ouest, est une maladie mortelle pour l'humanité, et les États marxistes-léninistes n'ont pas le monopole de l'impérialisme... mais il serait injuste de renvoyer tout le monde dos à dos et de fermer les yeux sur le caractère dominateur et agressif de l'idéologie marxiste-léniniste. Pour celle-ci, tout, même l'aspiration des peuples à la paix, doit être utilisé pour la conquête du monde. Dans ces conditions, la condamnation absolue de toute guerre ne met-elle pas les peuples pacifiques à la merci de ceux qu'anime une idéologie de domination[24] ?

La nuance entre les évêques français et les évêques américains paraît ici être quant au fond et non seulement dans le ton. Sans doute, l'Episcopat français ne suggère pas qu'il y a des armes atomiques justes et d'autres qui ne le sont pas ; il ne reprend pas à son compte « l'argument de l'arbalète », dont l'emploi était interdit « contre les chrétiens » ; mais il établit un rapport entre l'idéologie des décideurs et les armes atomiques dont ils disposent. Cette différence avec les évêques américains s'explique sans doute comme celle que j'ai relevée ci-dessus par la différence de situation géopolitique et la différence du contexte socio-politique entre la France et les États-Unis. On peut toutefois se demander si l'introduction dans la lettre de la Conférence épiscopale française de cette référence idéologique était nécessaire et si elle ne contribue pas à fausser quelque peu le débat théologique et moral. Tel est le cas si

24. *Op. cit.*, p. 6.

l'on admet que l'arme atomique constitue par elle-même une mutation et un danger nouveau puisqu'elle met en question la survie même de l'humanité et la sauvegarde de la civilisation. Que, à la place des dirigeants actuels du Kremlin, on imagine le tsar de la Sainte Russie, cela ne changerait sans doute guère les données du problème. Les évêques américains avaient d'ailleurs dans leur lettre abordé de front cette question :

Une diplomatie raisonnable et fructueuse, écrivent-ils, exige que nous envisagions le piège d'une forme d'antisoviétisme qui ne parvient pas à saisir le danger majeur d'une rivalité entre les acteurs, ni à reconnaître l'intérêt commun qu'ont les deux États à ne jamais faire usage d'armes nucléaires. *Certes, ce danger et l'intérêt commun existeraient dans n'importe quel monde où deux grandes puissances, même relativement bienveillantes, sont en compétition pour le pouvoir, l'influence et la sécurité*[25].

En bref, la menace que constituent les armes nucléaires existe par elle-même, indépendamment de la confrontation idéologique.

Faut-il penser que, produit de la « culture » — en opposition à la « nature » —, la bombe atomique est la « Bête » de l'Apocalypse, la Force brute qui peut réduire la terre en cendres, sans qu'il soit possible de faire la part du Bien et du Mal, du Juste et de l'Injuste ? Sans doute, un mythe de l'arme nucléaire s'est-il créé, rendu possible à la fois par ce que l'on sait des effets de cette arme, et parce qu'elle demeure depuis 1945 une « menace » qui n'a plus jamais été mise à exécution.

A mi-chemin entre le réel et l'imaginaire, l'arme nucléaire doit-elle être démystifiée comme le voudraient les « réalistes » ? Peut-on même envisager qu'elle le soit, dès lors que la seule démystification, qui serait efficace, serait l'emploi de l'arme ? Mais prenons garde que, dans l'hypothèse d'un

---

25. « Les évêques américains disent non à la guerre nucléaire », *Pax Christi*, Les Éditions ouvrières, Paris, 1983, p. 132. (Souligné par moi.)

emploi, même « limité », personne ne sait plus où l'on va. Les calculs des stratèges apparaîtraient dès lors dénués de sens.

Le mythe, lui, a un sens : il sert à quelque chose. Fondé sur la plus incontestable réalité — une réalité apocalyptique —, c'est lui qui vivifie — si l'on peut dire — la dissuasion, dont, pour un temps au moins, dépend la paix. Il s'agit donc de tout autre chose que de la grande peur de l'an mille : si mythe il y a, il est enraciné dans les faits. Il exprime l'instinct de conservation de la société internationale. Il reste que la prudence imposée par l'énormité des risques encourus et la peur de l'Inconnu n'autorise qu'une paix fragile. Seuls le dialogue et les accords auxquels il doit conduire peuvent écarter le danger d'une guerre qui n'aurait plus rien à voir avec la politique. L'humanité n'a pas le choix.

VII

LES DIALOGUES
ÉPIPHANIQUES

par
Franco FERRAROTTI

VII

LES DIALOGUES ÉPIPHANIQUES

par

François Bérard

En guise de conclusion, voici une « ouverture ».
Ouverture au poème symphonique d'un homme d'aujourd'hui qui dit, comme celui d'hier, son amour pour la vie, sa tendresse pour la création et sa confiance dans la puissance cosmique de renouvellement.
Dialogue « épiphanique » d'une rencontre : un homme, une femme. Le départ, dans un grand ventre cosmique, d'un couple éternel et fragile.

C. K.

Les dialogues épiphaniques

Ce sont des dialogues qui révèlent aux interlocuteurs des réalités extérieures mais qui, en même temps, révèlent l'un à l'autre les deux interlocuteurs. C'est par là que le dialogue devient réciprocité, une véritable médiation...

Elle lui dit alors, la Gabrielle, pleine de timidité, les yeux bas :

« Mais moi, enfin, moi, j'ai quarante et un ans..., c'est beaucoup peut-être, c'est même trop... »

Il lui dit : « Mais non, ce n'est pas vrai. »

Elle lui dit : « Mais regarde, il faut lire mon passeport... »

Il lui dit : « Mais non, moi, j'ai plus confiance dans ta peau ! »

Et après quelque temps, elle lui dit :

« Mais pourquoi vas-tu à l'aéroport si tôt ? Des heures avant ton départ..., le départ de ton avion ? »

Il lui dit : « Je suis prudent. Il peut arriver des accidents..., alors je vais tôt à l'aéroport. »

Elle lui dit : « Mais non ! Les voitures, aujourd'hui, sont relativement sûres, relativement stables, il n'y a pas de danger d'accidents. Il n'y a pas de neige, il ne pleut pas, il n'y a pas de verglas sur la route... »

Il lui dit : « Mais les pneus, les pneus sont toujours fragiles... »

Elle lui dit : « Ce n'est pas vrai. Les pneus peuvent durer des années. »

Il lui dit : « Il y a d'autres raisons plus profondes. L'aéroport, pour moi, ce n'est pas un aéroport. J'ai beaucoup voyagé. J'ai connu des aéroports dans le monde entier, Narita, l'aéroport international de Tokyo, au Japon, l'aéroport Kennedy, qui s'appelait jadis Idlewild, à New York, et l'aéroport O'Hare à Chicago qui, jadis, s'appelait Midway. »

Elle lui dit : « Mais alors, qu'est-ce que cela signifie pour toi, qu'est-ce qu'un aéroport ? »

Il lui dit : « L'aéroport, pour moi, c'est beaucoup plus qu'un aéroport. En tout cas, c'est quelque chose qui n'a rien à voir avec l'aviation, avec les avions... »

Elle lui dit : « Qu'est-ce qu'ils sont, pour toi, les aéroports ? »

Il lui dit : « Les aéroports sont pour moi des chapelles. L'aéroport est ma chapelle. J'y vais pour prier, j'y vais très tôt, des heures à l'avance ; je m'assois tranquillement, paisiblement et je médite ; je pense à ma vie, à la vie des autres, à l'univers... Avant de partir, c'est bien de faire cela, c'est ma prière. Dans le passé, Hegel disait que la lecture des journaux, le matin, est la prière de l'homme moderne ; moi, je dis que les aéroports sont mes chapelles.

Et j'aime aussi la précarité. C'est un sentiment sans doute inconscient mais il est dans les yeux de tout le monde : les passagers, lorsqu'ils sont en train de s'embarquer dans l'avion, sont vraiment très précaires, très "hopeless" et très "homeless", comme des enfants. C'est une réduction drastique à l'enfance. C'est par là que j'aime beaucoup méditer et penser dans les salles des aéroports. »

Elle lui dit : « Mais... qu'est-ce que cela veut dire ? »

Il lui dit : « Eh bien, j'ai eu une révélation, justement dans un aéroport. J'ai vu, une fois, une longue théorie de gens qui montaient dans un Jumbo, ce grand avion. Ils montaient en couples, deux à deux, tranquillement, comme s'ils avaient été appelés par un ordre supérieur. Alors, j'ai eu ma révélation, mon épiphanie privée. J'ai vu que le Jumbo n'était pas un Jumbo, n'était pas un 747, pas du tout, ce n'était pas un avion à réaction, non..., non..., c'était l'Arche de Noé, et les gens y allaient, dans ce grand ventre, tranquillement, paisiblement.

J'ai compris qu'il y avait quelque chose de religieux dans la précarité inconsciente de ceux qui sont en train de s'embarquer dans le ciel, peut-être pour l'infini, et j'ai même perçu dans le fond de mon cœur, de mon âme, si tu veux, j'ai perçu une peur très subtile, comme une vibration cosmique, la grande, universelle peur de l'holocauste, de la fin, de l'extermination à travers le feu qui est si caractéristique du désastre aérien : tout est fini, tout se réduit à la poussière, cendre et cendre..., comme au commencement du monde, comme au début du cosmos, de la divine cosmogonie dont nous ne pouvons pas nous passer, que nous ne pouvons pas oublier et qu'en même temps, nous ne pouvons plus recréer.

INDEX

INFORMATIONS PRATIQUES

L'Index est divisé en quatre rubriques :

I. NOMS PROPRES

Ont été relevés les noms d'auteurs, de personnes et de personnages (lettres capitales), ainsi que les titres d'ouvrages (lettres minuscules), qui se trouvent dans le corps des textes. Les auteurs et les travaux rappelés dans les bibliographies à la suite de chaque contribution n'ont pas été indexés.

II. MATIÈRES

On a relevé toutes les notions qui ont paru intéressantes, traitées soit explicitement, soit par allusion même lorsque le mot propre ne figure pas dans l'exposé.

III. NOMS GÉOGRAPHIQUES

Cette partie de l'Index renvoie aux pages où un nom géographique est cité en tant que tel (noms de villes, etc.) ; mais les données culturelles habituellement liées au site (histoire et civilisation) doivent être cherchées, le cas échéant, à la rubrique Matières.

IV. TERMES ÉTRANGERS

La plupart des termes en langues anciennes ou étrangères cités dans le corps des textes ont été regroupés dans cette partie de l'Index. Une traduction simple en a été donnée.

Pour chaque terme indexé, dans la suite des références, le point-virgule sépare des contributions distinctes.

NOMS PROPRES

fraîcheur du Paradis et le soulagement de la nuit en l'éclaircisse-
ment du Coran » : 299 à 318.
    Voir aussi : Miᶜraj (persaon). TABARI, Tafsir.
RÂZÎ : voir ABÛ'L-FÛTÛH AL-RÂZÎ.
Reconnaissances clémentines : 385.
Règle des Chants pour l'Holocauste de Sabbat : 192 ; 222 à 227.
RHÉA (Déesse) : 111.
ROCCATAGLIATA Giovanni de : 438.
RUBEN : 165.

S

ŠÂBUHR : 355, 358, 359.
SACCHETTI Franco : 437.
SALIMBENE : 429, 430, 431.
SALOMON : 279, 285 ; 305, 306.
SALUTATI Coluccio : 438.
SAMEMROUMOS : voir HYPSOURANIOS.
SANCHUNIATON DE BÉRYTE : 51, 52 ; 103, 104, 105, 106, 112,
    115.
SARA : 328.
SASSANIDES : 354, 356, 357, 359, 361, 364, 370, 374.
SATAN : 306.
    Voir aussi : DIABLE, à l'Index des matières.
SAVONAROLE Girolamo : 422, 441, 442.
SEGALELLI Gherardo : 430, 431, 432.
SENNACHERIB : 68.
Serek Širôt ᶜÔlat Hassabat : 224 à 233.
SETH (Fils d'Adam) : 338.
SHAPASH (déesse) : 91, 92, 93, 95, 97.
SIBYLLE : 123 ; 166, 167, 168.
SIBYLLE de TIVOLI : voir TIBURTINA.
SIMÉON : 165.
SÎN (dieu) : 69, 74.
SISYPHE : 134.
SOADOS : 388.
SOCRATE : 121.
SOPHONISBE : 115.
SRÔŠ (dieu) : 364, 368.
STRABON : 383.
Sūdgār nask : 354 à 364.
Super Hieremiam prophetam : 428.

W

X

Y

Z

MATIÈRES

A

P

R

NOMS GÉOGRAPHIQUES

A

ACHÉRON (fleuve) : 139.
ADIABÈNE : 391.
AGRA : 131.
AKHMIM : 245.
ALEXANDRIE : 139 ; 361 ; 383, 386, 387.
ANAGNI : 429.
ANDALOUSIE : 272.
ANTIOCHE : 386, 394.
ARABIE : 379, 380, 383, 384.
ARMÉNIE : 381.
ASIE : 354 ; 379, 380 ; 422.
    Voir aussi : ORIENT.
ASSUR : 78 ; 206.
ASSYRIE : 67 ; 381, 382.
ATHÈNES : 131, 139 ; 389.
ATTIQUE : 139, 140.
AÛWAD : 384.
AVIGNON : 422, 435, 436.

B

BABEL : 207.
BABYLONE : 68 ; 161 ; 330 ; 381, 391, 395.
BACTRIANE : 41, 42, 43.
BARYGAZA : 382, 384.
BETHLÉEM : 305.
BRAURON : 130.
BYBLOS : 101, 102, 105.

C

E

F

G

H

I

TERMES ÉTRANGERS

A

AIKMALÔSIA, AIKMALÔTIZEIN (grec) = Captivité, emmener en captivité : 330.

AMESHA SPENTA (moyen perse) = Les Immortels Bienfaisants : 353.

APOKALUPSIS, APOKALUPTEIN (grec) = Révélation, révéler : 333.

APOSTOLOS (grec) = Envoyé au loin : 393.

APSÛ (Mésopotamie) = Nappe d'eau souterraine : 70.

B

BACCHOS (grec) = voir DRAGMA.

BAYT (arabe) = Tente, maison : 297, 311.
  Voir aussi : KA^cABA.

C

CIOMPI (italien) = Ouvriers de manufacture à Florence : 438, 441.

D

DAÊNA (moyen perse) = Conscience morale : 197 ; 364, 365, 368, 369, 370.

DAIMÔN PAREDROS (grec) = Génie accompagnateur : 176.

DEIKNUMENA (grec) = Les choses données à voir, ostension : 133, 138.

DHÛ'L — MA^cÂRIJ (arabe) = Le maître des échelles : 297.

DICTATIO COELESTIS (latin) = Dictée céleste : 165, 168, 173.

DOMINUS MUNDI (latin) = empereur des Derniers Temps : 428, 441.

DRAFŠ Î KAVIYÂN (moyen perse) = Drapeau des Kavis : 359.

DRAGMA (grec) = Poignée d'épis, d'où Faisceau porté à Éleusis : 131.
DRÔMENA (grec) = Les choses faites, actions : 138.

E

EGALGINA (Mésopotamie, sumérien) = Palais inébranlable : 77.
EGGASTRIMYTHIA (grec) = Ventriloquisme prophétique : 169.
EGGASTRIMYTHOS (grec) = Homme réceptacle d'un pneuma : 176.
EMPOREUSONTAI, du verbe EMPOREUESTHAI = Faire du commerce : 392.
EMPOROS (grec) = Marchand.
EMPORION NOMIMON (grec) = Marché autorisé par la loi : 384.
ERANSAHR (moyen perse) = Empire iranien : 359, 360, 361.
ERSET LÂ TÂRI (Mésopotamie, accadien) = Pays sans retour : 55.
EṬEMMU (Mésopotamie, accadien) = Ombre, fantôme : 57, 58, 60.

F

FĀTIḤA (arabe) : Sourate liminaire du Coran : 286.
FRAVAŠI (avestique) = Âme antérieure à la vie : 197 ; 365.

G

GARÔDMĀN (moyen perse) = Paradis supérieur : 366.
    Voir aussi : PARADIS.
GEDIM (Mésopotamie, sumérien) = Ombre, fantôme : 57.
GNÔSIS (grec) = Connaissance : 394.
GYĀN (moyen perse) = Âme animant le corps : 197 ; 365.

H

HADĪTH (arabe) = Recueil de traditions sur les dits et faits du Prophète ou de son entourage immédiat : 268, 269, 286 ; 302.
HEIMARMENÊ (grec) = Destin, sort assigné à chacun : 194 ; 331, 332.
HIEROS LOGOS (grec) = Texte sacré : 127, 133.
HUBRIS (grec) = Orgueil démesuré : 451.
HYPSISTOS (Byblos) = Le Très Haut : 109.

I

IMRAM (Irlande, celte) = Voyage vers une Terre Promise : 410.
IRKALLA (Mésopotamie, sumérien) = Grande ville : 60.

ISPAHBED (persan moderne) = Gouverneur : 362.
ISRĀ' (arabe) = Voyage de Mohammed de La Mecque à Jérusalem :
298.

K

KAᶜABA (arabe) = Le sanctuaire de La Mecque : 294, 298, 300, 303,
311.
KAPÊLEUONTES, du verbe KAPELEUEIN (grec) = Tenir bouti-
que : 393.
KAVI (avestique) = Roi-prêtre : 356, 358, 362.
KAWTHAR (arabe) = Source du Paradis (Coran) : 316.
KELEK̄ = Barque, petite embarcation : 385.
KERNOS (grec) = Vase rituel : 136.
KHALIFĀ (arabe) = Lieutenant de Dieu : 278, 280, 281, 282, 283,
284.
KHUTBA (arabe) = Le prêche du Vendredi : 286.
KORÊ (grec) = Jeune fille : 137.
KUR.NU.GI.A. (Mésopotamie, sumérien) = Pays sans retour : 55.

L

LALON HYDÔR (grec) = L'eau qui fait parler : 171.
LEGOMENA (grec) = Les choses dites, les « paroles » : 133.
LIMES (latin) = Frontière de l'Empire romain : 381, 382.
LUCERNA INTELLECTUS (latin) = Lumière de l'intelligence : 170.

M

MAᶜAREG (éthiopien) = Échelle : 296.
MAQDIS, MUQADDAS (arabe) = Saint, sacré : 297, 298.
MANG (moyen perse) = Jusquiame : 366.
MERKHABAH (Qumran) = Char : 226.
MIᶜRĀJ (arabe) = Échelle, d'où Ascension de Mohammed : 186,
188, 196 ; 296, 297, 298, 299, 300, 301, 307, 318.
Voir aussi à Index des noms propres.
MLQRT (Phénicie) = Roi de la cité : 113.

N

NAUKLÊROS (grec) = Armateur, d'où Entrepreneur de commerce :
387.
NERGAL (Mésopotamie, sumérien) = Gouverneur de la Grande
Cité : 60.
NOÛS (grec) = Esprit : 167.

O

OMPHALOS (grec) = Nombril, centre sacré, pierre marquant un centre sacré : 135, 139.

P

PHYSIS (grec) = Nature : 138.

PLOUTÔNION (grec) = Caverne consacrée à Pluton, entrée des Enfers : 128.

PNEÛMA SYNÉSEÔS (grec) = Esprit d'intelligence : 165.

POLITEUMA (grec) = Communauté de citoyens : 389.

PORISTÊS (grec) = Pourvoyeur : 387.

Q

QÃ'IMA (arabe) = Montant de l'échelle : 307.

R

RAJAB (arabe) = Septième mois du calendrier musulman, année lunaire : 267.

RAK'AT (arabe) = Flexions du corps, ensemble de gestes et de paroles qui constituent la prière rituelle : 306.

RHÊMA KYRIOU (grec) = Parole du Seigneur (se manifestant) : 168.

RPU (ougaritique) = Guérisseur, sauveur : 97, 98.

RUAH ADONAI (hébreu) = Action de l'Esprit de Dieu sur l'homme : 158.

RUVÂN (moyen perse) = Ame après la mort : 197 ; 365, 370.

ASTVAND RUVÂN = Ame osseuse : 370.

S

SALVATOR SALVANDUS (latin) = Le Sauveur devant être sauvé : 194 ; 332.

SEMEÎON (grec) = Signe : 330.

SFRAGIS (grec) = Sceau, d'où Mot de passe : 330.

SIDDĪQ (arabe) = Le Très Véridique : 299.

SĪRA (arabe) = Manière de vivre, conduite, d'où Biographie du Prophète : 299.

ŠR QD Š (Phénicie) = Prince saint : 114.

SUNNA (arabe) = Tradition du Prophète : 268, 285.

SŪRAT AL- ISRĀ' (arabe) = Sourate 17, dite du Voyage nocturne : 267 à 292.

T

TAFSĪR (arabe) = Commentaire du Coran : 299.
  Voir aussi à Index des noms propres.
TAWHĪD (arabe) = Unicité : 272.
TELESTÊRION (grec) = Théâtre d'initiation à Éleusis : 127, 128.
TERMINUS ANTE QUEM (latin) = Première date possible : 357.
TO KOINON (grec) = Le commun (concept) : 389.
TOPOS (grec) = Lieu, d'où, éventuellement, lieu commun : 106 ;
  199 ; 406.
TŪBÀ (arabe) = Arbre de la félicité : 316.

U

URUGAL (Mésopotamie) = Grande ville : 60.

V

VATICINATIO EX EVENTU (latin) = Prédiction après l'événement : 373.
VĀZ (moyen perse) = Prière accompagnant une action rituelle : 367.

X

XEM (moyen perse) = Bonne nature : 354.
XÊŠM (moyen perse) = Colère : 356.
XVARRAH (moyen perse) = Rayonnement lumineux : 362, 363, 369.

Y

YAŠT (moyen perse) = Liturgie, rite sacrificiel : 353, 363, 364.
YETZER (hébreu) = Mauvais penchant : 328.

Z

ZOPHASEMIN (Phénicie) = Contemplateurs, gardiens : 107.

TABLE DES MATIÈRES

I
TRADITIONS DE L'AU-DELÀ
ET CONCEPTIONS DE L'UNIVERS
DANS LE PROCHE-ORIENT ANCIEN

II
INFLUENCES DE LA GRÈCE
SUR LE JUDAÏSME
ET SUR LE CHRISTIANISME
DES DÉBUTS

III
APOCALYPSES DES RELIGIONS DU LIVRE

IV
LES ROUTES TERRESTRES
DES MESSAGERS DE L'APOCALYPSE

V
PROLONGEMENTS MÉDIÉVAUX
DES APOCALYPSES

ÉTUDES ANNEXES
DE LA BIBLE DE JÉRUSALEM

Ces volumes, confiés à des maîtres et savants incontestés, complètent les commentaires de la Bible de Jérusalem consacrés à chaque livre ; ils apportent des études d'ensemble sur le cadre géographique, archéologique, historique et humain, dont la connaissance importe à l'intelligence des Livres Saints. Cette collection constituera une introduction générale à la lecture de la Bible et un instrument de travail indispensable pour l'étude de la Parole de Dieu.

W.P. Albright : *l'Archéologie de la Palestine* (épuisé).

J. Briend et M.-J. Seux : *Textes du Proche-Orient et histoire d'Israël.*

H. Cazelles : *A la recherche de Moïse.*

M. du Buit : *Géographie de la Terre sainte :* tome I, textes et notes, tome II, cartes.

L. Epsztein : *La Justice sociale dans le Proche-Orient ancien et le peuple de la Bible.*

J. Jeremias : *Jérusalem au temps de Jésus.*

C. Kappler (et collaborateurs) : *Apocalypses et voyages dans l'au-delà.*

R. Kieffer, L. Rydbeck : *Existence païenne au début du christianisme.*

E. Lohse : *le Milieu du Nouveau Testament* (épuisé).

E.M. Meyers et J.F. Strange : *Les Rabbins et les premiers chrétiens.*

J. Murphy-O'Connor : *Corinthe au temps de saint Paul.*

C. Saulnier (en collaboration avec C. Perrot) : *Histoire d'Israël. De la conquête d'Alexandre à la destruction du temple.*

R. de Vaux : *les Institutions de l'Ancien Testament :* tome I, Institutions familiales et civiles, tome II, Institutions militaires et religieuses.

Achevé d'imprimer
par Corlet, Imprimeur, S.A.
14110 Condé-sur-Noireau

N° d'Éditeur : 8346
N° d'Imprimeur : 284
Dépôt légal : septembre 1987

Imprimé en France